復刻版

三好十郎著作集

第5巻

不二出版

復刻版『三好十郎著作集』刊行にあたって

一、復刻にあたっては、辻吉祥氏の所蔵原本を使用しました。記して深く感謝申し上げます。

一、資料の中に、人権の視点から見て不適切な語句・表現もありますが、歴史的資料の復刻という性質上、そのまま収録しました。

一、原本において誤植がある場合でも、そのまま収録しました。

一、原本の状態により判読困難な箇所があります。

（不二出版）

三好十郎著作集

第二十二巻

『三好十郎著作集』復刻版と原本との対照表

復刻版巻数	原本巻数	原本発行年月
第1巻	第1巻〜第5巻	1960(昭和35)年11月〜1961(昭和36)年3月
第2巻	第6巻〜第10巻	1961(昭和36)年4月〜8月
第3巻	第11巻〜第16巻	1961(昭和36)年9月〜1962(昭和37)年2月
第4巻	第17巻〜第21巻	1962(昭和37)年3月〜7月
第5巻	第22巻〜第26巻	1962(昭和37)年8月〜12月
第6巻	第27巻〜第31巻	1963(昭和38)年1月〜5月
第7巻	第32巻〜第37巻	1963(昭和38)年6月〜1964(昭和39)年1月
第8巻	第38巻〜第42巻	1964(昭和39)年1月〜5月
第9巻	第43巻〜第48巻	1964(昭和39)年6月〜11月
第10巻	第49巻〜第53巻	1964(昭和39)年12月〜1965(昭和40)年4月
第11巻	第54巻〜第58巻	1965(昭和40)年6月〜12月
第12巻	第59巻〜第63巻・附録	1966(昭和41)年1月〜10月

〈第5巻　収録内容〉

第二二巻　一九六二（昭和三七）年八月二一日発行
第二三巻　一九六二（昭和三七）年九月二七日発行
第二四巻　一九六二（昭和三七）年一一月五日発行
第二五巻　一九六二（昭和三七）年一二月六日発行
第二六巻　一九六二（昭和三七）年一二月一六日発行

三好十郎著作集　第二十二巻

監修　三好きく江

編集　大武正人
秋元松代
高橋昇之助
石崎一正

破れわらじ

お花　三吉
健二　通行人
六平　およね
仲蔵　越後
伍助　豊後
杉村　陸前
中年過ぎの女　サツマ
五郎（肥前）　上州
お銀　マキ子
番頭一、二　三河
松男　岩見
金一　井上医師

音楽（後のくだりのシンフォニィと同じ主題　お花のオーヴァチユア）
音楽をバックにしてアナウンス。
アナウンスと音楽が止み、しばらくシーンとして。

不意にカーン、カーン、カーンと大なたで立木を刻む音が、山々谷々にこだましてひびきわたる。

鋭い小鳥の声々。

時々　風にのって谷川の音がザーッと流れてくる。

——深い山奥の林の中の感じ。

「ヨッ、ホウ！」

と若い男の掛声、同時にカーンと立木の音。

その音を合図のように、すこしはなれた所から、まだ成熟しきらない少女の、まるで少年の声にきこえるような堅い粗野な節まわしの歌。

「やーれ
山で赤いのは、こら
つつじに椿
それにからまる藤の花
ああ、チートコ、パートコ
やーれ
遠くはなれて、こら

逢いたい時は
月が鏡になればよい
ああ、チートコ、パートコレ

健二　相変らずのヘタクソじゃなあ、お花！おのしが唄うと、あれあ、向うずねばナタで叩つきろうごつある！

お花　あらあ、あんな事言うて……あたいの歌あ、こりでいいちうて、仲さんがほめてたのに……

健二　そんなら、後で六平の小父さんに唄うてもろうて、くらべて見ろ。仲は、ありゃ、おのしのすつこつあ、なんぞんかんぞん、よかきい。

お花　んなら、あんやん、唄うちみ。

健二　おりゃ、日田の山奥の木こりですばい……歌あ唄えんばってん、木を切りきりゃ、いいきのう……ヨッ、ホウ！

カーンと立木を切る音。

一方お花はゴシゴシゴシと、小のこぎりを使いながら、それに合せて、

お花　ヤーれ、
月の出しをと、こら、
約束したが
月は山かげ、主あどこに
それ、チートコ、パートコレ

アッハハハハ、と二人が声を合せて笑う。

健二　そら、行くぞ、お花どいてろう……

カーンと打ちこんだ音でヒノキの大木がべりべりべり、ザザザーッと倒れる音。

妹が兄に近づいて行き

お花　こら、二の汗だ、あんやん！

兄の背中を拭いてやる。

健二　〈気持よさそうに〉ふう！こいで丸市で入札したぶん、しめて十八本、すんだな？ここらで六平小父さんとこで昼めし食うか。

お花　落しの方へはこんどかんでも、いいか？、

健二　うん、どうで仲が、筏くむ前に来るき、落しはひきうけたと云うとった。

お花　するちうと仲さんがここい来るちね？、

健二　来ちゃ悪いっか？、はは、さ行こ！

お花　うん……

兄妹は下生えを踏みわけながら傾斜を沢の方へくだって行く。その音……
健二がフッと立ちどまって

健二　お花、おのしは、いくつになったか？、
お花　え？、なに？、
健二　おのしゃ、いくつになった？、
お花　あたしゃ、十八だ。なぜ、そんな事きくか？
健二　十八か。……おらが二十三。二十三の木こりが十八になった妹ばつれて山かせぎに出るちうのもおかしかけど、しようねえ。俺にしたっておのしば、娘らしう裁縫やなんか習わせて、早うよか所へかたづけてやる仕事をさせんならんと思わんわけじゃなかばってん、俺とおのしは兄一人妹一人の二人っきりで、お父ちゃんもお母《か》しゃんも、ほかに兄弟もなかけんなあ、村の家におのし一人ば置いといて俺が山へ入るわけにもゆかんき、こうして……
お花　あたしはお嫁になんか行かんばい。それに家で一人でいるよりゃ、こうしてあんやんと山で稼いでる方がズッといい。
健二　いや、俺の言うとるのは、人間なあ、誰でもうぬが生れついた境界ば忘れちゃならんちうこったい。どうせ、俺たちゃ、山ん中で生れて山ん中で果っつ身分じゃけんねえ。
お花　あんやん、なんの事云よるとかい？、
健二　なにさ……仲蔵は、あいで、俺とは学校友達じゃし、おのしとも仲が良うて、そいで今はああして丸市製材の川師で働いとるが、もと〳〵あすこの親方の遠縁でな、行く行くは丸市の養子になるかもしれん男たい。俺たちたあ身分が違うさ。
お花　んだから、それがどうしたというのな？、
健二　どうしたというわけじゃ無えけんど、仲蔵がおのしにどんな事云うたちうてん、そんつもりで附き合わんきゃいかんということったい。
お花　そんつもりたあ。どんなつもり？、仲さんば、あたしが好いちゃ、悪いつかい？、
健二　悪いちゃ云えんけどよ……
お花　好きな人ば、嫌うわけにゃ行かん。
健二　……うむ、そりゃ、行かん。けんどさ、俺の云うのは……

ガサガサガサと下生えの音をさせて、二人の足音が沢に出て行く。

お花　あーい……六平の小父さあん！

　六平爺がユックリと掛小屋から顔をのぞけて、

六平　おーい、お花坊と健二かよう！

健二　お茶をもらいに来たぞう。

六平　ちようどよかった。俺もソロソロめしにしようと思っちよったところて。さ、はいんない。

健二　（小屋に入りながら）わあ、えれえ見事なモミジたいー。

　ピタピタと大木の肌を叩く

六平　フフ、この引き方で、ジヨリンモクが出るとたい。佐賀からの注文でな、これば床板にするらう、町にやゼイタクなにのござるけな、はは。もっとも、それんおかげで俺みてえな木びきが食って行けよるとじやけん。

健二　なんと、大ノコ一丁でこんだけの歪みしやくった木が糸でも打ったごと、ピシリと引けるとかなあ……

六平　なあに、もう六十をすぎちや、気ばかり立っても腕はナエた。おのしたちの親父が生きてシヤンシヤン引いてた時分の板ば見せたかったのう！

お花　死んだお父っあんな、そんな腕のいい木びきだったの？、

六平　うむ、健五郎は、この日田にも三人とは無え名人だった。俺なんざ、今でも、むっかしい木取りの時あ、目の前に健五郎は置いて、どげん引回ば入れりやよかっつかい健五郎ちうて、相談しいしいやっちよるとばい。健五郎は死んでしもうたけんど、幼な友達の俺が呼べば亡霊になって、すぐに来てくるるけんなあ。

お花　小父さんの話あ、じきに亡霊の話になるけんいやだ。

六平　しかたなかろ、この小屋にや年中、亡霊たちが遊びに来るんじやけん。もっとも、俺もこう老いぼれちや、もうへえ、亡霊の一人じやというてもよかようなもんたい　アッハ、ハ、ハハー。

　健二もお花も声を合せて笑う。

六平　さ、茶がへえった、飲みない。

　そこへ川下から、沢の浅瀬を渡って来る足音がチヤッ、チヤッ、と近づいて来て

仲蔵　あーい、六平の小父さんよーう！

健二　ああ、仲が来た！（そっちへ呼び返す）おーい、仲蔵かよう！

六平　ほうら、お花坊のお婿さんがやっち来た。
お花　なに云よるとな、小父さん！。
六平　んでも、そうじゃろがい？、
お花　知らんっ！。
六平　どうしたな？、なにをそんな怒るか？、
健二　小父さん、それは、もう云わんなおって——
あの……
　云ってる間にも仲蔵の足音は近づいて
仲蔵　おやおや、健二もお花ちゃんもここにおったつか、はは、ちょうどよかった！。営林区の丸材の切り出しはどうしたかと思うちね——
健二　しめて十八本、下の落しの方が四十四、五本たい。
仲蔵　よかよか。そうか、んじゃ今日の俺の役目はこれですんだようなもんたい。
六平　あい、茶ば飲みない。はは、さあっさから、お花坊がおのしをお待ちかねたい。
お花　ばか小父さん！
仲蔵　はは、いや、実あな、お花ちゃんに今度はどんなおみやげ買うち来てやろうかと思うてね。
お花　おみやげなんて、あたしゃ、いらん！
仲蔵　へえ？、この前はリボンとクシ買うて来てくれと言うたろうが？、どうして急にいらんか？、
お花　いらんけん、いらん！。
仲蔵　アッハハ、なんかまた怒っちよるな？、なあに、いらんちうたとて、お花ちゃんの欲しい物ぐらい俺あ知っちよるさ。リボンにクシに、反物ば買うて来てやろたい！。
健二　んだが仲よ、そんなこつに金ばっかり使うて、又帰って来て丸市の親方からカス喰うのはやめにしろよ！。
六平　そうだそうだ！。筑後川すじから佐賀へんにかけちゃ、舟幽霊じゃとか、人のシリコ玉あ抜く川太郎じゃとか、おしろいくさいバケモンがウンと居るけんなあ。まあまあ、おみやげよりゃ、その用心する方がよかろうたい。アッハハ！。
　他の三人も笑う。
お花　小父さん、木びき歌、唄うち聞かせちくれない！。
六平　又はじまった。俺のヘタクソな歌ばっかり聞いてどうするかな、
お花　ううん、あんやんが、あたしの歌がつまらん

と言うき、上手になりてえき。ねえ唄うちくれない！

六平　そうか、そんじゃま！。……どうもしかし、ノコ使わんと出ねえのう。（と大ノコを持ち上げて大木の上にのせて、ノコを動かす。その音）

その音に調子を合せて、かれた寂しい、ほとんど人間らしい味の無い、山の中を荒が吹き過ぎるような声と節まわしで。

六平　「やーれ、
山で切る木は、こら
かずかずあれど
思いきる気は
さらにない
やれ、チートコ、パートコ」

ノコギリの音。

六平　「やーれ、
破れわらじと、こら、
おいらが仲は
すぐに切れそうで
切れやせぬ
やれ、チートコ、パートコ」

ザーッ、ゴーッと岩を噛んで流れる急流の音。その急流に乗ってドギギ、ゴトン、ギーッと音をさせて筏が流れくだって行く音。

仲蔵　（気の立ったかん走った声）そら、そら！。伍助！。そっちの岩を竿で突っぱれえっ！。ウンと突っぱれっ！。

伍助　（竿を突っぱりながら、ほえる）おおーっ！

仲蔵　（更に遠くの後方へかけて）杉村あーっ！。手かざで、そこの木の根っこ、こねあげろーう！トモが引っかかると筏あ、まんなかから、ぶっきるぞう！。しっかりせえーい！。

杉村　おいよーうっ！。オーライだようーう！。

仲蔵　うんと！。（と竿を使いながら）よし、よし、よし！。その調子だ！。この瀬を出て、橋は一つくぐりゃ、すぐと日田の盆地たい。後は居眠りしてん、筑後川へ出るけんなあ！。頼んだぞう！。

伍助
杉村 }（それぞれちがった距離から）おいよう！。

中年過ぎの女　（岸の道から呼びかける）ようーい！。そこん行く筏あ、池の原の丸市の家とちがうかあ？、

仲蔵（聞きつけて）あーい、そうたい！。丸市の仲蔵だよーう！。清水のおばしゃんじゃねえかい？、

中年過ぎの女　そうだ、そうだ、そうだ！（と自分も岸の道を筏を追って小走りについて来ながら）どうもそうじゃなかろかと思うたら、やっぱし仲しゃんかあ。その筏あ、どこまで流すとなあ？、

仲蔵　佐賀まで流すとです！

中年過ぎの女　そうかよう！　気をつけて行って来なよーう！。

仲蔵　あいよう！。そいじゃ、清水さんの親方によろしうなあ！。

中年すぎの女（立ちどまったと見えて、みるみる遠ざかる声で）良い若えしが、三人とも、佐賀へんでおかしなオナゴなんどにのしあげたりせんごつねえー！

仲蔵をはじめ伍助、杉村の三人が筏の上で快活に笑う声。ザザザーァと急流の響。

急に音の効果が変って鈍い、低い、陰気なダブリ、ダブン、チャブ、チャブ、チャブと、深夜の筑後川の水音。そこをゆっくりと筏が流れて行くギギギーッという音……

伍助（三人とも鈍い、眠むそうな、そして少しおびえた声）暗いなあ、まるで、へえ、鼻の先い、スミぬられたみてえで、岸も見えん。

仲蔵　伍助は筑後川あ、はじめてじゃったなあ。そう、そうよ。筑後川もこの辺まで来ると川巾だけでも五六丁はあるきねえ。

杉村　ひと雨くるとじゃなかろか、仲しゃん？、

仲蔵　そうさな……んでも、降りゃ、しめえばい。

三人は、それぞれ長い筏の持ち場に竿を持って立ったまま話しているので遠くへかけての対話。

どうしたな杉村？、寒かとな？、

杉村　寒うはねえばってんー

伍助　声のふるえとるぞ、杉村あ！。

仲蔵　伍助、お前だって声のふるえとるよ。ははは、さてはお前たち、誰からか聞いて来たな？、筑後川に夜筏を流しとると、舟幽霊が出て、筏の足ば止めてしまうとか何とか？、フフ、あれはなあ、こういうわけだぞ、もうあと半みちも下ると、佐賀から流れて来とる江《エ》湖《コ》川がこの川にあわさる。江湖川ちうのは汐入りの川で川口からジカに汐が

げさげするき、俺たちゃ、そこで明日の夜あけまで待って、江湖の方が上げ汐になったのば見て佐賀の方へのぼって行くだ。その、この川と合さる口のへんで水面と深みとでいろんなごつウズを廻いてね。そこへちょうど筏が乗ってしまうと、いっときピタッと止ってしもうたり、ひとつ所ばグルグル廻りはじめたりする。それを舟幽霊に止められたの、川太郎にだまされたのと言うとたい。はは！。

杉村　そうかねえ……

伍助　ありゃ！、あれは、なんだ？、え、仲しやん、なんの声じゃろか、ありゃ？、

他の二人がシーンとしてしまう。……遠くの岸の方から、人の声とも動物の声とも、なんともわからない、かすかなブワ、ワ、ワ、ワーンと響く音が暗い川面を渡ってくる。

川波の音。筏のきしり。……

杉村　なんかなあ、ありゃ？、(声がふるえている)

仲蔵　うん。……なんかなあ(この声もおびえている)

伍助　(だしぬけに叫ぶ)あ、ありゃ、なんだ？、仲しやん、ありゃ、そら、トモの方に真黒いもんが、川ん中から這いあがって立っちょる！、ほら、ほら、ほら！。

杉村　うわーっ(叫びながら飛びあがる)

仲蔵　なんでんねえ……なんでんねえっ！。ちきしょう！。ごんちきしょうーっ！。なん奴だあっーっ！。(ふるえ声で叫びつつ、竿をふりかぶって、トモへ向って筏の上をタタッと小走りに)

同時に、離れたトモの方でドブーンと何かが水に落ちた音)

仲蔵　こんちしょうっ！。(ふるえ声で)なあに、へっ！。鯉かなんかが、はねたトタンに筏に飛び乗ったったい！。ちきしょっつ！、ははは、はは！(と無理して高笑いをしく)しっかりやろうぜえ、伍助、杉村あ！。なあにを、お前！。

伍助・杉村　おいよーう！。

蔵仲　はは！、誰だと思う、日田の川師だぞうっ！やーれ！、(と気の立った甲高なふるえ声で歌になる)月の出しをとこら、約束したが、月は山かげ

主あ、どこにやれチートコ、パートコー（ダブ
リダブリ、チャチャと水音とギーッと筏のツタの
しまる音）

不意に明るい音の効果に変る。

仲蔵がのびのびとした声を張りあげる。

仲蔵　おーい！。山形屋の筏ようーう！。丸市の筏が今ついたぞおーう！。日田から筏がつきやんしたよーお！。山形屋の衆よーう！。

おっ！。と元気の良い少年の声がそれを受けて

五郎　筏がついたあー（バタバタと立ちあがって二階のはしごをトントントンとおりて来て、店の前へ向って叫ぶ）

五郎　日田から筏のついたばーい！。おばしゃん、番頭さん！。仲さんの筏が今ついた！。

お銀　おお、そうかい！。そら、早かったなあ！。

番頭一　おお！。（と立って表へ）

番頭二　ちょうどよかった！。松っあん、金どん、サブ！。

松男
金一
三吉　（人夫）おい来た！。ほいよ！。おっと！

（と手かぎの音をガタガタさせながら、表へ走り出る）

表は道路をへだてて、すぐに大川端で、それがちょうど上げ汐の満潮で、鼻の先に筏は横づけになっている。

お銀　（水面にひびきわたる声で）ようよ！。今度も仕切り人は仲さんじゃったかよう！。思ったよりゃ早かったなあ。まあまあ、あがって一杯のんで一休しんさい。

仲蔵　（筏の上から）お神さま、しばらくでがんした！。又お世話になりやす。この二人は、こっちへ渡すのは初めてでがんす。どうぞよろしう！。

伍助　伍助でございやす！。

杉村　杉村というもんで！。

お銀　あいあい。あいさつは後で、ゆっくりしまっしょう。まあまあ！。

五郎　（チャッチャッと水の中にふみこみながら）
仲しゃん、よう来たない！。

仲蔵　わあ五郎しゃん、しばらく見ないうちに又大きうなってしもうたあ！。中学校はどうなさったとなあ？、

五郎　もう二年生たあ。

仲蔵　二年生かあ、そうですかい！

お銀　これこれ五郎、お前、はだかになってしもうて川ん中へ飛び込うぞ、なにをすっとな、危なか！

五郎　ばってん、すぐ水あげにかかっとでっしう？、

お銀　なあに、まあ一休みしてからにすっだ！

仲蔵　うんにゃ、お神さま、ちょうど番頭さんや男衆もいてござるけん、ついでに板とヌキだけは直ぐに水あげしてしまいまっす。一日置きゃ一日だけ重うなるだけじゃけん！　皆の衆、頼んだぞう！

番頭や人夫たち　それに伍助と杉村などが「おうっ！」と答えチャチャチャと水あげの音。

その中にひときわ甲高かに聞える五郎の掛け声。

お銀がカラカラと男のように笑う。

ナタで、板やヌキをしばってあるツタをストン、ストンと叩き切る音。手カギをガッと材木に打ち込んで引きよせる響。

それにつれてジャブ・ジャブザブンと水の音。

人々の掛け声とはやす声。

それに混って佐賀という中都市の午前の物音。道を通る自転車、荷車、遠くの工場のボーなど。

○それらの音がしずまり、夕暮れの山形材木店の店先の風景になる。

店の前の道路を、通りすぎてゆく下駄の音。番頭二がそこらに水をまいている音。

通行人　あい、お晩で。

番頭二　お晩で。

その店の奥の土間から、カタカタと下駄の音をたてて出てくる仲蔵。

仲蔵　ああ、風呂にもいれてもろたし、久しぶりに佐賀の酒も飲んだ。やっぱしお神さま、日田の山奥の地酒よりゃ、町の酒はうめえです。

お銀　（帳場に坐ってソロバンの音をさせながら）相憎とうちのおやじは、博多の方へ入札に出掛けておって、酒の相手がなかけんなあ。

番頭一　なあに、仲蔵さんなあ、これから柳町へ出掛けて、酒の相手なら、いくらでもキレイな人の待っておらすけん、ハハハハ。

仲蔵　そ、そ、そんな、番頭さん……

お銀　ハハハハハ、なあに、仲さんよ、若かときゃ

あ二度なかたい。会うてきんしやい。相手が、あのおよねさんちゅう子ないば、私も、二三度会うて、よく知ってる。ありやあ、芸者ちゅうたって、ここらの町のゴゴさんよりやおとなしか子じやけん、心配いらんたい。
番頭一　ばってんが、おとどしみたいに柳町で金ば使いすぎて材木代金にまで手ばつけて日田に帰られんごとなっちやあお互いに困りますけんな。
仲蔵　そ、そ、そんな番頭さん……
番頭一 ｝
〃　二 ｝ワッハハハハ、
お銀　伍助さんと、杉村さんな、遊びにやいかんとなあ？、
番頭二　なあに、あの二人は、夕飯はかっこみ、かっこみ、とっくの昔にとび出して行きましたたい。
　お銀、番頭一、仲蔵が笑う。
仲蔵　（奥へ向いて）五郎しやん、さあ、行きまっしう。
五郎　あ、あい。
　カタカタカタと小さい下駄の音をさせて出てくる。
仲蔵　五郎さんば、いっときお借りしまっす。
お銀　そりやあ、よかばってん、この子ば妙な所へ連れてって酒なんぞ飲ませるのは、よしにしてくんなさいよ。
仲蔵　へへ、そんな……。そいじや行ってきまっす。さ、五郎さん。
　と、カタカタカタと二人が歩み去って行く。
お銀　（それを見送りながら）ばってんが、馴染みの芸者の所へ久しぶりに行くちゅうのに、テレくさかちうて、ああして、そのたんびに五郎ば連れて行く若い衆さんじやけんなあ、むぞらしかねえ！　ハハハハ。
　番頭一、二、笑う。
　夜の大川の水の上に突出すように立てられた料亭の奥座敷に、芸者のおよねと仲蔵と五郎の三人。
　いきなりしっかりしたねじめの三味線の音が響き始めて、およねの歌。博多節。
　これらの歌声も、すべての物音も、この場では満潮の大川の水面に反響する。

およね　博多帯しめ
筑前しぼり、筑前博多の帯を締め、
歩む姿が、ありやどつこいしよ
柳腰
お月さんがチヨイと出て松のかげ
はい今晩は。

仲蔵　はい今晩は、か。およねしやん、あんたも、ひとつ飲みない。（卓上の盃を取って出す）

およね（三味線をわきに置きつつ）あたしは無調法ですけん、仲さん、もっと……（と、酌をする）

仲蔵（それを受けながら。……以下適当に酒を飲みつつ）いつもの事だが、うまか酒あ。なあ五郎しやん！

五郎（これはモグモグなにか食いながら）うむ、うまか。

仲蔵　五郎しやんに、うまかとが、わかるかな？、

五郎　このエビとキントンなあ、うまか。

仲蔵　えつ？、エビとキントン？、そうか、ウフッフ、エビとキントンかな？、

およね　ホホ、もっと、じや、持って来てもらいまつしようか？、

仲蔵（ふきだして）アッハハハ！、アッハハ、フフ、アッハハ！

五郎　なんな？、

仲蔵　ハハ、俺あ、また、博多節のこつを……フフ、およねしやんの博多節のこつを、ほめたら、よ、五郎しやんなあ、エビとキントン……フッフフ、ハッハハ！。

およね　ホッホ、ホ、ホ！。

五郎（これも釣りこまれて笑いながら）ばってん、俺あ……ハッハハ、そりや、博多節もうまかです！。

それで仲蔵とおよねが声をそろえて笑い出す。

障子の外の大川をギイギイと船をこいで行く男が、これも何となくこちらの笑いにつりこまれて、きげんの良い声をあげてからかう。

船頭　ワッハハハ、アッハハ、かよう！、ハハ、……（歌になる―）吹けよ川風、あがれよすだれ、中のオナゴシの顔みたか、と。アハハ、はい今晩わあ、ごきげんさん、と！。

その声と口の音が遠ざかって行く。

仲蔵（まだ笑いをふくんだ声で）だけんど、博多

帯と言うなあ、どんな帯じゃろかて、歌にまで唄うてあるんじゃから、よっぽど良か帯じゃろなあ。
五郎　仲しゃんな、まだ博多帯見たことんなかと？
仲蔵　見たことなかとです。
五郎　そんなバカな！　うんが鼻の先い、いつでん見えとるのに──
およね　五郎しゃん、言うたらいけん！　ホホ、まあ、まあ、こっちいおりでんさい！　こっちい、さ！（五郎の両肩を背後から袖で抱いてしまう）
五郎　フフ、なにすっとな、およねしゃん？
およね　じっとしてて！　じっとしててな！
五郎　ばってん、くさか！
およね　まあ、くさかですと？　あたしが？
五郎　うん、おなごくさか！　プウ……
仲蔵　ハハ、何がどうしたとな？　芸者から抱きつかれて、くさかか？　ハハ。
およね　くさかろばってん、いっとき、じっとして五郎しゃん。フフ、仲さん、あんたホントに博多帯見たことなかとな？
仲蔵　見たことなか。
およね　そんじゃ、見たかでっしょう？
仲蔵　うん、見たか。
およね　そんじゃ　見せてあげまっす。ばってんが柳腰じゃなかとです。腰はちよっとばっかい、石うすんごたる。ホホ　はい。
五郎を手離してスッと立膝になる。
仲蔵　あん？　なんな？
およね（腰のあたりを見せるため両袖を持ちあげた、その袖で顔を蔽うて）……亡くなったお母さんが、あたしにと云うて、たった一つ残してくんしゃったと……そんじゃけん、もう古うなって、くたびれたばってん、ホンモンの筑前しぼり、博多帯。たんとごろうじ。……おお、はずかしか。
仲蔵（やっと気づいて、強く打たれ）ふーむ、そうかよ！　それがそうかよ！　なんとまあ、美しいこつかい！　さあっきから見ていた。去年来た時もたしかお前しめていた──この美しかもんを、云われるまでは気がつかんとたい……人間なんてなんとまあ……
およね　ヒヨッとお母さんば想い出すと、なつかしうて、なつかしうて、すると、この帯のしめとうごとなっとです。親の無い子は軒に立っと云いま

すけんね。五郎しゃんにも親の無か。そいでも、五郎しゃんな叔母さんのお店ば手伝いながら中学に通うとらすけん、よか。あたしなんて、こうして芸者に出とるばってん、芸だけで立てるほどの腕は無かし、この先きどんなことになるもんか、それを思うと心細うて、心細うて。

仲蔵　そうかなあ。どうだえ、いっそ、俺といっしよに日田に行かんかよ。山ん中で面白えこつあ何一つ無えけど、町で暮すような苦労は無えぞ。

およね、でっしゅうね。……日田の、お花しゃんは、だいぶ大きうならしたとでしようね？、

仲蔵　お花……？、

およね　この前もあんた話しんさった。……今度日田へお帰りの時あ、そん人にお土産にと思うて、あたしゃ、カンザシば二つ三つ買ってあげといた。

仲蔵　そうかい。そいつは、どうも……

およね　しんみりしてしもた。まっと、おあがり。はい！

仲蔵　酒はもう、よか。

およね　……そいじゃ、いつか途中までになっていた、木びき歌の続きば教えてくんさい。どうぞ、な。ああ、チートコ・パートコちうの。

仲蔵　俺あ、どうも今夜あ、駄目じゃ、酔っぱろうて。五郎しゃんに習うたら、ええ。五郎しゃんは、この前チヤンと、おぼえてしまって、上手たい。

およね　そんじゃ、五郎しゃん、どうぞ、お願いしまっす！（三味線を取って、騒ぎ歌のような調子を、二つ三つ鳴らす）こんなだったかいな？、

五郎　イヤだ僕あ！

およね　なしてな？、なあ　お願い！

五郎　さっきの博多節の方が、よか……

およね、そんじゃ、あたしが博多節ば、五郎しゃんと仲さんに教ゆっけん、木びき歌ば教えてな！。

五郎　うん、そんなら。

およね　そんじゃ、博多節は、もう一つ唄いますけんね、その後で木びき歌ば唄うてなあ。

五郎　うん、……

およね（三味線を弾く）

〽博多帯しめ
筑前しぼり
筑前博多の帯をしめ
歩む姿が

ありゃどっこいしよ、柳腰
お月さんがチヨイトでて
松の蔭、はい今晩は」
今晩は、と終るか終らないのに、五郎が少年の
声をはりあげて、軍歌でも歌うような勢いで

五郎　やーれー。
およね　（あわてて）あらら！
仲蔵　アッハハ、ハハー！
五郎　ばってん、こうじゃろが？
およね　そうですたな、そうですたな！　つづけて、
　五郎しゃん、つづけて！
　ジャンジャカ、ジャンジャカと三味線をひく。
五郎　「山で切る木は、こら
　　かずかずあれど
　　思い切る気は
　　さらに、ない、
　やれ、チートコ、パートコ」
　味もそっ気もない、ただ器量一杯の声で唄う。
　つづいて、それを真似て、しかしたちまち芸者
　が座敷で唄う唄い方で
およね　「やーれ、
　山で切る木は、こら
　　数々あれど
　　思い切る気は
　　さらにない、
　やれ、チートコ、パートコ」
　こうな、五郎しゃん？
五郎　ちがう！。そぎゃん、早う唄うちゃ駄目たい
！。
「やーれ！。（仲蔵がクスクス笑っている）
破れわらじと、こら
おいらが仲は
すぐに切れそで
切れやせぬ。
やれ、チートコ、パートコ」
　それを追っかけて鳴るおよねの三味線のひびき。
　…………
M……
　このあたりまでの歌や音楽の調子は、最初は単
音のそれが次第にポリフオニイになり、それが
暗くなったり明るくなったりするが、いずれに
しても古い日本の民謡をそのままに受け容れた、

したがって基本的に単純な、懐古的な調子である。今から二十年前の北九州の空気を跡づけるような色彩。

それが、このあたりから急激に、音楽の調子や楽器の編成のしかたも、びっくりするくらいに近代的な調子と色彩になる必要があろう。烈しい、混雑した、都会的な多種多様な、不協和な、新しい要素が取入れられて現代的なシンフオニイにわたって行きたい。もちろん、全体の主題の木びき歌の基調は底流として保持されながらである。

そして、特にこの個所の音楽で、作曲家に充分の働らきを示してほしい。そのためには、この個所の音楽に相当の時間が与えられてよい。

……音楽の流れが、しかし次第に冴え返り、美しく高まって行きはじめる。

その矢先きを意地悪く叩きつぶしてしまうような感じで。

ガラン！・ガラン！・ガラ、ガラ、ガラ、ガラ、ガラン！・と、ブリキの空きカンのタバを土間の隅に投げ出した響。

豊後　やかましいやいっ！　誰だあ、今ごろ、そんな音させやがるのはっ！

陸前　まったくだあっ！　ここは、上野から下谷へかけての屋外労働者の合宿所、越後屋簡易旅館だぞっ！　しかも、もうトックに睡眠時間になっていて、一同ゴネとるんだっ！　今ごろ雑音立てる奴あ、人権じうりんだぞうっ、ヘゲタレめ！

サツマ　（クスクス笑いながら）へへ、屋外労働者の合宿所だってえやがる。なあに、早く言やあバタヤの合やドじゃねえかよ。ゴネとるのは睡眠時間が来たからじゃなくって、起きてると腹がへるからでえ！　ヘゲタレてんなあ、人権じゃなくて人間の方だろ！

陸前　いいから、静かにしろい！　そういう量見だから、てめえだちや、ヘゲタレだあ！　これで俺たちは一人びとりさんざん手傷を負ったケダモノみたいなもんですよ。毎日々々ようやっと稼いじゃ暮しを立てている人間だ。いい気になって深酒をしたり宵っぱりをして、からだでもこわすと、たちまち又地下道へ逆もどりしなきゃならねえ。ここやって十四、五人、一つの大部屋でいっしょに

寝泊りしてりゃ、こいでもまあ仲間だ、お互いに気をつけあって、明日の稼ぎのジャマになるような事はしねえ事だ。ガアガア言わねえで早く寝ようぜ!。

上州　へへへ、そう、そういうお説教をガアガアしやべくって、人の睡眠のジャマしているのは、当のお前だねえかよ。

陸前　おっと、そうかよ!

　と、フトンをひっかぶる気配、周囲の三四人が低く笑う。

　それらの声にトンヂャクなく、肥前は酒に酔った調子で口の中でブツクサ言いながら、あがり口で地下足袋をぬぐ。

肥前　へっ、なにを言やあがる!へっ、何をツベコベと、きいたふうな事を言やあがるんでえ!誰か思わん夢さめて――と言ってな、あれから二十何年とたっちまったんだ。今さらいくら思い返してみたって、どうにもこうにも取り返しがつくものけえ!へっ、くやしかったら、ばけて出て来て見ろい、およねしゃん!……

　ウントシヨ、とあがるトタンに又空きカンをガランガランと言わせてしまう。

三河　〈これはまじめに、低い声で〉おい肥前さんよ、ホントに静かにしなよ。みんなもう寝てるしよ、それに第一、そっちの隅のマキちゃんが又からだの加減が悪いちって今夜も苦しがっていたのが、どうやらやっと落ちついたばかりの所だ。

　肥前はそれには答えず、鼻歌まじりにミシミシとみんなの枕元を通って自分の寝場所に行き、フトンを引きずり出して寝仕度にかかりながら自分だけは良い心持そうに――しかしはたから聞くとくずれさびれた投げやりな調子で――低い声で唄い出す。

肥前　〽やーれ、月の出しをと、こら
　約束したが
　月は山蔭、主あどこに
　やれ、チートコ、パートコし

　二三人さきに、ペタンコになって寝ているマキと言う十六七の戦災孤児の女の子が、ムックリ顔を向けて

マキ　やかましいなあ、肥前の小父さん、歌というとそれしきゃ知らないの?、まるでお経読んでる

みたいだ。よしなよ！

肥前　なあに、この、マキべえの、くたばりぞこねえめ！、お前、からだの具合が悪いんだったら、黙って寝ろい！

マキ　おおきなお世話だよ！、くたばりそこねえであろうとなかろうと、おいら、景気の悪いのはごめんだよ。てっ！。おいらが死ぬ時あ、上州の小父さんに頼んで、八木節でも唄ってもらうつもりでいるんだ！。

岩見　（すぐわきのフトンの中からモグモグ顔を出して、ゴホンゴホンと咳をして、マキの毒舌に笑いながら）フフ、フフ、いやあ、マキちゃんよ、お前は若えからそんなふうに言うがな、肥前さんのその歌なんてもなあ、よくよくわけのある歌だ。どこの何という歌だか知んねえが、俺あそいつを聞くたんびに、シミジミ泣けてくるぞ。なあ！。破れわらじとおいらが仲は、か……なんだか知らんけんどよ、俺なんざ、こうやって六十八年の一生のな……そりゃ良いこともあったし悪いこともあったが、今となっては、こうして病みほうけた五体の一つのほかは、なあんにも残っちゃいねえ……そん歌聞いてると、その一生の、言うに言えない、いろんな事が、足の裏からにじみ出てくるような気がしてなあ、いろんな事を思い出すような、フフ、なつかしくって、俺あ泣けてくるだよ、うむ。

マキ　そんだから、おらあイヤなんだい！

岩見　そんな事言うもんじゃねえさ。もっと、へえ、唄ってくんなよ！。よ！。

肥前　（そんな話はロクに聞きもしないで）フン。

遠くで支那ソバのチャルメラの音……

○大川の川端。ポンポン汽船の発着所の近くで、その音が時々してくる。ダブリ、ダブリ、チャチャチャと水の音。

肥前はカゴをかつぎ、竿の先にカギのついたのを持って波打ちぎわを時々立ちどまったりして行く。そのうしろからマキが同じ姿でついて歩く。

肥前　いつ来て見ても大川は良いなあ。

マキ　だけど今日は波がまぶしいや。

肥前　しかし、そいだけ衰弱してるのに、よく歩けるなあ？、

マキ　フフ、なにかにけっまづいてパタンと倒れたら、そのまま息が絶えるずら。
肥前　まるで人の事のように言わ。……マキべえは近頃、俺にばっかかついて来るが、なぜだ？、
マキ　肥前の小父さんといっしょだとウルサイこと云わねえからさ。
肥前　するとなにか、ほかの奴あ、お前のような男の子か女の子わからねえようなんでも変なこと言うのか？、
マキ　誰があ！。こんな肺病やみの、骨と皮ばかりになって、わきに寄ると臭えずら。誰がそんな事云うもんか！。
肥前　すると何がうるせえんだ？、
マキ　もっと身体を大事にして、早く丈夫になれだの、飯どきにゃチャンチャンと物を食わなきゃならねえだの、うるせえったら。まるでへえ、御徒町の井上先生のまわし者みてえな事ばっかし云うんだ。
肥前　そりゃしかし、マキべえの事を心配して言ってくれるんだ。みんなあれで、お前の事を好きだからな、親切気で言うこった。
マキ　その親切気が嫌いだよ。おらたちみてえになっちゃってから、何が親切気だ。みんなもう早く死んだ方がいいんだよ。
肥前　そいじゃ、マキべえも早く死んだ方がいいのか？、
マキ　ああ。
肥前　だけんど、そいつは悪い量見だぞ！。十六や七のお前みてえな小娘が、世の中をそんなにタカをくくるのは、悪い量見だぞ。
マキ　あたいが悪い量見なら小父さんだって悪い量見だ。あたいが知らなくって！。ショウチユウかなんか。ひっかけた時だけ、変な歌なんか唄ってるけんど、小父さんだってホントは生きてたって何になるの？、
肥前　……。そんじゃマキべえ、二人でここからドボンと飛び込んでしまおうか？、
マキ　でも苦しいだろ。もういっとき待ってりゃ自然に死ぬよ。
肥前　へへ、そりゃそうだ。……（と言いながら波打ぎわのアクタを竿でつっつく音をボコン、ボコン、カポンと言わせて）なんだこりゃ、ゴム長の片方

だ。マキべえ、お前、拾いな。
……（そして自分は流れ寄った空きカンをポコンポコンと言わせて引っかけてカゴに入れる）

マキ　おっと！（とこれもゴム長をひっかけてカゴに拾い入れて、又歩きだす）

肥前　マキべえ、お前、ひるは何か食ったかよ？

マキ　ううん。

肥前　やっぱし食いたかねえのか？

マキ　食いたくねえよ。

肥前　俺あ、ここで休んで少し食って行くが、俺がそう云っても食うのはイヤか？

マキ　なんだよ？

肥前　コッペパンだ。（紙の音をさせて、ふところからパンを二つ出して、その一つをマキに渡す）俺が食いなと云ってもイヤかよ？

マキ　小父さんが食えと言やあ食うよ！　なんだい！（と腹を立てている）

肥前　フフ、じゃ食えよ。

……波打ぎわに自然に腰をおろした二人がパンをかじりはじめる。ポンポン蒸気が大川を斜めに横切って来る音。それの立てる波がザザザ、ジャブンジャブンと寄せる音。……

肥前　（パンをかみながら）……うむ、そりゃ七つや八つの子が、いきなり空襲で二親から兄弟一人残らず取られっちまやあ、そういう気にならねえとは限らねえとも言えら——

マキ　ううん、ちがうよ。そんな事のためじゃ無いよ。だってあたい、あの時分は、お父っあんやお母さんや、みいんな一度にいなくなっても、それほど悲しくはなかったもん。そんな事より、買ったばかりの学校の本がカバンごと焼けちゃって、そのまんまの恰好したままキレーに灰になったの見た時の方が、よっぽど悲しかったな。

肥前　だけどさ、空襲で家族をゴッソリ持ってかれたのは、なにもお前一人たあ限らねえ。それがお前だけが、こんなふうになっちまうのがよ、どう言うだか——

マキ　うん、そりゃ、あたいにもわかんない。生れつき、そういう性分だったかもわかんないし……あれから、あたい、叔母さんちだの、伯父さんちだの、それからあっちこっちの保育園だとか収容所に行ったり、いろんな目にあった。みんな、よ

くしてくれた。すぐに着物をくれたり、オモチャヤをくれたり、食べ物くれたりするんだ。そんな着物を着させれて、そんなオモチャヤを抱かされて、新聞やなんかの写真をウンととられたよ。そういう時は、あたいたちは笑わなきゃならないんだ。……そいで、あたいの事を、マキとして、山の内マキと云う名を持った子供として可愛がってくれた人は一人もいやあしなかった。どこまで行っても、戦災児だ。戦災児だから、かわいそうだから、かわいそうと思わなきゃならんから、かわいそうがってくれるだけだ。……いっそ、着る物や食う物なんか、どうでもよいから、いえ、言うこと聞かない時あ、張り倒したっていいから、山の内マキを叩きなぐってくれる人がいてくれたら、その方がよかったかもしんない。

肥前　……そうかなあ。そんな事もあるもんかなあ。俺にゃよくわからねえ。

マキ　そうなんだよ。……いえさ、そうだからって、別に腹あ立ててることあないけんどよ、ただ、それに気がついたら、あたい、なにもかもどうでもよくなったんだ。それに病気だろ。

肥前　……まったく人間、いろいろだなあ。顔が違うように性質が違っていてよ……そいで、うまく行かねえと、みんな町ん中にもぐり込んで来て、変なふうにかたまったみたいになってよ……そいで、しまいにゃ申し合せたみてえに、生きたってしようが無えと云う気がする事だけはハンコで押したように同じで、そいでもひと思いに死ねもしねえでヒクヒクと、へへ、こうして川っぷちなどにやって来ちゃ、腰いかけてパンをかじったり……

マキ　小父さんのホントの名は、山形五郎というんだって？、

肥前　うん？、うむ。……山形の五郎か。久しい話だ。もうあれから二十年の上もたった。フフフ、九州は肥前佐賀、やっぱしこんな風な大川が流れてな、江湖《エゴ》々々ちったっけ。いや、これほどデケエ川じゃなかったけどよ。そこい、大分県の山奥から流れて来た筏がチヨイ〳〵着いて、そいつが年中、つないであった。……仲さん、か。どうしたかなあ？、俺をつれちゃ、柳町と言うとこへ遊びに行った。うむ。……博多節というの、マキちゃん、聞いたことあるかい？、

マキ　無い。小父さんがよく唄う、あの変な歌じゃないだろ？

肥前　フフ、もっと良い歌だ。……そんで、その材木屋で働きながら、中学へあげてもらったりしたがな……その叔母さんがポックリ死んで、間もなく、店がつぶれた。そいから俺あ、あちこちして、門司へ出て働いていたが、身をたてるなら東京だと思って十八の時に東京に来たんだ。……そいで、いろいろやった。が、うまく行かねえ。世間の世いじゃねえ。ウマの片意地な性分のためだ。何をはじめても、直ぐに喧嘩だ。そりゃ、いつでも間ちがったことをするのは上の奴で、正しいのは自分だ――そういう気がある。そういう、言わば正義病というかな、そうしちゃなんでも途中でおっぽり出す。……そいでウロウロしているうちに戦争だ。乙種だったんで召集を受けてね。いやいや戦争したんじゃねえ。つまらねえ二年の上も、馬の世話かなんかやらされてさ、いや、馬あ可愛いくて、よかった。人間がダメでな、上官――つまり下士官なんて奴らが、むやみと人の事けったりなぐったりしやあがってね。……そいで戦争すんで戻って来たら、世の中あ、このありさま、正直者がバカを見るんだか何だかしらんけど……そこへ病気になったりしてよ。……気がついたら上野の地下道に寝てたってわけだ。……そうよなあ、全くマキべえの言う通り、もう死んでもいいようなもんだなあ。へへ……

出しぬけに直ぐ耳のそばで、川端のビール工場の午後のボーが、ウワーッと鳴り出して二人の話を消してしまう。

マキ子の病気が、ひどくなって、どっと寝こんでしまい、マキ子に好意を持っている連中が、意識不明になっているマキ子を遠まきにして見ている。この宿泊所の宿泊人達を気にかけている若い井上医師がやってきて、診察しおえて、何んとなく一同に向って

井上　ふむ、病気そのものが、それ程ひどくなったというわけじゃないが、栄養が落ちていてなあ、これじゃ、肺病で死ななくても栄養不良で死ぬねえ。本人が生きようという気がもうないんだからどうにも医者に、手のつけようがないよ。当人がその気にさえなってくれりゃあうちの診療所に連

れてって、どんどん栄養注射でもすればもち直すかもしれんがね。なにしろ、当人が一日も早く死んだ方がいいと思っているらしいからなあ。これじゃしようがない。ええ、マキ君、聞いてるか、俺の云うこと。

　マキは、死灰のように目も開けない。

井上　ごらんの通りだ。もし、すこしでも元気が出たようだったら、いつでもいいから連れて来たまえ。どっちせ、今夜、またおそくなって、来るには来てみよう。

　と云って医者は帰る。

　その後で、シンとしてマキの姿を見まもっている者たち。

豊後　おいマキちゃん。しっかりするんだよ！

岩見　……しようねえなあ、マキちゃんよ、おい！

　マキは返事をしない。

　そこへ、一番向うの隅っこの方から、だしぬけに、

　「ヤーレ
　破れわらじと
　おいらの仲は」

　一同がひょいと見ると、肥前。

陸前　肥前。どうしたんだ急に歌をうたって？、歌のだんじゃあないじゃないか。見ろ、マキちゃん、死にそうだ。

　それにかまわないで肥前、

　「すぐに切れそうで」

豊後　よせと云ったら！。

　となる。そのあとシーンとした中にクスクス低い笑い声が聞えるので、ひょいと見ると、寝てるマキが、顔に微笑を浮べている。やがてポカッと目を開ける。

豊後　オッ、マキちゃん気がついた。どうしたマキちゃん。元気を出せよ、マキちゃんよ。

　マキが、クスクス笑いながら弱い声で
マキ　肥前のおじさん、私が死ぬんだと思って、お経歌いはじめたわ。

豊後　え、お経？、
　と、マキが、
マキ　肥前のおじさん、もう一度歌って。

　それを聞いてた肥前が、ムッとした顔のまま、

　「ヤーレ

破れわらじと
おいらの仲は
すぐに切れそで
切れやせぬ
アーチートコ、パートコレ

とユックリ歌いすましてから、「およねさん！」と云った。

寝ているマキがニコニコして、

マキ　およねさん？、およねさんて、誰れ？、え、およねさんて誰れ？、

そのマキの顔に生色あり。

豊後、岩見、陸前などが……

豊後等　やあ、なんだか馬鹿に元気になったじゃないか。よし先生があゝ云っていたんだから、じゃあ、このまま雨戸に乗せて、皆でかかえて、診療所にかついでいこう。

と数人。うむ、それがいいや、というんで、さっそく、マキを蒲団ぐるみに戸板に乗せて

ホラよ！

四、五人でかついで外に出る。それを見送る。

肥前と六十過ぎの越後。

越後　肥前さん、お前もついて行かねえか？、

肥後　なに俺あ、いいだろ。

越後　うまく持ち直してくれりゃいいがね。

肥前　うん……。

どこからか、非常にたくさんの人の声で、まるで大川口に潮が寄せてくるように、木びき唄が響いてくる。

（合唱又はハミング）そのハミングのズーッと奥に博多節の三味線と歌がかすかに聞えてくるかもしれない。

不良日記

出演者

川北キヌ子
父
母（サト子）
和夫（兄）
A子
B子
C夫
佐藤
佐藤の母
姉
義兄
警官

激しい音楽が鳴りはじめて、暫く続いてバタリと止む。暫くして若い女の声。投げやりで、男の子のような句調

キヌ子……私はキンベエと云うんだよ。ホントは川北キヌ子。私たちの仲間は私を入れて七人だけど、別に私が大將と云う訳じゃないさ。みんな平等だから…大將だの家来だのいないんだ。ただ、どう云うのか私のことをキンベエー〱と云って立ててくれるので、私が中心みたいになってるだけなんだ。そうさ、不良だよ。ううん、別に悪い事なんぞしてやしないから不良と云われるのはシャクだけど、世間の大人たちが私たちを不良と云うんだから、不良なんだろ。どっちでもいいや。そうじゃないか。今の世の中は大人の世界で、それで世の中みたいだけど、そりゃみんなアベコベなんだ。ウソの言葉とウソのやり方で、それは出来てるんだよ。大人たちはそれに慣れてるから、それで何とも思わないでやってるだけだよ。そこではこうしなければならんとみんなが云ってる時は　ホントはそうしちゃいけないんだよ。それから亦、みんながこうしちゃいけないと云ってる時は、ホントはそうした方がいいんだよ。だってそうだろ、正直な気の小さい人がチットばかりの税金が払えないのを苦にして首くくったりしているのに、一方じゃ上の方のえらい政治家などが何億円だなんてワイロ取って、それで罪にもなんにもならないでいるじゃないか。そいから、新聞なんぞを見ると、平和々々ってあっちの国でもこ

っちの国でも、がーがー云っていながら、水素爆弾を作る競争してるんだよ。お聞きしますがね、水素爆弾は戦争の道具ぢゃないかしらね？、それが世界の方々で大人たちの云ってる平和なんだよ。みんなアベコベなんだ。
そういう大人たちの標準で何が善くて何が悪いなんて云ったって、ナンセンスですよ。だから私なんぞ世間で何と云われたってヘッチャラさ。だって私は以前家にいた頃より幸福だもの。ウソだと思ったら私の顔を見るがいいんだ。こんなノンビリした顔が、不幸な人間の顔？、そりゃ云いたければ不良だと云うがいいさ。だけど不幸では無いよ。ウソだと思ったら私たちのことを話して。あげようか。そうさな、最初に私が何故こんな風になったのか。その動機と云うかな、そのはじまりの話をしようか。ただ、私の話はホントの話だから、小説や映画みたいに、おもしろかないよ。おもしろい話が聞きたきゃ、はじめっから聞くのはよしな。そうさ、私だってはじめっからこんな人間ぢゃなかったさ。その時分は、まだ何も知らない、とても無邪気な中学の三年生だったんだ……
音楽（夕方のラヂオから流れ出している上品なクラシック音楽）
（川北家の居間で、夕食がすみかけている所）
サト子　キヌちゃんはもういいの？、
キヌ子　ええ、もうたくさん。
和夫　なんだか今夜は馬鹿に御馳走があるな。
サト子　ホホ、今ごろになって気が附いたのね。今日はね、亡くなったカヨ子の誕生日にあたるの。
和夫　あ、そうか。よく、しかし憶えてるねえ母さんは。
サト子　そりゃお前、母親なんて――
父　カヨ子の……ふうん、そうなるか。
キヌ子　カヨ姉さんが生きてたら、今日で満廿才、大人になるのね。
サト子　そう……丁度お前位な時だったから、もう五年になる。キヌ子、お前は躰を大事にして頂戴よ。ハマ子はあゝして他人同様になったし、康夫は戦死しちゃうし、カヨ子は病気で亡くなるし、……この上、お前に万一のことがあったら母さんどうにかなっちまいますよ。
父　ははは……キヌ子は大丈夫だよ、なあ！。しかし早いもんだ、こないだまでオギャオギャ泣いて

いたような気がしていたが、もう中学三年か。あと高校をすますと、大学はどうする？　行きたいんだろ？、そうだ、女の子となると、お茶の水なんて云うのがあったな。もとの女高か……

サト子　しかし、いっそ東大はどうですの？、

父　東大？、でもあれは元来が男の学校だ。

キヌ子　でも、もう男女共学ですから、女でも力さえあれば入れるんでしょ？、

父　そりゃ、そういうわけだ。……でも、お茶の水みたいな所が、この子にはいいだろう。女高師と云えばお前、伝統も古いしね……

キヌ子　ええ。

サト子　でもむづかしいんでしょう？、入学試験が。

父　なに今から準備すればキヌ子なら受かるよ。全体うちでは康夫が出来がよくて、それからカヨ子が相当かしこかった。それが二人とも死んでしまって、あとはハマ子と和夫、上に行くほど出来が悪いからな。順で行っても末っ子のキヌ子は優秀な筈だ。

和夫　おやおや、すると僕など総領の甚六で御多聞にもれないと言うとこか。

父　いや、お前はお前で、そりゃ良いとこが有るだろうがさ。とにかくこうして、自分の青雲の志は早くあきらめて、物理学者とは言いながら、先ず学向の切り売りだな、二流大学の講師で毎晩二合づつの晩酌位に甘んじている私などの望みと言えば、子供に自分の志をついでもらう事だからな。その長男のお前は大学にも受からない、長女のハマ子は不良になる、ガッカリするのは当然だろう。

和夫　しかし、ハマ子の事はとにかく、お父さんの時代とは時代がちがうんですから——

父　そいぢゃ、お前がそうやって、証券会社などにつとめて、いまだに月給一万五千円で、嫁ももらえないのも時代のせいかね？、

和夫　そ、そんなことおっしゃったって——

父　はは、まあ、いいよ。私ああきらめている。しかし、だからキヌ子だけはなんとかして大学を卒業さしたいと思っとるのが無理かね？、

和夫　しかしですねえ、それは——

サト子　もうよござんす和夫！。折角今夜はカヨ子のためになにしたんだから、お父さんも酔っていらっしゃる。ね、今晩は機嫌よく……そう、キヌ

子、お前もう出かけるんじゃないの？、
キヌ子　ええ、そろそろ。
父　うん？、これから出かけるのか？、
キヌ子　ええ、一寸。今度の修学旅行の事を打ち合わせに。
父　だがもう暗くなったぞ、……どこまで行くんだい？、
キヌ子　九丁目の佐藤さんの家に四五人で集まるの
サト子　歯医者さんの――あそこの二番目の息子さんがキヌ子と同級生で、級委員だそうですから。
父　そうかね。そいで、奈良だったかな、旅行は？、
キヌ子　ええ。
父　いく日ぐらい行ってくる？、
キヌ子　ええ。夜行の汽車に一泊して、旅館に二晩とまるの。
父　男の子たちも一緒に行くのか？、
サト子　勿論でしょ。大体半分は男の学生ですから。
父　全員でどの位になる？、
キヌ子　ひとクラス二十人行くとして百人あまり。
父　引率の先生は――女の先生も行くんだろ？、
キヌ子　ええ、女の先生が二人、男の先生が校長先生もまぜて三人。
父　すると泊る時なんか、大変だな。なにかチャンともうきまっているかね、そういう時の――？、
キヌ子　私、よく知らないけど……、別々の部屋に寝るんでしょ。女は女だけで、……
父　勿論そりゃそうだろうが……男女共学もそういう所がむずかしいな。みんなもう年頃だからな、先生にもよっぽど気をつけてもらわないと、……
サト子　え〵、ホントに……さ、お父さん、もう一つ……
父　うん……（飲んで）しかし結構だ。とにかくこの新学制の男女共学という事は、世界の水準から云って当然の事で、結構だよ。ただ実際的にはいろいろとまだまずい事もあるようだが、それは段々に慣れればよいことで、根本的に良い事は多少のへい害はあっても実施した方がよい。わしらの頃のように、男女七才にして席を同じゅうせずなどという封建的な考えに縛られていたんでは日本がこれから文化国家として歩んでは行けん。（適度の酒で一人頷きながら、自分の言葉に酔ったようにしゃべる）四等国に転落した日本を、せ

めて文化の面だけは一等国にしようとするにはだ、すべてを合理的進歩的に考えて、良い事はドシドシやって行くことだ。そうだろ和夫？、

和夫　そうですねえ。しかし合理的進歩的といってもいろいろ有って、男女共学なども僕などいちがいに賛成ばかりはできませんね。

父　どうしてだ？、どういう点がだ？、

和夫　そう言われても困るけど……とにかくお父さんは、何につけても理論的ですけど——勿論それは良いんですけど、お父さんと理論と実際なさることは矛盾することがあるからな。

父　矛盾？、わしが？……馬鹿な……。ぢや云ってみろ、どこがどんな風に矛盾している？、

和夫　そりゃね、今の男女共学にしてからがですよ、賛成だとおっしゃっていますけど、果して男と女が一つ所で何かをすると云うことをホントに具体的に理解して賛成なすっているんじゃないと思うんですよ。

父　具体的な理解とは何だ？、うん？、大体お前の考えのまちがっている一番大きな点は、実際はどうとかこうとか屁理屈をつけて、正しいと思っていることでもやらないで放っておくことだ。正しいことはどんな困難があってもあくまでも押し通すのが、人間の勤めだ。

和夫　そりゃア、そうですけど——（父にはいくら云っても無駄だと締めて去る）

サト子　キヌちゃん、もう行かなくちゃいけないでしょう。

キヌ子　じゃ、行って参ります。

サト子　気をつけてね。あまりおそくならないように。サッサときめることはきめてね。

キヌ子　はい。

父　そうだ。駅の所まで送ってってやろう。丁度駅前の本屋へ頼んでおいた本が、今晩あたり来てるかも知れん。ついでだ……

サト子　じゃ、キヌちゃん、ちょいとお待ち。

父　サイフを出してくれ。

サト子　はい……これ。

父　じゃ、行こう。キヌ子。

キヌ子　行って参ります。

サト子　いってらっしゃい。帰りは充分に気をつけてね……

玄関の戸をあけて外へ出る

唄二部合唱。人数は五人。中音におさえながら、

浮き立つように快活に。

うるわし春よ

緑にはえて

歌声ひびく

野に山に

ラララララ　ラララ！

ラララララ　ラララ！（以下繰返し）

A子　さあ、歌なんかもうこれ位にして、相談を始めましょうよ。

キヌ子　そうね。始めましょう。

B子　はじめに持物ね。何を持ってけばいいかしら？、

キヌ子　先ず洗面道具。石鹸。手拭。歯ブラシ。歯みがき。クシ。鏡。クリーム。……あと何？

A子　下着や寝巻はいるんじゃないかしら？、

佐藤　寝巻もかい？、

C夫　寝巻なんか宿屋で貸してくれるだろ。

B子　旅館のなんか誰が来たのか分らないんでしよう。嫌よ。

C夫　だって、洗濯してあるよ。

キヌ子　でもやっぱり持ってった方がいいと思うわ。

佐藤　じゃ、持って行きたい人だけにしたらいいだろ。

キヌ子　だってそれじゃ、きめられないじゃないの。相談が……

佐藤の母　（ふすまを開けて）みなさん、お茶をどうぞ。

皆　（口々に）今晩わ。すみません。

母　さ、どうぞ。おせんべでもつまんで……

佐藤　みんな、遠慮しないで食べてね。

母　さ、どうぞ。ごゆっくり。（と去る）

B子　佐藤さんのお母さんて若いのねえ。

佐藤　そうでもないよ。ばーちゃんだよ。四十七だもの。（センベイをボリボリかむ）

B子　あらそう？、そんなには見えないわねえ。……

……ベリイ・ビューティフル。

C夫　お菓子が出たんで、うんとほめとりて。うんとパクつこうって言うんだな。

B子　タッ、ほんと言うなよ！（三四人が笑う）

キヌ子　そいで、宿屋に泊る時は、男の人と女の人

と別々の部屋に泊るのかしら？、
Ａ子　勿論よ。そんなこと。
Ｃ夫　一緒だっていいな、僕あ！
Ｂ子　あら嫌だ。いけすかない！
佐藤　おいおい！（とたしなめる）自由行動のときも、おまりおそくまで外出しないこと。九時頃までには、必らず宿屋に帰って来る事。
キヌ子　いいわね。
Ｃ夫　アベックで遊びに行かないこと。
Ｂ子　それ、生徒だけの規則？、
Ｃ夫　ん？、
Ｂ子　先生はいいの？、
Ｃ夫　先生？、あ、そうか……青木先生とピテカントか。
Ｂ子　ピテカン？、誰？、山本先生の事？、
Ｃ夫　世界史の時間に彼自身が教えた、原始人類ピテカントロップスにそっくりぢゃないか、あいつさ！
Ａ子　青木先生と山本先生なんかあるの？、
佐藤　知らないの？、
キヌ子　知らないわ。
Ｂ子　私ね、いいとこ見ちゃったんだ。
佐藤　どこで？、
Ｂ子　学校でよ。
Ｃ夫　学校で？、ホントかい？、
Ｂ子　丁度、山本先生が宿直の時よ。夕御飯が終ってから、私、お風呂に行った帰りに、学校近いでしよ。だから忘れ物をとりに教室に行ったのよ。そして出ようとして何の気なしにひよっと、宿直室の方を見たら、青木先生が小さな風呂敷包みを持って入って行く所なの。
Ｃ夫　へえ。じゃ、一旦帰ってから、又出なおして来たんだな。
Ｂ子　綺麗にお化粧してたわよ。それで私、そうっと窓の所へ行って覗いたの。そしたら、二人で長椅子のとこで、こうやって、こうやって、なんとなくポーッとして立っててね、そいで山本先生の鼻のとこに口紅がついてるの！
Ａ子　そおうなの？、へえ……そう。
Ｃ夫　きっと、春あたりに赤ん坊が生れるぞ。
Ｂ子　ピカテンオニ世あらわる！
Ｃ夫　いけねえ。純情可憐な川北さんがいたんだっ

け……

キヌ子　え？、なあに？、

C夫　いや、真面目な人にはちっと毒だった。すみません。

キヌ子　どうして？、

A子　いいのよ、あんた真面目なんだから。川北さんはお父さんが学者なんですもの。家庭の環境よ。立派だわ。ひやかすことはないわ。

C夫　ひやかしたりしてんぢゃないよ。尊敬してるんだ。

A子　そういう云い方は失礼だと思うのよ。恋愛だとか男女間のことをまだよく知らなくたって、私たちの恥じゃないわよ。

キヌ子　いいのよ、いいのよ、あつ子さん、ホントに私なんにも知らないんですから。

C夫　あやまりまあす！。あつ子君はええええよッ！

セリフがだんだん低くなって消える。それと入れ換えに音楽が入って、場面が変る。音楽消えて、時計が十一時を打つ。

コッコッとドアをノックする音。

父　おゝ。

母　（ドアをあけて入ってくる）お茶がはいりました。

父　うむ。

母　お調べもの、まだすみませんか？、

父　うむ、もういいんだが……酔ざめで少し冷えるな。

母　キヌ子がまだ帰りませんけどね、もう十一時になりますのに。

父　そりゃ、おそすぎるな。

母　えゝ。どうしたかと思いまして

父　和夫はもう寝たのか？、

母　えゝ、もうさあつき。

父　ふむ、（茶を飲む）……これを片づけたら駅まで迎えに行ってやるか。

母　お願いします。こんなにおそくまで外にいた事はないのに……

父　なに、若いもんが集ってワイワイやっとるんだろう。もう直ぐだ。

と台所の方からいきなりガタンと大きな音。続いて、ガタガタドスンと音がして、後はシーンとしてしまう。

母　あっ……
父　何だ？、
　シーンと静まりかえっている
母　あなた。
父　行ってみろ。
母　え……ええ……（立って行く）……（暫らくして）うっ……キ……イ……（呼ぶ）あなたア……。
父　どうした？、……え……（立って行く）
母　あなた。キヌ子が……
父　ん？、……あっ……これは……ど
母　キヌ子……キヌ子……
キヌ子　ウ……ウーン……。
父　どうした？、一体……洋服がビリビリに破けてるじゃないか……え？、キヌ子……
母　あら、この、こんなに血が……
父　おい、水。水を、水だ！
母　は、はい。（物音）
父　キヌ子……
母　はい、水。
キヌ子　ウ……（飲む）
母　ど、どうしたの、キヌちゃん？、
キヌ子　（切れ〳〵にあえぎながら、駅から……来る途中……そこの竹藪の……所で……知らない若い……男の人に……ひどい……ひどいこと、された。し……痛い……
母　えッ？、
父　何？、男から？、（いきなり立上って大声で）藪の所だな、（と、叫びながら下駄をつっかけて裏口からとび出して行く）
母　あなた
キヌ子　ウ……痛……い……
母　キヌちゃん……しっかりして……泥だらけで、まア……しっかりするんですよっ……
和夫　（のっそり出て来て）どうしたの？、
母　和夫。キヌ子が……そこの藪の所で男の人に……ひどい目に会って……
和夫　え？、……あ、血が出てるじゃないか……洋服の……腰んところに。脱がせて、着物でも着せてやらなきゃ。
母　そう……手伝っておくれ。そら、……そんなもの、切ってもいいよ。
和夫　うん。

和夫　うん。
母　ぐずぐずしてないで……
和夫　ひでえな……シュミーズまで泥だらけだ。ほら……
母　たおるを洗って来て……これ。
和夫　ああ。
母　キヌちゃん。
キヌ子　ん？、
母　こっちに……布団に寝なさい。立てる？、
キヌ子　ええ
母　そう……よっ……
和夫　はい。
母　足を拭いてやって……そっとね。
　父が帰って来る
父　（ハアハア言いながら）キヌ子。
母　あ、あなた。どうしました？、
父　駄目だ。誰もいない。これが落ちてた。
母　それは、キヌ子の……バンド。
父　キヌ子、どう云う奴だった？、背はどれ位の、年はいくつ位だ？、（噛みつかんばかりの調子）
キヌ子　え……え……
父　何を着てた？、え、背広か？、
キヌ子　え、ええ。
父　どう云う、どう云う事をされたんだ？、
キヌ子　ひどい……転ばされて……
父　転ばされてから……お前……
キヌ子　痛い。
和夫　お父さん、そんなに……今、聞いても無理でしょう。
父　何？、お前は……
和夫　興奮してますから、少し落着いて……
父　黙ってろ。キヌ子……お前……この血はどこから……おいっ。
母　あなた……とにかく。
父　キヌ子っ。
キヌ子　……あ、（ウワ言を言いはじめる）光が……痛いっ……あーっ……バカッ。
母　あなた。……とにかく、そう急におっしゃったって……熱がこんなに出ているんですから。
父　うん……キヌ子……畜生。言いなさい。どんな奴だ？、えっ……畜生……和夫っ……行って来い。

和夫　え？……どこへ？、
父　馬鹿野郎。ぐずぐずするなっ……医者だ！　いや、警察だ！
和夫　でも……
父　行けと言ったら、早く行って来い……畜生。おい、キヌ子っ！
母　キヌちゃん。しっかりして……
キヌ子　あ、堪忍して……痛い……
音楽——時計が七時を打つ。朝食時で、茶碗やハシの音。母と和夫がおし殺した低い声
和夫　キヌ子は、まだ頭がはっきりしないの？、
母　そう、どうも、まだよくないわ。
和夫　無理もない。ひどいショックを受けたんだから。
母　お前。会社を休んで家にいてくれないかい？、
和夫　しかし、僕がいても仕方がないでしょう。
母　でもさ、お父さんはあの調子で昂奮していらっしゃるし、私は心配で仕様がないのよ……
和夫　でも、僕が何か云っても受けつけないし、駄目だなあ。もっと落着かなくては……ゆうべだって、そう僕がいくら云っても、あの夜更けに交番へ届けたりして、巡査を連れて来ちゃ二人でキヌ子をぎゅうぎゅう問いつめたりして、そうでなくても参ってるんだから、あんなことはしない方がいいんだ。
母　だからさ。
そこへ父が出て来る
父　お茶を、くれ。
母　はい。（お茶を入れる間、暫らく三人で黙っている）
はい。（お茶を出す）
父　ん。（飲む）……（と、いきなり）和夫。お前は、この——いや、向うでお前の言ったことは聞いた。（低いけれども厳格な声）こんなひどい目に会って黙っていろと言うのか？、これは立派な犯罪だぞ。そういうことをする奴は許しておけない。直ぐにとっつかまえる必要があるんだ。いくらオンビンにするのが良いと言っても事柄による！。
和夫　でも、こんな事が表沙汰になったら、今後のキヌ子の為にいい事はないと思います。まあ、同じ届けるにしてもですよ、なるべく秘密にしてや

らないといけないんじゃありませんか？、

父　表沙汰も裏沙汰もあるか、馬鹿な！。（頭から）考えてみろ！。これは怪我と同じで、そういう事をする悪い奴がいて、それに偶然出っくわしたキヌ子の運が悪かっただけだ。石にけつまづいて傍のガラスで大怪我をしたと同じことだ。決して当人の恥にも何にもならない。そう考えないと、善も悪もこの世の中になくなってしまう。第一、将来だ々と云って卑屈になって届け出ないと云うことになれば、そんな悪い奴がいつまでたっても掴まらない訳だ。で、味をしめて、何回でも他の娘さんにも同じことをするだろう。云わば届け出るのは世の中に対する義務だ。

和夫　理屈はそうでしょう。理屈はそうでしょうが、実際は……

父　すぐそれだ、お前は！。理屈で正しい事は実際でも、何でも絶対に正しいのだ。そうでなければこの世の中に成りたつん！。

和夫　でも、お父さんのなさっていることはずいぶん矛盾してゐるのではありませんか？、　お父さんはいつでも合理的とか進歩的とかおっしゃいますが、実はお父さんほど封建的な人はいないんぢゃないですか、その証拠にお母さんだって年中お父さんから頭からかぶせにおさえつけられてですね——

父　馬鹿野郎！。お前に何が分る？、一体、親の云う事に一々反対するお前のような親不孝の——

と、玄関でけたたましくべるがなる

男　今日は……川北さん……今日は……

母　はい……

父　お、警察の人らしい。……よし、私が出るからよい……（立って行く足音）

音楽——

キヌ子　（ここでキヌ子の一人語りの調子は最初の一人語りほど荒れた捨て鉢な調子ではなく、女らしいつつましやかな調子がまだ残っている）そんな訳で、お父さんはその晩のうちに警察に届け出たのです。すると、警察から直ぐ刑事の人がやって来て、いろんな事を私に聞くんです。けど私は、気持がすっかり混乱してしまっていて、何を聞かれているのかも分らず、ただ夢の中ではいとかいいえとか返事するきりでした。次ぎの日も警察から刑事が来ていろんなことを聞きます。その時に

は私は大変な熱を出して、頭を氷で冷したりなんかしている状態で何を聞かれているのかよく分らないのでした。刑事さんは医学的なことまで話して、恥かしいような事まで突っこんで調べようとしたらしいのですが、お父さんは、それを全部ひきとって暴行されたものとして答えるきりで、私の身体にさわらせたりしなかったようです。ところがホントの事は次ぎの通りなのです。佐藤さんの家からおそくなって電車で帰って来て、駅で降りて、藪の近くまで来ると、向うからスタ〳〵やって来た男の人が——黒いシャツを着て……まだ若い人でした——黙ってすっと寄って来て、肩を掴まえようとしたのでびっくりしてとび下ったら、ヌカルミに片足を踏みこんでよろ〳〵としました。そしたら、その男の人が私の胸と腰に手をかけてねじ倒そうとしたので、アッと云って私は横倒しになったのです。その後はよく覚えていないんですけど、なんでも相手は私の身体の上にのしかかって、洋服の襟の所に手をかけて、ぐい〳〵引っぱるようなことをしたのを覚えています。私は一生懸命に手向いました。声はどういうのか　まるっきり出せませんでした。その内、駅の方で何かピカッと光るものがして、そしたら、その男はクソッとか何とか口の中で云ってさっととびのいて、バタバタ〳〵と駅と反対の方へかけ出して行ってしまったのです。私は死んだようになって、あおのけに倒れてしまいました。それから不意に恐くなって起き上ると、気が狂ったように家の方へかけ出して来たのです。一切の事実はそれだけなんです。私は気持が動転してしまっていた為に、それを正確に話せませんでした。また、今でこそこの事がはっきり私には云えますけど、その時分の私には恥かしいけど、女が男に暴行されるということ——つまり、そのホントの意味がはっきりとは分っていなかったのです。勿論、いくらボンヤリでも大体のことは知らないわけではありません。けど、家ではそのようなことは誰も話してくれないし、又、そういう事をハッキリと考えること自体が禁じられているような家の空気でした。学校でもまだそんなことを話してくれる先生はなかったのです。ですからそういうことが、どこまでがそうでどこまでがそうでないかというようなこと

を正確に知っていたとは云えません。しかし、いずれにせよ、お父さんがあんなに騒いで警察に訴え出て、刑事の人がいろ〳〵私にも詳しいことを聞いた時に、どんなに熱があってもそれを云わなければならなかったのです。実際はただ、乱暴されて組み伏せられただけなのに暴行されたというようなひどいことにまちがわれてしまいつつあるということは、私にうす〳〵分っているのですから、本当は私がそれを云わなければならなかったのです。しかし私には、それが云えませんでした。云うだけの気力もなかったし、それから、何だかとても恥かしいような気持で、何かもうとり返しがつかないようなウトましいことが、自分の身の上に起きたような気がして、それが云えなかったのです。お父さんは勿論、私が暴行されたと思いこんでいました。そして、とても怒っていました。それは私を愛している為です。……そう云う訳で私は修学旅行にも行かず、それから病気みたようになって、廿日ばかり寝て暮しました。お父さんはやっきとなってその後も警察へ何度も足を運んで暴漢の逮捕方を催促したようですけど、ついにその男は捕まりませんでした。それで、二ヶ月ばかり学校を休んでから、又学校へ行きはじめましたが、初めは別に何だかそれまでとは先生や同級生やその他の学校の人たちの私に対する態度がそれ以前とはどこかしらちがうような気がして来たのです。それもその筈で学校では先生はじめみんなが、私のそのことを知ってしまっていたのです。それをはっきり知ったのは、ある時便所へ行って用を足している間に、私がそれまでとても仲良くしていた田所さんと山本さんが、私が入っているのを知らないでクス〳〵笑いながら話しているのを、何の気もなく聞いていると、私の名前を云って、そして、一言一言、とてもここでは云えないようなひどい事を云いました。私は便所の中で真青になり、動けなくなってしまいました。それ以来、学校へ行くのも嫌になって、頭が痛いとか何とか云って寝ていたり、お母さんには学校へ行くと云って市内をあちこち歩いたり、映画をみて時間をすごしたりするようになったのです。とにかく、近所の人に顔を見られるのが嫌で嫌でしかたがありませんでした。すべての人が表面は何でもないのですけど、おなか

の中でどんな風に見てるかが私によく分るのです。実際は男から暴行されたりしたのではないのに、暴行された女としての噂だけが残ってしまったのです。どうしても消せない、人間の力では消すことの出来ない噂だけが残ってしまったのです。こんなことになったのは誰が悪かったのでしょう。勿論、私に乱暴した男が第一に悪かったのにはちがいないんですけど、しかしそれだけでしょうか。警察に訴え出たお父さんが悪かったんでしょうか。警察から取り調べられる途中で、もっとはっきりしたことを云わなかった、私が悪かったのでしょうか。……それとも唯運が悪かったと云うことで諦らめなければならない事でしょうか、……

……（長い間）……

とにかく、私は家にいる気がまるでしませんでした。そのうちに、若い時に恋愛問題を起してお父さんから勘当された、一番上の姉さんが浅草の方に住んでることを、一度その姉さんが私に会う為に学校へ来てくれた事があるので、家では私だけが知ってたのです。そこへ訪ねて行ってみる気になりました。姉さんは最初の恋愛の相手の人がその後病気になって亡くなって、それ以来、あれこれと世の中にもまれたあげくに、現在では浅草の裏町に小さな酒場を出して暮している。子供が二人あって、御亭主がいます。御亭主はふだんは別に何の商売もしない、云ってみれば街の顔役のような、気立てのさっぱりした人で、私が訪ねて行くと大変喜んで二人で私を歓迎してくれました。そうやって三四回訪ねて行ってる間に、私の暴行事件の事を姉さんに話したのを、その義兄さんも聞いたと見えて

義兄　そうかね、そいつはひどい目に会ったもんだなあ。それぢや、家にも居にくいだろうから、どうだい、キヌ子さん。いっそ、この家へ来て暮しちや。

姉　そうなのよ、お父さんと言う人はそういう人なんだ。言う事とする事とがまるっきりちがうんだし、それから、理屈に勝って喧嘩に負けるなんていう事をちっとも考えないで、自分の思った通りガンガンガンガン事を運んでしまう人なのよ。私が勘当される時だって同じことだった。今から思うと、そういうお父さんに悪気があったとは思え

ないけどね、いえ、芯はとってもいい人なんだ。
義兄　うん、腹の中の綺麗な人間で間々そういう人がいるよ。悧巧馬鹿といってなあ、ハハ。悧巧は悧巧でもやっぱし、死ななきゃ治らない口だよ。なあに、キヌ子さん自身が別にホントに汚れた訳でもねえんだから、それで澄ましてりゃそれでいいじゃないか。クヨクヨすることないよ。
姉　それがねあんた、そうして澄まして居れりゃいいんだけどそうは出来やしませんよ。あそこいらの近所かいわいときたら、そういう噂さで取り囲まれて生きてるんだからね。
義兄　だからさ、そんな面倒くせえ土地にいるのなんかよして、家に来て店の手伝いでもして元気にやるようにしたらどうだい。
姉　そうねえ、そうした方がいいかもしれない。どう、キヌ子て、そうする？
キヌ子　（一人語り）私もいっそその方がいいような気がしてきたのです。姉さんの家の暮しや、そこに集って来る義兄さんの子分みたいなヨタ者と云うのかい、そういう人たちが、ちょっと怖いような気もしましたけど、とにかく、ここに来ればあんな噂から抜け出して楽に息がつれるだろうという気がしたんです。それで、そのことをはじめお母さんに相談してみました。けど、お母さんは例のとうり気が弱くてオロオロするばかりで、そのうちにお母さんの口からお父さんに伝わったとみえて、その晩、私は、お父さんからとても叱られました。
父　（激怒の為にドモリ〳〵）そう云うことは絶対にならん。全体、ハマ子の奴は十年以前に私が勘当した奴だ。あゝいう自堕落な奴はその後何をして来たかたいがい私に分る。そういう奴の所へお前を行かせる位なら、いっそ死んでくれた方がいい。大体お前が何故そういう心持になるのか、実にそれはなってない了簡で、お父さんの云う事をお前がちっとも理解しないからそういう風に気持がだらけて、堕落した考えになるのだ。
母　あなた、そんなことをおっしゃったって、キヌ子の身にもなってやりませんと……
父　ふん。やっぱし、何のかのと云っても女は一旦お前のような目に会えば、もう駄目だな。やっぱり身体がけがれると、心まで駄目になるのか。ふ！

キヌ子　（一人語り）と、そう云って私を見つめた父の目つき！。それは可愛いい娘を見る目つきではない。まるで、かたきでも見るような、そうです。男から暴行されてけがれ果てた女の身体を憎みさげすんで眺める目つきでした。そういう目つきで私を眺めたのが、私の実の父だったのです。かつて私が暴行されたのでもないのに、暴行されたものとして騒ぎ出し怒り狂った父親が、その半年後には、けがらわしいものを見るように私を見ていたのです……その時はじめて、私の中で、ガラガラガラと音を立てて何かがこわれてしまったのです。

父　きたない！。どうともお前の勝手にするがいい。

（ガタリピシリと襖をあけて奥の部屋へ立去る音）

キヌ子　（ウーツ、ウーツと慟哭する）

キヌ子　（今度はガラリと調子を変えて一番最初の一人語りの時のような投げやりな男のようなものいいと同時に、更に明るい快活な、はしゃぐような調子。はじめ慟哭にダブらせて軽い笑い声）フフ、ハハ、ハハハハ。そんなわけでね。その晩のうちに私は家をとび出して浅草の姉さんちへ行ったんだ。そしてはじめは、酒場の手伝いなんかやってたけど、そこへ出入りする兄さんたちと仲良くなって、グングングングン不良だと云われるようになっちゃった。これが私の物語りさ。自分がこうなったことを悲しいだなんて思ってないよ。だって私は自分にウソだけはつかないで、自由に自分の好きなことをやってるんだからね。だから今となっては、私に乱暴したあの若い男やお父さんのことや、それから世間のことを、それほど怨んじゃいないんだよ。しかし、あんときあんな目に逢ったんで私の運命は変ってしまったことはしまったな。だから怨んじゃいないけど、今でも時々考えるんだ。あれは何がいけなかったんだろう。誰がまちがっていたんだろう？、何が、誰が、どうなっていれば、あんなふうにならないですんでいたろう？、そう思うんだ。私にはわからない。あんた方はどう思います？、……そいぢゃ、今晩は、これで……失礼しました。

（おわり）

健の犯罪

配　役

小島信雄（ＰＴＡ会長）
多々良一（教　師）
その妹　佐和子
北村美子（健の姉）
北村宗彦（健の父）
芹沢辰夫（健の学友）
松方春吉（健の学友）

小島　えゝと、それではボツボツ始めることにしましょうか。皆さんお忙しい中を、よくお集りくださいまして、ありがとう存じます。……そうそう、私は、この、当高等学校ＰＴＡ会長をうけたまわっております小島信雄でございます。この、既に御存じでありましょうが、このたび実に困った事がもちあがりました事に就て、当の多々良先生や本人の御家庭の方で頭を痛めていられるのは勿論でありますが、校長はじめ学校当局並びにＰＴＡでも、これをどう処理したらよろしいか実に苦慮しているのでありまして、勿論この事は既に警察問題になっているのでありまするが、その善後策と云いますか、かつ又再びかくの如き不詳事の起きぬよう、つまり今後の教育事業上の参考と言いますか、つまり警告としたい。そういうつもりで場所もこうして、多々良先生の入院なさっている病院の室で、先生には多少御迷惑でもあろうと存じますが、こうしてまあ、先生の枕元で、なんです。一つには、先生の御見舞を兼ねて――など、言うと失礼ですがな、ハハ、まあ、そんなわけで顔ぶれの点も、本人の極く親しい方たちだけに集ってもらったわけです。それに、警察方面からかぎつけたらしくて、一、二の新聞記者がチラチラ学校の方にやって来ている様子で、これが新聞にでものってパッとしますと、学校の体面にもかかわる。いや、体面などまあ、どうでもよいとしてそうでなくても戦後の教育界にはいろいろの問題が続出して来ている、その中で今度のような事が一般にパッと知れわたると、全体として悪い効果が起きる。それです。その点を校長先生はじめＰＴＡでも、実に心配しておりましてね。それでまあ、こうして、一種の秘密に――いや秘密と言うと大げさですが、つまりなるべく目立たぬように、

話し合って見よう。まあ、そう言うつもりです。ですから、今日ここで語り合う事に関しては、どうか一つ、あとで外部の人に洩れると困りますので、その点どうか絶対に他人にお話し下さらぬように願いたい。ようござんすね？ そこでと、そういう訳ですから、以上の点をお含みの上は、あとは一つ、皆さんどうかお気楽に、誰にも遠慮をなさらないで、ザックバランに、つまり他の場所では人に対して言うのに忍びないとか、自分でもきまりが悪いとか思われる事でも、一つ、洗いざらい言ってほしいのです。そうしなければ、せっかくこうして集った意味もありません。大事な事は問題の実体をハッキリさせる事です。多々良先生も、その点を是非ハッキリさせたいと心から望まれているんで——ですね多々良先生？

多々良　そうです。僕には、なぜこんな事が起きたのか、いまだに腑に落ちないので。それを是非ハッキリ知りたいんです。……お願いします。

小留　そこでと……話の順序としまして、十日前に起きた事件、つまり、本校二年B組北村健という学生、その北村君がひき起した事件のあらましだけを話しますと——そうそう　その前に、まだお互いに御存じ無い方もいられるかな、簡単に皆さんの御紹介をして置きますか。ええと、こちらは多々良一先生。こちらは先生の妹さんの佐和子さん。先生の看病のためにズッと此処に附き添っていられます。事件には直接御関係ないが、本人をよく知っておられるし、それに本人の姉さんの、そちらの美子さんとは学校友達ですから、まあ、同席していただくとして。次は北村宗彦さん、健君のお父さん——

宗彦　このたびは、どうも、とんだ御迷惑をおかけしまして、なんとも、はや——

小留　で、そちらは、本人の姉さんの美子さん、それから、こちら芹沢辰夫君と、松方春吉君、二人とも健君の同級生で親友だそうで。ことに松方君の方は、家が健君の直ぐそばで、いわば幼なじみ——でしたね？

春吉　はい。

小留　以上七人で話をはじめるわけですが——で、事件の概略を申します。

本年の春、三、四月ごろまでは、この、北村健君

という生徒はズーッと、まあ真面目な、学業成績も先ずクラスの中位を占めて来た、つまりまあ普通のナンであったのが、春ごろから急に学校を無断欠席をはじめるようになった。その理由がわからないので、多々良先生は心配なさって本人にいろいろたずねたり訓戒をなさっても、本人なんとも答えないで、益々サボる。で、家庭の方に行かれて伺われても、家庭の方にも、その理由がわからぬ。そのうちに、ほとんど全く学校に登校することもなくなり、家にも二日も三日も帰って来ないで、盛り場などをウロウロして、不良やヨタモノなどと交際するようになった。多々良先生は非常に心配されて——御存じでしょうが、目の前で申すのはナンですが、先生は非常な教育熱心な先生でして、教育の仕事を文字通り御自分の天職として、打ち込みきってなさっている方です。ことに北村健君の事を非常にこの、気にかけて見ていられた。と言うのは、健君にはお母さんが居ないし、それに健君というのが、頭はさほど良くはないが、気持の純情な、と言いますか、一本気なスナオな性質——だったそうで、少くとも此の春までは。多々良先生のことを親か兄……いやそれ以上に信じ切っていた。でまあ、先生の方でも特に可愛がっていられたそうです。それが、なんの理由もないのに、今いったようにグレ出したので、先生の御心配がひどいのも無理ないわけで。それで、一度じっくりと、何がどうしたのかという事を当人と話し合いたいと思って、ほとんど追いかけるようにしたり、途中で待ちぶせをしたり、盛り場などへも出かけて行かれたりして、つかまえようとなすった。健君の方は逃げに逃げまわる。ちょっとつかまえたかと思うと、まだいくらも話をしない内に、振り切ってにげて行ってしまう。そういう事を半年近く繰返したあげく、ちょうど十二、三日前の日暮れごろ、新宿のガード下で健君をつかまへたので、先生、御自分の家にでも連れて帰って話そうと思われて、二言三言何か言っている最中に、いきなり海軍ナイフで、背中の、心臓の真うしろの所を刺した。……いいあんばいに、肋骨が邪魔をして、致命的なキズにはなりませんで、御覧の通り、もうお元気だし、医者も、あと一週間もすれば、起きられるといってくれま

すので、不幸中の幸いでしたが、とにかく、そうでなければ、まあ、即死なさっている。これは、あなた、唯事ではない。仮りにも自分の恩師を、なんの理由もなく刺すという――。しかも、まずい事に、警察にあげられて直ぐ、係官から「刺し殺そうと思ったのか？」と問われて、「そうです」と、本人がいったという。それ以外は、時々、「だから罰して下さい」と言うだけで、どうしてそんな気になったか、どんなに訊問されても一言もいわない。以上の通りですが、私はまあ進行係りですから、これに就て初めに意見をのべるのは控えたいのですが、とにかく、戦争後の青少年のですな、つまりアプレゲール。先には金閣寺を焼いたのが居たし、恩師を毒殺した青年、その他、最近新聞を騒わしている尊属殺しだとか――いや、われわれには全くその動機その他諒解するのに苦しみますが、しかし、わからないからといって、打ち捨てて置くわけには行かぬ問題でして。どうか皆さんから腹蔵のない御意見を聞かせていただきたいと思います。……いかがでしょう？　ねえ多々良先生、ひとつ、どうか。

多々良　はあ。……では私は、実は皆さんの御意見を伺いたい方でして。

小島　すると、御家庭の、この、お父さん――北村さんは、どんなふうに御覧になっているか、ひとつ。……いかがでしょう？

北村　……（卑屈な位にオズオズと、脈絡の無い話しぶり）はい。……いや、もう、多々良先生はじめ皆さんに、何と言ってお詫びを申してよろしいか……出来ますれば、父親の私の手であれを殺して、その場で私も刺しちがえて死にたい位に思います。いえもう、なんです、つまり私が至らないもので、家庭教育と申しますか、この、家の中でシメシがつかないと申しますか――戦争中にあれの母親が病死いたしまして、それ以後、まあ、私も不自由だろうと言うので親戚などから再婚の話なども出ましたが、もうそんな年ではなし、それになんせ、そうなりますと、健や美子などには、まま母が来るわけでして、それでは可哀そうだと思いましてね。ついまあ、そういう事にもしないで、私だけの片親でやって参りまして。今となりますと、それが良かったか悪かったか、男親だけ

では、何かと細かい所に目もとどかず、愛情に飢えると言ったことも、この――いえ、その点では此の姉の美子が母親がわりで、私が言うのもなんでございますが、実によくしてやってくれていましたので、実は私、安心しておりましたようなわけで、はい。それに、健は学校でも多々良先生の事を心からお慕い申していましたようで、先生のおっしゃることならば、それこそ、どんな事でもそのまんま実行する、私などのいう事は時によって聞かない事がありますが、先生のおっしゃる事なら、学校の事は、勿論ですが、世の中でやって行く事のすべてに就て大小ともに絶対に聞きましてな、しかも先生は皆さま御存じのような立派な先生で。この点でも、まあ、おまかせするといいますか。実にありがたいと思って、これ又、安心しきっておりましたわけで。それが、急に、この春ごろから学校にも行かなくなり、家も始終あけるようになって、今度は又こんな事をしでかしまして――実にもう私にとってはまるで寝耳に水で。警察に呼び出されて健の顔を見るまでは、ホントの事とは信じられなかったような次第で。ただいま、会長さんもおっしゃいました、この、青少年のアプレゲールというものは、ホトホト、もう私どもには理解いたしかねますので、……へへ、いえ、この現在の自分の息子が、まるで、外国人かこの、まるでオバケを見るようにですな、その量見かたが皆目わからなくなってしまいました。はい。それも私がもう少しチャンとして、家に居てナニしていれば何ですが、仕事の関係や暮しの都合などで、よく家を明けますもんで。いえ、戦争前までは、これでも小さな商事会社などをやっておりましてな、子供たちにも何の不自由もさせないでチャンとやっておりましたが、終戦後、する事なす事うまく運びませんで、あれこれと小さな事業を手がけては来ましたが、どれもこれも忽ち大きい資本を持った方面や、生き馬の目を抜くような連中にさらって行かれてしまいましてね、いやもう、いけません。いまだに何やかやと恰好がつきません。で、まあ、そんなわけで、父親としての、何といいますか、子供に対する権威がなくなったと申しましょうか、すべてこれ、私の至らなさにありまして、そこへ、今申すようなアプレ、

そういった時代といいますか、とにかく、これを要するにです、私に一切の責任があると存じますから、どうか。

多々良　（イライラした声で）ちょっと待って下さい、失礼ですけど、――お父さんが、北村さんがそんなふうにおっしゃる気持は、わかり過ぎる程わかるんで。ですけど、しかし、一切の責任は自分にあるとおっしゃるんでしたら、僕なども同じようにズーッと担任の教官として、健君がこんな風になったのは僕が至らなかった為でして、責任があると思うんです。しかし今の場合、そんな風にいっているだけでは、どうにもしようがないと思うんです。われわれは、ホントの事を知りたいんです。なぜ健君がこうなったか、どんな理由でこんな事をしたのか、その真実のですね。それを知りたいのですよ。この場合、残酷なようですけど、僕はホントの事を知らないでは、我慢できません。……いや、それは僕がこうしたキズを負わされたからではないんです。キズの事など僕にはなんでもありません。僕は健君が可愛いんです。健君はやっぱり僕の生徒なんです。ねえ佐和子、そうだね？、……それから、先程から会長さんもお父さんもアプレゲールという事を言われましたが、僕はそういう考え方には反対です。世間で今アプレゲール、アプレゲールと言って青少年の行き方をいちがいに片ずけていますが、それは間違いだと思います。なるほど戦争後の若い人たちが無軌道な事を平気でやる事が多くなった事は事実ですが、じゃ大人たちは、どうでしょうか！。同じです。青少年よりひどい事さえあると思うんです。青少年だけを、とがめるのは間違っていますよ。僕らは、もっと理解しなくちゃいけません。いや、理解したいんだ。僕は、なんでもいいから健君がなぜこうなったかを知りたいんです。すべては、それからです。そうじゃないでしょうか？、……ねえ美子さん、あなたは健君の姉さんとして僕なぞの知らない、又、お父さんなども或いは御存じない、健君の気持をですね。御存じかとも思いますが、もしそうだったら、聞かせてほしいんです。それを。……どうでしょう？、

美子　……（口ごもりながら）はい。あのう……私にも、よくわからないんですの。ただ、先生に申

しわけなくて、私……。いえ、私と健は二人きりの姉弟ですし、母が亡くなってからは私が母の代りになってめんどう見て来たんですから、これまでどんな事でも健は私に話しました。それが、この春頃から、急に私に何も云わなくなりまして、……それに私は昼間は勤めがありますもんですから、健と一緒になりますのは朝のうちちょっとと、夜だけなんですけど、この春から健は毎晩のように夜になると友達の所へ遊びだとか一緒に勉強するんだとかで家に居ないんです。ほとんどゆっくり話し合ったりした事がないんです。なんですか、私の顔を見るのもイヤなような、私を避けてばかりいるような——

多々良　すると、学校をサボりはじめた時分から、健君はやっぱり、あなたからもさけるようになり出したんですね。それは何月ごろですか？

美子　三、四月、そう、四月頃からです。……父でも家に居てくれると良いのですけど、父は春になりますと方々の競馬や競輪に出かけてって、ほとんど家に居ないもんですから、健は一人で家に居てもつまらないという事もあったかと思いますけど——

北村　（あわてて）そ、そりゃお前、そんな事を今いったって——なに、わしにしたって唯、道楽だけで競輪などにナニしたわけじゃないんだ。ちっとでもお前、家の暮しの足しにしようと思ってだな、この——

美子　でも、その方でもうけたお金を、家に入れて下すった事は、ほとんどないじゃありませんか。途中でお酒を飲んで帰って来たり、たまに千円ばかり私に渡して下さるかと思うと、直ぐに翌日又出かけるからと云って、それを取りもどして、こんだスッカリ負けて来たり——

北村　そ、そりゃお前、わしはそんな気でなくともそれは勝負の運なんだから——わしは、なんとかして、これでも、家の足しにしようと思ってだな、そのわしの量見を今さらこんな所で——

小留　まあまあ、そりゃいいじゃありませんか。人間の浮き沈み、負けが込んで来ると、そりゃ、北村さんのような気持にもなる。わかりますよ。しかし今の場合、それよりも健君という子が、その春時分から、そういう風になったという点だな問

題は。
佐和子　あの、差し出がましいんですけど、ちょうど、その頃じゃなかったかと思います。健さん、ヒョッコリ家においでんなった事があります。兄はちょうど留守でしたけど、兄が健さんの事を心配して、逢いたがっていた事を私知っていたものですから、待ってもらいました。そしたら、健さんはいつもと違ってムッツリ黙りこんで、私が美子さんの事をたずねても返事もしないんですの。そのうち「実は僕、なんかアルバイトしたいから、その事で先生に相談に来た」というんです。だって、あなたの所ではお姉さんが働いて立派にやっていらっしゃるんだから、今多少お金が足りなくても、アルバイトなんかしないで学校専向に勉強した方がよくはない、と私はいったんですけど、それきり、何も言わないで、兄の戻って来るのを待たないで寂しそうにして帰ってしまいました。ちょうど庭の桃の花が咲きかけていたんですから、あれがその時分ですわ。
多々良　そんな事があったのか？　だけど、どうしてお前はそれを僕に言わなかったんだ？、
佐和子　ええ、それはね、あの――、
多々良　あの子の事をあの頃から僕が心配していた事は、お前も知っていた筈だ。なぜ言わなかったんだよ？、
佐和子　いえ、ハッキリしたツモリがあって、言わなかったわけじゃないわ。ただどういうのか、チョット気になる事を、その時健ちゃんが、立ち去りぎわに言ったの。それが気になってツイ――
多々良　どんなこと、なんと言ったんだ？……かまわないよ。どんな事言われても僕あ怒ったりしない。
佐和子　いえ、兄さんの事じゃないんですけど。
多々良　なんでもいいから言えよ！　僕らは、どんな事があっても真実の事を知らなけりゃならないんだ。言えよ佐和子！
佐和子　美子さん、ごめんなさいね。……じゃ言います。健さんはこう言ったんです。僕は姉なんかの厄介になって学校を――続けたくないんです。……それだけです。でも、それを言った時の健さんの顔つきがとても何だか気になって――そのために兄さんに話がしそびれてしまったんです。

多々良　……姉なんかの厄介になって、学校を続けたくない。――どう言う意味だろう？、健君の顔つきが気になってどう言うが、どんなような、どう言う――？、

佐和子　意味は私にもわからなかったの。ただ真青な、笑っているような、泣いているような――健さんがあんな顔したの、私はじめて見たんです。

小島　すると、なんですかね、その前に、家庭内で何か面白くない事があったと言った、つまり姉さんから叱られたとか、喧嘩をしたと言ったふうの――美子さん、何か心当りは有りませんかね？、

美子　……いえ、いっこうに心当りございません。あの子は――私にこれまで口答え一つした事はありませんし、私も、叱ったりした者は、ほとんど一度もないんです。そんな、ですから、なぜそんな事を言ったのか私には、まるで……

辰夫　ちょうど、その頃だと思います。北村君が急に学校を休むようになった時分だから……。あの僕、言っていいですか？、

多々良　ああ、いいとも、どんな事でもいいから、遠慮なく正直に話してくれ。

辰夫　駅んとこでヒョッコリ北村君に会って、僕がなぜ学校休むんだと聞いたら、北村君はそれには返事をしないで、多々良先生の事をいろいろ聞くんです。そして、もし先生の妹さんがひどい病気になってお金がうんとかかって、先生が学校からもらう月給ではとても足りなくなって、、そのために妹さんが死にそうになったら、先生はどうするだろうと言うんです。僕が返事できないでいたら、そんな時、多々良先生はドロボウとか闇取引だとか、つまり、金をもうけるために、そんなような変なことをするだろうか？、と言うんです。

小島　なるほど。どうしてそんな事を君に聞いたのだろうな？、

辰夫　わかりません。北村君は、多々良先生を非常に好きなんです。好きだったんです。神さまのように、先生の事というと、世の中で一番偉いのは多々良先生だと言って絶対なんです。カゲで先生の悪口をチョットでも言ったりする者があると、ホントに怒ってぶんなぐったりするんです。あんまりそうなんで、クラスの中には健ちゃんを馬鹿にしていた者もあるんです。それが、急にそんな

事を聞くんで、僕には、どう言うんだかサッパリわからなくなったんです。
春吉　だけど、だけど僕には　わかるんだ。すこしわかるような気がするんです。小さい時から直ぐ近くで、健ちゃんの性質よく知ってるけど――健ちゃんは多々良先生が怖かったんだ。
多々良　怖かった。僕が？、
春吉　いいえ、そうじゃないんです。自分が学校サボったり不良と交際したりしていることが、どう言うわけだかそんな風になってしまった。それがキット、先生に申しわけがないと言うか、先生の顔が見られなくなってしまったんです。芹沢君の言うように、先生の事を健ちゃんはまるで自分のお手本のように、つまり理想の人間として、あの尊敬していたんですから、自分がチャンとしている間はなんでもなかったので自分が堕落しちゃってからは、怖くって先生の前に出られなくなったんです。
多々良　だから松方君、だから、その自分が堕落したと言う、その事が全体どういう訳でそうなってそんな風に――？
春吉　それは僕もよく知りません。健ちゃん自分で俺は堕落したんだと言ったんです。これからもドンドン堕落してやるんだと言ったんです。貞操と言うのは、なんだろうとも言いました。女には貞操というものがあって男にはないんだろうか？、すくなくとも、男の人が次々と何人も恋人を持って誰も何にも言わないけど、女の人がそんな事すると悪く言われる。なぜだよ？、そうしないと食べて行けなくや、しかたがないじゃないか？、まだドロボウになるよか、いいんじゃないか？、……そんなような、いろんな事を言うんです。多々良先生が、もし女で、そんな立場に立ったら、どうするだろう？、金を貰って、そんな事するだろうか、それとも、そんな事しないで自分も家族の人たちも乾ぼしになって死んでしまうだろうか？、と言うんです。
小島　ふむ……それで君は何と返事した？、
春吉　僕には、よくわかりませんでした。しかし、多分、多々良先生なら、そんな変な事する位なら乾ぼしになって死んでしまわれるような気がすると言ったんです。すると、健ちゃんは、そうだろ

うなあと言って、いつとき考えていてから、不意にゲラゲラ笑ったんです。とても気持の悪い笑い方で、眼に涙が出ていました。……なんだか知らないけど、健ちゃんは先生の事が好きで好きで、そいで気になって、だから自分がグレちゃったもんだから、怖かったんです。先生の事を神さまのように思っていたんです。だから――

多々良　……（激動する感情をおさえて）そうか。よく言ってくれた春吉君。よく言ってくれた。しかしだね、その、堕落したと自分で言う、それが、なぜそうなったのかで、なぜ学校をサボるようになったのか、それがわからない。……健君を僕も好きだった。どの生徒も僕は好きだが、特に北村を僕は好きだった。自分の弟みたいな、この――（言っている自分の言葉に刺戟され、おさえていた感情が破れて、セキを切るように泣き出している）……僕はね、皆さんも聞いて下さい、まだつまらん教育者です。しかし、ただ生活だけのために、月給をもらうだけのために教職についたのじゃないんです。僕は大学を出て間もなく戦争に行って、あげく敗戦で、戻って来て、世の中がガタガタになったのを見ているうちに、日本が立ち直るためには、まだるっこいような話だが、子供の教育から始める以外にないと思ったんだ。そいで資格を取って教員になったんです。まだ経験も浅いし、なんにも知らない。しかし、生徒たちを愛してだけは居る。それさえあれば、何とかやってゆけるだろうと思っていたんです。だのに、その生徒の、しかも僕が一番気にかけている健君から、いきなり刺されたんです。僕の気持を察して下さい――いやいや、疵の事を言ってるんじゃないんだ。又、健君をとがめる気持なんか、正直まるでない。そんな事じゃないんだ。たとえ、あのままガードの下で死んでいたとしても僕は健君を憎む気持にはなれない。（再び泣きながら）ただ僕は、ナサケ無いんだ。悲しいんだ。どうしていいか、今後どうしていいか、わからないんだ。なんで健君が僕を刺したのか、それを知らないでは、自分は二度と再び教壇に立てないし、人間としてもチャンとやって行けないような気がする。……そうなんですよ。（この多々良の話の間に、美子と佐和子と二人の少年は低く泣き出している）

小路　ようく、わかりますよ：先生のお気持は。……
うむ。
北村　まったく、健の奴に、今のお言葉を聞かせてやりたい。実にどうも——
美子　——（それまで、押えに押えて忍び泣いていたのが、不意に慟哭しはじめる）私が悪いんです！私が悪いんです！先生、みんな私が悪いんです！（慟哭しながら言うので、何を言っているのか、よく聞きとれない）
佐和子　美子さん、どうなすったの？、ええ、どうなすったのよ美子さん？、
美子　わ、私が悪いんです！。いいえ、みんな私が悪いんです！　健があんなようになったのは、みんな私に責任があります！。私が悪い！。もう何もかも言ってしまいます。私はいけない女です。それを健は知ってしまったのです。それであんな風にグレてしまったんです。みんな、みんな、私から起きた事なんです！
北村　これこれ美子、お前急に何を言う気だ？、
美子　さわらないで下さい。私に、さわらないで下さい。私は悪い女です。……お父さんは、その事を知っていなければならない筈です。いえ、お父さんが去年のことをようく落ちついて考えて下されば、その事はうすうすにでも知っていて下さった筈なんです。そうじゃありませんか？、お父さんは去年の夏の初めに腎臓を悪くして、一カ月あまり入院して、それから退院してからもズーッと秋まで寝ていて、やっと起きられるようになったのは冬になってからです。その間、病院やお医者への払いから薬代が、毎月どれ位かかったと思っていらっしゃるの？、私が会社から貰って来る月給は六千円とチョットで、ただ親子三人が暮して行くだけでも足りない位なのに、そんな余分のお金が、どうしてそんな出来たんです？、
北村　そりゃお前、華山の軸や書画をあんだけ売ったり着物を売ったりだな——
美子　華山はニセモノだったんです。私が骨董屋にお金を受取りに最後に行った時に向うでも気の毒そうにそう言いました。それで、そのほかの書画ともひっくるめて、どれ位のお金になったと、お父さん思ったんです？、三万円受取って来たと言ったのは嘘だんたんです。そう言わないと、お父

さんも健も心配するから——それから着物だってもともと何枚もありはしないし、いくらにもなりはしません。

北村　しかし、そのほかに会社の厚生課に頼んで毎月二千円ずつ貸してもらっていると、お前はそう言って——

美子　それも、ですから、嘘をついたんです。つかないわけには行かなかったんです。だって、今どき、会社でそんなお金を貸してくれはしません。そんな事を言い出そうものなら、うっかりすると、首になります。仕方がなくて私——

北村　すると、あんなお金は、お前、どこから、どうして？、

美子　どこから、どうして、私に作って来れると思うんです？、……お父さんにも健にも言えません。伯母さんとこは、ああして戦災にやられていて、何の相談にもならない。……いっそ、会社の金を盗もうかと思いました。ホントです。本気に何度もそう思ったんです。だって、あの重いお父さんの病気を私にはうっちゃってはおけません。……そこへ、いつも向うの布地や物資を持って会社の私たちの所へ売り込みに来ていた服部と言う女の人が、私がふさぎこんでいるのを見ていろいろ聞くんで、ツイ話してしまったら、気の毒がって即座に五千円貸してくれたんです。いつ返してくれてもよいからと言うんで。あまり困っていたので、ツイ借りたんです。それからズルズルと四、五カ月の間に何度か借りて、気がついた時は三万円近くなっていました。服部さんは、催促もなんにもしません。そのうち——去年の秋です。商売の事で知り合いになった或る男の人が商用であちこちの都会へ行くのに、秘書みたいにして一緒に行ってくれる若い女性がほしい。あなたなら打ってつけだから、頼まれてくれないかと言うんです。……私には、ことわれませんでした。それまでの三万円は帳消しにした上に尚先方からあなたに出してくれる分は、あなたが取ってよい、と言うような事も言いました。いえ、ことわれなかったのは、そのためじゃありません。それまでに何も言わないでスラスラお金を貸してくれたその人の好意に対して、私にはことわる事が出来なかったのです。……それで引き受けました。その男の人は

東京のホテルに泊っていて、時々関西や東北へ二、三日がけで出かける。それと一緒に私も行くんです。その間、会社の方は病気欠勤などの届けを出し、お父さんや健ちゃんには、会社の課長に従って神戸や名お屋へ出張すると言いました。ちょうどお父さんの病気も少し良くなって、ジッと寝てさえ居れば、人手がかからなくなっていました。秋ごろから四、五回そんな事があったの、お父さんおぼえているでしょう？……その人は親切な善い人でした。私にとても良くしてくれて――そいで――いえ決して、最初からその人にそんな気があったわけじゃありません。はじめはホントの秘書のつもりでナニしていた。それがツイ……それに二回目の、箱根に行った時、もうかなり懇意になっていたので、父が病気で、それに弟と、一家三人の生活を私がみている事を話したら、その人とても同情してくれて、お金をくれたり、――いえ、いえ、私が悪いには違いありません。私がどうにかしていたんです。その人が悪いんじゃありません。イザとなったらドロボウでもしようと思ったりしていた位なので、私と言う者の心が、スッカリくずれてしまっていたのです。そんなふうになってしまって――そいで、その人が東京にいる時も、ホテルの方へ私、行ったりするようになりました。……それを健が知ってしまったのです。はじめ、会社の出張だと言ってその人と二、三日がけで旅行している最中に、お父さんの病気のことで急に私に逢う必要が起きて会社へ訪ねて行ったらしいんです。会社では私は病気欠勤になっているので、健はビックリして、黙って帰って来たらしいんですけど、それ以来、私のしている事を探るようになって、間もなく、私がその人のホテルに出入りするのを見つけて、ホテルの帳場で聞きただしたり、一度など、その人が家の近くまで私を送って来たのも見たのです。後で、健がそう言いました。……そしてあれは、私がそんなような事を商売みたいにして、そいでお金をもうけているのだと思ってしまったんです。……又、そう思われても仕方がありません。私にはホントの意味で、それを、弁解する事が出来ません。現に出来ませんでした。春になってから、健は我慢が出来なくなって、私を問い詰めて、なじった事

が何度かあるのです。いくら私が弁解しても聞いてくれません。その方は実はこの夏の初め、国へ帰ってしまったのですけど、健は多分それも知らず、私がズーッと幾人もの人を相手に商売みたいにしていると思いこんでしまったようでした。しかも健は私をシンから好きなんです。頼りにもしています。そして、私がそんな事をするのが、父の病気や家の暮しのため、つまり、そうやって私が得た金で自分たちは生きているのだ、それがなければ、内は暮して行けないんだという事を知っているんです。ですから、ホントに私をなじったり、とがめたり出来ないのです。……可哀そうに、健はそうなんです。私はとても辛かった。死ぬほど、辛かったんです。（泣いている。佐和子も泣けている）……

でも、私にはそうとわかっていても、どうにも出来ませんでした。その頃から、あれは学校へ行かなくなり、グレだしました。多々良先生のお顔を見ていられなくなったのは、自分がグレたからではなくて、私のように堕落した姉を持っている事が恥ずかしかったためです。しかもその姉をホントに憎むことが出来ない自分に腹をたてていたからなんです。……すべては私に罪があります。正直に、ありのままに申しました。どんなに、どんな風に私は言われても、仕方ありません。……私この事は、しまいまで黙っていようと思いました。しかし先刻の多々良先生のお言葉を聞いているうちに、……。もうどうしても、どんな恥ずかしい思いをしても、ぶちまけて話さなければ居られなくなりました。多々良先生、ゆるして下さい。

一座がシーンとしてしまう。佐和子のすすり泣きの声だけが聞える……。

北村　……（打ちのめされた声）そうか。……そうだったのか。……わしは、この――わしは、なんにも知らずに居て――いやわしは何を言う資格もない。ただただ自分の、この不甲斐なさ……いや、やっぱり私が悪かった。娘や息子を、そんな目に逢わせながら、いいかげんな、デタラメな暮しをして――

小留　わかります。いや、ようくわかりました。美子さん、あなたのなさった事は間違っていたかも知れん。しかし、誰が、あなたを悪く言う事が出

来よう……。私は聞いていてヒシヒシと反省させられた。全く、人ごとではないのです。えらい時代に生きているもんで、われわれ父兄も古い考え方で良い気になってボンヤリはしていられない。

多々良　美子さん——、よく言ってくれた。……しかし、どうしてそれを先ず僕に相談してくれなかったのかなア？、いや、健君の事の前に、その去年、お父さんが病気になられた時、そんな事のある前にですよ。あなたは佐和子の親友だし、佐和子にでも言ってくれれば、何とか又金を作る方法もあったろうに、いや、批難してんじゃない、うらめしいから僕は——

佐和子　（涙声で、突っかかるように）そりゃ無理よ兄さん！。そんな事、出来やしない！、いくら困ったってそんな事を女の身で、出来やしないわ。私には美子さんの気持ようくわかる！、私だって、兄さんがひどい病気にでもなって、金がなくて、どうにも差し迫ったら、多分、美子さんと同じ事をしてるかもわからない！　いいえ、キットする。だって、そうするより他に方法がなければ仕方がないじゃないの？、　それが今の世の中じゃなくって？、今の世の中が、そんな事に対して何の助けも私たちに与えてくれないでいて、それで、仕方なくそうする女を批難する事が、どうして出来るんです？、聞かせてほしいんです。——それを聞かせてほしいんです。

小畠　……そりゃそうだ。それは、われわれ大きに考えなきゃならん問題です。うむ、しかし、それはそれとして、ですな、そこまでは、つまり健君がなぜグレだしたかはわかったが、その健君が、どうして先生を斬ったか、そこん所が——

春吉　僕にはわかるんです！　だから、健ちゃんは先生が怖かったんです！。先生が好きで好きで、だから怖かったんだ！。わかるんだ僕には。

小畠　好きだから怖い？、

春吉　だって、そうじゃないですか。健ちゃんはね、姉さんも好きです。先生も好きです。だのに、姉さんが、変なことをしている。それが自分を学校にあげたり食べさせてくれるためだ。だから姉さんを悪くは言えないんだ。しかし先生の前に出ると、その事がたまらない程クシャクシャして、先

生から叱られて、軽蔑されているような気がしたんだ。

多々良　だって僕はそんな事なんにも知りはしないんだぜ？、

春吉　知らないから尚、いけないんです。尚怖いんです。

多々良　よしんば知ったって、僕がそれを叱ったり、軽蔑するだろうか？、そんな事しやしないという事は、君たちがこれまでの先生の事を見ていれば、よくわかってくれている筈じゃないか。

春吉　そうです。健ちゃんも知っています。僕ら知っています。先生はそんな事しない。だから尚更先生の前に出られなくなっちまうんです。先生の顔が見られなくなるんです。

多々良　……わからん。

辰夫　先生は立派すぎるんです。善い先生でありすぎるんです。僕らは、みんな先生をお手本にして先生みたいな人になるのを理想にして——、健ちゃんは特にそうだったんです。ですから、自分がチャンと正しくやれている時には、先生の前に出ても何ともないんです。しかし自分が正しくない事をしていたり、なんかクシャクシャしている時には、先生の顔を見るのがとても怖くなるんです。健ちゃんが姉さんの事を知ってから先生を逃げまわりだしたのは、そのためだと思うんです。不良やなんかと遊び歩いている時だって、自分が悪いという事、自分が堕落してる事は健ちゃん知ってたんです。それを先生は、チッとも用捨しないでますます追っかけて、つかまえようとしたんです。健ちゃんは息もつけなくなって、苦しくって苦しくって、どこへ逃げていいか、逃げ先がなくなったんです。どこへ行けばいいんです？、（泣き声になっている）

春吉　（これも泣きながら）そうなんだよ！そうなんだよ！だから苦しまぎれに、顔がクラクラして、先生を斬っちゃったんだよう！自分が自殺する代りに先生を斬っちゃったんだよう！だって、健ちゃん、春時分、言ってたんだ。多々良先生からホントに軽蔑されちゃう事が、もしあったら、もしそんな事になったら俺は死んだ方がいいから自殺しちゃうって。真青な顔をして、そう言ったよ！だからホントは自殺するつもりでい

たのが、ヒヨットどうにかして先生を斬ったんだよ！　チャンとわかるんだ僕には！　先生を好きだから、まるで神さまみたいに尊敬してるから、先生を斬っちゃったんだ！。先生が正しすぎるからなんだッ！。だって、健ちゃん、ほかにどうできるんだ？、そうしか出来やしないじゃないかッ！。

二人の少年がオイオイと声をあげて泣く。……しばらくして、泣きやみ、しやくりあげている。……

小畠　なるほどなあ！。……そういう事もあるかも知れない。いや、世の中には、われわれに解らない事が、いかに多いかと、今さらながらツクヅクと感ずる。

美子　すべては私がいけない女で、弱かったからです。たしかに、健が先生を刺したわけは、この方たちのおっしやった通りだと私にも思い当る事があります。それを知っていながら、それをふせぐ事のできなかったのは私が悪いんです。どんなに私、先生に対してお詫びをしてもたりないんです。

多々良　……（うめくように）そうか。そうだったのか。やっとわかった。そうか——（美子に）いやいや、詫びなんかしてくれなくともいいんだ。ホントに悪いのは僕かも知れないんだ。……眼が開いたような気がする。芹沢君も松方君も、よく言ってくれた。先生がいけなかった。正しすぎる。……そうだ。今の世の中では、自分一人だけが正しかろうと、あまりきびしい事をしていると、わきに居る人を傷つける事がある。恐ろしい事だ。いや、そうとわかれば、警察でも多分諒解してくれると思う。明日にでも僕が警察に出かけて、健君が裁判にまわされたりしないように、すぐ帰してくれるように僕から、よっく頼んでみる。多分うまくいくと思う。……実際、僕はそんな事を夢にもこれまで考えていなかった。今までただ無我夢中で、ただもう教育の仕事に気持のありったけを打込んでやって来ていて、今言ったような深い所まで考えているユトリがなかった。至らないからだ僕が。言われて気がついてみると、冷汗が出る。僕が知らず知らず陥っていたものは——そして、そのために健君を追いすくめて苦しめ、僕を斬るようなことをさせたものは、僕のこの一人よ

がりの潔癖——つまり一種の独善主義——いやいや、たしかにそうだったんです。しかし又、考えてみると、現在の世の中、現代の社会と言いますか、それがどんなに複雑なものであるかということですね、それにも気がついたんです。世の中のすべての物が歪んでいる。しかも、歪み方が一様でなく、テンデ、バラバラにこぐらかって歪みもつれているんです。その中に、無理に物を真直ぐにたてようとすると、わきの物をこわしてしまう。だから、もしかすると、歪んでいるたくさんの物事の方が正しくて、歪まない真直ぐな物をその中にたてようとする事が、或いは間違いではないかという気さえもする。怖くなりました。でも、健君のことで、これだけの事がわかったのは無駄でなかったと思うんです。

　前にも申しましたように、アプレゲール、アプレゲールと言って世間では特別扱いにしますが、わかってみればチャンとした理由や動機はあるんです。若い人たちの事をアプレなどと言って、軽蔑的にみているわれわれの方こそ、場合によって一人よがりの傲慢さに取りつかれていると思いました。僕は皆さんにお礼を言います。特に、言いにくい事を敢えて言って下さった美子さん、それから、正直に言ってくれた芹沢君と松方君、ありがたいと思う。先生はね、こんな自分の傷なんか何でもない。頭がスーッとして、実にうれしいんだ。これがこうでなくて、わけのわからないままで過ぎていたら、どうなっていたと思う。考えてみると恐ろしい。健君みたいな人間をホントに育てて行くためには、健君が堕落する時は、こちらも健君と同じ所まで堕落してみる必要があるんだ！少くともそういう態度が必要だという事がわかった。だから僕はこれから新規まき直しの新しい気持で先生がやって行けます。……しかしね、健君の此の場合は、うまくこうしてハッキリして明るい事になったんですけど、世の中には、こんな風にゆかないで、遂に救われないでしまう青少年も非常に多いと思うのです。皆さん、それを考えてほしいと思うんです。なぜなら、健君の場合誰に一体責任があったのでしょう？　健君の性質が弱いことが、健君の責任でしょうか？　健君はただ僕を尊敬してくれ、姉さんを愛しただけです。

そのために、こうなっただけです。それを誰がとがめる事が出来るでしょうか。それから美子さんのした事、それも弱さだと言えるかも知れません。しかし、ホントの意味で誰に批難する資格があるんですか？、それから僕です。僕は一人よがりに唯、もう道徳、論理いってんばりで、正しい生き方をしよう、生徒にも正しい生き方をさせようと思うばかりで 一種の極端な独善主義に陥っていました。それは僕の間違いでした。僕は最善をつくそうとしただけです。みなさんから批難はいくらされてもいいんですが、どうか憎みだけはしないで下さい。僕のした事は悪かったんですが、しかし、僕の心は悪くはなかったんです。又仮りに僕が、もっとシッカリしていて、今言ったような独善主義を持っていない、行きとどいた人間であったとしても、健君みたいな事件を起さないですんだでしょうか？ 必ずしもそうとばかりは思えません。すると、一体なにが、悪いんでしょう？、それを考えてほしいのです。でないと、健君みたいな人は次ぎから次ぎと出て来ると思うんです。どうすればいいんでしょう。みなさん、お願いします！。お考えがあったら聞かして下さい。どうすればいいんです？、

　叫び切ったように声はやむ、……それきり静かな間がつづいて、最後のアナウンスがはじまる。

夜の潮

船　長（中老）
機関士（三十四才）
男一（青年）
男二（中年）
男三（中老）　｝土地の人達
旅行者一
旅行者二（保険勧誘員）
旅行者三（農具の仲買人）
警部
切符売場の女（二十才）
若い女（旅行者の連れ）
婆（六十才前後）
少女（十五、六才その娘）
他に荷役の男二人。
終点の船着場の事務員。
警官五六名。

すこし離れた所で、荷役二人と機関士が荷物を船に積みこんでいる掛け声と音。「ほらよ！」「どっこいしよと！」「そらよ！」「うんとしよと！」ドドン、ガタン、ドタリ。

同時に更に離れた上の方の（―したがって音は遠いが、水の上にひろがって広くひびく）小料理屋からひびいて来る、もうすりきれて歌詞も聞きとりにくくなった流行おくれの歌謡曲のレコード。

そこへ、もっと遠くの海上を、タンタンタンタンタンと小発動機船の音が横切って行く。

―それらの音がしばらくつづいて。

船長　（ガタンと窓を開けて、上の方からどうま声）そろそろ出すぜえ！　えゝかよう金助え！

機関　うんとしよと！　これで二十五個、ようし、すんだ！（上に向って）おいよう船長！　つん出すべえ！（ズルズルズルと縄をほどいてバランと甲板に投げあげる音。チンチンと二点鐘。つづいて、トトトトと機関の始動の音）

カラン、カラン、カランと出船の合図の鐘

切符売場の女　（その鐘を振り鳴らしながら、よく響く声で呼び立てる）船津行き、終航の船が出まあす。ようう！　船津行き、これが最後の船が出まあす。ようう！（船の機関は既にタンタンタ

ンと水をかいている）
婆　（さん橋にあわただしい下駄の音をさせながら、近づく）ちよ、ちよっくら、待ってくだせえ！。ちよ、ちよっくら！。
少女　（その後ろから小走り）おっ母あ、あぶねえよう！。
切符女　おうや、今日は馬麗におそかったねえよ！さあさ、わしにつかまりんさい。ほら！。
婆　へえ、ありがとう。やれ、どっこい！。なあにこやつがデパートさ廻るだなんて、引っぱりまわされてよ。あぶなく乗りおくれるとこだった。
切符女　そうかね（少女に）デパートさ寄ったの？、
少女　あい。
船室の内から男の声　おいおい、早くしろよ！。
船長　藤村君、渡り板、引けい！，
切符女　おっと！。（ズズズ、ガタンと板を引く）オーライ！。この二人の祭にゃ切符切ってねえか、らねえ、船津へ着いたら浦里さんにそう云って、頼みやあす！，さっきと人じゃったから、合計お客さん九名でやすからあ！。
船長　よしきた！。（云っている間にも、タンタンタンと船はさん橋を離れている）
婆　はい、ごめんなすって！。（マイクは彼女についてて船室に入る）ちよっくら、ごめんなすって！。
男一　さあさ、ズッとへえんな。
男二　もっと奥がいかっぺ。お前も、こっちい、へいりな。入口じゃもう寒いや。
少女　へえ、ありがとろ。
男三　さあさ、いらはい、いらはい。（この三人の男は既にかなり酒が入っている）いよう！，こいつは、でっけえお尻だあ！。
少女　いやん！。
男三　へっへへ。
旅二　向うの、その船津というのに着くのはなん時ごろになりますかね？、
旅三　六時半という事になってるが、向がちようど一時間で、もうソロソロ六時だからねえ、まあとき時を過ぎるかもしれませんね。
旅二　すると途中でもう真っ暗だなあ。（云っている間も船はタンタンタンと岸を遠ざかっている。レコードの歌謡曲が水面にひびきながらズンズン引き離されて行く）

切符女　（もう声が遠い）船長さあーん、船津へ着いたらあ、せんたく物の包みはトモの棚の上にのかってるからと、云ってくださいようう！。
船長　おいよう！。
機関　やい藤村トミコ！　そのほかに浦里君にことづけは無えかよう？、柳屋のおきよんとけえ、あんまり通わねえようにしてくんなって、藤村トミコが、そ云ったて云ってやるべえか、よう！。
切符女　ばかあ！。ドラムかんめえ！。あした戻って来たら、どうするか！。（叫ぶ声が既に尾の方ははとんど聞こえぬ。バックにかすれ行き、消えるレコードの音）
機関　あっは、はは！。（船長と入口の酔った男たちも笑う）
男一　するつうと、今の切符売りのアネゴと船津の船着きの浦なんとか、その事務員とは、なにかね良い仲なんかね？、
機関　（しきり越しの声）さあなあ、はは！。
男二　良い仲もヘチマも、ありゃお前、出来てから、もう久しいや。だからよ、向うから送っておこしたシャツフンドシ、ちゃんと洗たくして届けようてんだ。へっ！。
男一　（歌）あいを、取りもつ、巡航船、アラヨイショ　ヨイショ、ヨイショ、ヨイショ、ヨーイショ、ヨイショと！。だけんどフンドシたあ、きなくせのう！。（男二、三と旅行者二、三と少女が笑う。チン、チン、チンと三点鐘。機関のタンタンタンが急調になり同時に低くなる）
船長　（上の操縦室から）金助え！。この空あいじゃ降るかもしれねえぞ！。
機関　（機関室から）そうよなあ、下手あすると雪かのう！。
旅二　へ、雪だってで、今ごろから、この辺じゃ雪が降るんかね？、
男三　そうさ、まだ雪にゃ早えが、急にどうかするとチラチラ来ることがあらあ（カタンと窓を開けて外をのぞいて）……なるほど、真っ暗だなあ。
男一　さあて、飲むべえ。（言って一升びんをドサンと床に置く）
男三　あれ、まだ有ったか？、
男一　なあによ、どうぞ三人で一升ぱっちじゃ足りめえと思って、船ん中で飲むべえと思って別に

チャンと仕入れて来たんだわ。
男三　そいつは源次にしちゃ大出来だ。はゝゝ、ちようど茶わんも有るし、肴は、ほらよ、菊屋でスルメかつさらって来てらあ！。
男二　どうれで、さつき、五枚ものスルメが馬鹿に早く消えてなくなったと思ったっけよ！（笑声茶わんの音）
男一　さ、東の叔父き、あげなんせ！（茶わんに一升びんから酒をつぐ音、以下かわるがわる注いでのむ）
男三　オットットット。
男二　（茶わんを取って旅行者二に）あんたも一つ、どうでやす。
旅二　いやあ、私あ不調法で。
男二　まあ、そう云わねえでさ。わしら西浦のもんでね、この秋あ大漁だったで、そのまあ心祝いに町さ出て一杯やったつうところさ。はゝゝ。ま、飲んでくんない！
旅二　そうですか、そいじゃま、ホンのちょっくら——おっと、もう結構で。
男二　船津までかね？、どういう御商売の、この？、
旅二　ええ、保険会社のもんです、はあ。
男二　保険の外交さんだな、そうかね（その次ぎに坐っている少女へ）あい、お前も一杯飲んで見な
少女　おらあ、はあ、困りやすから——
男二　困るで、そうんなお前いい娘っこがそんなこっちゃ、お嫁にもらい手が無えぞ。な、うめいからグーッと一つ飲んで見な。
男一　（向うで）そらそら、叔父きの癖が、はじまった——（男三と共に笑う）
婆　いえ、こりゃまだ子供ですけん　こらえてくださいよ。
男二　そんじゃ　お前に一つ行こうでねえか。さ！見たところ、お前はもう子供じゃ無えや。
男一　わっはは！。（他の者も笑う）
婆　わしは病人で、あの、眼が悪くって、一週に一度町の病院に通っている始末だけん——
男二　どれどれ、眼が悪いと？、ふん、なるほどこりゃ酒え飲むと治る眼だ。
男一　わっはは！よしな叔父きよう！　それはたしか船津の豆腐屋のおふくろさんだ。だったのう？、

婆　はい、そうでがんす、あの――

男一　なに俺あ西浦のもんでよ。去年、おやじの法事の時に、お前さんちに油揚は頼んだんだ。

婆　それはそれは。そうでございましたかい。

男二　ほうか。だら、お前、油揚げ食い過ぎて眠れ悪くしたんだなぁ？（男一と三か向うで笑う。今度は旅行者三に）……さ、一杯のんでくんな。

旅三　こりゃ、どうも。

男二　この祭は見どころ有ら。そう来なくちゃ！人が酒えすすめたら気い良くスパッと受けるもんだ、はは！。（注ぎながら）船津まで行くかね？

男三　（向うから）そういう癖があってなあその叔父きには。酔うとそこら中の人に飲ませて、一々根向いをしねえじゃおさまらねえ。

男二　黙ってろう！（と、そちらへ怒鳴って置いて）商売はなんだね？

旅三　（笑いながら）農具だとか、なにやかやの仲買みたいな事やっとります。

男二　農具かよ？ほうか、んだが、俺たちは漁師で、あいにくだあ、農具はいらんかった。（男一と三が笑う）どうだい、もうかるかの？

旅三　いやあ、どうも、あきません。

男二　あきませんかの。（若い女へ）お前さんも一杯どうだよ？

若い女　ありがとうございやす。でも、私は、あのいただけやせんから――

男二　ありがとうございやすなら、いただけやせんこたあ、ございやすめえ。

若い女　でも、あの、ほんとに――

男二　そう言うもんで無えさ。こんな港っつらおやじがお前みてえなベッピンに、お酌をするつうのも異なもんだが、こんでお前、一つ船に乗合わせたのも何かの縁での、悪くして船が沈没でもすればみいんな一蓮托生のおだぶつで、お前さんとおらとはまあ、心中したと同じことになりますぞ。差された酒ぁくれえ飲むもんだ。

男一　わっはは、心中だとこきやがる！

旅三　（若い女に）せっかくのナンだ、お前一ついただいたら、いいじゃないか。

男二　はん、おかみさんかね、こちらは？

旅三　いや、そうじゃありませんが、連れでして

男二　堅け落ちでもやりやしたかいて、ええなあ。

こりゃ！。

旅三　はは。……（女に）いただくさ。

若い女　そんじゃ、ホンのちいと——

男二　（注ぎながら）よしよし。そんで、このおやじが、くれぐれも言うとくが、死んで花見が咲くもんでなし、ついはやまって、心中なんかしねえこった。そったら思い込んだ眼つきじゃ、あぶねえから言っときます。なむあみだぶつ。

男一　はっは、念仏となえてやがる——

旅三　はは、はは。

男二　（旅行者一に）さあ、お次ぎのお前も一杯のんでくんろ。

旅一　……

男二　さあ、さあ、飲みない。

旅一　……わしあ、いらねえ。

男二　いらねえとで、嫌えかね？、

旅一　……嫌いじゃ無えが、飲みたくねえ。

男二　はあん？、するつうと俺の酌が気に入らねえか？、

旅一　そんな事あ無えが、まあ　かんべんしてくれ……いいんだ。

男二　よくねえよ。それ、聞こうでねえか！

旅一　はは、あんた酔ってるよ。

男二　はい、酒え飲んで酔うのはあたりめえだんべ。お前さん、なんの商売かね？、

旅一　うるせえなあ。

男二　うるせえつう挨拶はあんめえ？、

男三　（寄って来ながら）おいおい叔父きよ、いい加減にしねえかよ！。すこうし酒が入ると直ぐこうだ。（旅行者一に）かんべんしてくだせえよ。仏の叔父きと言われてる奴で、悪気は無えんだから。

旅一　やあ。

男三　（男二に）さあ、こっちい来いよ。お前こそちっと飲んで早く寝てしまえ。

男二　（引っぱって行かれながら）冗談言うなえ！今ごろから寝てたまるもんかよう！。ようし、そんじゃ船長と運転士に飲まして、やるべ。

男一　よせよせ、叔父き、船長や機関士が酔っちまうと、いつだったかみてえに、東浦のどまんなかで船えグルグル、グルグルひとつ所まわって、いつまでたっても船津にゃ着かねえぞ、はは！。そ

れよりも歌でも歌うべえ。
男二　ようし、歌か。歌ならば――ひとつせえ（いきなり歌になる。大漁節。男一と三もそれに和して歌う。「ふたつとせえ」の終りまで歌う。歌い終って、「さあ飲め！」「おっとっと！」などと三人が代る代る酒をついだり飲んだりになる）
少女　あら、雨が降って来た！。（ガタンと窓を開ける。ザー、パラパラと音）
婆　そうかよ？、
少女　雨じゃねえ、あられだ。
婆　どうれで、冷えると思った。京子、もっとこっち寄れ。
旅三　あられとね？（のぞいて）やあ、ほんまだ。
旅一　寒いなあ。
旅三　や、こりゃどうもすみません（ガタンと窓をしめる）……と、この間に腹あこさえて置くか？、と若い女へ言いながら紙包を開ける音）
若い女　あのう、さっき、バスん中でお頼みした事ですけんど……
旅三　（それを無視して）あらら、せっかくのスシがくっついてしめえやがった。……（一つ口にほりこんで）さあ、食いなよ。
若い女　わしあ、おなか、すきませんから。
旅三　だけんどまだこんで、この船の終点から、バスで一時間の余も揺られるじゃぜ。もっとも先方に着きゃ一方で中華料理の店もやっている家じゃから、ごっつおうはいくらでも食べさしてくれるが、でも、着いた早々じゃ、そうも行くまいからなあ。
若い女　（他をはばかって低い声で）あの、実は、その事なんですけんど――旅館の下働きだけだと思って、わしあ、あの――書類には、そんな事なんにも書いてありませんし、そう思ってわしあお金を借りて来たんですけんど、それがあの、料理の店の方へも出て――あの、お客さんにも出るんだと、わしあ、困るんです。
旅三　（これも声を落して）そらあ、間で口をきいた勝山君がどんな事言ったか、わしは知らねえが、どっちせい、お繁さん、金あ二度と受け取ってんだからねえ、今さら、そんな事言ってもだ。
若い女　いえ、わし、子供が有るんで、それをよそへあずけてあるんで、なんです、子供にも月にい

っぺんくらいは逢いに行けるようにって勝山さんに話をしてナニしたんで――それがお客に出たりなんかして、しばられてしまうと、わしあ、どうしていいか――、

旅三　そりゃま、先方に行ってさ、向うのおやじさんやおかみさんと相談づくで旅館の方だけにしてもいいじゃないかね？、すべてお繁さんの胸三寸だあ、そうじゃないかね？、すべて自由々々の今の時代だ。相談づくの自由契約なんだから、イヤならイヤで通らあね。いつその者行くのがイヤなら、たった今でも書類は巻いちまっても結構だ。うん。先方から出た金をチャンと返しさえすりゃね。もっとも利息はつけてやらねえじゃ、承知すめえね。そうするかね？、わしあ、ただ道のついでに橋渡しの口いきりしてやってるだけじゃから、まあ足代だけ貰やあ、それでいいんだ。そうするか？、

若い女　いえ、その――その金さえ有ればです。それが、みんなもう家の病人やなんかで使っちゃって――（泣き声になって消える）

旅三　なにさ、そう今からクヨクヨする事あ無えて！。先方に行って見てさ、また、にぎやかに働らいて、そこらのお客なぞと、いろいろナニして見りゃ気分もちがって来るさ。世間は、また、そんなもんじゃ無えよ。気を大きく持ってこった、はは！。さあ食べなさい。

若い女　はい……（泣いているらしい）

旅三　（婆に紙包みを差し出し）おばさん、一つ、つまないかね？、

婆　へい、だけんど――

旅三　遠慮はいらねえ、つめてえが、まずくは無え。嬢さんもどうかね？、

少女　はい。

婆　そんじゃ、まあ、お前もいただけ。……ありがとうございやす。

旅三　（旅一に）あんたも、ひとつ。

旅一　わしあ、いいんだ。

旅三　……そうかね、（旅二に）あんた、どうぞ。

旅二　や、ありがとう。（一つ、つまむらしい）

旅三　夜船となると、なんとなく寂しいもんでがすね。（ゴトゴトと中腰で向うへ立って行き）あい、さっきの酒のお返し、と言っちゃ何だけんど、ひ

とっ、つまんでください。
男二　いよっ駆け落ちの色男、来たな、なんだ、スシか？、
男三　こいつは、ありがてえ。どれどれ！・
男一　もう一つ、行こうでねえか。
旅三　や、どうも。まるで催促に来たみたえだ。はは！
旅二　（スシを食いながら、旅一に）どうも寒いですねえ。
旅一　そう。
旅二　あんた、どちらまで？、
旅一　いやあ、チヨットー
旅二　あちこち歩きまわらなきゃならない仕事持っていると、これから、このへんは苦が手でしてね。どっちへ出るにも船だし、この調子で寒くって。……（旅一が相手にならないので若い女に）あんたあ、なんですかねえ、大和田の方へでも行くんかね？、
若い女　はい。
旅二　ありゃ漁師町で荒い土地だが、なにかね、飲み屋にでも働きに行くと言ったー？、
若い女　はい。いいえ、旅館だっつうので、そいで来たら、途中から料理屋だとかって話が変っちゃってー家が貧乏してて、お父うが中風で寝ていまして、わしは一度片づいたけんど、わけが有って戻って来て、そいで子供が有んで……困っているもんのけん、つい金え借りてー
旅二　そうか、そりゃ、しかし、まずいねえ、なんとかしかしー
旅三　（ドカドカと床を鳴らして急いで戻って来て）なにかねで、え？、なんです？、
旅二　いや、別に。
旅三　はは！、はは！（と、つぎほもなく笑って）いやあどうも、夜船は気楽でいいねえ！。茶わんで、つづけざまにやらされて酔ったなこりゃ。（ドシンと坐って）ごめんなさいよ。
旅一　あんたあ、農具の仲買してると言ってたねえ？、
旅三　へえ、そうですよ。
旅一　農具だけで無く、そのほかのもんも仲買なさるようだね？、
旅三　え？、……はっは、やりますよ。仲買なんて

弱い商売でねえ、口銭さえ嫁げりゃ、どんな品物でも扱わざなりません。へっへ。

旅一　もうかるかね？、

旅三　駄目だねえ、もうこうなっちゃ。終戦向ぎわの二三年は、うまい話もあったが、今じゃもう、お前さん、からきし、飲んで食って行けるというだけだ。

旅一　はは、それこそ冗談だろう。

旅三　どうしてかね？、お前さん、妙な、この言ようをなさるが――？、

旅一　悪るかったかね？、

二人の間の雲行きがあやしくなった所へ、向うの入口近くの三人の男の騒ぎが盛り返して、それを断ち切ってしまう

男一　（大漁節）みっつとせえ――（男二と三と共に歌う。一人は手拍子一人はびんの尻を叩いて）

――浜あ、たいりよだねえ！。

男三　ようし、こんだ俺が取って置きの磯節と行くべえ、耳の穴あ、かっぽじってよく聞け。先ずこう生り直しての。

男二　わあ、源さんの磯節聞かされるたあ情けねえ。船の上じゃ逃げ場が無え！。

男三　あんとでも言え。三味線は無えかの？、助次口三味線やれ。

男一　えっへへ！。

婆　京子、どこさ行くんだ？

少女　うん、ちょっくら、便所さ行ってくる。

婆　船津い着くまで我慢できねえかあ？あられは降ってくるし、トモまで廻って行くの手すりの無え所も有るんじゃから、すべったりすると危ねえがなあ。

少女　ううん大丈夫だ、甲板のフチの棒につかまって行くから。（ゴトゴトと入口の方へ）

若い女　わしも、いっしょに連れてって下せえ。（立つ）

旅三　危ねえよ、我慢してりゃいいになあ。

婆　気いつけて行け。

少女　あい。（若い女に）あんた、こっちだよ、トモの左側だけん。（船室の外へ）

若い女　はいありがとう。（その後から外へ出る）

男三　そうら、三味線だあ！。

男一　チチツン、シヤンと！。

男三　そうじゃ無え、磯節だ。波の音だけん、シャ
　ララン・シャララランだ。
男一　シャララン・シャララランと！
男三　〈歌〉三十五反の、帆を巻きあげてえ……（お
　そろしく長たらしく引き伸ばした歌い方）
男一　シャララン・シャララン！。
男三　行くぞあー（カンの声を張りあげたトタンに
　ギャアという声を出す）
男二　わあ、助けてくれえ！。
男三　行くやあ――（更に変な声）
男二　ヘドウ吐くなら外へ出ろよ、叔父き！。
男三　黙ってとれ。わきでなんか言うから出そこなっ
　た。はなっからやり直しだ。えへん、うう！。
男二　唸ってけつかるあ！。まるで犬の遠吠えだ！
　（こちらの旅二と旅三と婆が笑う）
男三　〈歌〉三十五反のうう――
男一　シャララン、シャララン！。長え磯節よなあ
　！。
男三　そうよ、三十五反つうもんを巻きあげてんだ
　わい。〈歌〉帆を巻きい、ああげえてえ―　行く
　やあ仙台―（今度はどうやら歌える）

少女　（トモから戻って来て入口からコトコト入っ
　て来ながら、クスクス笑う）ふふふ！。
男三　なにがおかしいな、この娘っ子は？、
男二　そら、おかしい。お前のノドボトケが二尺ぐ
　らいに伸びて天井の電気なめそうになってら。
少女　ふふ！。
婆　京子、こっちい来い。あられ、まだ降ってるか
　？、
少女　もうやんでるよ。
婆　さっきの、あねさんは？、
少女　うん、おらが先だったから。
男三　〈歌をつづける〉石の巻、行くやね、仙台、
　石の巻い。
男一　シャララン、シャララランと。
男二　それやれ、首尾よく御安産で、おめでてえよ
　う。
男三　ザッと、こんなもんだ。（男一と旅二、三と
　婆と少女が笑う）
　それらの笑い声の消えかけた時に、トモの方で
　ダブンと水の音
男一　うう？、……なんだ？、

男二　いけねえ！。誰か海に落ちたっ！。
旅三　えっ？、
旅二　ここにいた女だ！。飛びこんだっ！。
旅一　おお！。（ガタガタガタと一同立ちあがる。たちまち騒ぎになる）
男三　トモの方だあっ！。（船室外に飛び出す。と言っても外は二尺位の船べりで直ぐ下は水だから、甲板の手すりにつかまりながらトモの方へ急ぎながら）おい、船長！。人が飛びこんだっ！。船えとめろうっ！。
船長　（甲板から）おうー！。（チンチン、チンチン、チンチンと鐘の乱打）
少女　ああ！。じや、今の人だ！。
婆　これこれ京子！。行くでねえ！。危ねえから！。
ガタガタガタと足音が乱れて全員——婆と少女を残して——が外に駆け出し、その中の四五人は外の船べりからの階段を駆けあがって甲板に出る。——（マイク外へ出る）——機関の音がピタリと停った）
機関　（機関室から）なにい？、飛びこんだと？、誰だあ？、
男一　（下へ向って）若え女の客だあっ！。
男二　トモの左っ手だあっ！。ランプば廻せえっ！。
船長　オーライッ！。（ガシャン、ガシャンと甲板の舷燈を廻す音）
旅二　駄目だ！。船を停めちゃ駄目だっ！。廻せえ！。左へ廻せっ！。
男一　（これはトモの船べりから）ああここだ！。この、便所のわきの、ここから落ちたんだあ！。廻しちゃいけねえっ！。ゴースターンだ。船長、ゴースターン！。
船長　おお！。（チチン、チンチン、チチン、チンチンと点鐘。たちまち機関の音がはじまって、逆航するらしい）
旅三　おーい！。お繁さあーん！、お繁さあーん！お繁さあーん！。
旅一　この暗さじや、しようがねえな。
男二　おお、あれだっ！。ほらよっ！。
旅二　あすこだ！。アプアプやってる！。もっと左！。左だ！。もっと左だあ！。
男三　船長、もっとグンと取りかじだあっ！。取りかじだあっ。（チンチン、チンチンと乱打する点

鐘。機関の音、急調になる）
男一　ロープ投げろうっ！。ロープ投げろう！。
男三　よし来たっ！。ひの、ふの――（ザブーンと甲板から水面へ向って投げるロープの音）
男二　駄目だあ、そんじゃ！。届きやしねえっ！。
旅三　しようが無えなあ！。しようが無えなあ！。なんて馬鹿な真似をまた――
旅二　あっ、沈んだ！。どうしてもっと早く船を寄せられないんだ！。
男二　ここいら、潮が早いから、流されるだ！。（水の上へ向って）おーい、しっかりしろーろ！。じっきに行くから、しっかりしろーい！。
旅一　ちえっ、しよう無えなあ！。（舌打ちをしたかと思うと甲板からいきなり無造作にザブーンと水面に飛び込む）
旅二　あっ！。
男一　誰だっ？、誰が飛び込んだんだあっ？、
男二　オモテん所にいた、おらを叱った旅の衆だあ！、
男三　大丈夫かな、洋服着たままだが？、
旅一　……（泳ぎ出しながら船へ向って）……近くへ戻って来たら、縄あ投げて、くれ、
男二　頼んだぞう、旅の衆っ！。（泳いで行く旅一の姿を見つめて甲板の上が一瞬シーンとする）
旅二　……しまったっ、逃げやがった！。
男三　う？、なにかね？、
旅二　おい船長！。ここから一番近い岸まで、どれくらいある？、
船長　え？、そうさね、十二三丁つうとこかな。
男三　（これは水の上へ向って）おーい、しっかりしろようお！。
旅二　すると泳いで渡れば渡れるね？、
船長　そうさな、渡って渡れねえ事も無えが、潮あ早えし、この寒さだけんなあ――どうしたかね？、
旅二　ちっ、逃げられた！。
旅三　（懸命に水の上をすかして見ていたのが）あっ！。浮いた浮いた！。お繁さーん！。しっかりしろーい、助けに行ってるからあっ！。
男一、しっかりしろう！。もうちっとだあ！。
男二　おい運転士よう、もっと早く寄れんかよう、じれってえなあ！。
旅二　（早口に）船長、もっと早くあのそば（寄っ

てくれ。あの男を逃がしては大変だ！　わしは――（何か出して示して）こういう警察のもんだ。
船長　へえ、するつうと――？
旅二　ありゃ、前科六犯のタタキ――悪い奴だ。今度も人を斬って逃げて来てる。せっかく此処まで追い込んで来て――いや、船津で、あげる手はずになっていたんだ。頼むから、船をもっと早く！
男二　へえい！　だってありゃあの女を助けに飛び込んだんじゃねえかね？（水の上へ向って）ああ、もう少しだっ！
旅二　なに、助けると見せて、逃げる気だ！
少女　（下の船室の窓から）ああ、つらまえた　つあまえたっ！。
旅三　お繁さーん、ほらほらほら、助けに行った人が直ぐ来ばだっ！。しっかりしろう！。
旅一　（水の上から叫ぶ）縄っ！　縄あ、投げろ！
男三　見なせえ、逃げやしねえでねえかて、
男一　ようし、投げるぞう！　いいかあ？　ひの、ふの――（ザザザブーンと投げられたロープの音）そらよ、みんなで持てよう！
男二　ようし来た！。
男三　まだ引くな、まだ引くな！。（水の上へ）おうい旅の衆、ロープあ、つかまえたかあ？
旅一　（水の上から）……ようし！　ソッと引けえ！。
男一　ゆっくり引くだ！　ほらよ、よんとしよ！。
男二　よんとしよ！。
男三　船え停めろう！。（チンチンと号鐘で、機関の音やむ）ようし！　下だ下だ！。
船べりへ飛びおりる。続いて男一も二も旅二も旅三も船べりにおりる
男一　よいとしよ！。
男二　よんとしよ！
男三　よんとしよ！。（ザブザブザブサブと近づく水をかく音）大丈夫かよう？
旅一　（水の上から）待った！。こっちを先きにあげるからな、帯に縄あ、通すから――（ザブザブザブと水の音。船腹にゴリゴリとロープがこすれ女の身体がドンとぶつかる音）
男一　いいかあ？
旅一　ようし！。さ、引き上げろ！。
男二　よいしよ！

男三　よいしよ！
旅二　よいしよ！
少女　よいしよと！（若い女の身体が船べりに引き上げられ、その荷物からパシャパシャ水のたれる音）
旅三　よかった、よかった！　お繁さん！　しっかりしな！。もう大丈夫だ！
船長　おい、そこじゃ、しようねえ。とんかく船室さ入れろい！。
男一　水を吐かせろ。逆さにするだ。
男二　腹を下にしろ。そうだ、そうだ。
若い女　ああ！（唸り声を出して水を吐く）
旅三　気がついたか、お繁さん！　やれやれ、もう大丈夫だ。
男三　（旅一に）さ、お前さん、手につかまれ！
機関　そらよ！、そうら！（この辺は、ほとんど同時にかぶせて進行する）
旅一　なに、大丈夫だ。（言いながら、船べりへよじあがる。その身体から水のたれる音）ちっ、うう！。（洋服の水をふるい落す。その音）
婆　（若い女に）お前さま、しっかりなさいよ。んでもよかったよかった！
男一　水あ、すっかり吐いたかなあ？、
旅二　もう大丈夫だ。いっときソッと寝せとくがいい
旅三　いやどうも。（旅一に）おかげで人間一人、命びろいしました。あんたがいて下さらなきゃ、助からねえとこだった。へい、手拭い。
旅一　やあ……なあに。
男一　だけんど、あんたあ、泳ぎは達者だなあ！。漁をやってる俺だちにも、こんな離れわざあ出来ねえ。
男二　（弁解するように）酒えくらってるしな、この寒さに飛びこみや、人を助けるだんじゃ無え、てめえの方が先にお陀仏だあ！。
男三　そら、そうだ。なんにせえ、――こらいけねえ、その濡れたまんまじゃ、しようねえ。かぜひかあ。
旅一　俺あ、いいんだ。そっちの方を――。
旅二　そうだ。早く脱がさなきゃ――なんか着せるものは無いかな？、
男一　船長さんよ、なんか、この二人の人に着せるものは無えかよ？、
船長　そうさな、俺たちの夜具と――ああドテラが

有らあ。毛布も三四枚あった。金助え、出してやれい！

機関　おっと、よし！
　　ガタピシと扉の押入から、ドテラや毛布を引き出す

船長　よかった！（旅一に）この船でも海に落ちたお客がこれまで何人もあったが、昼間ならいいが、こんな闇の晩だと、たいがい見つからねえ。今夜あ、あんたのお蔭でわしも助かりやんした。もしもの事があると船長の俺の責任になるからね。お礼を言いやす。どうも――

旅三　どうも、ありがとうございやした。

旅一　いやあ……

機関　さあさ、早く脱いで　これ着てくんな。そっちの姉さんは、このケット巻きつけて、その上からドテラ着てくれ。

婆　さあさ、濡れたもん早く脱いで――（と女の着物を脱がせながら、一同を見て）あんたがた、いつとき向う向いていてくだんせ。

男二　なんだあ？、

婆　おなごが、お前様、裸になりやす。

男二　あ、そうか。ふふ！
　　他の二三人も笑う、

婆　そうさな、京子、お前、そのケット、ひろげて、見えねえようにビョウブにしてくれ。

少女　あい。

若い女　ああ！　ああ！

婆　苦しいかね？（脱がせながら）なに、すっかり脱いで、あったかくしてりゃ、じきに良くなる。

旅三　（旅一に）さあ、あんたも――（うしろから背広を脱がせにかかる）濡れて、ピッタリへばりついてら――

旅一　いいんだ。一人で脱げる。

旅三　寒いでしょう？、

旅一　いいんだと言ったら！（バタリと言わせて振り切ってシャツと上着をいっぺんに脱ぐ）

旅三　……そうかね？、

船長　さあて、そんじゃ船を出しやすよ。船津へ着くのが、チョックラ遅れるが、こらえて下せえ。そんでも、急いでやるから、あと十分チョットだ（ゴトゴトと上へあがって行きながら）金助え、行くぞう！

機関　おっとよし！。（機関室へ）

旅三　そうだ、こん着物、機関室の釜の所につるさげときゃ、直きに乾くなあ。小母さん、お繁さんの着物、こっちい突き出してくんなさい

婆（巨布の向うから）はいはい。よくしぼってな。

旅三（旅一に）あんたのやつも乾しときゃしよう。わあ、濡れてちゃって重いて。

旅一（ドテラを着かけていたのが振り向いて急いで）いや、俺なあ、いいんだ。俺なあ、いいんだ。同時にゴトンと音がして、重いものが、床の上に落ちた音

旅三　あ！。

男一　おお、ピストルだねえか！。
一同シーンとしてしまう。永い間。
チンチンと二呉鐘が鳴り、タンタンタンと船が動きはじめる……

旅一　……（ゆっくりと歩み寄って、それを拾い上げ、安全装置をクリッ、クリッと音させて調べて見てから）そんなに珍しいかねピストルが？、ふ！。（薄笑いして、ピストルをドテラの袖で拭く）……今どきじゃ、誰でも持ってる品だ。

旅三　……（気を呑まれて、着物を抱えてコソコソと）そいじゃ、乾かして――（出て行く）

旅一（ドッカリ坐って）酒は残っていねえかね？、いまごろになって寒くなって来やがった。

男二　さようさ。……（ゴトゴト歩いて、びんを持ち上げ）まだ二合ぐれはありやす。はい。

旅一　うむ。……（びんから口飲みにゴクゴクゴクと音を立てて飲む）……ふう、腹へ、しみらあ。……どうしたんだよ。みんな突っ立って？、坐ったらどうかね？、

男一　……うう、どうも。（坐る。他の者もそれぞれ坐る）

旅一　へ、とんだお笑い草だ。この寒いのに海い飛びこんだり、まるでナニワ節だ、チッ！。

男三　……んだが、とにかくあんたがいなければ人一人死んでいた所だから。人命救助つう、つまり、こんな立派な――

旅一　冗談もんだ。そんなお前、殊勝な気持なんぞ俺あ微塵も持っちゃいねえ、どうして飛びこんだか、われながらわからねえ。ハッと気がついた時は水ん中にいたんだ。ちっ、けたつくその悪い、

ムシズが走らあ。……（本当に腹を立てている。再びゴクゴクと口飲みする）

旅三　……（ゴトゴトと戻って来て）釜の上につるして来ましたよ。直ぐ乾くそうで――。

婆　やれやれ、やっと唇の色が元に戻った。いえ、もそっと寝ているがええよ。

若い女　もういいんです。ありがとうございます。

旅三　やあ元気になったね、お繁さん。……お前、この方によく礼を言いな。この方が飛びこんで助けて下さらなかろうもんなら、今ごろはお前、土左エ門だ。

若い女　はい。（にじり出して来て）……どうも、へえ、ありがとうござりやんした。とんだ、どうも、すみません。

旅一　ふん。

若い女　ありがとうござりやんした。

旅一　……（ヘッケンドンに）お前、死のうと思って、飛びこんだんじゃねえのか？、

若い女　はい、いえ、あの――

旅一　もしそうなら、そいつを俺がよけいな、助けちまったんだ。礼を言うにゃ当らねえよ。チッ！

若い女　いえ、あの――便所から出て、あの、暗え海の方見ていたらば、先きの事やなんか考えて、つらくなっちゃって――そんで、クラクラッとして、そんで――

旅三　するとお繁さん、飛びこんだのかお前？、

若い女　いえ、そんなわけじゃ――

旅二　（旅三に）だけどねえ君、法律上のことはチヤンと、この格好をつけて、いくらナニしてもだな、人身売買のシューセンなどするのは禁じられてるんだから、――どうかな、いいかげんにしたらどうかね？、

旅三　え？、すると、なんですかね、わしが人身売買やっとると言うのかね？、あんたあ、どう言う人か知らんが、なんでそんな言いがかりを――。

旅二　いやさ、話がさ――

旅一　いいじゃないかね。弱い者あ、強いもんに食われるように出来てるんだ。ゼゲンにかかって売りっ飛ばされるのが、女の不しあわせたあ限らねえ。貧乏世帯でピーピーしてるよりゃ、淫売になってうまい物食うのが、幸せかも知れねえじゃねえか。へっへ、それが世の中だあ。よけいな世話

あ焼かねえもんだよ。
旅二　しかしだなあ、この人にや子供も有るというし、そんな事になると、結局子供も不幸になるし
――
旅一　人間の幸不幸が当人のやりよう次第で自由になるとでもいうのかね？、へっ、まるで修身の本から抜け出したみてえな話だ。全体お前さん、なんだね？、
旅二　わしは保険の外交やってる――
旅一　さあなあ、保険屋にしちや説教がうま過ぎらあ。お前さんは汽車でも俺といっしよだったし、バスも一つ後のに乗ってたね？、どうだい、はっは、俺をめくらとでも思っているかね？、
旅二　そんな――
旅一　いいさ、いいさ。はは、ピストルは濡れたがね、ちやんと打てるんだよ。（男たちシーンとしてしまう。……間）
少女　ああ、船津に着いた！
チンチンチンと三点鐘
旅一　……（外をすかして見ながら）さあて、と。（旅三に）おい、俺の服持って来てくれ。
旅三　まだ濡れて――
旅一　濡れていたって、いいんだ！、早くしてくれ！
若い女　どうも、へえ、すみませんで。ホントにありがとうございやした。
旅三　へえ。……（ゴトゴトと出て行く）
旅一　へ、お前みてえな人間がいるから世間がゴタゴタするのよ！。死にたきや、人の目につかねとこで、サッサと死んじまうんだな。生きていたきや、淫売にでもカッパライにでもなって景気よく生きると。
チンチンと二点鐘
旅三　（ゴトゴトもどって来る）はい、これ！
旅一　よし！（もぎ取るように洋服を取って、急いで着こみながら）……ついでに、お前みてえなゼゲンも一日も早く死ぬこったな。
旅三　へっ？、
旅一　けたつくその悪いったら！。チエッ！クソ！まだ生ま乾きのズボンがうまくはけなくてジレている。
船長　（上から）おーい！　着いたようう！。（チン

チンチンと三点鐘で機関の音ピタリと停り、船はかすかな水音をさせて惰性で桟橋へ）

旅一　よしと！・おい・すまねえが、俺が降りて桟橋わたりきるまで、お前たちあ、一人も外へ出ねえでいてくれ。聞かねえと、すこうし、手荒い事をしなきゃならねえよ。わかったなあ？、

ギイ、ゴトンと音がして船が桟橋へ横づけになる。ピチャピチャと水音。同時に、ガタガタガタと音がして、トモの方でビユーッと呼笛の響。

旅一　畜生っ！・保険屋め！。野郎ッ！・

トモの方で二度三度と吹き鳴らされる呼笛。桟橋のこちらへ向ってガタガタガタと走って近づいて来る六七人の靴の音がして、船のわきまで来てガガガと一列に停る。

旅一　やりやがったな！。

警部　（桟橋から）杉野さんっ！・杉野さんっ！。

旅二　（トモの方から）此処だ！。その、そっちの出口に立ってる男が、そうだっ！・ピストルを持っているぞ！・

警部　尾形三次、同行してくれ！。電話で連絡があって待っていた。……（シーンとしている）君も、尾形とまで言われた男だ。今さら騒がないでくれ。騒ぐようなら、こうして六人でいる。

シーンとしている……

旅一　……そうか。へっ、このたびは俺の負けのようだなあ。おい、保険屋、出て来い！。お前の勝ちだ。それと気がついていながら、つい甘く見ていつまでもつけてこさせたのが俺のしくじりだったよ。お前の勝ちだ。へっ、旦那、こうしてパチンコは、ぶっぱなそうと思えばぶっぱなせるがね、やめた！。（ピストルをビユーッと投げる。それが水に落ちてチャプンと音）けたっくその悪いったら無え！。ケチがつきやがったんだ。この俺が、この悪党の尾形三次が、へっ、魔がさしたんだ、うっかりナニワ節にひっかかって、へっ、人を助けたりしてよ、ケチが附いた！　この俺が、いかになんでも仏心を起しちゃって、馬鹿女を助けちやったんですよう！。台無しだあ！。なあに、旦那がたの六人や七人、その気になりゃ、ぶっ飛ばしといてズラかる事なんざ、その気になりゃ訳あ無え！。だけんど、ケチがついちゃった！。この俺が、この尾形三次が人を助けたりするような甘

つちよろい量見になってたんだ。こんたびは、先ずおしめえだ！。はっは！ 俺の負けだ。ジタバタはしません。さ、お願えしまさ！

警部　さすがだ。（手錠をはめる音）

旅一　（船の中へ向って）やいゼゲン！ その女あ、元へ戻してやれ。手を離してやれ。いいか！ 俺の言う事聞かねえと、こんだ俺が出て来たら、チャーンとたずねて行って、ぶち殺してやるからな、そう思え！！ その女から手を離してやるんだぞ！ わかったか！ おい保険屋さん、その女、変な所に売りこかされねえように、めんどう見てやってくんな。旦那、行きましょう。

警部　うむ。（ゴトゴトと他の警官たちも桟橋を歩き出す。）

事務員　あのう、そいで――

旅一　あんたかね、浦里さんというのはで、そうかい。はは、この前の船着きの切符売りの女が言ってたぜ、洗たく物はトモの棚の上にのってるってよ。

事務員　はあ、いや、どうも――

旅一　はっは！

若い女　（声をふりしぼって）ありがとうございやんした！。わしはお繁と言いやす！。ありがとうございやんした！。

旅一　（歩きながら）へっ、お前のおかげで俺あ、くらいこむんだ！ けたっくその悪いアマだあ！ 死んじめえ、お前みてえなエンギの悪い奴ァあ！ ちしようめ！。死んじめえ！。ちしよう……（ガタガタガタと警官たちの靴音と共に桟橋を遠ざかる）

若い女　ありがとうございやんしたあ！。はい、忘れませんよう！。ありがとうございやんしたあ？、

その声が水面にこだまして響く。

願いごと

人物、

1 若い女
2 浮浪児
3 若い妻
4 その夫
5 老人
6 中年男
7 学生一
8 学生二
9 少女

若い女 お願いします！ どうぞ、こゝを開けて下さい！ お願いです！（戸をたたく）開けてくださいまし！ おたのみします。どうぞ、どうぞ、お願いですから、ここを開けてください！（戸をたゝく）あの、あたしの声が聞えないのでしょうか？ そこにいらっしゃるのでしょう？ ここの隙間からボンヤリ見えるんです。そこに座ってラジオを聞いていらっしゃるぢゃありませんの？ どうぞ、ちょっと立って、ここを開けてくださいな！ ごしようです！ わざわざ遠い所を訪ねて参ったんです。とても私、疲れています。それに日が暮れてしまって、さっきから、ズーッとこうして立っているので、手や足の感じがなくなってきました。お願いです。とにかく、ちょっとでも開けていただけないでしょうか？（涙声になっている）だまっていらっしては、私どうしてよいか、帰るにも帰れません。なんとか、ひとことでもけっこうですから、返事をなすってください！ ねえ、（戸を叩く）お願いします！ 開けてください！ おたのみです、ねえ、開けてください！

（割れんばかりに戸を叩く）

少年 （かなり離れた所から）やかましいなあ！ いいかげんにしねえかよう！（戸を叩く音ピタリとやみ、シーンとなる）さあっきから、うるせえのなんのって、寝られやしねえぢゃねえか！ そんだけ叩いても誰も出てこねえのなら、そこのうちにゃ人はいねえんだよ。バカだなあ！

（間）…… 遠くで犬がほえる

若い女 ……（おびえた低い声で内部へ向って）向うの焼跡の、犬小屋のような所から、誰か出てき

ました。怖いんです、お願いですから、ちょっと
お開けんなってください。ねえ！　どうか！、
少年（どなる）まだよさねえかっ、チショウメ！（ガリガリと足音をさせて近づいてきながら）安眠妨害だぞう！　ギャァギャア、ギャアギャアと全体、どこのネズだあ。いつまでも、わめいていやあがると――（近くまで来て、彼女を見たらしく、急に言葉の調子がおだやかになる、言葉の字面だけは荒っぽいが、まだ十四五才の少年）……ふうん、全体どうしたんだよ、え、姉ちゃん？、よう、おい！、なぜ返事しねえんだよ？、
若い女（内部へ）ほんとに、ほんとに、お願いですから、ホンのちょっとでいいんですから開けてください！
少年　チエッ！んだからさ、又あしたやってくればいいぢゃないか、そんなお前――
若い女（内部へ）ですから、この間あなたから、今日でなければ、今日の夜の八時でなければいけないと、おっしゃられた通り、こうして私参ったんですから、
少年　へ、ん、すると、だけんど、どんな用だよ？、お前、どこの姉ちゃんだよ？、
若い女　自分の家を出て此処にきて、私に逢うまでどこの誰とも絶対に口をきいてはいけない、あなたは、そうおっしゃいました。それを私守ってきました。ですから人からたづねられても返事もできないんです。私困るんです。
少年　へーん、すると、なんだね、願《がん》かけなのか？、するとこのうちに住んでんの、誰だよ？、神さん？、おっかしいなあ、こんなチッポケなうちに――
若い女　ほんとにお願いですから、もし開けられなければ、返事だけでもなすって下さい。
少年　だってさあ、こんだけ言って返事が無ければ今留守でだあれも居ないんだよ
若い女　いいえ、こうして電燈もついているし、現にあなたはそこにラジオの前に坐っていらっしゃいます。この隙間から見えるんです。
少年　なるほど電気はついてら（のぞいて見る）あっ居る居る、誰か、うん、いや、ちがわあ、戸の内がわのガラスにシミがくっついていて、それが人間みたいに見えるんだ。

若い女　ラジオもチャンと鳴っています。
少年　なあに、ラジオみたいに聞こえるのは、姉ちやん自分の声だぜ
若い女　どうぞお願いします。どうか開けて下さい。（戸をたゝく）ちよっとでもお目にかゝらなくては、私帰られません。助けると思って此処を開けて下さい。
少年　しやあねえなあ！
（ガリガリと足音が近づいて来て）
若い妻（少し離れた所から）あのう、どうかなすったんですか……さっきから、あの――どうしたんですか？
少年　あ、小母さん！
若い妻　あらまあ、あんたね、又来てんのね？　道理で、こないだっから、あすこの小屋から煙が出たりすると思った。寒くなると、やって来るのね？
少年　へへへ、だって自分のうちだかんなあ。
若い妻　うちって　四尺四方位のトタン小屋が？
少年　ハニウの宿もわが宿お、（調子っぱづれに大まじめに歌う）
若い妻　ほほ、ははは、
少年　あっは、は、は
若い妻　良い気なもんだわね。だけど、あすこで寝泊りするんだったら、こゝらであぶない事をしたり、物をかっぱらったりしちゃ駄目よ。近頃この辺では浮浪児の取りしまりが、とてもやかましくなってるのよ。
少年　なあんだ小母さん、おれが、いつ物をかっぱらったりしたんだよ。じようだん言うなよ。そんなチャクイ事が出来る位なら、誰がこんなシミッタレた場末の乞食小屋なんぞに寝に来たりするもんか。全体、すぐ浮浪児々々と言うけど、なんでおいらが浮浪児だよ？　こいでもおいら、モク拾いや空きビン集めでカタギにかせいでいるんだぜ
若い妻　フフ、それは悪かったわね。でも、決った家が無くて、あっちで寝たりこっちで寝たりウロウロしてりや、やっぱし一種の浮浪児ぢやなくって？
少年　一種のか、フフ！　なんでもいいけどね、おいら、こいでも、此処へ来て泊る時は、こんな寂

しい所だろ、ズーッと見渡す限り焼跡で、ポッンポッンとちっちゃな家が立ってるきりだもんなあなんか悪い奴がタタキでもねらやあしないかと思って、こいでも、この辺一帯を警戒してやってんだよ。

若い妻　そう、そりゃ感心だ、そうしてくれゝば、たまには、あたしんちでも、おにぎりの一つ位あげてもいいわ.

少年　へへ、どうもありがとう.

若い妻　だけど、どうなすったの、この方？、

少年　さあ、おいらにもわかんねえんだ、ガンが有るんだってさ.

若い妻　ガン？、なんの事？、

少年　ガンかけに来たんだって言うんだけどね、

若い妻　あゝ願をかけにね、すると、此の家に神さまでも祭ってあるんですか？、

少年　すると小母さんも知らねえのか？、変だなあ自分んちの隣りの家なのに

若い妻　だってあんた、隣りと言ったって、こんなに離れてるし、朝晩つきあうわけじゃ無いんだもの、それにこの辺は焼跡の新開地で、私んちだって、家を立てゝから、まだ半年位にしきゃならない、隣り近所にまるきり知らないのよ、この家は、たしか斉藤さんとか言って御主人は、おいる頃から毎日出かける方よ.

少年　一人っきりなの、おや？、

若い妻　さあねえ、時々人が出はいりしているのは見かけた事あるけど。今、どなたもいらっしゃらないんですか？、

少年　居ねえらしいんだ、だのに此のお姉ちゃん、いつまでも戸を叩いてて、やかましくってしようがねえから、おいら、やって来てみたんだよ、

若い妻　そう、そいで、どんな御用なんですの？、よっぽどお急ぎなんですか？、

少年　駄目だよ、願かけだから、ほかの人には絶対に口はきかねえんだってさ.

若い妻　へえ、そうなんですの？、(内部へ)斉藤さん!、斉藤さん!、いらっしゃらないんですか?、あの、お客さんが見えていらっしゃいますよ、(戸を叩く)斉藤さん!、斉藤さん!。斉藤さん!.

若い女　お願いです、ここを開けて下さい!。(こ

れも叩く）
若い妻　やっぱりお留守のようね、あなた、又明日にでも出なをしていらしたらいかが？、
少年、駄目なんだよ、いくら言ったって、へへ
夫　（遠くから）おーい、邦子お！　なあにを、そんな所で、いつまでもグズグズしているんだあ？、邦子お！。
（下駄の音と共に近づいて来る）
若い妻　あら！。はあい！。
夫　何をいつまでも、そんな所でしてるんだい？、台所の片附けをするから、その間に餅を焼いてくれと言うから、セッセと焼いてると、フイと出て来ちゃって、いつまでたっても戻らないぢやないか
若い妻　すみません、だって此処が騒々しいから、来て見たら、この方が――
夫　餅が焼け過ぎちゃって、食えなくなるよ
少年、へへ、餅かあ！。
夫　なんだ君あ？、あゝ又この辺をウロウロしてるな。
少年　今晩はあ。
若い妻　この方がね、ここの家へ訪ねていらして、いくらそう言っても、返事が無いの
夫　返事が無きゃ留守だろう、又来たらいいじゃないか
若い妻　それが、なんでも今夜でなきゃならない、この家の方に何か願かけみたいな事らしいの
夫　ぢや、ほかの人間にどうにも出来やしないじゃないか、帰ろ、こんな所に突っ立ってると風邪ひく。
少年　焼餅がまっ黒になるよ、
夫　よけいな事言うな小僧！。
老人　（ゴトゴト足音をさせて寄って来て）どうなさいました、山田さん？、
夫　やあ、森本さんですか、そうら見ろ、森本さんまで出てこられちゃった、
老人　やあ今晩は、いえ、さっきから気が附いてはいたんですが　どうしたかと思いましてね、いえ、この方が、ここの家を訪ねて見えて、いや、留守らしいんですがね、だのに帰ろうとしないんで
老人　さいですか、いや、そう言えば、よく締めっ切りになっている家だ、私もよくは知らないが、

たしか易者とか行者と言った、なんでもそう言ったふうの――でも、留守ぢや、しやうが無い、又出なをしておいでになるんだな。

少年　今夜でなきやダメなんだってさ、それが、この家の人に願かけてあるんだって

老人　願をね？、ふうむ。この寒いのに一晩立ちっくしているわけにも行くまい

夫　まだ若い人が願かけなんてバカな、古めかし過ぎますよ、今どき、気ちがいみたい話ぢやないか

若い妻　だって、そりやあなた、人間誰だってそんな事はあってよ、願かけなどと言うから迷信みたいに聞えるけど、願いごと――つまり、なんとかして、あれが欲しいとか、こんなふうになりたいとかさ。大きい事や小さい事でいろいろあるわ、あこがれと言ってもいいわ、

夫　あこがれえ？、ハハ笑わすなよ

若い妻　だって、そうぢやありませんか、ねえ！

老人　そりやまあ、人間、いつまで経っても慾に限りはありませんなあ、

夫　だからさ、そんなに欲しいものが有るんだったら、自分が努力してだな、そいつを手に入れるようにセッセとやればいいんだ。

若い妻　そいぢや、あなたの月給が、いつになれば三万円になって？、そいから、欲しい欲しいと言ってらっしやるヒッコリイのスキイが、いつ買えるんですの？、そいで、あなたはセッセと努力はなすってるのよ。

夫　バ、バカな事を言うなよ、それとこれとは話が違うよ

若い妻　違やあしないわ。欲しいものは人に依って違うけど、誰にだって願いごとは有ってよ。私だって、本博多の帯が欲しくって欲しくって、ズーッとお願いして来たのに、ボーナスのたんびに、なんだかだと、あなたおっしやって、まだ買ってくださらない。私、それをしめて一度ホントのカブキを見に連れてってほしいの。寝てもさめてもこんなに私が、お願いしているのに――

夫　おいおい邦子！、なにをお前こんな所で、――そりや、なんぢやないか、姉さんちに仕送りはしなきやならんし、君のおっ母さんへ薬代を届けたり、現にこの前のボーナスだって、手に残ったのは三十円たらずなんだから――

若い妻　そりゃ知ってゝよ。でも、母さんの薬代と言ったって、昨年中あなたが出して下さったのを全部合計したって、そんな大した――
夫　もういい、……もういいよ……いいじゃないか
こんな所で言ひ出さなくたって。
老人　いやあ全く、今どきでは、誰れかれなしにうちわに入って見ると、みんなこれで欲しいものばかり多くて、思いのかなう事は百に一つも無いと言うところでしょうなあ。まだお宅などは上々の部ですよ。私んちなぞ、もういけません。それに、息子を二人戦争で取られましてね、上の奴はハッキリ南方で死んだ事がわかっているんですが、次男の方は終戦の時に満洲に居ましてね、つかまってどっかへ連れて行かれたらしいのが、いまだに生きているか死んだかもわかりません。カタワになってもよいから、戻って来てくれたらなあと、つまり奥さんの、その、あこがれと言う奴ですか。時々、夢に見ちゃ、信市！。なんて自分の声で眼がさめたりするんだからねえ。親なんてバカなもんで。
若い妻　まあねえ！。信市さんとおっしゃるんですの？
老人　ひと目でも逢えるものなら、その娘さんぢゃ無いが、自分の寿命をちゞめてもよいから、願でも何でもかけたいと思いますねえ。
若い妻　そうでございましょうねえ！。
老人　ハハ、ハハ、だけど、それも先づまあ、あきらめてしまひましたよ。ハハ、まあまあ、細々とイモでもかぢって生きている間だけは生きていずばなるまいと思ってますけどね、さて、かんじんの入歯がこわれて、直すにも直せないでいる始末で。まあ私などの望みと言えば、入歯でも直すと言うところですね。ハハ。
少年　歯がなくってかぢれないのもつらいだろうけんど、歯が有ってかぢる物の無い方がもっとつらいよ。
中年の男　（だしぬけに一同の背後から大声を出す。酔っている）まったくだあ！。まったくだよ！。何がつらいと言って、食う物の無いほどつらい事は世の中に無いぞ！
若い妻　あらま！。（振返る）いつの間に？、
中年　いよう、今晩わア！。どうしました？、ハハハ、

だってそうでしょう?…たしかに真理ぢゃないです
か!・
若い妻　あら!。
夫　おい君、なにをするんです?、
中年　や失敬。御主人ですかあ?、へへへ、ですか
らねえ、我れに歯有れども、我れに食うべき物無
し、ぐやぐや、なんだをいかんせん!、つらいよ
たしかに!、貧乏人は皮を食っておれい!。そら
あ、皮でも有れば、いいさ　大したもんだあ。な
んにも無さや、何を噛みやいいんだ?、総理大
臣を食わせるか?、ぜんぜん、これがうまくもな
んとも無かったってね、へへ……ねえ奥さん!、
老人　こりや、どうも、酔ってござる。
中年　ござる?、いいえあんた、ござらないですよ。
酔ってなんかござらない
夫（妻に）おい、帰ろう。
学生一（二人ばかりの足音と共に寄ってくる）
どうしたんですか?、
夫　いやあ。（妻に）邦子帰ろうよ。すっかり寒く
なっちまった。
学生二、（学生一に）古賀、早く行こうよ!。
学生一、うん。どうしたんです?、
老人　いえ、なに、チヨット。
若い妻（夫に）ねえあなた、あの方、いっとき内
い連れてって、火にあたらしてあげない?、そい
から又、此處においでんなりや、いいぢゃないの
ああして真青になって立ち通していらっしやるの、
よくよくのナンだわよ。
夫　冗談言うなよ!、かゝり合いになったって、つ
まらんぢゃないか。帰ろう。そうだ、餅が待って
るんだ。
少年　その餅をだねえ、小父さん、おいらに、いや、
真黒にこげて食えなくなっちやったんでいいから、
くんねえかね?、
夫　バカ言うなよ
少年　バカぢやねえよ。どんな餅でもいいから、腹
一杯喰ってみてえんだ。そしたら、おいら、今夜
死んでもいいや。へへ。おいらのあこがれはそれ
だけだあ。
中年　そうだ!。それ、真理だ!。よし、俺んと
こへ来い。餅ぐらい腹一杯でも二杯でも喰わして
やる。喰ったらだや、死んで見せてくれよな!。

えゝと、君、なんだ？、
少年　おいら？、おいらあ一　浮浪児だよ。
中年　フロージ？、
少年　と世間で言う。こんで、やっぱし人間だ。
老人　ハハ、ハハ！。
夫　フフフ、フフ！。
（他の一同も笑う）
若い女　……あのう、（内部へ、懸命な涙声で）お願いでございます！、私、もう、立っておれません。お願いですから此處を開けて下さい！、あなたは、そこにいらっしゃるんです！。チャンとそうしてラジオの前に坐っていらっしゃるんです！ホンのちょっとで結構ですから開けて下さいまし！。お頼みをきいてくださるかくださらないかは、その上の事で、どっちでもよろしうございますから、とにかく此處を開けてくださいまし！。お願いです……（戸をたたく）
学生一　どうしたんだろう？、
学生二　気ちがいだよ、早く行こうよ、古賀。おくれると又、グズグズ言うぜ、これだからアルバイト学生なんぞ当てにならねえ。
夫　なんです？、夜、アルバイトやるの？、
学生一　この奥の倉庫の夜警なんです。
夫　そう、大変だなあ
学生二　二人で一晩徹夜して五百円ですよ。ちょっとでもそれが遅刻すると引かれるんだ。
学生一　この女の人、なんですか？、
夫　なあに、この人にお願いがあるとか、ガンをかけたとか。——留守らしいから又来いと言っても聞かんしねえ。
中年　叩けよ、さらば開かれん。わかるねえ、その気持、キットそりゃ、なんだ、言うにも言えない願いごとがあるんだ。人間誰しも、そいつは有るよ、なあ。願っても願っても、望んでも望んでもかなわないもの。夢に見ても、泣きわめいても、七転しても八倒しても、あきらめることの出来ないもの。なあ！。そのくせ、それが有るからこそ人間は生きて行けるのかもしれんのだ。苦しくっても、つらくっても、やりきれなくっても、それがあるからこそ、なんとかヒクヒクと生きて行ける。
学生一　だけど、この人、何を頼みに来たんだろう？、

誰か死にかけているんぢゃないか?、
中年　え!　死にかけてる〜、
学生一　いえ、たとえばですよ、たゞの何でも無いんぢゃないですかねえ、様子が?、
老人　左様さ、大きにそう言う事かもしれませんねえ。なにしろ、言ってくれゝば又、なんとかしようが有るが——。
夫　なあに、顔が変なんですよ。で無きゃ、ちょっと人に言えない——そうだ、たとえば、身体のどっか人に言えない場所に、大きなアザか、魚の目みたいなものが有るんだ。だのに間もなく結婚しなきゃならん。すると、いやおう無しに、この—そいで、その魚の目を取るために、願をかけに来た。まあ、そう言った——
学生二　だって、それなら外科医へ行って取ってくもらえばいいぢゃないですか?、
夫　そうですよ。ところが、こんなような人には恥かしくって、医者には行けないんだな。ハハ。バカな話ですよ。
若い妻　だって、そりゃ、仮りにそうだとしてもよ人から見れば、バカな話かも知れないけど、御当人にとっては大きな事だわ。もしかすると、そのままでは生きていられない位だわ。
少年　へっん、魚の目かあ?、魚の目ぐらいなら、おいらが取ってやろうか?、
若い女　へほとんど泣いている）お願いです!。開けて、開けて下さいな!。
夫　ハハ、ハハハ!。
学生二　失敬だよ!。こんだけ真剣になにしてくるのを魚の目だなんてからかうのは!。
少年　からかってなんぞ居ないよ。おいらあ。トッテモ切れるカミソリ持ってんだぜ。
老人　そいつは、あぶないなあ——
若い女　へ泣きながら）どうぞ、お願いします!。
中年　だけど、なんだねえ、今の日本人、誰かれなしに考えて見ると、満足し切っている人と言うのは、まあ居まいが、これでみんなが一番ほしいのは何だろうなあ?、え、どうです?、
夫　そりゃ金ですね
学生一　もちろん金ですよ、そりゃ。せめて僕なんぞ、アルバイトで追いまくられないで、勉強出来るだけの学資がほしいですよ。

中年、そ、そりゃまあ、金だと言やあ。それっきりで、金のほしく無い人は居ないだろうがさ、それよりも、もっとこの　心のお願いだな、もっと深い――

老人　そりゃあなた、わたしなど、金などよりも二番目の息子がシベリヤから帰って来てくれればと思いますけどね、これ、いくら願って見ても、あきらめなければならぬ今となっては――。

少年　（あっさりと）そいつは戦争をもうしないでくれと言う事だよ。おいらなんぞ、戦争のために一人ぼっちになっちゃって、そいで、浮浪児だもん。

学生一、そりゃそうだ！。そりゃ、そうだよ！

若い妻　それはそうだわ、

夫　うん、まあ、そりゃそうだな。

学生二　だけどねえ、それはそうだけどな、戦争はもうイヤだと言う点では誰でもみんな同じ気持だと思うんだ。希望しているよ、みんな平和を。だから特にそれを言うのは、今となっては意味ないと思うんだ。

中年　さて、どうかなあ、中には戦争になれば金もうけが出来るから、はじまってほしいと思っている人間もいやしないかね。

学生二　そりゃ少数の、まちがった連中ですよ。又その連中にしたって、もうけたいから戦争でもと思っているだけで、ほかの事で金もうけが出来ればですね、戦争そのものを希望しているんぢゃ無いと思うんだ。

中年、甘いなあ、学生さんの見方は。人間なんてもっと悪もんだよ。イザとなりゃどんな事でもやらかすのが人間ですよ。現にあんた、ホンのこないだ戦争がすんだばかりなのに、そして、平和平和と口では言いながら、方々で原子爆弾の製造競争をしている。

学生二　ですから、僕の言うのもですねえ。もっと具体的な積極的な手段を取らなければならんと言うんですよ。甘くはないですよ。第一、今度戦争になれば、僕らが真先に引っぱり出されるんですからね、甘い事なんぞ考えてはいられないんだ。

夫　だけどねえ、又それだから低い意味のエゴイスチックな気持から戦争に反対する人もいるわけぢやないかな。その自分が引っぱり出されるからイ

だと言ふ気持は、裏返すと自分さえ引っぱり出されなければ何があったって知っちゃいねえと言う事になるんだ。

学生二　そ、そんな悪い事は無いと思うんだ！　そんな君、そんな悪分な――

夫　いやいや、自分の事を僕は云ってるんだ。兵隊時代の自分――こいでも一等兵まで行ったんですよ、その自分の気持を今振返って見ると、たしかにそれが有ったんだ。だもんだから、ヤケクソみたいな気持で戦争していて、シンから兵隊にもなれなかったし、かと言ってハッキリ鉄砲ほうり出して戦争に反対も出来なかったんだ。どっちせ、あんなエゴイズム、と言うことは薄っぺらなヒューマニズムとも言える。そんなものからは、なんにもホントのものは出て来ない。

学生二　そうですか。いや、僕もそう思うんですよ！　だからですよ、だから、たゞ戦争はイヤだと言うだけでは、なんにも言わないのと同じだと言うんですよ！

学生一　だから、再軍備絶対反対だと言うんだろ？　きまってら。

学生二　そうだよ、絶対に反対だ！　だって軍備とは読んで字の如し、戦争の準備をすることだ。イヤだそんなの！

学生一　だが、外国の軍隊が侵入して来たらどうするんだ？　侵入して来ないと言う保証はどこにも無いんだぜ？、国連軍に守ってもらう？　人に守ってもらうだけで、自分ではふところ手をして見ているのか？、虫が良すぎるよ、そいつは！

学生二　そう言う一種の被害妄想から出発した再軍備論こそ戦争の原因になるんだ！　ふところ手をして見ているなんて言ってやしないんだ。だからさ、だから一方に於て、積極的にグイグイ平和運動をやるんだ！

学生一　いくらやったって平和運動には限度があるのよ。当の強い国がそいつを聞いてくれなきゃ、それっきりだ、一方が聞いても、もう一方が聞いてくれないぢゃダメだ。第一、歴史は必然性の積み重ねで、現に今こう云っている間も動いているんだ。日本はもう既に必然性の歯車の中に組み込まれているんだよ。下手をすると、平和運動ごと、まるごとべりべり噛みくだかれてしまうんだぜ。

学生二　必然性から支配されているのと同時に、必然性を作り出して行くのも人間だよ！。そいつを君は忘れているんだ。なるほど俺たちは二つの歯車の間にはさまって、ほとんど無力だ。しかしまるっきり無力ぢゃ無い！。そうぢゃないか、八千万人の人間が声をそろえてイヤだと言うものを、どんな強いものが来たって、そう安々とおさえつける事はできない！

中年　八千万人の声が、そろえば問題無いけどなあ。そろわない事おびただしいからこそ、御覧の通りのテンヤワンヤだ。

学生二　だからグイグイやって、そろわせるようにするんですよ。

中年　いつになったら、そうかね？、私あ、ダメだと思う。

学生二　ダメでは無いですよ。われわれのやりよう次第ですよ。

夫　君は共産主義者なの？、

学生二　いや、そうぢゃ無いです。しかし平和を守るためなら、誰とでも協力しようと思ってるんだ。とにかく、どんな事があっても、たとえ日本がどんなふうになったとしても、戦争よりはマシなんだ。

学生一　それこそ戦争恐怖病ぢゃないか！。日本がどんなふうになったとしてもと云うが、日本あっての日本人だぜ！、何が何でも、あらゆる戦争がイヤだと云うのは、唯の卑怯だよ。そりゃ、こないだの戦争はまちがっていたさ。イヤだったさ。しかし、それにこりたからと云って、ミソもクソもいっしょくたにしてだな、今後しなければならない戦争――そんな戦争がもし有るとしてさ――それまで否定するのは一種の神経衰弱だと思う。

学生二　ぢゃ、そんな戦争が、しなければならない戦争が有るのか？、あり得るのか？、

学生一　有るよ。一言に云って、日本と日本人を守るための戦争さ。つまり日本人の自由を防衛するための戦争だ。それならやるべきだと思う。それなら僕は積極的に戦争に参加する。僕は日本を愛しているんだ。

学生二　へっ！。戦争中、東條も同じような事を云ったんだぜ！。

学生一　言葉は似てるかも知れんが、ちがうんだ！

東條は国民を駆り立てるために云ったんだ。俺は俺自身の正直な気持から、自分だけに云ってるんだ！。第一、東條のやったのは侵略戦争だ。俺の云うのは防衛戦争なんだ。自分の愛する人々を守るための戦いだ。

学生二　愛すると君は云うが、僕は愛さないね。少くとも君の云うような意味では愛さない。だってそうじゃないか。現在、愛するに足る日本人がどこにいるんだい？、景気よくやっているのは、政治家にしろ実業家にしろ文化人にしろ、たいがい恥知らずのおかしな連中だ。そうでない連中は、もうまるで、犬のように卑屈になり切ってペコペコ、ペコペコと、人のくれるものなら這いつくばって足でもなめる。人間らしい誇りや、互いが互いに抱く尊敬なんて、どこを捜してもありゃしない。見ているとヘドが出そうになるだけだ。どこを押しても僕は愛するなんて気持にはなれない。

学生一　それは君が日本人を、ただ抽象的に見ているからじゃないか。もっと具体的にだな、現に君の周囲に居る一人々々の人間として見れば、そんな事はないと思うんだ。君の親兄弟、友人、隣りの人、そう云った人々が日本人だぜ？、それを君は憎んでいるのか？、

学生二　憎んでいるとは云えないけど、しかしイヤでイヤでしようがないね。家族の者だって友だちだって、そいから電車の中で隣りに居る人間だって、こうして今ここに立っている人たちだって僕にはイヤだ。逃げだして行きたくなる。なんかもうこんな芸っ汚い、なさけない連中と一緒にいなきゃならんと思うと、たまらないんだ。

中年　わかるぞ、それは！。私も戦争中、軍隊にいる時分、そう云う気が時々したね、ピクピクと卑屈な、そいで蔭では自分勝手なことばかり考えて、鼠みたいな眼つきをしたヨボヨボの召集兵どもが、イヤでイヤで踏み殺したくなったもんだ。自分も同じ召集兵の一人でありながらね。へへ！。

夫　僕にもそういう経験があるなあ！。或る意味で現在でもそれはある。会社で仕事をしてもヒヨッとした気分で、同僚全部が実に軽蔑すべきウジ虫のように見えて来る事や、家に居て家内の顔を見ていてヒヨッと、これ以上に下劣な取るに足らぬ顔は無いと思ったり――

若い妻　あらまあ、ホント、それ？、
夫　いえさ、時にそう云う―いやすべての人に対してだよ。しかしねえ、それは実はねえ、そんなような自分の周囲の日本人を、実は猛烈に愛しているためにそうなんだ。つまりあまり強く愛しているためにだな、その相手の姿が自分がこうあってほしい姿とかけはなれ過ぎていると、逆に憎いみたいな気になる事があるんだ。それなんだ。僕はいつかヒョッとそれに気が付いた。それは憎しみみたいだけど、実は愛情なんだ。
学生二　そうですかねえ、僕にはわからん。たゞもイヤでイヤでもうやりきれない気持なんだ。
学生二　ぢゃ、君自身の事はどうなんだ？、君は自分を愛してはいないのか？、そいで、君は日本人なんだぜ？、君がどう思おうと君が日本人であることを変えるわけには行かないんだぜ？、
学生二　だから、僕は自分を愛していないよ！、そんな日本人の一人である自分がイヤでみじめで腹が立って仕方がないんだ。
学生一　ウソだ！、ぢゃなぜ、学問したり、学問するために、こうして夜まで辛いアルバイトしたりしてるんだ？、
学生二　ウソぢゃ無いよ！。たゞ、生きているんだから、食べて行かなきゃならんし、何かやらなきゃならんから、アルバイトしたり学校に行ってるだけだ。
学生一　そんなんだったら、死んぢまった方がいいと云う事になる。
学生二　だから、死のうとした事が一度あるのは君も知ってるぢゃないか。……ウソぢゃ無い。ホントに僕は、こんな有様の今の世界と云っても日本と云ってもいい、今のような時代に生きていたいとは、思わない。しかし、死ねもしない。だからなんとかして、どうにかして生きて行こうとしているんだ。それには、このままでは、息が苦しくて、とても生きて行けない。なんとかしてだなーつまり、だから平和の問題にしろ、再軍備問題にしろ、それからみんなの生活の問題にしろだなあ積極的に俺たちがだなあ、解決してだなあ、少くとも解決出来るような方向へ向ってだなあ！。（叫び出している）つまりだよ、人間が互いに人間を愛する事が出来るような状態が早く来るようにだ

なあ、つまりだよ、つまり人間が人間同志殺し合う事だけは、しないでくれ、それだけは助けてくれ、お願いだからそれだけはかんべんしてくれ、そう思うから僕あ――そう思うから僕あ！（途中から泣き出しながらの叫び声になっていたが、そこで絶句してしまう）

（間。……シーンとした中に、遠くから誰かが何かを呼んでいる声が、かすかに流れて来る）

中年　……仕方がないぢゃないか。日本人がこうなって来たんだから。泣いても、わめいてもこれが日本人。そう思やあ、スナヲにやれる。

老人　そうですなあ。まだまだ、あなた捨てたもんではない。案外これで百年後には偉大な国民になれるかも知れない。今している辛い思いがムダではないような気もしますなあ。

中年　国土にしたって、そうだ。この狭い土地、それが焼けてしまってさ、ごらんなさい、ズーッと焼野原で、ポツンポツンとちっちゃな家が立って、そう一つ一つ灯がともって眺めていると泣けてくらあ！ねえ！向うの暗くて見えないが、山が有ったり川があったり、畑や森や、町も有る。はぢっこは、海になってなあ！三千年近く日本人が、なでたり、さすったり、そこで生れたり骨を埋めたりした所だよ！愛するかい、愛するねえ、わしは！これが日本と云う土地だ！ごらんなさいこれがそれだ！暗いけどズーッと続いてらあ！ハハ、ねえ、日本人はここで生れたんだ！（遠くへ叫ぶ）おーい！にっぽんぢいーん！出てこおうい！にっぽんぢいーん、出てこおういー、

（声が尾を引いて遠くへ流れる）

その声の消えたあたりから、誰かが何かを呼んでいる声。そのはるかな夜の声を、この人たちがヂッと聞いている。……声は次第に近づき、少女の声だとわかって来る

少女　お父うさあーん！（走り寄って来る足音）

中年　お！よし子かあっあ？

少女　お父うさん！（近づいて）こうんな所に居たのう、お父さん！

中年　びっくりした。日本人が出て来たのかと思ったよ。

老人　ハハ、ハハ！（夫と若い妻も笑う）

少女　え、なあに？、なんの事？、

中年　ハハ、いやあ、なんでもない。どうしたんだ？、

少女　どうしたって、お父さんこそどうしたのよ？、いつもより帰りがおそいなあと思っていたら、お隣りの岡村さんの小父さんが駅んとこでお父さんを見かけたと云うんでしょ。フラフラ酔っていられるようだったと云うんで、又かと思って、そいでいくら待っていてもお父さん帰って来ないんだもの、段々心配になって、内にヂッとしていられなくなって迎えに駅まで行ったのよ。あの辺にも居ないんで、いよいよどうかしたんじゃないかと思って大急ぎでこっちの方へ来たら、こんな所で、お父さん、どうなってるんだもの、どうしたの全体？、

中年　すまんすまん。いや、ちょっとね、その――ハハ、（老人に）なにね、親一人子一人の娘でしてね、家内を三年前に亡くしましてね、これと二人っきりなもんですから。

老人　そりゃ、まあ。

少女　すまんすまんなんて、なんかと云やあお酒のんで、電車にでも、しかれたら、どうすんの！。

中年　ハハ、こんなちっぽけな奴が、まるであなた女房気取りで、何かと云うと頭ごなしに叱るんですからな。

少女　まじめよ私。知らないから！。

中年　あやまった！。もう今度っから飲まんよ外では。ハハ、そう怒るなよ。お前にも良い物買って来てやった。えっと、さ、これだ。

少女　そんな事言って、ごまかそうたって、――なあに、この箱？、

中年　おとどしから、何かといやあ欲しい欲しいとお前云いくらしていた、そら、このフタをピンと開けてごらん！。

少女　（叫ぶ）あらっ！。オルゴールねっ！。あらあ！。（云っている内にパタンと小箱のフタの開く音がして、オルゴールが鳴り出す。すずやかな、急調の曲がコロンカランと響く）

若い妻　あゝら！。

少年　ふゝん、良いなあ！。

（……一同が曲に聞き入っている。曲やむ）

老人　良い物買ってもらいましたなあ。

少女　お父さん、ありがとう！。ありがとう、お父

さん！・私、ズーッと欲しくって欲しくって、そんでも高いんだから買ってもらえないんだと思って、あの、夢に見たりなんかしても、もう云うの悪いと思って、あきらめていたの。うれしいっ！ありがとう、お父さん！

中年　泣く奴があるかい、ハハハ。

夫　なんだなあ、少くともこのお願いだけは――ここに居る人間の中で、このお願いだけは、かなったわけですね。

少女　私、これから、これを私の、お守りにするの。枕もとに置いて寝るんだ。机の上に置いて勉強するんだ。そしてこの中にチョコレートボンボン入れといて、そいで、自分が善い事を一つだけした時は、このフタをポンと開けてオルゴール聞きながら、ボンボンを一つ食べるの。

若い妻　いいわねえ！　うらやましいわ……

中年　すると又チョコレートも買わされるのかあ。やりきれんなあ！（一同笑う）さあ、ぢや、帰るか。皆さんおやかましう、失敬しますよ（若い女に）ねえ、あんたも、もう締めて、又出直しておいでんなるとして、今夜はなにした方がよござんすよ。

少女　どうしたの？、

中年　うゝん、いいんだ。さ、よし子、帰ろう。（歩き出す。振り返って）皆さんおやすみ。

少女　（これも歩き出しながら）これ、こゝん所を、どうすんの？、こう？、

中年　（遠ざかりつつ）そこのホッチをはづしてから、勢いよくパッとフタを開けると――そうだ、そうだ。（離れた所でオルゴールが鳴りはじめ、足音と共に遠ざかり行き、消える）……

学生二　……良いなあ、なんだか。

学生一　うん、良いなあ。

学生二　日本人、出て来いか。

夫　ハハ。さあ邦子、帰ろう。（若い女に）ホントにあなたも今夜はもう帰りませんかねえ。でなかったら、一度僕んちへ来て、コタツにでもあたってから、又こゝへ来たらどうですか？、（返事なし）

若い妻　ホントに、そうなさいましよ！（返事なし）

老人　どうにも、しようが無いなあ。よくよく……の思い込んだ――

夫　仕方が無い、帰ろう邦子。どうも――（二人が立去って行く足音）

学生一　僕らも行こうぢゃないか。

学生二　うん。でも、何だか、この人の頼みが何だか知らんが、なんだか、気持だけはわかるような気がするなあ。

学生一　そうさねえ。……でも、もう行こうぢゃないか。又どやされるぜ。

学生二　うん、行くか。……（二人が立去る靴の音）

老人　ぢゃま……（若い女に）あんたも、まあ、気を附けなすってな。何かあったら、私んとこは、直ぐ向うの、小さい家で森本と云いますからね。やって来て、そう呼びなさい。（返事なし）小僧さん、あんたも、もう帰った方がよいぞ。

少年　あゝ。

老人　（歩き出しながら）おやすみ。これは暗い。やれ、どっこいしょと。（遠ざかる）

少年　みんな行っちまいやがった。……お姉ちゃん君まだ居るの？、もう帰れよ、よう！

若い女　（弱り果てて消え入るような声で）お願いでございます！。ここを開けて下さいまし！。もう私、疲れて、あの、立っていられません。お願いですから……

少年　しやあねえなあ。どうすんだよ？、……誰も居やあしないんだぜ、この家には？、

若い女　お願いでございます！。（弱々しく戸を叩く）

少年　もう、おそいんだよ、しつっこいなあ。どう云うんだい？、帰るぞおいらも？、したら、お前、一人ぼっちになるんだぜ？、

若い女　お願いを聞いていただかないでは、私帰れません。どうか……

（声は出なくなってしまい、ホトホト、ホトホト戸を叩く）

少年　……（全く感情のこもらない、低い声で）そうさなあ……ホントは、おいらは、お母ちゃんが欲しいんだ。へへ、へへ。

（笑うが、笑い声にならない）

若い女　（かすれた弱い声で）お願い……お願いでございます。どうぞ……

（戸を叩く音がしばらく続く）

（おわり）

あとがき

〈破れわらじ〉
昭和二十九年。　著者五十二才。
十一月、NHKより、三枝健剛の演出で放送された。ラジオドラマ集「破れわらじ」に収録
宝文館より刊行された。

〈不良日記〉

昭和二十九年。十月。NHKより　伊藤信雄の演出で放送された。


〈健の犯罪〉

昭和二十六年。著者四十九才。

九月、NHKより　山口淳の演出で放送され、後に、新劇〈昭和三十四年二月号〉に発表された。

〈夜の潮〉
昭和二十七年。著者五十才。
十一月、ラジオ東京より、作者自身の演出により放送された。宝文館版「ラジオドラマ集
破れわらじ」に収録

〈願いごと〉

昭和二十七年。三月。ラジオ東京より、作者自身の演出にて放送された。

昭和三十七年八月十八日 印刷
昭和三十七年八月二十一日 発行

限定版
２２０部
その内の
第 191 番

◎三好家に無断で上演上映、放送、出版、複製をすることはかたく禁じます。

三好十郎著作集
第二十二巻
（非売品）

著作者 三好十郎
監修者 三好きく江
発行者 三好十郎著作刊行会
代表者 大武正人
東京都大田区北千束町七七四番地
電話 東京（七一七）二三八五番
振替 東京五一七五二

印刷者 株式会社 タイト印刷
東京都中央区八重洲四ノ五梅田ビル内

第二十二回配本

三好十郎著作集

第二十三巻

三好十郎著作集

第二十三巻

監修　三好きく江

編集　人武正人
秋元松代
高橋昇之助
石崎一正

世界最古の書籍

この一文は、イギリスの文学者ジョン・ドリンクウオータアの大著「世界文学大観」(*The outline of literature* 第一巻の第一章である。我国最古の文学である記紀文学の研究家には、何等かの意味で、参考となることと信じてここに掲載することとした。(記者)

一

文学の厂史は実に、人間が文字を使ってものを書く事を知らないズッと以前に始まる。諸芸術の中で一番古い芸術は舞踊であった。人々は、その敵を打破って殺した後で、原始的な篝火を取囲んで、喜悦のために踊った。踊りながら、大きな声を出してわめき叫んだ。そして次第にそのわめき声や叫声が、まとまって来て舞踊の拍子に合ふ様になった。それがつまり最初の戦ひの歌となったわけである。

神の観念が人々の間に発達して行くに従って、祈祷の文句が作られた。この歌や祈祷などは伝統的のものとなり、一時代から次の時代へと繰返された。その間に各時代にもそれぞれその時代の歌や祈祷が生れて、それらが今迄のものに附け加へられた。

ところが人間は徐々に更に文明化されて来た。さうなると、どうしても文字を使って書く方法を発明しなければならなくなった。それには三つの重大な必要が有ったのである。忘れて了うと危険だから、どうしても記録して置かなければならぬ事が有った。離れた所に居る者と通信しなければならぬ事が往々にしてある。それから、器具や牛等に何等かのハッキリとした形式で印を入れて、自己の財産を守らねばならなかった。

それで人間は書く事を自ら習得した。即ち、人間は全く実益上の原因から書く事を知るに至ったのである。それが、此の新しい方法を、戦ひの歌や祈祷を保存するために用いた。言ふまでもなく、これら古代の人々の中には、書くすべを知ってゐる者は極く少数であった。又、書いてある字を読める人も極く稀れであった。

最古代の書き物は、単に岩石の上に粗末な掻き痕をつけたものに過ぎなかった。そして多分、この岩石に書かれた文字は、字の書ける人が書いたのを、後で大方書いてある事の意味はまるで知らない石工

が本当に刻み込んだものらしい。間もなく、焼いて固めた粘土板に尖筆で文字を書く様になって来た。この粘土製の書籍の実例品は、チャルディア（Chaldea）に於て、ヘンリー・レイヤード卿（Sir Henry Layard）に依って発見された。その中の一つは現在大英博物館にある。これには、ノアの大洪水の事が書いてある。これは多分現在してゐる最古の書籍だらう。これの書かれたのは紀元前四千年頃であって、ヘブライ人がノアの大洪水の話を作ったのは聖書よりも数千年以前に書かれた此のチャルディヤ人の記述に據ったものだろうと信じらるべき理由が有る。チャルディア人は、楔形文字を使用した。此の楔形文字（Cuneiform）と言ふ語はラテン語のCuneusから出た語であってCuneusとは楔を意味してゐる。各文字は楔で出来てゐるか、楔をいくつも組合せて出来上ってゐる。先端の四角な尖筆で、左から右の方へ書かれてゐる。

チャルディアの書手は、給料を貰って宮庭から雇はれてゐたのだった。王様が戦争に出陣する時には書手は重要な随員としてそれに従って行った。占領した都市の数殺した敵軍の数、味方の損害の高、及び王様の武勇を強めて記録して置く事が、その書手の役目だった。チャルディアの宗教上の文学を書いた僧侶達も、同様に王室の宝庫から給料を貰った。これら、戦争の記録と祈禱文の他にも、チャルディアの粘土本には、農業や占星学や政治の事が記されてゐる事が発見されて来た。レイヤード其他のアッシリヤ研究者達に依って発見された粘土板は、多分ニネヴエ（Nineveh）に在ったセンナチエリブ（Sennacherib）の図書館の一部分だらうと言はれてゐる。センナチエリブと言ふのは紀元前六百八十一年に死去した人である。

古いと言ふ点から言へば、チャルディアの文学に次ぐものはエヂプトの文学である。

エヂプトの書籍は紙草（papyrus）に書いてある。この紙草と言ふのは、ナイル河の谷に生える蘆の髄から製造したものである。それに、草の幹か、藤か竹かで造った蘆ペンで書いてある。吾人の知ってゐるのでエヂプトの最古の書籍は「死者の書」（The Book of the Dead）と言ふのであるが、この書はあの大ピラミッドが建造された頃に書かれたものである。この「死者の書」の写本は大英博物館にも有

る。ヂヨージ・プトナム氏（Mr. george putnam）の言ふ所によれば、この書には、「神々に対する祈願、讃歌、祈祷、又は来世に於て死者の霊を待つてゐる事件記述、即ち、人間の過去の生活の精密な解剖と、これから以後の来世に就ての最後の審判等」が記述されてゐる。

「死者の書」は、一種の宗教上の儀式のものである。此の書の写本は、人間の魂が来世に向つて旅をして行くための安全な導者として、常に死人の墓の中に秘められた。この風習のために、古代のエヂプトの葬儀屋は、（プトナム氏の言ふ通りに）史上最古の書籍屋である。エヂプトに於ては、文学の観念は寺院に於て盛んになつた。それで、沢山ゐたエヂプトの神の中には、トスヘルメス（Thoth Hermes と言ふ名前の、がまさぎ鳥に似た頭をした「図書の向の神」がゐた。以上の様に、現在にまで伝はつて来てゐる小数の古代エヂプト文学の大部分が、すべて宗教的なものばかりだ。だがしかし、矢張古代エヂプトには、宮庭文学も存在してゐた。又民話より成る通俗文学も存在してゐた。「死者の書」が書かれた時代以後数世紀の間にエヂプト人は、範囲の広い文学を産出した。その中には、宗教の事を書いた書籍もあるし、道徳の事を書いた書籍もあれば、法律、修辞法、数学、測量学、地理、薬学、旅行などの事を書いた書籍も有つた。そして中んずく小説書が多かつた。この書籍の中で保存されてゐたものは、殆んど皆無である。多分此の古代エヂプト書籍は、あのアレキサンドリヤ（Alexandria）図書館の書棚にさへも納められなかつたものだらうと思はれる。アレキサンドリヤ図書館は全々ギリシヤ図書館だつたのである。

「死者の書」を除けば、世界最古の書籍は「プタ・ホテプの教」と言ふエヂプトの書物である。プタ・ホテプ（Ptah-Hotep）と言ふ人は、メムフイス（Memphis）に生れて、紀元前三千五百五十年前後に生きてゐた人である。

この古書は実に、モーゼを去る二千年印度のヴエダ経典の編纂を去る二千年以前に書かれたものである。その事を思へば、此の書が如何に古いものであるかが想像出来るだろう。此の書は、ホーマアヤソロモンの訓言書よりも　二千五百年も古いのである。ソロモンと現代のわれわれとの間の年月の差よ

りも、ソロモンとプターホテプとの間の年月の差の方が大きいのだ。

　此の「プタ・ホテプの教し」は、縦二十三呎七吋、横五呎八分の七吋ある一枚の紙草の上に書かれたもので、現在パリーの国民図書院（Bibliothèque nationale at Paris）にある。次の文章は、それを翻訳したカン氏（Mr-Gunn）の翻訳文の一節である。「

　人々の間に恐れを起すなかれ。恐れを起す者は、神これを同じく罰したまふ。人ありて、「此處に生命ありし」と言はば、その人は口よりして食物を奪はるべし。「此處に力ありし」と言ふ人、又は「わが見る物をわれ自ら取るし」と言ふ人あり。かく言ふ人あらば、その人は打ち倒さるべし。物を持たざる人に物を與へて、得る所ある人は、この人にあらずして他の人なり。人の用意せる事にして未だ嘗て起りしことなし。されど神これを命じたまへば、その事さへも起るなり。故に仁慈の家に住むべし。然らば人皆来りて自ら贈物を与へん。

　汝もし汝よりも大なる人の客の中にあらばその人の與へたるものを受けて、汝の口に入れよ。汝の前に坐れる人（その家の主人）を見るには、鋭どく瞥見することを餘りにしばくするなかれ。主人を見詰むる事は全して大いに忌むことなればなり。主人より言葉をかけらるるまで、主人に向って言葉をかくるなかれ。主人の意見に背く事有るやも知れざればなり。主人先ず汝に向ひて向ひたる後に語るべし。さすれば、汝の語る事は主人の意見によく合致すべし。食物の前に坐せる貴人は、その意のままに食物を分つ。貴人は己れに気に入りたる人に食物を與ふ。――これは夕食の習慣なり。貴人の手に導くものは、彼の魂なり。與ふる者は貴人にして、それを得る者は身分卑しきにあらず。かくして、食事の事は神意の下にあり。この事に就きてとやかくと言ひ争ふ者は無智の者なり。

　汝もし一人の貴人より他の貴人へつかわさるべき使者となりたらんには、汝をつかわしたる貴人の通りになし、命令されたる通りに使ひの旨を伝へよ。心して汝の言葉のために、真実を曲げて双方の貴人を互に敵となさざる様にせよ。言ひすごすなかれ又、王候にあれ農夫にあれ人

が腹蔵もなく言ふ言葉を繰返して言ふなかれ。こは、人の忌むところなればなり。

二

ヨーロッパ文学が始まる数百年以前に、支那では数多の書籍が出来てゐた。だが支那文学と支那倫理の基礎をかためたのは支那の大哲人孔子である。この孔子は、キリスト出生以前五百年時代に活動した。これらの支那の書籍は、竹の繊維を以て製造した札に書かれた。この札の上に、時には先端の鋭どい尖筆で掻いて書いたり、時には文学を墨で書いた。又支那人は絹布の上に字を書いて書籍を作ることもした。支那で紙が製造されたのは紀元前百年頃である。キリスト出生後間もなく、堅い版木で印刷する事を始めた。そして、ヨーロッパに於て印刷術が発明される三百年以前に支那に於ては活字印刷が行はれていたのである。

古代の支那文学は、論理方面の文学であった。―人の行為に就ての伝統的な格言を集めたもので、如何にすれば人間が此の世に幸福に生きて行く事が出来るか、来世に於て現世よりも満足な生活を送るためには、どんな用意をしてゐなければならぬかと言ふ事が書いてあった。古代の支那の著述家は、大概名誉ある立派な公民であって、人々からは大きな国宝として遇されてゐた。だが紀元前二世紀の初めに至って、チエ・ファン・テイ皇帝（Emperor Che-Kwang-ti ――― 秦始皇帝）が、薬学と農業に関する書籍以外の書籍を全部焼き捨てる様に命令を下した。プトナム氏が言ってゐる通りに、これこそ、恐らく世界未曽有の暴虐にして徹底的な文学に対する圧迫政策である。しかし、幸ひにして、民間の吟咏者達が、沢山な古代の歌を暗記してゐて、それを暗誦した。文芸破壊者のその皇帝が死んで了ふと、それらの歌の本が再び書かれる事になった。当時の支那の著述家は、自分の著した書籍が方々に広まっても、それから収入を得ると言ふ事は出来なかった。しかし、その代りに国家から給料を貰ふ事が出来た。且、政府が著述家や学生を好遇した事に於ては、支那に優る国は他に無い。これに関して、一つの興味のある事がある。それは、文学の歴史の中で、著述家として成功した最初の女は支那

の女だと言ふ事だ。これはパン・チャオ（Pan Chao）班昭と言ふ名の女で、キリスト紀元の初頭の時代に、厂史を書いた。

支那の古代文学は、実に広汎なもので、又実に立派なものである。で、近代の支那文学は、それらの古典の作家達の著作に対する註釈書類以上にいくらも出ないものである。国民生活に対する古典の著述家達の影響の力は非常なものであった。そして、この事は、支那の国民を、あらゆる点に於て世界で一番保守的な国民となしてしまった。支那に於ては、伝統に対する尊敬の念が非常に強いために、古代文学に対抗する様な近代文学を産む事が、不遜の僭越として、全く不必要な面白からぬ事とされてゐる。更に、古典の著作家に対する崇拝の念は、有史以来の支那語が少しでも変化する事を妨げてゐる。五百年前にチョーサー（Chaucer）が書いた詩を読んで、チョーサーの使った英語と現代の英語との甚だしい相異に注意したら、支那語の異常な不変化性を本当に想像する事が出来る。

印度のヴェダ経典は、サンスクリット教徒の聖典であるが、キリスト出生前、少くとも一千年頃には書き上げられたものである。佛陀は紀元前六世紀の末頃に生きてゐた人であって、その説教は、非常に多量な印度宗教文学書の生れる根源となった。この宗教文学書は、磨きをかけた獣皮や、加工された棕櫚の葉に書かれてゐる。世界最古のヘブライ語の書籍は紀元前六百年頃に出来た。日本に於ては、知られてゐる限りに於ては、今より一千年以前までは文学は存在してゐなかった。而して、日本に於ても、支那やギリシャに於けると同様に、民間の吟咏者の方が、文字で書かれた書籍よりも数百年も先に生れた。

フエニキヤ人（The Phoenicians）と言ふのはセム人種に属する人間で南アフリカに住んで盛んに商業を営んでゐた。その主都のカルセーヂ（Carthage）は最初の世界商業の中心地であった。此のフエニキヤ人が、ギリシャ人に向って、初めて文字を書くすべを教へた。それに、ギリシャ人は、製本術に就いてエヂプト人から初めて習得した。ギリシャ文字のアルファベッドは、多分既に紀元前八世紀頃から発達して来た。ジェヴォン（Jevon）がその著、ギリシャ文学の中で言ってゐるが、ギリ

シヤに於て、読み書きを教へたのは紀元前五百年頃からだと言ふ。その当時、ギリシヤには、チオス島に少年のための学校が在った。そして、一般に、読み書きの出来ぬと言ふ事は人として恥かしい事だとされてゐた。然し、（ジェヴオンの言から推察すれば）この時代に於けるギリシヤの教育と言ふのは、通常、ほんの計算書を書いたり、友人に手紙を出したりする事が出来る位の程度のものだった。読書の点では、どう考へて見ても、そんなに古い時代にギリシヤ人が読書の習慣を持ってゐたろうとは思はれない。文字を書くと言ふことが一般的になる前に盛えてゐたギリシヤの民間吟詠者は「吟遊者」と呼ばれた。この吟遊者達の仕事は、戸外でホーマの叙事詩を初めから終りまでスッカリ朗吟して、聴衆を楽しませる事だった。吟遊者達は、丁度近代の旅芝居の様に、町から町へと旅行をして歩いた。そして自分の暗記してゐる詩や伝説物語等は、彼等の生計の費を得るための商売品であったのである。

ギリシヤに於ける教化の中心地は、最初アゼンスであったが、それに次いでアレキサンドリアに移った。そして、当時熱心な書籍蒐集家であったプトレミイス（Ptolemies）は、蒐集し得られる限りのギリシヤ文学傑作の写本を集める事に努めた。アレキサンドリヤに在った図書館には七十万冊からの蔵書があった。その一部分は紀元前四十八年にジユリアス、シーザー（Julius Caesar）のために焼かれた。その後約二千年の現在に就ては、その中の二万冊だけが大英博物館に蔵されてゐるに過ぎない。アレキサンドリヤの図書館には、「イリヤッド」（Iliad）や「オデッセイ」（Odyssey）や、プラトーの「民政論」や、クセノフオン（Xenophon）の著者や、ヘロドタス（Herodotus）の著者や、ユーリピデス（Euripides）の戯曲や、その他ソフオクレス（Sophocles）やエスキラス（Aeschylus）の著書や、アリストファネス（Aristophanes）の著書や、ユークリッド（Euclid）の幾何学書などが蔵されてゐた。又、数学や科学に関する書籍も沢山蔵されてゐたが、それらは現在に於ては全部残存してゐない。ここに注目すべき事実が一つある。と言ふのは、古代人、中んずくローマ人は実に巧妙な道路建造者であって、科学的な設計に従って道路を造ったもので

あるが、その古代の道路建造に関する著書や其他の古代の土木工事に関する著書が、一冊も残ってゐないと言ふ事である。勿論そんな著書はその頃には存在してゐたに相異無いが、現在に於ては完全に消失してしまつたのである。

アレキサンドリヤの図書館に蔵されてゐた書籍は現在大英博物館に在る書籍とは非常に違ったものであった。その大部分は、エヂプトの蘆の髄から拵えた紙草の上に書かれたもので、ほんの一部分だけが洋皮紙の上に書かれた。この羊皮紙を書物を造るために使用する事は、アレキサンドリヤ図書館が火事で焼ける百年ばかり以前に発明された事だった。紙草製の書籍は、近世の地図によく似ている。文字でいろんな事の書いてあるのは片面だけであって、これが、グルグル廻る様になった。木の軸にしっかりと附けてあった。この軸は、或るものはかなり長かった。が、概して比較的短かいのが通例だった。紙草の幅は大概一呎ばかり。文字は紙の全長だけの長さの、巾の狭いいくつもの欄に書かれてゐて、この欄の幅は、二吋から三吋半。欄と欄との間には赤い罫線が引いてあった。ホーマのイイリヤット」などは多分どんなに少くても二十四巻位に分けて書かれたものであらう。且、アレキサンドリヤ図書館には同じ書物の写本がいくつも蔵されてゐたので、一つ一つの書籍の実数は、巻数に比して非常に少なかった。

書き手が紙草の上に書物を書いて了ふと、今度は職人がそれに、装飾を施すのであった。この職人は近代の挿絵画家の鼻祖であった。その次には、製本屋が、その手書本を受け取って、端を切り取り、羊皮紙であれば羊皮紙の面を、紙草であれば紙草の面を滑らかにした。それからその巻本は木軸にはめられる。木軸の両端の把手は、大抵金属の装飾がつけられるのであった。これらの手書本は、蘆ペンに、油煙とゴムとで造られたインクをつけて書いたものである。書籍の文字の書いて無い面は、サフランで鬱金色に染められ、各巻はそれぞれ通常、紫色又は黄色に染められた羊皮紙の筒に入れられた。

これらの巻本の書き手は、又、最古の書籍販売人であった。多分損料を出して一巻の手書本を他人から借りる。それを紙草の巻本に骨を折って写し取るそしてその写本を他へ売るのであった。キリスト出

生前五十年頃のアゼンスには、此の種の著作販売人が沢山住んでゐた。彼等は市場に店を開いた。アレキサンダー大帝時代にはこの書籍販売がもう立派な商売となってゐた。この古代の書籍販売人は、いつも正直一遍ではなかった。新らしい手写本を、色が変ったり紙草が虫に喰はれたりするまで、穀物の袋の中に入れて置いて、非常に古いものの様に見せて売ったりする事は、普通の事であった。

三

アレキサンドリヤが、ギリシヤ文学活動の中心地になったのは紀元前三世紀であった。そしてそれと同時代に、ローマの著述家は、アゼンス人の様式に従って文学創作をはじめた。アレキサンドリヤ文学の歴史の初めに於ける最も有名な文学作品は舊約聖書のギリシヤ語訳であった。これはギリシヤ訳、舊約聖書として有名な訳書である。伝ふる所に據れば、此の飜訳は常識の有る七十人の猶太人の博士に依ってなされたものである。紙草がエヂプトに産出すると言ふ事実が、アレキサンドリヤに対して、書籍産出の中心地としての地位を與へたのであった。同時に、更にその地理的の位置が、古代の世界を非常に荒らしてゐた不断の戦争の外にアレキサンドリヤを置いた。沢山の熟練した写本家が、権威のある学者の監督を受けながら、あの大きなアレキサンドリヤ図書館で働いた。そして、写本家達が作製した写本は、アレキサンドリヤの書籍販売人の手を経て世界中にひろめられた。このアレキサンドリヤのすぐれた文学上の地位は、アレキサンドリヤがローマ人に占領されてから後も、永く続いた。ギリシヤ語が古代の世界流行語でなくなるまでその通りであった。紀元五世紀頃までも、アレキサンドリヤは教化と学術の中心地であった。この事実は、チャールス、キングスレー（Charles Kingsley）が、その著書の小説ハイパテイアレ（Hypatia）の中に劇的に面白く取扱ってゐる。

ローマ文学は、その初期に於ては外国文学であった。ところが、ローマが世界の主都として押しも押されもせぬ様になるや、世界の各地から野心を持つた著作家達が、続々としてローマに入り込んで来た。丁度、十八世紀に於て、世界各地の著述家達がパリ

に入り込んで来たのと同様である。だが、それでも尚永い間、文学用語として用ひられたのはギリシヤ語であった。ローマの軍隊が全ギリシヤ半島を占領して了ってから後も、永い間、教養あるローマ人達は、アレキサンドリヤの写本家より購入したギリシヤ語の書籍を読んで過した。こんな風に、当時文学用語としてはギリシヤ語のみが尊重され用ひられた点は、十八世紀に於けるフランス語のそれと酷似してゐる。十八世紀に於ては、ヨーロッパ大陸に於てフランス語が、それと同様の位置を占めてゐて、その頃には、プロシヤのフレデリック大王までが、好んでフランス語の詩を読んだのであった。

ラテン文学が次第に生れる様になってからも、それは全々ギリシヤ文学を手本にして生れた。ギリシヤの劇はラテン語に飜訳された。ホーマーの詩もラテン語に飜訳された。それ故にオリヂナルなラテン文学作品は、必然的に模倣的になったのである。この点に就ては、紀元前一世紀以前、即ちラテン文学の黄金時代以前に盛えた所の有名なラテン語の著述家の大多数は、外国人であって、生粋のローマ人で無かったと言ふ事実を思ふと興味が有る。

ラテン文学の古典時代は、僅かに百年間だけ続いた。シセロ(Cicero)や、ルクレティアス(Lucretius)や、シーザー(Caesar)や、ホーレス(Horace)や、ヴァーヂル(Virgil)や、オヴィド(Ovid)や、リヴィ(Livy)等は、すべて紀元前百年から紀元元年までの間に生きてゐて、著作をし、そして死んだ人達である。

ヂョセフ、シエーラー氏(Mr. Joseph Shaylor)は、その興味ある著書「書籍の魅惑」(The Fascination of Books)の中に次の様に言ってゐる。——

ローマの図書館や書籍店は、その頃の智識階級の集会所であったが、同様に、流行社会の集会所でもあった。これらの店には文学愛好家や批評家連中が集合して、写本家が新刊の書籍を著す毎に、それに就て議論をした。これらの店は、最も賑かな場所に在った。店の前には、新刊書や立派な書物の名が広告された。又近刊のものも予告された。戸外に出てゐる箱から、廉價の本を集められることもこの商売街の特徴で有った。古代に於けるこの様な風習の多くは、

今日の書籍出版や、書籍販売と似通っている。シセロの著書の中に、自分の著書の一冊を友人に贈りたいが、贈呈本として登録したく無いから、それに対しては代金を支払ひたいと言ふ事が書いてある所が有る。又、かなりの巻数の或る書籍の「残本」を廉売で処分したいからと言ふ指図も書いてある。

当時の出版界で成功しなかった詩集は、大抵の場合に、魚其の他の物品を包む包紙に使われたと言ふ。又、部数を余り拵え過ぎて、ひどく残本が有ると、それらは書籍屋から公設浴場に廻されて、そこで薪となって燃されて了ったものである。これは成程うまいやり方で、今日の出版者が採用してもなかなか重宝だらう。其他その頃の習慣は、まだ近代的の意義を持ってゐる。例をあげると原稿のままで版権をスッカリ買ひ取る事などだ。印税組織も、当時既に存在してゐた。で、著作家はよく自分の仕事の報酬の一部として自分の著した書籍の写本を何冊かを書籍屋から受け取った。だが、当時の大多数の人は、文学的の仕事に対して報酬を要求するのは卑しい事だと考へてゐた。まあ現代にはめったに無い類の誇りの精神である。当時は版権法なるものは無かった。それ故に、書籍が出版されるや忽ち何度も何度もそれが写本に取られた。

古代ローマに於ける職業的著述家は、富裕な文芸愛好者の庇護を得て生計を立てた。これは当時の紀元前のローマに於てさうであったばかりでなしに、十八世紀の末に至るまで全ヨーロッパ中さうであった。当時のホーレスやヴァーヂル等の詩人は、メシエナス(Maecenas)の恩恵に依って暮してゐた。メシエナスと言ふのは学識のある百万長者であって、この男は、詩人と言ふものは国家に仕へてゐる下僕の中で一番有用なものだと思ってゐた。その頃から何百年と経った後のモリエール(Molière)やラ・フォンテーヌ(La Fontaine)などは、フランス王ルイ十四世の恩澤を受けて生計を立てた。又十八世紀に於ける英国の文学者も、後援者を得なければ餓えなければならぬと言ふ有様で、純粋に文筆だけでは暮しが出来なかったのである。

四、

紀元三世紀に至って、書籍の形が変化し始めた。今迄の様な続き物になった巻物の代りに、各頁が一緒に木の板にたたみ込まれて綴じられる様になった。この木の板には大概装飾がほどこしてあった。新しい書籍と言っては、いくらも出来なかった暗黒時代の間、書籍は僅かに僧院の内に蔵されてゐるに過ぎなかった。又、書籍を筆写しようと言ふ人も僧院にゐる僧侶以外にはゐなかった。大概の僧院内には書記室と呼ばれる一室が有って、そこで轉写が行はれた。時たま、比較的教養のある俗人が、これらの文学僧侶の作品を観賞する事はあった。その一例として、かの大チャーレマン（The great Charlemagne）が、或る僧院に対して狩猟をする事を許可した事がある。それは、僧侶達が、鹿を捕ってその皮で書籍の表紙を作る事が出来る様にしたのであった。

この暗黒時代十世紀の間、オリヂナルな著作なんか皆無であった。しかし、写本の装飾にかけては、実にすばらしい芸術的な現はれがあった。当時の僧侶が装飾をほどこした書物の飾文字は、今日に於ても尚美しい立派なものである。

装飾をほどこした写本の中で一番古いものは多分ヴアティカンに在るヴアーヂルの著書であらう。これは、七十六頁の皮紙で出来てゐて、その中には五十からの纖細画が描いてある。装飾や挿画等は、紀元一二世紀の頃アレキサンドリヤに於て行はれてゐた。多分ビザンチン式飾字はアレキサンドリヤに始まったものであらう。中世紀に於ける書籍装飾の種類は多かった。書籍装飾術は、アルフレッド大王（Alfred the great ）の保護を受け、英国に於てもウインチエスター（Winchester）其他に於て行はれた。幸ひこれら僧侶達の造った縁を細かに装飾して精巧な頭文字の書いてある美しい写本の見本が、かなり沢山保存されてゐる。

僧院の著作家達は鵞ペンで文字を書いた。シドニイ・ファーンスウアース氏（Mr. Sidney Farnsworth ）は、興味あるその著書「書籍装飾」の中で、「史上最初に鵞ペンの事は多分「第七世紀の初期に生きてゐたセヴイールの聖イシドールの著書の中に出ている」と言ってゐる。だが実は、鵞ペン

は七世紀以前にも使用されてゐた。又、青銅ペンはローマ人が使用してゐた。
この僧院に於ける芸術的活動は、決して世間一般から稱揚されたものでは無かった。或る中世紀の清教徒は、これらの美しい写本に関して次の様に言った。――

或る人々は、宗教書を持ってゐる。しかし持ってゐないのと同じだ。彼等はその書物を書箱の中に閉じ込んで置く。彼等は、書物の皮紙の薄いことや、字の綺麗な事にのみ注意を払ふ。彼等は書物を読むよりも見せびらかす事に余計に使うのである。

写本を転写する中世紀の僧侶は大抵田畑の筋肉労働は免除された。
僧院の図書室にある書籍の頁は、まるで印刷されたものの様に正確に且美麗に書いてあった。グラスゴウにあるハンテリアン博物館(Hunterian Museum)には、この種の書籍が一冊あるが、それは常に人々から印刷された本だと思はれてゐた。ところが熱心な研究家が、或る一頁の所に羊皮紙に穴が開いてゐる事を発見した。この穴はこれまでは見出されずにゐたのだった。これは言ふまでもなく、この書物が印刷機に依って印刷されたものでなくして、手書家の手で書かれたものであると言ふ證據であった。僧侶の手になった写本に就て、アンドリウ・ラング(Andrew Lang)は次の様に言ってゐる。――

この種の写本の魅力の一つは、僧侶達が自分達の生きてゐた時代のすべての芸術や、更に進んで社会状態までも、その精密なやり方で挿画に描いてゐる事である。書物の中に出て来る使徒や聖徒や予言者等は、それを描いた僧侶達と同時代の服装をしてゐる。飢えた鯨に投げ出されてゐるヨナは、中世紀に流行した胴着を着て腰袴をつけてゐる。又、これらの写本の装飾画は、当時の建築方面の趣味を物語ってゐる。更に新らしい自然界の観察法が僧院に入り込むに従って、挿画の背景が以前の菱形模様から風景画に変ってゐる。
チャールス・リードの小説「庵と爐」(The Cloister and the Hearth)の中には、中世紀の美術家の僧侶の事をまざまざと描いてある。

その僧侶達の一人が言ってゐる言葉に次の様なのがある。——

巻本にして縁に果実や木の葉の画の描いてない巻本は無益である。又、その中に書いてある立派な言葉の周囲に見事な唐草模様の描いてない巻本も無益だ。これらの画や模様は読む人の感じを魅惑するものである。本の中の五六章を飾ってゐる先の世の聖徒の男や女の画の事はまあ何も言はないにしても、今言った様な画や模様は、その美しく混り合った勇ましい色彩を以て、読者の眼を慰さめ、しかも美しい聖者の肖像は読者の心を高める。

この僧院に於ける文学的仕事はグーテンベルヒ（Gutenberg）に依って印刷術が発明されるに至ってやっと終息した。

熔接されたもの

「熔接されたもの」序

ユーヂン・オニールに就て

ユーヂン・オニール（Eugene Gladstone O'neill）は、西暦一八八八年に、ニユーヨークに生れてゐるから、日本流に言つて、今年五十四才になつてゐる。父親は俳優で母親はピアニストである。少年時代にカトリック教の学校で六年間教育を受け、後、高等学校に進み、十八才でプリンストン大学に入学したが、間もなく退学して、中央アメリカのホンヂユラスに探検旅行に行き、帰国するや父親の一座の旅興業に加はつて働いた。その後、海洋に憧がれて船員となり、数年の海上生活中、種々貴重な経験を積む。後、暫らくの間、俳優をやつた事もあり、新聞記者をもやつた。戯曲を書きはじめたのは二十五才の時である。二十六才、ハーヴード大学に入学、演劇学の権威ベイカア教授の下で演劇の事を専心研究してゐる。一九一六年、二十九才にして、アメリカ新興演劇史の中から逸することの出来ぬ名前であるプロヴインスタウン小劇場の運動に参加し、そこで数年間、劇作ならびに演劇の実際的方面の仕事にたづさわつた。

以上簡単な略歴からも見られる通り、劇作家として生長するためには、既に遺伝的に有利な条件と環境を持ち、加ふるに相当に高度な、しかも正規な学業と豊富な人生経験とを経た上に、アメリカ近代演劇の黎明期に、その理論的ならびに実際的な鍛錬を受ける機会を掴み得てゐる。しかし勿論、オニールをして劇作家として大をなさしめた素因の更に重要なものは、第一にアメリカといふものの文化的、民族的エネルギイ―あのウオルト・ホイットマンその他を生み出したものと同じエネルギイであり、第二に、オニール自身の強烈鋭利な性格才能とその撓まざる努力精進である。

その作品の傾向や肌合ひを好むと好まざるに関せず、近代アメリカに彼以上に大きな劇作家の姿は今のところ未だ見られないといふ事には誰もが賛成するであろう。

オニール数多の作品の殆んど全部に一貫して流れる特徴は、第一にその「問題性」であろう。そこには　人生と社会との日常的に自然で平坦な姿がとら

へられる事は稀れで、反対に奔流し、交錯し、衝突し爆発するそれらがとらへられる事が多い。第二に、従って、彼の戯曲の主調は「カ」である。情緒や気分はその次に来る。第三に、表現の素材と技法に於ける表現主義的リアリズムである。第四に、主題の中に執拗に含まれる理想主義的傾向である。第五に、ーそして第四までの特徴をも含めて、良い意味でも悪い意味でもアメリカ的であるといふ点である。これらの諸特徴が色々に組合され、そして、それがうまく実現された時に成功し、釣合ひと掘り下げがまづく行った時には失敗してゐる。

　初期に於ては主として短篇の一幕物を書き後次第に長篇を執筆してゐるが、その最初の長篇「地平線の彼方へ」は一九二〇年にプリッツア賞を得た。次に「アンナ・クリスティ」も同賞を得た名作であり、その後の代表的な作品としては、「皇帝ジョーンズ」「毛猿」「楡の木の下の慾望」「偉大なる神ブラウン」「ダイナモ」「ラザラス笑ひぬ」「妙な幕間劇」「喪服はエレクトラに似合ふ」等々がある。その中に主なるものは既に日本語に訳出され、内数篇は築地小劇場その他で上演された事がある。

　こゝに訳出した「熔接されたもの」は戯曲集「神の子には総て翼あり」の中に収録されてゐるものでオニールの作品としては珍らしく家常茶飯の裡に題材を求めたものとして、稍々毛色の変ったものである。これを訳出したに就ては　あまり長い作品や既に飜訳された事のある作品は本叢書に入れるに不適当であるとの書店側の御意見に依って選んだもので特別の意味は無い。論者に依っては、此の作品を比較的不出来な作品の部類に加へる者もあるやうだが、私は必ずしもさうは考へない。むしろ、オニールの他の作品にドミネイトしてゐる「大がかりさ」から時に依ると反撥されるやうな印象を受ける私としては、此の作品の中に展開されてゐる比較的シットリした「平常着《ふだんぎ》」的な作者の心理解剖に、案外に彼の一面がよく現はれてゐると考へるわけである。

　最後に、この飜訳をするにあたり、谷崎精二先生のお手数を非常にわづらはした事を附記し、心からお礼を申し上げたい。

人　物

マイクル・ケープ
エレアノール・オーウエン（その妻）
ジョン・ダルトン
女

場　面

第一幕
ケープ夫妻のアパート
第二幕
第一場　ダルントンの図書室
第二場　或る室
第三幕
第一幕と同じ

第　一　幕

場　面――
ニユーヨーク市五十九番街に在るケープ夫妻の住んでゐるスタヂオ式のアパートメント―天井の高い、広い室。

正面奥はバルコニイになつてゐる。バルコニイの中央に開いた階段を降りて来るとスタヂオの床に達する。即ちバルコニイの部分は此の室の二階になつて居るわけで、寝室や浴室等はその二階に在るのである。

バルコニイの真下の一区劃は、食堂として使用されてゐる。スタヂオの主要部は、趣味の良い快適さと仕事部屋としての実用性との組合はされた室内である。ギッシリ詰つた書棚が壁ぎわに並んでゐる。一臺のタイプライタアの載つたタイプライタア卓。一臺の大きい机。書籍雑誌等の載せられた読書書物兼用の卓。安楽椅子が数脚に、寝椅子が一臺、敷物その他。

十一時半頃である。室内には卓上に読書用電燈が灯つてゐるだけで、他は暗い。その電燈の明りの輪の中に寝椅子が引き寄せられて居て、その上に仰向けに寝たエレアノールが、原稿の拾ひ読みをしてゐる。エレアノールは三十才位の女。背が高く、しなやかな身體つきに、神経質な強さが籠つてゐる。彼女の顔は、頬骨が突き

出してゐると言へる位に高く、全体に調和を欽いでゐるが、顔の造作の一つ一つは美しい。顔の中で一番特長の有るのは情熱的な青灰色の両眼である。その両眼の強い印象を抑へるやうな広い前額。暗褐色の頭髪の束は、前額から後頭の方へ真直ぐにかき上げられてゐる。全体としての彼女の才一印象は、魅力の有る人柄である。その魅力は、一部分は生れ附きのものであり、一部分は永年の自己教養に依って生れたものである。身体とりなしはユッタリとして、しっかりしてゐる。無意味な動作は絶対にしない。声は低く、少しかすれる。彼女の人柄の中には、これまで彼女の演じたあらゆる役々、それから、人が曾て会った事のあるあらゆる女達に共通するやうな所が在る。

彼女は原稿を読み、次にそれを下に置いて、あだかも暗誦してゐるやうに唇を動かす。躊躇し、額をしかめ、困ったやうに嘆息を漏し、原稿を注視し、最後に自分の誤りに気付いてイライラした溜息を吐きながら原稿を卓上に投げ出して巻煙草に火をつける。再び以前の位置に戻って原稿を取り上げて読みはじめようとするが、急に少女の様に少しドギマギした感じでソッと卓上から一通の手紙を取り上げる。開いて読む。嬉しさうな愛情のこもった表情が現はれる。思はず手紙の上に接吻する——そして一人で浮々と声を出して笑ふ。手紙を膝の上に落し、前方をヂッと見詰めて、感傷的にウットリとなる。

バルコニイの下の右手の扉が音も無く開いて、ケーブが現はれる。背が高く、色の浅黒い三十五六の男。その凡庸で無い顔が印象的である。実際の年令よりもふけて見え、且つ賢こさうに見える顔である。全体の印象は好男子だが、過度な敏感さが戦った跡を秘さならしたとでも言つたやうに、顔の造作の一つ一つがまるで互ひに闘ってゐるやうである。思想家の前額と、夢想者の眼と、官能主義者の鼻と口を持ってゐる。この男の顔を見てゐると憂鬱な悲しみに彩られた力強い想像力——駆り立てるやうな創造の力を感じる。それは同情的であると同時に残忍にもなり得る力である。態度は非常に神経質で自ら自分のする事をハッキリ意識してゐる者の

動作である。ノンビリしてゐる事が決して出来ない。常に自分自身を注視してゐるのである。どこか苦しんでゐる様な所がある。然し時々、びっくりする位に子供らしく感情を流露させる事もある。身体つきは上品であるが、神経過敏のために動作がギクシャクする。此の男には、なにか絶えざる緊張と言ったやうなもの、熱情的に張り詰めた所、この人生と自分の弱点に向って自身を守り同時にそれらに向って理智的に傲慢に挑戦してゐるやうな所、人を愛したいと同時に人から愛されたいと言ふ深い慾求がある。そのために一つの信念を求め、その信念を得てはじめてその中に自己の緊張を弛めることが出来ると言った風である。

　持ってゐたスーツと帽子と外套を扉の壁の傍の床の上に、コトリとの音もさせないやうにして、まとめて置きながら、妻の方を見てゐる。然し、彼女は急に室内に誰か入って来た事に気が附いてビクリとして起きあがって、思い切ってその方へ振り向く。ケープを見るや彼女は嬉しそうな驚きの声をあげて、躍りあがって、此方に歩いて来る夫の方へ近寄る。

エレア　マイクル！

ケープ　（子供らしくニッコリして）駄目にしちやったぢやないか、……ネリイ。――何も言はないで、いきなりキスしてやらうと思ってゐたのに。（二人は互いに相抱く。彼は彼女を優しく接吻する）

エレア　（相手を接吻しながら――嬉しさうに）ホントにびっくりしたわ！

ケープ　（相手をグッと抱きしめて、情熱的に接吻しながら）ねえお前！

エレア　あなた！　（二人は互ひに相手の眼を見合ってゐる）

ケープ　（やさしく）仕合せかい？

エレア　ええ、さうよ！　あなた、どうしていつもそんな事おききになるの？　わかってゐるぢやありませんか。（再び彼を接吻して、男の肩に顔を埋める）

ケープ　（女を抱きしめて）お前！

エレア　（幸福さうな笑い声を立てながら、不意に両腕を突張って男を押しやって）結婚してからも

ら随分経った夫婦が、こんな風にするの、絶対に不品行だわ。（男の片手を取って寝椅子の方へ連れて行く）でも、あなた理由を話して下さらなけりや。あなたの手紙には今週の末まで帰っていらっしやるやうな事は書いて無かったわね。（坐る）クッションをお敷きなさいよ。此處に坐って。（彼は寝椅子の傍の床の上にクッションを置いて、其の上に坐る）どう言ふんだか聞かせて頂戴。

ケープ（床の上に落ちてゐる手紙に目を附ける）僕の手紙を読んでゐたの？（彼女うなづく。彼は幸福さうにニッコリする）それじやなにかね、君は結婚以来もう五年も経ってゐるのに、まだ僕の手紙を何度も読み返すのか？

エレア（やさしく微笑して）ええ……時々ね。

ケープ（彼女の手に接吻）お前！（微笑）で、僕が忍び込んで来た時、何をボンやり考へてゐたの？

エレア そんな事、ようござんす。あなたはどうせエゴイストなんですから。（その手で彼の顔や頭髪を愛撫しながら）あたし、とても淋しかったの……それが、ホンのたった二三週間のことぢやなくて？、だのに、その間が、まるで……何十年間のやうな気がしたんですの。（笑ふ）田舎の方はどんな具合でしたの？（出しぬけに男に接吻して）ああ、帰っていらしって、あたし、嬉しくって仕様がないの。（厳格さをよそほって）だけど、あたし、嬉しがっていいの？ 四幕目は書き上げておいでになって？ だって、書き上げてしまふ迄、帰っては来ないって、あなたに約束なすったわね？

ケープ 今日の午後、書き上げた！

エレア それは素敵だわ！

ケープ 君に最後に手紙を出した時分は、仕事が全然はかどらないでゐたんだ……それが本意に一切合切ハッキリしてね。さうなったら、唯もうメチヤメチヤに書きさへすればよかった。（得意さうにニコニコして）それからこっち最後までグイグイ書き終へたのさ。

エレア 無理をして早く書き上げなすったんぢやないの？……（やさしく頬笑みかけて）……あなたも淋しかったせいで？

ケープ（突然、殆んど厳しい位の態度に変る）い

いや。そんな事するものか……僕にやそんな事出来ないよ……よく知ってゐるぢやないか。）

エレア　（思はず少し感情を害したらしい色が顔に現はれる）いえ、あなたをチヨットからかって見ただけよ。（次第に気が沈んで来るのを妨ぐやうに自分で自分の気を引立てながら）最後の幕の事を話して聞かして頂戴。どんなものをお書きになつたか、あたし、一刻も早く聞きたいわ。

ケープ　（熱心に）リアルなものなんだよ、ネリイ！　今に読んで聞かせてあげれば、判る……戯曲全体が力と真実を持ってゐる。さうなんだ！　それから、君の役は素晴らしいんだぜ！　僕は書いてゐる間中、芝居の中に出て来る君の姿を見る事が出来た！　今度の仕事は、僕達のこれまでの仕事の中で一番すぐれた物に必ずなるよ！

エレア　（思はず相手を接吻して）あなた！　「僕達」とおつしやるの、嬉しいわ。でも、その「僕達」はあなたよ。あたしはホンの……（皮肉に自らを憐れむやうに微笑しながら）……あなたのお書きになった一役を演ずるだけですわ。

ケープ　（性急に）何を言ふんだ！　君は芸術家だよ。君のこれまでの演技は皆それぞれ何か新らしい事を僕に教へてくれたんだ。へつ、僕の作品の中に出て来る女は、どれもこれも……まるでデスマスクみたいだった。然し、自惚れるやうだが、今度の作品の中の女は、君と同じやうに、生きてゐる……（不意にニゴリとして）……少くとも、君がその女の役を演つて呉れたら、すばらしいよ！　（女の手に接吻する）

エレア　（昂奮した喜びのために両眼を輝かして）あたしの事を、そんな風におつしやつて下さるのが、あたしにとつてどんなに大きな意味を持つてゐるか、とてもあなたはご存じないわ！　あゝ、あたし今度の脚本は本当に一生懸命に勉強しようと思つてゐるのよ、マイクル！　たつた今まであたし初めの三幕の勉強して居た所なの……（性急に）あなた最後の幕を是非今すぐ読んで聞かしてくれなくちやいけなくつてよ！

ケープ　（熱意をこめてサッと立上つて）いいとも！　（自分のカバンの方へ歩いて行く……しかし、途中でふと立どまり、ためらつて居たが、やがて静かに踵を返して元ゐた方へもどつて来る。彼は

前こごみになって彼女の顔を自分の顔の方へ持上げて、彼女の両眼を見つめながら優しく接吻する……（静かに愛情のこもった微笑を浮べながら）いや、考へてみたら今は読みたくないんだよ。

エレア（がっかりして……しかし優しく）あら、だってどうして？

ケープ（微笑して）何故なら……。

エレア（微笑）ひようせつ者！

ケープ　何故なら今晩は僕達だけの晩にしたいと考へて居たからさ。女優であるとか劇作家であるとか云ふ事は忘れてしまはうぢゃないか。我々……恋人同志……と言ふだけでゐようぢゃないか。

エレア（優しく微笑んで……うっとりと）あたし達結婚はしてゐても……まだ恋人同志だわね？

ケープ（ニコリと笑って）サンザ喧嘩してもね。

エレア（ちょっと眉をひそめて）でもあたし達そんなにひどく喧嘩はしないわ。

ケープ（顔をしかめて）やりすぎるよ……。

エレア（無理に微笑して）多分それが代価ですわね。

ケープ（顔をしかめて微笑）運命論者みたいになっちゃいけない……僕はいい人間になって見せようと決心したばかりの所なんだからね。

エレア　（微笑して……早口に）まあ、あたしもよい人になる約束をしてよ。……あなたがお望みなら。（優しくとがめるように）あなたと争って、あたしが楽しんで居るとあなた思ひます？　（熱心に）あなたと喧嘩をする事があたしをどんなに駄目にしてゐるか、あなた分らないかしら？

ケープ　（腹の底から真面目に）ぢゃ決心しようぢゃないか……これっきりで絶対に……お互ひに傷付け合ふ事は二度と再び止さう……（熱意をこめて）あんな事、よく無いよ、ねえ、ネリイ。悪だ！僕達二人は、お互ひに愛し過ぎてゐる。

エレア　シッ！　約束しませうね。

ケープ　（相手を接吻する。やがて、躊躇しながら）僕達はお互ひにどんな事をしても許されるもんだと思ひ過ぎて居たんだ。此の世間の普通の愛情の場合はそれで結構いいかも知れない……だが僕達の愛情の場合は、その中に神様が居るんだ！そして、その神様の信者達が居眠りを始めると、神様はその宮を立去ってしまふと言ふわけさ。（

不意に笑ふ。我れに返って少しバツが悪るさうな風で）どうも少しお説教じみたかな。（急に彼女の顔を下へ引き寄せて、衝動的に接吻する）でも君には判るね！　ねえ、ネリイ、僕は君を愛してゐる……しんから君を愛してゐるんだ！

エレア　（深く感動して）あたしも　あなたを愛してるわ、マイクル……いつでも、そしていつまでも！　で（二人は寄り添って坐り、彼女は夢見るやうに前方を見詰め、彼は彼女の顔を見守る）

ケープ　（暫らく黙ってゐた後）なにを考へてゐるんだい？

エレア　（やさしい微笑）あたし達が最初に逢った時のこと……舞台稽古でね、憶えてゐらして？、あの時以前まで、あなたって方を、あたし、なんて、間違って想像してゐたのだらうって考へてゐたの。（言葉を切る……やがて少し顔をしかめて）でも、あたし、あなたの恋愛事件のことで、とても沢山のゴシップを聞かされてゐたんですものね。

ケープ　（顔をしかめてニッコリして）それまで僕の事をドン・ジュアンみたいに想像してゐたとすると、君は僕に逢ってさぞガッカリしただらうね。（チヨット黙る……やがて無理に短かく笑って）僕だって随分いろんな噂さを聞いてゐた、君の以前の……（ひどく苦しさうな表情を浮べて、ブッリと言葉を切る）

エレア　（鋭どく）言はないで！　（チヨット黙つて……やがて悲しさうに続ける）あたしが想い出さうと思ったのは、あなたとあたしとが逢ってから此方の事だけですわ。（言葉を切る……やがて少し相手を批難して怨むやうな調子で）あたし、あなたの病的な恐迫観念を、やっと忘れかけてゐたんですもの……

ケープ　（陰欝な調子でイライラして）恐迫観念だって？　どうしてだい……？、（自分の気持をキッパリと投げ捨てるように……相手をとがめる様な気味を籠めて強ひて冗談めかして）喧嘩はよさうって約束したばっかりだのに、……直ぐておっぱじめてるんぢや悪いかね？、

エレア　（思はず相手に接吻して、両腕で彼をヒシと抱く）いいえ、いいえ……勿論、そんな事無いわ、あなた！

ケープ　（チヨット沈黙してゐてから、……少し気が

引けるやうに）然し、あんな事を言っても、僕が何をしたがってゐたかと言ふ事は君にや察しが附いてゐた筈だ。僕は、二人だけの過去の事を君と一緒に夢見るやうに想ひ出して見たかったのさ……二人の麗い愛情の中に……一緒に新らしい真実を見つけ出したかったんで……。

エレア　（微笑して……少しからかふ様に）あたし達の結婚生活の大理想を又もう一つ見付け出さうと言ふのね？

ケーブ　（眉を寄せて）からかっちやいけない。

エレア　（揶揄するやうに微笑）それにしたって、あなたの様にガムシャラな理想家は居なくってよ。顔をしかめなくてもようござんすわ。だって、あの初めの頃あたしがあなたに惹き付けられたのも、確かにあなたのそんな性質のためだったんですもの。（熱心に）その時分あたしは、なんにも信じられなくなってゐたんですからね。あなたの愛があたしを救って呉れたんだわ。あなたの作品があたしを救って呉れたんだわ。（強く）あたしがこんなになったのは、あなたのお蔭よ、マイクル！（彼に接吻する。再び、熱心に続ける）憶えてゐらして？……あたし達が一緒に過した最初のこと？

ケーブ　（彼女の手に接吻しながら……やさしくとがめるやうに）僕が忘れられると思ふかい？

エレア　（相手の言葉を聞かなかったやうに続ける）あの時の芝居は素晴しい成功でしたわ！　あたし遂に世間に認められたって事を知ったんですわ……あなたが、あたしの所に来て……そしてあたしの全部が浄化されたのよ……（益々熱をこめて）ああ、あれは美しい狂気だったんですわ！　あたしは自身を発見して、同時に、自分を見失ってしまったのよ。あたしはあなたの中に生き始めたのよ。あたし、もう死んでしまって、あなたになりたかった。

ケーブ　（情熱的に）そして、僕は、君にね！

エレア　（優しく）それから、あなた憶えてゐて？　夜がホノボノと明けはじめて……そしてあたし達未来の事を相談しはじめた時のこと？　（彼は彼女の手に接吻する。彼女は感動的に叫ぶ）ああ、あの頃の様な生活をもう一度繰返す事が出来るものなら、あたし此の世のどんなものでも惜しいと

は思はないわ！

ケープ（たしなめる様に微笑を浮べて）どうしてだえ？あの時分の心持は、僕達が結婚してからもズーッと続いてゐるんぢやないか……いや、何かもっと深い……もっと美しく生長した……。

エレア　さうですわ、でも……。まあ、あたしの言つてゐる事、あなたにだつて判つてゐるんだわ！あの時のあれは、まるで神の啓示だつたんですわ……天から天降つた奇蹟だつたのよ。

ケープ（しつこく）然し、結婚生活に就て抱いた理想を僕達は実現したんぢやないかね……（微笑しながらも、強い熱心さで）さうだつたね、僕達は実に慎重に近附いて行つた。しかもそれが何ケ月も一緒に生活する事に成功した後にして、さうだつた。手軽に結婚認可を貰つたり、家族の禮式を踏んだりする事なんか、僕達に取つては無意味だつた。僕達は真の儀式を挙げようと誓つた……僕達だけの儀式を……でなければ、なんにも要らない！　僕等の結婚は、君と僕の中のそれぞれ一番すぐれたものをお互ひに求め合ひ、それを結び付ける、創造的恋愛の完成でなければならないんだ！　それは辛く困難だけど、風俗に堕さぬやうに衛られ、僕達二人の深い内部の調和の外形的形式として神聖なものにして置かなければならないんだ！（自分の言葉が美文調になつたので少し気が引けるやうな心持で、自嘲するやうに附け加へる）僕達は、僕達の火を神の祭壇の上に置くやうに気をつけて来たんで、臺所の竈《かまど》の中に置いたんぢや無いのさ！（強ひてニッコリする……やがて再び急に調子を変へて、突然鋭どく訴へるやうに）僕達が考へてゐたのは、さうだつたんだね、ネリイ？

エレア（考へながら）あたし達の理想はむづかしい理想だつたんですわ……人間にとつてはね。でも、あたし達がお互ひにどんなにむごたらしく傷付け合つた時だつて……あたし、いつも判つてゐましたわ……。

ケープ（両腕で彼女を抱いて、引き寄せながら）僕達はお互ひに、相手の中に自分が憎んでゐるものが有つても、それを愛するやうにならなきやならないんだよ。僕等はお互ひの全部を有るがままに、それから僕達が今後かくあらねばならぬと思

ふ通りに受け容れなきゃならない！

エレア　（悲しげに）時々あたしさう思ふのよ、あたし達はあまり強く愛し合ひ過ぎて来た……お互ひに相手からあまり沢山求め過ぎたんぢゃないだらうかってね。だって、もう今ではお互ひに与へる事の出来るものなんて、なんにも残ってゐないんですものね。強ひて言へば、どうしても与へる事の出来ない物だけが残ってゐるだけなんですものね。そして、それはあなたが悪いんですわ。……なぜって、あたしにはもうこれ以上あなたから取る事も出来なければ、もうこれ以上あなたに与へる事も出来ないんですもの……だのに、あなたはあたしを責めるのよ！　（やさしく微笑む）そいで怒ら喧嘩よ！

ケープ　（昂奮して）ぢゃ喧嘩をする事を僕達は誇ってゐようぢゃないか！　それは愛情に課される罰だもの。つまり二人の人間を再び結合させる事に依って……絶えずそれ自身を超えて行かうとする愛の罰さ。それは、何百萬年以前に一個の細胞が君と僕と言ふ二つに分裂してしまって、その双方に再び一個の生命になりたいといふ永遠の慾望を植え付けた時に始まったものだよ。

エレア　（情熱的に彼を接吻して）時々は……あたし達一つの生命になるわ。

ケープ　さうだ！　さうだよ！　（接吻する）……（やがて熱心に）君と僕……一年又一年と一緒に……僕達二人の身体のみ形が一つの物に合体して行ってゐるんだ。僕達二人の別々の生命のリズムは互ひに響き合ひ、次第に一つのリズムに……僕達が創り出した僕等の命……僕等以外の、遥かな、天上のものになってゐるんだ！　（急に激しく怒って）ああ、僕がこの真理に就て感じてゐるもの……それは美だ！　……だが僕はこれをどんな風に言へばいいんだ？

エレア　（彼を接吻しながら）あたしには判るわ。

ケープ　（激しい情熱で彼女を引き寄せながら）ああ、お前、お前……そして僕もお前のものだ……永遠に！　僕はお前を愛する！　僕はお前を愛する！

エレア　（接吻を返しながら）あたし、あなたを愛してよ！

ケープ　（情熱的に夢中になって）君はなんて、僕

達が一緒になった初めの頃は良かったなんて言ふんだえ？、あの時分の火は今でも僕達の裡に燃えてゐるぢやないか……更に深くなって……あの頃よりも神聖なものになって。君にはそんな気がしないのか？、（彼女を繰り返し接吻して）お前！　お前！　僕はお前になった！　お前は僕になったんだ！　一つの心臓に！　一つの血液に！　僕等二人の！　（彼女を身体ごと引寄せて接吻する）ねえお前……さあ！

エレア　（彼の腕の中で気が遠くなりさうになりながら）あなた……ええ……あなた……。

ケープ　おいで！　（彼女を抱いたまま階段の方へ連れて行く。二人が階段の下まで来た時、廊下の方で物音がする。エレアノールはそれを聞きつけてビクッとして、急に我れに返ったやうな様子。ケープはまだ夢中で、階段を昇って行くのをやめない。エレアノールは手摺につかまって立ったまま、あだかも目がくらむやうに身体が前後に揺れる。ケープは階段の一番上まで行って、相手が自分について来てゐるものだとばかり思ってゐたのが、振返って見ると彼女が居ないのでビックリする。彼は情熱的に階下を見おろし、両眼をキラキラ輝かして両腕を差し伸べて）おいで！

エレア　（弱々しく）シッ！　チョット……お聴きなさいよ！

ケープ　（めんくらって）何だえ？……どうした？……

エレア　シッ！　そら！　誰かが……（彼女の言葉の調子は不自然な機械的なものである。扉口にノックの音がする。彼女はホッとして喘ぐやうにする）そらね。

ケープ　（何か自分には意味の解らない不思議な事でも起ってゐるかの様に、まだ戸惑ひして）何だよ……何……！　（やがてエレアノールがユックリと機械的に扉の方へ歩いて行く。それを見て）ネリイ！　此処においで！　（彼女は振返って彼を視る。そして、彼の哀願するやうな両眼にぶつかって立停る。彼女は再び手摺の所へ行って、身体を支へるためにそれにつかまって、ためらひがちに彼の方へ行きさうにする。その時、前よりも強いノックの音が扉の外でする。それは彼女に電気にかかった様な作用を及ぼす。彼女の眼は扉の方へ動き、ギクリとした様に一足歩き出す。ケー

プが、口ごもりながら鋭どく囁く）いけない！
行っちゃいけない！
エレア（彼の方は見ないで……機械的に）そんな訳には行きません。
ケープ（狂気の様に）捨てて置けば帰るよ。ネリイ、行っちゃいけない！　いけない！

エレアノールは、あだ（ママ）かも催眠術にかけられた人間が、相矛盾する二つの暗示に依って引裂かれた様に、決心しかねて立停る。扉のノックは又響いて来る。今度はシッカリした叩きようだし、ハッキリしてゐる。彼女の身体は、まるで重荷を投げ捨てるやうに、反射的に動く）
エレア（自然な調子に返って……だがヒステリックに）お願ひですわ……馬鹿な事言はないでね、マイクル。もしかすると……何か大事な用事かも知れないじゃありませんか。

扉口の方へ急ぎ足で行く。
ケープ（階段を駆け降りて来て……気が狂ったように）いけない！　いけない！（彼が階段を降り切った時に、彼女は扉を開ける。ケープはそこに釘付けになったやうに立停り、混乱しきって全身をブルブル顫はせてゐる）
エレア（扉の外に居る人を見るや……救はれた様なピッタリした声で）まあ、ようこそ、ジョンさん！　おはいんなさい！　マイクルが帰って来てゐるんですの。マイクル、ジョンさんですのよ。

ダルントンが室に入って来る。五十才位の男。背が高く、大まかな身体つきの、少し猫背で、鉄灰色の頭髪をし、面長で痩せた俊敏さうな顔をしてゐる。好男子では無いが、人に好意を感じさせないでは置かない様な人柄である。両眼は丸く子供らしい。それはこれまで曾て悲しみを味はった事は一度もないくせに、悲しみの味を理解してゐるやうに見える眼である。それはすべての人々を理解して見るが決して裁かうとはしない眼である。人柄全体に堅実な性質を持ってゐる。彼を見てゐると、彼と言ふ人間はいつも変らず落着いて常に静かに親切で、熱病患者をさましてくれる冷たい岩の様に始終同じ所に立ってゐてくれる人間のやうな気がする。イラ立つやうな事は全然無い。その声は低く穏かである。高価なスコッチ織の服を無頓着に着て

ゐる。

ダルン（エレアノールと握手して）やあ、ネリイさん！ 劇場からの帰り途でしてね、チヨットお寄りして見ようと思ったもんだから。やあ、マイクル！ いつ帰ったい？ よく戻って来たね。（彼はケーブの方へ寄って行き、ケーブが無言で我れ知らずシブシブ出した手と握手する）

エレア（夫の方をチラリと見てから）……不自然な調子で）よくいらしって下すったわ。お掛け下さい。

ダルン（自分が現はれたために此の場の様子が妙な具合になった事に次第に気が附いて来て）さうしちや居れないんですよ。（ケーブに）君の傑作がどうなったか知りたかったもんでね。ネリイさんの所へ君から手紙が来てゐるかも知れんと思ってさ。（快活な親愛の情をこめてケーブの背を軽く叩く）で脚本はどうなったい？

ケーブ（凍りついた様な調子で）ああ、いいんだ……いいんだよ。

エレア（落着かず）煙草はいかが、ジヨンさん？（卓上から煙草箱を取り上げてダルントンに差し出す）

ダルン（一本つまんで）ありがたう、ネリイさん。（椅子の肱に軽く腰を掛ける。エレアノールが火を差し出してやる）ありがたう。

エレア（イライラしながら）マイクル、あなたどうして坐らないの？（ケーブは答へない。彼女は煙草入れを持って彼の方へ行く）煙草要りません？

（ケーブは、鋭く批難するやうな眼付きでエレアノールを凝視する。彼女はひるんで、眼に見える程身を顫はせて素早くソッポを向く。ダルントンは、そんな事には気が附いてゐないふりをしながら、此の場の事情を掴もうと、鋭く二人の顔を観察してゐる
ダルン（事務的な調子で口をはさむ）マイクル君はグッタリしてゐるやうだね。

ケーブ（とがめられでもしたかの様にビクッとして）僕は……僕は……ひどく疲れてゐるもんだから。

エレア（無理に作った様子で）あんまり詰めて仕事をし過ぎたんですの。今日の午後やっと最後の

幕を書き上げたばっかりなもんですからね。

ダルン（満足して唸るやうな声を出して）そりやよかった……結構だ。（不意に）僕にもいつ読ませてくれる？

ケープ　一両日中に……もう一度読み返したいから……。

ダルン　いいとも。（立上って）さて、それでよしと。おや僕おいとましようか。

エレア（殆んどびっくりした風で）まだよろしいおやございませんの。マイクル、あなた最後の幕を私達にどうして今読んで聞かせてくれないの？

ケープ（鋭どく）いかん！　駄作だよ！　今度の脚本は全然気に入らん！

ダルン（気楽な調子で）反動が起きて苦しんでゐるんだ。だが今度の脚本は、君のこれまでの作品の中で一番の傑作だよ。（ケープに近附いて、相手を元気づけるやうに背中を軽く叩く）そして、此の御婦人にとっても、今迄の中で一番大きなチャンスさ。君達双方にとって今度は大成功になるだらうよ。まあ安心して待ってるんだな。だから元気を出して……今晩ユックリ寝るんだ。（ケープが皮肉をこめて苦々しさうに微笑する）おやすみ。（ケープ黙ってうなづく。ダルントン扉の方へ歩いて行く。エレア・ノールがその後に続く）おやすみ、ネリイさん。君の役にうまく取っついてやってくれ……ただ、あまり勉強しすぎてもいけない。（彼女の背を叩く）おやすみ。

エレア　おやすみなさい。

彼女はダルントンの出て行った後の扉をしめる。そのしめた扉をヂッと見詰めたままチヨットの間立ってゐる。振返って、自分の上に注がれてゐるらしいケープの鋭い咒ふやうな視線に逢ふのが怖ろしいのである。しかし遂に意力を振ひ起して、相手の視線を避けつつ、何気ない風を装ひながらテーブルの方へ戻って来る。

ケープ（突然爆発したやうに、激しい抗議を投げつける）君は、なぜあんな事をしたんだ？

エレア（さもビックリした様なふりをして、しかし、わるびれたやうな態度で雑誌をめくりながら）何をしたんですの？

ケープ（彼女の片腕をグッと掴んで、激しく）何をって、僕の言ってゐる事は、君にや判ってゐる

んだ！（思はず更に強く相手を掴む。殆んどゆすぶらんばかりである）

エレア （冷淡に）痛いわ。（ケープは少しきまりの悪い様な顔をして、彼女の腕を離してやる。彼女は素早く彼の顔をチラリと見やって、一種の鈍い後悔の調子で）あたしが扉を開けに行ったこと……かしら？、

ケープ 開けないで放っとけば、あの男はあのまま立去ってゐたに違ひ無いんだ……（苦しんで）ネリイ・なぜ開けたりしたんだ？、

エレア （防禦するやうな調子で）だって あなたがジヨンさんに会って置くのは大事なことぢやなかったかしら？、

ケープ （どうにも我慢しきれない程怒って）ごまかすな！ （深い感情をこめて）僕は、君があんな事をしたのを自分でも恥ぢてゐるもんだと思ってゐた。

エレア （間を置いて……鈍く）多分……おっしやる通りだわ。（間）でも、ほかにどうしようも無かったんですもの。

ケープ （烈しく）君は、あらゆる事に対して無頓着でなければならなかったんだ。（みぢめな調子で）僕には……僕には理解出来ない！

エレア 理解出来ないのは、あなただわ、マイクル。もう一つは私……でなければ、私の一部分……自分で自分の気持がよく判らないんですの。

ケープ （頭を両手で抱え、椅子にガックリと掛けて）とにかく、今夜は僕等は二人っきりでゐなきやならなかった！……！ （苦しさうに沈んだ調子）すばらしい美の瞬間はメチヤクチヤに壊されてしまった……飛び去ってしまったんだ！ まるで凡俗の嫉妬深い悪魔と言ったやうなものが僕達の愛情を嘲弄してゐるんぢやあるまいかと思はれる事が 往々にしてある……（激しい嫌悪の身振り）ああ人生と言ふものも、これほど徹底的に侮辱される事もあるんだ！ （やがてシドロモドロに）ネリイ、どうして、どうして君は扉を開けたりしたんだ？、

エレア、（沈んで）あたし……あたしにも判らないの。（チヨット間を置いた後、彼女は彼に近附いてその肩に片手を置く）あなた そんなに考へ込まないで、済みませんでした。あたし、自分が憎

いのよ。（間。彼女は彼をヂッと見おろしてゐる……何者かを決心したらしい様子で……不自然な調子で）でもね、あたし達の美しい時が……もう取返しの附かぬ様に……飛び去ってしまったなんて事があるかしら？　（彼の頭髪を軽く叩く）だって、今晩はまだ一晩中あたし達のものよ……（彼はけげんさうに彼女をヂッと見上げゐ。彼女は顔をそむけるやうにして無理に頬笑んで見せる）

ケーブ　（荒々しい抗議の語調で）ネリイ、そんな事を言って君は何を僕に捧げて呉れようと言ふんだい……犠牲かね？、言ってくれ！

エレア　（ギクリとして）マイクル！　（今度はヒステリックに）いいえ、あたしを許してよ！　あたしは仕様の無い奴だわ！　堪忍して！

彼女は彼から身をそむけて、椅子に身を投げかけ、ヂッと正面を見詰める。二人の椅子は二つとも正面を向いて殆んどくっ付く位に近く並んでゐるので、二人のいづれかが、チヨット身体を動かせば相手に触れる程であるが、以下の場合の間中、二人とも正面を見詰めてゐるだけで身じろぎもしない。二人の言葉は表面的に相手に対して言ってゐるのであるが、実はそれぞれ自分が頭の中で考へてゐる事を言葉に出して独言を言ってゐるのに過ぎない事が、その言葉の調子で判る。且つ、互ひに相手の言ってゐる事を聴いてゐない事も明らかである

ケーブ　（永いこと黙ってゐた後）近頃益々こんな事が多くなって来た。始終、扉口に誰かのノックが聞こへるんだ。君を僕の傍から連れ去らうとする外の世間を思ひ出させる者が、誰かしら始終現はれるんだ。

エレア　とても美しい時があるのね……その内に…………突然あたしはメチャメチャに壊されてしまふのよ。あたし、あなたの中にとても残酷な者が居る様な気がするの。それはあたしを麻痺させてしまって、あたしの全身に忍び寄って、私の身体をまるで私の物で無いやうにトリコにしてしまふの…………そして今度は、謂はば、あたしの裡の一番深い所に在るものをグッと掴み取らうとするの。すると勢ひ、あたしも……あたしも……あたしの魂も……それを手離すものかと言ふ事になるのよ！　さうなったら、あたしだって全力を挙げて反抗し

なくてはならなくなる……どんな口実でも掴まへてね。ホンの先刻も階段の昇り口の所でそんな風になったんだわ……だから扉口にノックが聞こえた時は……あたしは解放されたのよ。（悩む）それでも、あたし、あなたを愛してゐるわ！　いえ、愛してゐるから、そんな風になるんですわ！　だって、あたしと言ふ人間がメチャメチャに壊されてしまって、あとになんにも残ってゐなかったら、あたしは何であなたを愛したらいいの？　あなただって私のどこを愛したらいいんです？

ケープ　僕は、僕達二人の生活の内へ内へ籠るやうになって来てゐる。だのに君は、それがまるで牢獄ででもある様に、始終逃れ出よう逃れ出ようとしてゐるんだ。君は外部に在る物を必要に感じてゐるんだ。君は僕だけでは満足出来ないんだ。

エレア　あたし、あなたと言ふ人をどうしてこんなに理解する事が出来ないんでせう？　そりゃあたしはあなたを愛してゐますわ……だのに、あなたって人が不可能なの。あなたを理解しようとしても、理解出来ないんだわ。あたし、あなたの全部をあたしの胸の中に受け容れたいと望んでゐるのに、それを邪魔する大きな力が有るんだわ……あたし、あなたの中に在るそのエタイの知れない力を憎みます。あたしは今にその力のためにメチャメチャに破壊されるかも知れないんですものね。（訴へるやうに）あなたが、御自分に対して権利を持ってゐらっしゃる様に、あなたは自分に対して権利を持ってゐるんぢゃ無いでせうか？

ケープ　君はまるで此の僕が君の敵ででもあるやうに僕と戦ってゐるんだ。僕の一言一句、一挙手一投足が君に作用を及ぼすと、君はうらむのだ。一歩毎に君は、君の個性侵略される様な気がするんだ……しかも、それでいて同時に、僕が少しでもよそよそしくゐると君は嫉妬する。君は自分では一日々々と少しづつ少しづつしか僕に与へないくせに、僕に対しては益々多く多く要求する。そして僕はそれに黙って服従しなければならない。しなければならない？　さうさ、何故なら僕は君を愛してゐるんだからな。僕は君が居なくては生きて行けないんだ！　それをよく考へて見るがいい！　君はそれに乗じてゐながら、しかも僕の無力な状態を見くびるんだ！　（この言葉は彼自身を

自暴自棄に駆り立てたらしい）しかし見るがいいんだ！　僕にだって、まだ力は有るんだ……（顔を振り向けて、挑戦するやうに彼女を見詰める）

エレア　（前と同様に）あなた以外には私には人生と言ふものは全然無いって、あなたは言ひ張るんです。あたしの仕事だって、あなたの仕事のこだまとしてのみ存在する事を許されるんだわ。あたしにだって気楽にしてゐたい時もあれば、たまには人と交際したい事もあるのに、あなたはそれを憎むんです。そんな事を、あなたは弱点だと思ってゐるんです。あなたには、あたしの友達が憎いんです。あなたは、どんな事に対しても嫉妬するんだわ。あなたは、私を壁の中にとぢ込めて置きたいんだわ……（腹立たしさうに）あたし、戦はないわけには行かないんですわ。あなたは、あんまり厳《きび》し過ぎるのよ。あなたの理想は、あまりに非人間的過ぎるのよ。どうしてあなたは理解を持って下すって寛大に……公平になって下さらないかしら！（振向いて相手の視線に眼を合はせ、うらめしさうな非難の色を浮べて見返す。二人は永い間、この状態のまま見詰め合ってゐる）

ケーブ　（眼をそらしながら、冷い皮肉な語調で彼女に直接話しかける）不思議ぢやないか……あのダルントンなんかがあんな風に出し抜けに飛込んで来るなんて。

エレア　（腹立たしさうに）なんにも不思議な事なんか無いと私思ふわ。

ケーブ　だって、もう十二時過ぎだよ。

エレア　だって此處はニューヨークなのよ。

ケーブ　（ズケリと）そんな事位知ってゐるよ。しかし……。

エレア　（無愛想に）それはダルントンさんが説明なすったわ。あなたの言った事あなたお聴きにならなかった？　脚本の様子を知りたいと思って、そいで、私の所にあなたから手紙が来てゐるかも知れないと思って……。

ケーブ　その点が、大事な所だ。あの男は、僕が此處に戻って来てゐようなんて全然思ってもゐなかったんだ。

エレア　（殆んど相手に飛びかかりさうになるが、しばらく黙ってゐた後で、自制して、冷たく）だって、あの方が私に会ひにおいでになっていけな

いと言ふ法は無いぢやありませんの？　あの方は私のこれまでの一番旧い友達ですもの。あの方は、私に一番最初のチャンスを與へて呉れた方よ。そして其れ以来ズーッと私に力を貸して下すってゐるのよ。私がこれまで演技の上で成功した事はみんなあの方の忠告と監督のお蔭だったわ。

ケーブ　（気を悪くして……皮肉に）あゝ、確かにね！。

エレア　何もかも　あなたのお蔭だったと私言はなきやならなかったの？　さう思ってゐらっしやる様ねて、

ケーブ　（冷淡に）いや僕はむしろ、君のこれまでの成功は君自身に帰すべきであって、誰のお蔭になったためでも無いと言ひたいね。（暫く黙ってゐた後……何気ない調子で言はうと努めながら）あの男は僕の留守の間、チヨイチヨイ此處へ訪ねて来てゐたの？（急いで）誤解してはいけないぜ。僕はただ訊ねてゐるまでなんだ。

エレア　（非難するやうに）まあ！（間。唇を噛む……やがて冷たく）さうよ、あの方は前にも一度此處においでになった事があるわ。（嘲弄するやうに）そして、その時も劇場《こや》がとれてからね！　どうでせう！

ケーブ　（あざ笑ふ様に）そん時も、今回同様、僕の脚本に就ての飽くなき好奇心に依ってと言ふわけかね？

エレア　（腹立たしさうに）マイクル！（間。……やがて非難の調子で）あなた、まさか、又ぞろジヨンさんを嫉妬しはじめたんぢや無いでせうね！

ケーブ　（意味ありげに）又ぞろか。正にその通りだ。

エレア　（椅子からパッと立上り……昂奮して）我慢出来ないわ！（でも直ぐにやっと自分を鎮めて……無理に笑ひながら）どうか、そんな馬鹿な事は言はないでね、マイクル。そんな事ばかりおっしやってると、あたしホントに腹を立ててよ。（それから彼女は意を決して彼の傍へ寄る）ねえ、どうぞもうよして。私達、もう口論はしない決心をしたんぢやありませんの。もうよしませうよ。（暖かい微笑を浮べて、夫の頭を愛撫する）

ケーブ　（思はず彼女の手を取って、それに接吻する）いいとも。僕を許して呉れ。僕は全く調子が

変になってゐる。あの男があんな風に出しぬけに飛込んで来るもんだから……。

彼は再び顔をしかめてヂッと考へ沈んでしまふ。彼女は今度は彼に向ひ合って坐り、不安さうに相手を見守る

エレア（暫く黙ってゐた後……幾分イライラして）あなたがジョンさんの事を嫉妬なさるのは、全然馬鹿げた事ですわ。

ケーブ　僕はあの男に嫉妬してゐるんぢゃ無い。僕は君を嫉妬してゐるんだ……君の中に在る意固地な或る物に対してだ。僕達の愛情を拒絶するのはそれなんだ。……君の中に住んでゐる他人だ。

エレア（チヨット笑って）だって五年も一緒に居て、まさか……。

ケーブ（相手に関はず）そしてさ、こんな時に僕が君を憎くなるのは、たしかに君は僕の嫉妬心を掻き立てることが好きなんだな。それで僕が苦しむのが君は嬉しいんだ。それは、君の中に在る或る種の願望……復讐しようと言ふ願望を満足させるからなんだ！

エレア（非難するやうに）あなたの言ってゐる事は飛んでも無い馬鹿々々しい事よ、それがあなたに判らないのかしら？（今度は相手を宥める様に無理に笑って）いいえ、ホントに、たしかに滑稽な事ですわ……マイクル……馬鹿々々しくって腹は立たないとしてもね。

ケーブ（チヨット沈黙してゐた後……陰気に）君は僕達が一緒に暮して来た年《ママ》数を證拠に挙げてゐる。だけど僕達が一緒になる以前の数年間はどうだったんだい？

エレア（挑むやうに）へえ、それがどうしたんですの？

ケーブ　あの時分の事に照らして考へれば、ダルソトンの事に就て僕が嫉妬してもまんざら僕の思い過しでは無いと思ふんだ。それとも、君はあの頃の事を認めない気かね？

エレア　絶対に認めないわ！

ケーブ　だってさ、あの男が永年君を恋してゐて、一度など君に結婚を申込んだ事があるってことを君は自分の口から僕に話したぜ！

エレア　さうよ、でも私、あの方と結婚したかしら？

ケート　しかしあの男は現在尚君を恋してゐるんだ。

エレア　馬鹿な事は言はないでよ！

ケート　たしかに、恋してゐる！

エレア　もしあなたがチヨツト正気で考へて下すったら、あの方の愛はもう純粋な、旧い友達の愛情に変って来てゐる事が判る筈だわ。そしてね、あなたのそんな馬鹿らしい気まぐれの感情のために、私、あの方との友情を捨てるのはおことわりですわ。

ケート（双方腹立たしさうに黙って思い沈んでゐたが……皮肉に）君だけは輝やかしい例外であつたらしいね。あの男がこれまでに後援してやった他の女達とあの男の間柄を……単なる友人であつたとは先づ言へなからうからね。

エレア（烈しく）それは嘘です！　あなたは下劣なブロードウエイ式の醜聞を繰返してゐるのに過ぎないんだわ。でも假りにそれが本当であったとしても、そんな女達は自分から進んで自分をあの方に提供したんですわ、キット。

ケート（意味ありげに）ああ！　（暫く黙ってゐてから）さうかも知れないね。出世するためにさうする事が必要だと思ったためにね。

エレア（冷たく）さうかも知れませんわね。（暫く黙ってゐてから）しかし、だとすると、その女達は、自分達が思ひ違ひをしてゐた事に気が附いたでせうよ。だってジヨンさんはそんな風な男ぢゃ無いんですもの。

ケート（突然）君は、なんでそんなに嫉妬深い言ひ方をするんだね……その他の女達の事をさ？

エレア（腹立たしさうに顔を赭らめて）私嫉妬なんぞしないわ。そりゃ、あなたの馬鹿げた空想です。

ケート　だが、なぜそんなに腹を立てるんだ？

エレア　それはあなたが、そんなカサにかかった態度で、ジヨンさんが女達から愛されるためには利益を與へて買収しなければならなかったと仰有るから。あたし腹が立つのよ。だってあの方だって女の人から愛されるだけの値うちは持ってゐらつしゃらないかしら？……あなたと同じ様に？

ケート（皮肉に）もし君の話を信じなきゃならんとすると、君はさうは思ってゐなかったわけだね。

エレア（イライラして）だからもう言ひ張るのは

よしにしませうよ、お願ひですわ！　どうしてあなたはそんなに過去の事を始終ほじくり返さなきやなりませんの？…　此の一年ばかりあなたのやり方は段々ひどくなって来てゐるわ。私達が一緒に暮し始めた頃とソックリですわ……あらゆる事あらゆる人に対して嫉妬深く疑ひ深くなって来てるわ！　（ヒステリックに）私　とても辛抱出来ないわ、マイクル！

ケープ　（皮肉に）ぢや君は、そのために僕を愛する習慣がついちまったんだ。

エレア　（自分の気持を鎮めながら）さうよ、もう私、こんな事我慢出来ないの。下劣過ぎますわ、私はあなたから信頼しきって貰ふ権利が有るのよ。（身を差し伸べて彼の両手をヒシと握り……心を込めて）ね、私はあなたの胸の奥の奥に住んでゐるんぢやありませんか。私があなたを愛してゐること、あなたの他には私の愛してゐる人は絶対に無いって事、あなた知ってゐるぢやありませんか。過去の事は忘れてよ。過去の私達は私達ぢや無かったのよ。あなたの心の平和のために……それから私の心の平和のために、ねマイクル！

ケープ　（感動して……彼女の両手を握りしめながら）いいとも。もう止めよう。ただ僕は君がさらわれて行っちまいさうな気がしたもんだからね……！　どうも、こんな気がかりるのもみんな僕の神経過敏のせいらしい……（彼女の手を愛撫しながら、無理に微笑して）なにか他の話をさうぢやないか。（暫く黙ってゐてから……愉快さうに）今、田舎の方がどんなに素晴らしいか君にはとても判るまい。空気は丁度いい加減にまだ幾分冷々としてゐるから、生々とした気分で居れるしね。夏の阿呆共もうろついてゐないと来てゐる。孤独と、仕事があるきりだ。僕は幸福だったよ……つまり、君が傍に居なくても幸福であり得る最高の幸福を僕は感じてゐたわけだ。

エレア　（素早く彼の手から自分の両手を引っこめて……当てこする様に）そんな風に思ひ出して下すって、ありがたいわ……でも、私がそれを信じると思ってゐらしって？　あなたが仕事をなすってゐる間は、あたしは死んでゐるのも同然よ。でも、あなたはそんな事まるで御存じ無いんだわ。

ケープ　（嬉しさうに、でもイライラと）そらそら

！　君は僕に嫉妬心を捨てさせて置きながら、君自身の嫉妬心の燃え木と来たら僕のよりも実に馬鹿らしいやうぢやないか。
エレア　（ズケリと）ぢや、あなたのお仕事を私が嫉いてゐると思ってゐらしって？、　それはあなたの自惚れだわ！
ケーブ　（気を悪くして……辛辣に）嫉妬すると言ふのは多分不自然な感情だな……君の場合には。更に、言って見りや、ひどい恩知らずな感情だらう！
エレア　（遂にスッカリ腹立てて）あなたの仰有るのは、私が感謝してゐるべきだって意味かしら……あなたの脚本が無ければ私がこんなになれはしなかったらうと思ってゐらっしやるらしいわね……（スックと立ち上る）あなたは一人よがりのために馬鹿になってしまってるんだわ！　まるで自惚れ切ってしまってどんな人間だって自分にかなふ者はゐないと思ふやうになっちまってゐるんだわ！　みんなそれに気が附いてゐるわ！
ケーブ　（怒って）心にも無い嘘を言ふな。そんな事を言ふと君は野卑になるばかりだぞ。僕の作品の事なら、君はこれまで繰返し繰返し価値を認めて……。
エレア　さうだとしても……でも、失礼だけど世間には他にも劇作家は居ますからね！
ケーブ　（辛辣に）君は僕に会ふ七年も前から舞台に立ってゐたんだ。他の劇作家の脚本に出演しても、……まるきり成功した事は無かったって事は否定出来まい！
エレア　（激怒してニヤリと笑って）それで、あなたはどうだったの？、
ケーブ　さうだ！　多分君のブロードウエイ式の意味では成功はしなかった。しかし……。
エレア　あなたは下劣だわ！　あなたから私の事をそんな風に言はれようとは夢にも思ってゐなかったわ。私があの頃苦しんでゐたのは、私がブロードウエイ式の女優で無かったばかりのためよ……私が一個の芸術家だったためだわ！
ケーブ　（構はずに）僕の脚本は、あの頃までに既に書き上がってゐたんだ。君が最初に出演した脚本だって、あの三年前に出来上ってゐたものだ。あの作品はその時既に完成してゐたものなんだ。そ

れが證據だ。
エレア　（手きびしく）そんな事、馬鹿げてゐるわ！　自分でよく御存じだわ。もしあの作品をジヨンさんが手がけなさらなかつたら、多分……。
ケープ　（激しく）馬鹿な！　他にマネーヂヤアはいくらでも居たんだ、だから……。
エレア　だつて、そんな人達はあなたの作品をやりたがらなかつたぢやありませんか！
ケープ　（たけに立つて）君が言はうとしてゐる事が判つた！　僕がこれだけになつたのは君と同じ位にダルントンのお蔭をかうむつたせいだと言ひたいんだらう！　（激情の爲に全身を顫はせながら）あの男が君に対してしてくれた事を……あつかましくも……この僕に対して……自慢をするなんて、恥かしいとは思はないのか！
エレア　あの方に対する感謝の念を……どうしてあたし恥かしいと思はなければならないのかしら？
ケープ　あの過去の関係を引つぱり出して僕の顔にたたきつけるなんて！
エレア　（真青になつて……強く）どんな関係ですの？、
ケープ　（感情に駆られてシドロモドロに）誰にだつて聞いてみろ……此處の……四十二番街へ行つて聞いてみろ！　（今度は不意に苦し気に後悔して）違ふ！　違ふ！。僕はそんな事を言はうとしてゐるんぢやないんだ！　（苦し気に）疵だ！　おねがひだから、もうよそう！
エレア　（激怒にふるえながら）あなたの言つた、今の言葉をあたし決して忘れやしない！　この下《ゲ》素《ス》！。
ケープ　（気を悪くして……たちまち激して）下素だと！　夜更けに……しかも僕の不在中に……あの男が此處にゐたのは怒つたからか？、　もし僕が怒らなかつたら、それこそ下素だらう！　ふん、かうなれば……もう僕は君を疑ぐる気はない……。
エレア　（憎々しく）なんと言ふ高尚な信頼でせうね！　あなたはあたしがそんなに信頼に値しない事がだんだん判つておいでになつたやうね？、
ケープ　（相手に関はず）しかし君とあの男に関しては良くない噂がずゐぶんあつたんだ。だからもし君が僕に対して少しでも尊敬の念を持つてゐた

ら……。
エレア　あなたに対する尊敬の念なら、たった今なくしたわ！
ケーブ　元来君は充分注意してあの男を此處へ来させたりすべきぢゃなかった……。
エレア　（強く）ぢゃあなたは本当だと信じてゐるのね……あの下等なゴシップを？　さう思ってゐるのね、あたしが……？　それではこの五年の間ずうっと本当にさう思ってゐた！　のね？、まあ、下劣な偽善者！
ケーブ　（怒って……辛辣に）論理的な義憤の真似なんか、よせ！　だってそれ以外に僕にどう考へようがあったんだ？、僕達が互ひに初めて恋し合った時に君はアッサリ告白したぢゃないか、それまでに何人か恋人があった事があるって……ダルントンぢゃない、その他に……。
エレア　（苦悩と激怒の入れま（ママ）ぢった……支離滅裂な調子で）あたしは阿呆だったんだわ！　私はあの時あなたに嘘をついて置くべきだったんだわね！　でも私はあなたに理解して貰へると思ったのよ……私があの頃、何かを捜し求めてゐて……愛がどうしても私に必要だった……そしてその愛を遂々あなたの中に見付け出すことが出来たんだって事をね！　あたし、真実の事をあなたに知らせようとしたんだわ……真実をね！　つまり、それ以前に恋愛の経験を経て来てゐればゐるほど、私があなたを見付け出した時に、あなたって人の値打がよく判ったんだって事をね！　あたしあの時にあなたに言ったわ、それまでの男の人達なんて私にとって殆んどなんの意味も持ってゐなかったって。あたしあの時、あなたに信じて下さいと言ったぢゃありませんか、あの時分みたいな私の精神状態の時には、ああしようとかうしようと別に意味は無いんだって事をね。それから、女には別に下等な気持にならなくても、そんな態度が採れるもんだって事をね。私は、あなたが私の言った事を理解して下さったと思ったのよ。しかし理解して下すったんぢゃ無かったのね。理解して下さるほどあなたは偉くは無かったんだわ！　あなたは自分自身の過去に於る恋愛の経験から推して、セックスと言ふものは、あなたにとって一つの堕落だと言ふ事になってしまってゐるのね……そし

て肉体的価値と言ふものが女の最高の価値と言ふわけね！（嫌悪の身振り）いつでも肉体的だわ！まるで女に取つてはそれに就てたつた一つの態度しか有り得ない見（ママ）たいにね！

ケーブ（怒つて抗辯する）そんな馬鹿げた一般論をベラベラ喋つたつて、それが僕達と何の関係があるんだ。君は忘れてゐるんだ。僕達がわれわれの結婚の理想のことを考へた時に、僕達は双方で不実をする事は許すことの出来ない罪と見なすと言ふ事に同意したんだぜ……不実と言ふ事自体を罪悪だと思つたからぢや無くつて、過去に於ける僕達各自の、弱々しい恋愛態度のシンボルだつたからだ。……つまり、愛に対する罪、聴いてゐるか？……独特な、美しい、他の恋愛よりもズッと綺麗なものにしようと思つた二人の愛、その愛に対する罪だからだ！

エレア（皮肉をこめて荒々しく笑つて）そんな事、言葉に過ぎないわ！あなたの脚本の中に出て来る女達がまるでデクの棒みたいな訳が、あたし今やつと判つたわ！あんな女達に命を吹き込んだ私に対して、あなたは跪まづいてお礼を言はなくちやならないわね！

ケーブ（狂つたやうに）なんだと、創作の仕事を君なんぞが批評するなんて　この女優め！

エレア（激しく）私だつて創作をするんだと言ふ事をあなた否定するの……？もし私が舞台を捨てる事を承知して、子供を生んで家庭を持つて編物をはじめでもしたら多分……（荒々しく笑ふ）さうしたら安心でせうよ、おやなくつて？……大丈夫、絶対に、お気に召さぬ事なんぞしないやうにね……（彼女の顔が急に凝結したやうになる）ぢや、やつぱりあなたは、私があの頃ダルントンの情婦だつた……あの人を私が恋してゐたんだと思つてゐるのね？でなければ、私が出世するために自分の身体をテッキリあの人に売つてゐたんだと思い込んでゐるのね？

ケーブ（苦悶して）いや、いや！どうか、もう止してくれ！お前があの男を曾て愛してゐたと僕は思つて居たかも知れないが……

エレア（冷たく）まあ、さうだつたわね……たしかにさうだつたわ！あの人が最初私と婚約をした時に……あたし、世間のゴシップを聞いたわ……

あの人は私とそんな風になるのを待つてゐらつしやるんだと私思つたのよ……それで私自分でもその気になつた……かうしようとあゝしようと、どつちにしても私には同じ事だつたわ……あの時分の私には、自分の仕事をし、自分で生活して見るチヤンスだけが大事で、それ以外の事はまるで無意味だつた……さうよ、私は結婚を承諾したわ……あの人はしなかつた、結婚に同意はしなかつたわね。あの人は私を愛してゐました。でも私があの人を愛してゐない事を知つたからよ……あんな風に……そして、あの人はあなたの思つてゐるよりは立派な方だわ！

ケープ　（嗄れ声で）お前は嘘をついてゐるんだ！（途方にくれたやうに）僕には信じられない……

エレア　（鋭く）いいえ、信じられるわ！　信じたがつてゐるのよ！　信じてゐるんだわ！　そして、あなたは喜んでゐるのよ！　だつて、さう信じれば、私と言ふものが、あなたが思つてゐたよりも尚下劣な女になるわけですものね。でもあなたに取つては、それでもまるで同じように嬉しいんだわ！　私とダルントンの間にはなんにも無かつたつて事を……今本当に信じる事が出来たんで、あなたは喜んでゐるんだわ！（相手の両眼をヂッと見詰めて、其處に自分の言葉が間違つてゐない證據を読み取らうとしてゐたが、やがて、勝ち誇つたような苦悩の調子で叫けぶ）たしかにさうだわ！　さうぢや無いとは言はさない！

ケープ　（荒々しく）違ふ！　畜生、貴様は貴様は飛んでも無い考へを俺の心に吹き込まうとしてゐるんだ！

エレア　（荒々しいヒステリックな嘲笑の調子で）本当だわ！　私がどうしてあなたなんぞを愛する事が出来るの？　これ迄一度だつて私があなたなぞ愛することがどうして出来たかしら？

ケープ　（両手で激しく彼女を引掴んで）よせ！　やめろ！　お前は俺を愛してゐるんだ！（気が狂つたやうに彼女に接吻する。チヨツトの間、彼女はされるままになつて、我れにも非ら（ママ）ず接吻を返しさうにさへ見える。ケープは勝誇つた様に叫けぶ）お前はこの俺を愛してゐるんだ！

彼女は不意に彼を突きのけ、両腕を突つ張つて相手を睨み付ける。彼女の眼も鼻も口もまるで

痙攣してゐるやうに動く。その苦しさうな顔全体は底の知れない自己嫌悪と、彼に対する極度の憎悪を現はしてゐる

エレア　（息詰るやうな声で……自分自身に向って言ふやうに）いいえ！　これほどあなたを嫌いな私の気持を……あなたは叩きつぶしてしまふ事は出来ない！　（彼女の顔はまるで死んだやうに平静になる。深い冷い憎悪の調子で）私に接吻しないで頂戴。あたし、あなたを軽蔑するわ！　私はあの人を愛してゐるんです。あの人は……あなたの留守中、……私の恋人だったのよ！

ケーブ　（黙って永いこと彼女の眼を見詰めてゐる……苦悶の嗄れ声で）嘘をつけ！　嘘をつけ！　お前はただ俺を苦しめやうと思って、そんな事を……。

エレア　（死の様に静かに）本当よ！

ケーブは又チヨット彼女を見詰める……やがて、まるで動物の様な激怒の唸り声と共に、両手で彼女の咽喉を掴む。呼吸が詰まって彼女は、立って居れなくなって膝を突く。彼女は抵抗はしないが、前と同じ敵意を含んだ憎悪のこもった眼で彼をヂッと見詰めつづけてゐる。最後に彼はブルッと身顫ひして我れに帰り、彼女の傍から三四歩離れる。彼女は、片手を床の上に伸しただけで身を支へて、そのままヂッとしてゐる

ケーブ　（みぢめな有様で、激怒と苦悩に啜り泣きしながら）去ってしまった！　死んでしまったんだ！　俺達の美は飛去ってしまったんだ！　さうだ、俺は心からお前を憎む！　でも、お前は彼奴を愛してなんか居ないんだ！　お前は嘘をついてゐるんだ！　お前は俺を憎んでゐるもんだから嘘をついたんだ！　お前は俺達の理想をドブの中に叩き込んだんだ……嬉しがってな！　（荒々しく）そして、お前は理想を殺してしまった事を自慢してゐるんだ、さうだらうが、此の女優め、此のアバズレめ？　（野蛮な、勝ち誇った調子で）しかし、よく聞け、ホントに破壊する事の出来る者は、それを創り出した者だけだぞ！　（逆上の絶頂に達して）だから俺が破壊してやるんだ！　俺が破壊してやる！　俺達の愛情が俺の中で生き続けて……俺を苦しめるのを見せて、やって、お前の憎しみを満足させてやってたまるか！　俺は、この愛

情をお前よりも下等な所に叩き込んで見せるぞ！これ以下は無いと言ふ下劣なドン底に踏んづけて放り込んでやるんだ！ 息の根をとめて打っちゃつてやるんだ！ ぶち殺して……おっぱなしてやるんだ！

再び彼は両手を後ろざまに彼女の頸の方へグイと引いて咽喉を締めさうにする……やがて、まるで激怒に追いかけられでもするやうにサッと扉の外へ走り出して行く。彼の出て行った後の扉がバタンと音を立てて締まる

エレア （絶望の叫びを挙げて）マイクル！（再び憎悪と憤怒のために圧倒されて……飛び上って扉の所へ走り寄り……扉を開けて、彼の後姿へ向って烈しく叫ぶ）行ってしまへ！行ってしまへ！私は嬉しいのよ！私はあんたが憎い。あたしだって、出て行くわ！自由なのよ！ 出て行くわ……。

彼女は身をひるがへして、階段を駆け昇って行く。チヨットの間姿を消すが、直ぐに帽子をかむり外套を着て現はれ、再び階段を急いで降りて来て、扉を開け放したままにして外に走り去る。

（幕）

第二幕

第一場

場面―

ニューヨーク市から一時間位の距離の、カネチカットに在るジョン・ダルトンの家の図書室。広々とした室で、すぐれた趣味の調度で飾られてゐる。正面奥の壁には書棚がズラリと並んでゐる。書棚の上方の壁には、額縁に入った舞台装置の写真が数枚懸けられてゐる。正面奥右寄りに扉口。扉口の左手にグランドピアノ。その傍に円形の卓があり、卓の上には青銅製の電燈が置いてある。それよりも小さい卓が左手の隅に有って、その上に、もう一つ電燈。右手の隅には巨きなクッションのある椅子が一脚と、高価な蓄音器。右手の壁の方にフランス窓が開いていて、窓の外は玄関になってゐる。左手の壁の方には開放式の暖爐が設けられて居り、薪が燃えてゐる。暖爐の前には左と右に向いて両方から掛けられるやうになった長椅子が一台。左手の隅の電燈だけに灯が入ってゐる。暖爐の上方には、明らかに四五年前に写したらしいエレ

アノールの引伸し肖像写真の習作が、額縁に入って懸ってゐる。

幕が開くと、ジョン・ダルントンの姿が見られる。彼は暖爐の正面に坐って、ボンヤリと夢でも見てゐる様にしてゐる。彼の身体は勿憂さうに前こゞみになり、両肩を屈め、長い両腕を膝の上に置いて、両手はダラリと下げてゐる。巨きな長椅子の丁度真中の一番前の端に腰を掛けてゐる。それが、此の夢想の中に徒らに老ひつつある男の身辺の寂寥の感じを漲めてゐる。自分の夢想を理解し、分って呉れる愛する者を持ってゐないと思へば、彼にはこんな夢想も無益なものに感じられるのだ。

不意にドライヴウエイの方からモータアの音が響いて来るので、彼はギクリとする。自動車の音は次第に近附いて来る。此の家の玄関の前で停る。玄関の扉がバタンと閉く音がして、自動車の音は遠ざかる。家の後ろの辺で扉口のベルがヂリーンと鳴る。ダルントンは立ちあがって正面奥の扉の所へ行き、ベルが尚もヂリンヂリンと鳴り続けるのでイライラしながら怒鳴る。

……ナチエッ、もういい！　全体何奴だ……？」

彼が玄関の扉を開ける音が聞えて来る……あっけに取られた声で「ネリイ」それから、彼女の声が圧しつけられたヒステリックな調子で聞えて来る。「ジョン！　あたし……」あとはよく聞き取れなくなる。やがてダルントンの声が相手をなだめる様な調子で「はいって火の傍へ来たらいい！　おはいんなさい」。エレアノールを先きに立てて室内へ入って来る。彼女の顔は真青で、混乱してゐて、自棄の表情を浮べてゐる。早足で長椅子の所に歩いて来て、その一隅にドシンと腰をおろして　暖爐の火をヂッと見詰めてゐる。ダルントンは、落着かなりでその側に立ったまま彼女を見守ってゐる。彼の顔には、驚きと優しさと困惑と情熱的な希望とがゴチャゴチャに入れ混った表情が浮んでゐる。

ダルン　君は顫えてゐますね。もっと火のそばにお寄り。

エレア　（ビクッとして）いえ……私……　私暖かいんですの。（間。彼はどう方へていいか判らず、彼女の語り出すのを待ってゐる。

彼女は次第に落着いて来る。いろいろの記憶が一度に浮んで来て、その顔は苦悩に歪み、苦悩はやがて憎悪と怒りに変る。ダルントンの眼が自分を見詰めてゐるのに気附いて、自分も無理に相手を見る。彼女の顔は次第に假面の様に、キッと思い決した表情になる。ダルントンを見上げて、ユックリした調子で言葉を押し出すやうにして）ジョン……あなた、仰有ったわね、假りに、もし……あたし、いつなんどきでも来てもよいつて……いつか仰有ったことが有りますわね……。

ダルン　（妙に野蛮に見える喜びの表情を一瞬間パッと浮べる……が直ぐにそれをおさへて……単純に）さうですよ、ネリイ。

エレア　（今度は少しシドロモドロに）あれは……本気で仰有ったんでせうねえ。

ダルン　（単純に）さうです、本気で言ひました。

エレア　あたしの言ふのは……今でもその気でゐらつしやるんでせうか……？

ダルン　（オヅオヅした表情で無理に微笑して）あの時でも……今でも……今後いつまでも、誓って……どんな先きになっても、さうですよ、ネリイ。（やがて、戸惑ひした様な喜悦の情が突きあげて来て……どもりながら）でも何故……君はそんな事を知りたがるんです……！

エレア　（緊張した微笑を浮べて）もし私が……来たっきりにあなたの所へやって来たら、喜んで下さるかしら？

ダルン　（声が顫える）ネリイ！（サッと彼女の方へ行きかけるが、直ぐに立停る……低い、落着かない声で）しかしマイクルの方は？

エレア　（苦痛の叫びをあげて）言はないで！（忽ち自分をおさえて……冷たい重苦しい声で）それは……死んでしまったの！（ダルントンは、不安のために呼吸を詰めてゐたのをホッと吐く。エレアノールは少しヒステリックにどもる）あの人の事を言ふのは止して頂戴！私、忘れてしまったんですから……あの人が生きてゐたなんて事無かったも同様にね！あなた、今でも私を愛してゐて下さる？どう？ね、聞かせて頂戴！是非知りたいんですの、誰か他に……。

ダルン　（尚躊躇しながらも、次第に彼女の近くへ

寄って来て……単純に）その事なら以前一度ハッキリ口に出して僕が言った事だから君は知ってる筈です。あの時以来……全く、僕の気持は君には解ってるんぢやないかな？

エレア　でも私、ハッキリ聞く必要があるんですの。……もう何年の間も……あなたはそんな素振有らなかったんですもの……。

ダルン　だって……マイクルが居るんだから。

エレア（夫の名を聞くまいとするやうに、荒々しく両手で耳を押へる）言はないで！

ダルン　君はあの男を愛してゐたんだからね。

エレア（強く）あたし、あの人を憎むわ！　そしてあの人も私を憎んでゐるのよ！（身顫ひする。やがて、自暴自棄な決意に駆られて歪んだ微笑を作って）あなた、なぜ其處に突立ってゐらっしやるの？　怖いの？　なんぢやないかしら、もしかすると、あなたが私を愛してゐて下すったと言ふのは実際の事では無くって、唯フッとそんな気がなすっただけぢやなかったかしら……私、そんな気がして来ましたわ……。

ダルン　ネリイ！（オヅオヅと彼女の片手を取って、それに何度も接吻する……深い感情のこもった混乱した調子で）僕は……ねえ……冗談は言はない……知ってるぢやないか、僕は君を愛してゐる！

エレア（前と同じく堅い微笑）私を抱いて……唇に……接吻して下さらなくちや……。

ダルン（オヅオヅと彼女を抱いて、その唇に接吻する……情熱的なシドロモドロの調子）ネリイ！僕は諦らめ切って居たんだ……僕は……僕は本当の様な気がしない……（彼女は両眼を閉ぢて接吻されるままになってゐる。彼女の顔は仮面の様だし、身体は嫌悪のために顫へてゐる。ダルントンは不意に何か調子が変な事に気が附いたらしく……（ヘドモドして）でも君は……僕なんぞ、好いて呉れてやしないんだ！

エレア（まだ両眼を閉ぢたまま……物憂さうに）好きよ。（自暴自棄の力を一気に振い起して三四回荒々しく彼に接吻する。それから再び眼を閉ぢて椅子にガックリと沈み込む）私、とても疲れてゐますの、ジヨン……とても疲れてるわ。

ダルン（直ぐに、ひどく気づかわしさうに）君は

まるで身体中顫えてゐる。こんな事に気が付かないなんて、僕は馬鹿だね……堪忍して呉れ。（片手で彼女の頸をおさへて見る）熱が有る。ねえ、直ぐに寝た方がいい。さあ（彼女の手を取って立たせる）

エレア（物憂さうに）さうよ、私、とても疲れてゐるんですの。（辛らさうに）ああ　利己的で無い親切な人から愛して貰うのは、仕合せだわ――あんな憎しみの後で……

ダルン　シッ！（わざと冗談じみた語調で）さあ僕は医者の役をつとめますよ。で、医者の命令はかうだ、話をしてはいけない、考へ事をしてはいけない、眠るべし。さあ君の部屋に案内しよう。

エレア（ボンヤリと）ええ。（まるで自分がどんなことをしつつあるのか気附かぬものの様に、彼に案内されるままに正面奥、右手の扉の方へ従いて行く。扉の所まで行くと不意に、眼が醒めたやうにギクリとする……おびえた様に）私達、どこへ行くんですの？

ダルン（優しく嚇かすやうな口調で）二階の寝室へ行くのさ。

エレア（ズルッと身を顫はせて……シドロモドロに）いいえ、いいえ！今はいけません……いいえ……待って頂戴……待って下さらなくつちや……（やがて気を落着けて、努めて事務的な口調になりながら）此處に、あなたと御一緒に居る方が、ありがたいわ。キット私、冷え込んだに違ひ無いんですから。火のそばに居たいんですの。

ダルン（当惑したやうに、だが直ぐに彼女の言ふ事に賛成して）いいとも。君の具合の良いやうに（二人は暖爐の所に戻る。彼は椅子を一つ暖爐の近くに寄せてやる。それに彼女は掛ける。彼は彼女の背中の後ろにクッションを置いてやる）これで、どうだい？

エレア（青ざめた感謝の微笑）ジョン、あなたは本当に親切ね。いつでもズーッと親切だったわ。あなたは、まるで違うわ……（ブッツリと言葉を切る。キツイ表情になり、火の中をヂッと見詰めてゐる。ダルントンは彼女の顔を見守ってゐる。永い間）

ダルン（しまいに……おだやかな口調で）ネリイ……どんな事が起ったんだが何もかも僕に話して

しまったら、気が楽になりはしないかな？、

エレア（身顫ひをして）いけません！　まるきり恐ろしい事……それから憎しみ……それから嫌や《(ママ)》嫌や《(ママ)》な事！、（うらめしさうに荒々しく）あなた、どうして私に思ひ出させようとなさるの？、私、かうしてあなたの所に来て居るんだから、それで沢山だやありませんの。その理由をどうしてお聞きになるの？（荒々しく笑って）それとも、あなた、あの人を嫉妬なすってるの？

ダルン（静かに）僕はいつもマイクルを羨ましいと思ってゐたさ。

エレア　ところが、もしあなたが今夜のあの人を御覧になってゐたら、羨ましがったりはなさらなかったでせうよ・私と同じやうにあの人を軽蔑なすった筈だわ。あの人は野卑で下劣だわ！。自分と同じやうに、あらゆる事を下劣にしてしまふんだわ！。あの人は、散々嚇かして、自慢して自分の事を……（ヒステリックに）あなたは何故あの人の事を私に思ひ出させるんですの？、私、あの人が憎いのよ、よくって！。私は、あなたの物になりたいんです……あなたの物に！　（ダルントンの両腕の中に身を投げかける）

ダルン（オツオツした様な熱情で……彼女を抱きしめながら）ネリイ！。さうだ……さうだよ……（彼から接吻されながら、彼女の顔は再び仮面の様になり、身体は強直して、両眼を閉ぢる。ダルントンは突然これに気が附く。彼女の顔の上からヂッと見詰めてゐる彼の顔も、困惑したやうな、怖れてゐるやうな表情になって来る。（どもりながら）ネリイ！、どうしたんだ？、

エレア（ビックリとして……眼を開け）なあに……？、

ダルン（安堵の溜息をついて）あゝビックリした。君はまるで屍骸みたいだったよ。

エレア（サッと彼から身を離して、火の方へかがみ込んで、顫える両手を伸して火にかざす）あたし……あたし寒いの。たしかに病気らしいわね。寝るわ。（扉の方へ歩き出す）

ダルン（不安らしく……だが努めて愉快らしくしながら）やっと、もっともな事を言ふ様になったね。来たまへ。（廊下の方へ案内して行く。彼女は戸口のはづれまで行くが……そこで立停る。彼

女の顔や全身には、妙な、藻掻いてゐるやうな表情が現はれてゐる。それは、恰も彼女の行く道をさえ切ってゐる目に見えない柵と言ったやうなものを押し破って行くために全意力で闘ってゐるやうな表情である。ダルントンはそれを鋭く凝視してゐるが、彼の両眼には悲しげな予感の表情が現はれて来る。彼女の側をすり抜けて室内へ戻りながら、親切な口調だが、何処か微かに悲しげな調子を含んで）君一人で行きたいなら……二階の右手のとっつきの扉が、寝室だからね。

　彼は更らに室内へズッと歩いて来てから、振返って彼女を見る。益々相手の心持を感付いたらしい憂欝さうな顔付きになってゐる。

エレア　（ボンヤリと）いいえ……あなたには判らないんですわ……（片手を伸して戸口の片側に置いて身体を支へながら、フラフラしながら立ってゐる……物憂さうに）二階の……右手のとつ（ママ）ぎの扉ですのね？

ダルントン　さうだよ。

エレア　（混乱し無力になった自分の意力を掻き立てるために藻掻き苦しんでゐる……遂に、惨めな幼児の様な調子でダルントンの方を振向く）ジヨン。あなた、力を貸して下さらないかしら？

ダルントン　（重々しく）いや……それはいかん。やっと僕は解ったんだからね。そいつは、君が自分一人の力でやらなきゃ駄目だ。

エレア　（絶望的に叫んで）出来ますとも！　私だって、あの人と同じやうに強いのよ！　やりますとも！

　この言葉で、それまでまるで呪文で縛られたやうになってゐた彼女が、一遍に自由になる。身体つきがシャンとして強くなったやうに見える。彼女は戸口を奥の方へ歩いて行く

ダルントン　（勝ち誇ったやうな悦びの声を挙げて）あゝ！　（大股に戸口の方へ歩いて行き……そこで立停る。彼女も亦階段の昇り口の所で、一段目に片足を踏みかけたまま、階段の頂上の方を見上げながら立停ってゐるのに気が附いたのである。やがて彼女はヨロヨロとして、不意に手さぐりする様にしながら室の方へ駆け戻って来る。彼女の顔は引き歪み、恐怖の表情を浮べてゐる。ダルントンは、烈しい失望の語調で問ふ）どうしたんだ？

どうしてよしたの？、
エレア（歪んだ微笑を作って……荒々しく）あなたの仰有る通りだわ。熱が有るに違ひ無いわ。（落着かうと努めながら……自嘲の調子）お化けが見えたりするんですもの、かなりひどい熱ですわね？（ヒステリックに笑ふ）さうなの……たしかにあの人の姿を見たのよ……階段の一番上の所に立って私を待ってゐたのよ……あなたが内に訪ねていらつしやつて扉をノックなすった時……憶えてゐらつしやる？……あの時あの人が立ってゐたのと丁度同じ格好でね（笑ふ）ホントに馬鹿々々しいつちや無いわ……わかり切ってゐるのに……

ダルン　シーッ！（困り切った風で、彼女をチラリと見て）おや此處で横になったらどうかね？、さうして、とにかく休むんだな。

エレア（彼が、暖爐の前の寝椅子に彼女を具合よく掛けさせて呉れるのを、されるままに委せながら）ええ。（途方にくれたやうな眼差しで相手の眼を見詰める）

ダルン（永いこと黙ってゐてから……ユックリと）君は僕を愛してはゐないんだ、ネリイ！

エレア（憐れな調子で抗辯する）でも、私、愛してゐるわ、ジョン！愛してゐます！あなたは親切なんですもの！あなたは、利己主義で無くって立派な人ですもの！私、ホントにあなたを愛してゐてよ！

ダルン（歪んだ微笑）それは僕ぢや無い。君は僕を愛しては居ないんだ。

エレア（懸命に反抗するやうにサッと立ちあがる）愛してゐますって！（両手でダルントンの顔をはさんで、自分の顔近く引き寄せ、彼の眼を見入る。彼も彼女の眼を見入る。彼女は歯を喰ひしばって鋭い調子でつぶやく）さうよ！私、あなたを愛してゐるんです！

永いこと二人はさうしたままでゐる。その間、彼女は自分の顔を次第に相手の顔に近附けて行き、意力のありつたけを尽して彼の唇に接吻しようとする。が遂に彼女の眼はたじろぎ、身体からは力が抜けて、身をひるがへすと寝椅子の上に身を投げ出し、せぐり（ママ）上げて絶望的に啜り泣く

ダルン（悲しげな微笑）わかったね？、

エレア（啜り泣きのために……とぎれとぎれの声で）でも私……あなたを愛したいんですの！　ですから、私、その気なんです……キット……その内には……約束するわ！

ダルン（努めて快活な口調で）いいとも。ぢや僕は先ずさうなるやうに待つてゐやう……そして君の善意を信頼してゐやう。（チヨツト黙つてゐてから……穏かな真面目な口調で）チツトは落着いたかね？、君とマイクルとの間にどんな事があつたんだね、話して呉れないか。

エレア　いいえ！　どうぞ聞かないで！

ダルン（微笑しながらも熱心に）話せば気が楽になるよ、ネリイ……それに、それを聞かせて呉れなくつちや、僕には君の力になつてやりやうが無いぢやないかね？

エレア（チヨツト黙つてゐた後……諦らめたやうな物憂い調子で）あたし達、口喧嘩をしたんですの。でもこれまでに、一度もした事の無いやうなひどい口喧嘩なの。もう、これつきりと言ふ喧嘩ですわ！（身顫ひする……やがて不意に荒々しく一気に喋り出す）ああ、ジヨン、お願いですから、聞かないで！私、忘れたいの！　私とあの人は互ひにコナゴナに引裂き合つたんですの、互ひにぶちこわし合つたんですの！　私は、自分があの人を憎んでゐる事をハツキリと知つたのよ！私には自分の憎しみを押へて置くことが出来なかつたの！あの人が私を叩きつぶすんだつたら、私だつてあの人を叩きつぶしてやらないぢや承知出来なかつたの！（チヨツト黙つてゐた後……再び物憂さうに）そんな訳で、おしまひと言ふ事になつたのよ。

ダルン（又忽ち希望を感じて、緊張した調子で……許へるように）ネリイ、確かにさうかね？、確かに、君の愛情は無くなつてしまつたと言へるかね……。

エレア（鋭く）あたし、あの人が憎いのよ！

ダルン（チヨツト黙つてゐた後……熱心に）ぢや、この家にズツト居たまへ。僕の力で忘れさせてあげる事が出来るやうな気もする。世間の人々が何を言はうと気に掛けないがいい。自分の家同然にして居るさ……すれば、その内に……多分……（無理に微笑して）ほらね、君が僕に与へてくれた

小さな希望のかけらを。僕はもう大事に育て上げて行きかけてゐるのさ。（彼女は自身の想ひにスッカリ気を取られて、うつ向いてゐる。彼はドギマギしながら彼女を見詰め、穏かに臆病な調子で説きつけるやうに）僕は待つてゐるのは平気だよ。僕は待つと言ふ事には、馴れてゐるからね。そして、僕は君と初めて会つた時、……八年前だつたね……あれ以来、ズーツとそれを望みつづけて来たんだからね。（無理に笑ひかけて）そりや、君があの男と結婚しちまつた時には、そんな望みを持つて待ちつづけるのは無駄骨折りだと言ふ事は判つたさ。僕はあの時、そんな望みを燃して亡ぼしてしまはうと努力した……さう出来たと思つてゐた……しかし君が今夜此處にやつて来たら……トタンにヌチヤンと希望が動きはじめたんだ！（笑ふ……それからオツオツと自分を制して）だが、クソ！。こんな事言つて君をうるさがらせる事はもう止そう。勘辨してくれ。どうかね、此處にズツと居ついて、静養して……自分の家同様にして呉れるかね？　僕の言ひたいのは、それさ。

エレア　（おだやかな、ボンヤリした様な調子で言ふ。其の彼女の調子が、彼の気を悪くさせる）あなたは本当に御親切ですわね、ジョン。（今度は自分だけの考への緒を辿つて、怒つた様に言放つて）あの人が家を留守にしてゐる間、あたし、あなたの情婦になつてゐたんだつて、あの人にさう言つたんですの！

ダルン　（びつくりして）ネリイ！

エレア　そんな嘘を、わたしどうしても言はなければならなかつたんですの！　あの人は私を卑しめたんです！　あたしは自分で復讐しなければならなかつたんですの！

ダルン　然しまさかあの男がそんな事を信じたりはしなかつただらう……。

エレア　（鋭い勝誇つた態度で）いえ、あたし、あの人に信じさせちまつたんですの！（今度は！ロノロと）それで……あの人は、出て行つてしまつたんです。あの人はさう言ひましたわ、丁度あたしがした様に、自分も私達二人の愛情を殺してやるんだつて……。もつと酷く……。（歪んだ微笑を浮べて）つまりそれを、あの人は現在やつてゐる訳なんですの。以前、一緒に住んでゐた例の

女達の一人の所へ行ったんですの……。（荒々しく笑って）いいえ！ あんな女達だって下劣すぎると言ふ事はないわ……。あの人が私に加へ様としてゐる綺麗な復讐の為にはね！ あの人はびつくりする様な想像力を持ってゐます。其の事は誰も彼も認めてゐますわ！ （彼女は、狂った様な悩みをこめて笑ふ……。それはやがて狂暴な怒りに変る）ほんとに、なんと言ふ汚らわしい人でせう！ （やがて苦悶しながら）ああ、あたし、何故考へるんでせう……あたしを助けて頂戴、ジヨン！ あたしを助けて、忘れさせて頂戴……。あなたを愛する様にして頂戴！

ダルン （ちよっと黙ってゐた後、悲しげな、苦しさうな頼り無い口調で）君はほんとに言ってるんだね……あの男を憎んでゐるんだって！ 君自身に復讐する為に僕に力を貸して呉れって！ だが君には判らないかねえ、僕にはそんな事出来ないんだ……。君にも出来はしない……。何故なら……僕にはもう全然はっきり判るんだ。だから、君は反対してはいけない！…… 何故なら…… 君は今でもあの男を愛してゐるからだ！

エレア （鋭く）いいえ！ （ちよっと黙ってゐた後、……シドロモドロに）言はないで！ あたしは知って居ます！ あたしはあの人を愛してゐる自分が憎いんですの！ あたしはあの人を愛してゐる為に、あの人を憎むんです！（悲しみにくれてすすり泣く）

ダルン （ちよっと黙って、彼女のすすり泣が低くなってから……悲しげに）家に帰りたまへ。

エレア 厭です！ （沈黙の後、きれぎれに）あの人はあたしを憎んでゐるのです。

ダルン （苦しさうに頬笑んで）それは、あの男が君を愛してゐるからさ。

エレア あの人はもう帰って来る筈がありません。

ダルン （苦しいユーモアを含めて）いや、なあに戻って来るよ。僕の言葉を信用したまへ。僕には判るんだ…… 何故なら、僕も屡々君を愛してゐるんだからね。

エレア （小さな声で）それであなたは……あたしを憎む？

ダルン （ちよっと沈黙してゐた後……、憂鬱な自己嫌悪の調子で）いいや。僕はおとなし過ぎるか

ら君を憎んだりは出来ない。君が常に僕を好いてはくれても、愛してくれる事が絶対にないのは、其の為だよ。（苦しげに）本来なら、僕は君を憎まなければならんのだ！　僕の君に対する愛情に対して、手酷い屈辱的な侮辱を君が与へたのは、これで二度目だぜ……。一度は数年前、出世をする為に其の代価として、君は僕の愛を自分から進んで受入れて我慢しようとした時さ……。二度目は今夜、つまり今夜、君は……あの男に対する憎しみと愛……愛……の為に、僕の手に君自身を投げ出さうとしたんだ！（突然、気が狂ふ様な嫌悪に駆られて）ああ！　するとこの僕は、一体なんだい、え？（やがて怒りを鎮めて無理に歪んだ微笑をする）どうもなんだね、君の遣口はちよつと手きびしすぎたよ、ネリイ……。其の点僕は今でもまだ気を悪くしてゐるぜ！（荒々しく笑つて、自分の本当の不快を秘す為にソッポを向く）

エレア（ひどく苦しんで）わたしを許して下さいね。

ダルン（自身に向って言ふ様に……安心させる様に）だが……、確に僕は一番かはいさうな奴隷にだつてなつて居ただらう。僕はマイクルの様に、君と闘ふ事は出来なかつた。多分、腹の底では僕を憎んでゐて……。

エレア　それを言はないで！　若しあたしが皆、あなたを愛する事が出来てゐたら……、若しあたしが今あなたを愛する事が出来たんだつたら……あたし倖になれた筈なんだけど。

ダルン　君はどうの皆に奴隷なんぞ軽蔑する様になつてゐるんだ。（やがてぶつきら棒に）君は直ぐに家に帰つた方がいいでせう。

エレア（ぼんやりと）だつてあの人が……。

ダルン（不愛想に）君には判つてゐるんだ。戻らなきやいけませんよ……。何にも、問題はないんだ！

エレア　だつて私、どうしたら信念を持つ事が出来るんですの？　それに、どうしたら私、あの人に話したあなたとの事は嘘だつたと言ふ事をあの人に信じさせることが出来るんでせう？　此処で……今晩……私とあなたがかうして居た事に就て、あの人が私を信用なんぞするでせうか？（惨めに）ねえ、さうぢやありません？　とても不可能だわ……

ダルン（イライラして）しかし、絶対に君は帰らなきゃいけない。君自身の中の真理に直面したまへ。帰らなきゃならないか……それとも帰ったらいけないのか？、

エレア（一瞬間、自分自身の気持に反抗するやうに煩悶してゐた後……惨めに）さうです。（しばらく黙ってゐた後、扉の方を指すしぐさをしながら……ゲッソリした打ち負かされた様な微笑を浮べて）二階へ……もし私が行く事が出来てゐたら、……キット私は自由になれてゐたでせう。でもあの人は私を自分の理想の中にあんまり固く縛りつけてしまってゐるんですわ。しかも私はあの人を愛してゐるんだわ。どんな酷い辱かしい目に逢はされても、私はあの人を愛してゐるんだわ！（自暴自棄な調子で）でも、私、あの人が現在何をしてゐるかって事を考へると、今後私を叩きつぶすためにどんな事をするだらうと考へると、たまらない！。私はあの人が憎い！　私はあの人が憎くて憎くてたまらないものだから……（言葉を切る。激情に顫えてゐる。顔は痙攣してゐる……やがて、肩をすくめて諦らめた様に）私はそのためにメチャメチャにこわれてしまったんですわ。私は、もう、存在しないのも同然ですの。かうなれば、私と言ふ人間が、どんなに窮くったって、そんな事問題ぢゃ無いわね？、あの人に勝たせてやればいいわ。（短い間）何かしら……私、わかりはじめたわ。（不意に　妙に有頂天に誇らしげな様で）私はあの人を愛してゐる！　でも、あの人に対する私の愛は私自身のものだわ、あの人のものぢゃ無い！　あの人に対する私のこの愛だけは、あの人が絶対に持つわけには行かない！　これは、私のものだわ！。私の生命だわ！。（決然とダルンの方を向く）では、私、内へ帰らなくちゃいけませんわ。

ダルン（いぶかしさうに）結構だ。車で送ってあげよう。（扉の方へ歩み出す）

エレア（不意に彼の腕を掴んで）待って頂戴（愛情をこめて）あたし、あなたの事を忘れてゐたわ……例の通りに。どうしたら、あなた、私を勘忍していただけるかしら？、　あたし、何をしたら？、

ダルン（歪んだ微笑）忘れるんですね、ネリイ。

僕の事は一人のマネージアだと思ってゐて呉れりやいい。自分の役の事を勉強したまへ。マイクルを助けてやりたまへ。すれば、今に僕等は三人とも大成功しますよ！（嘲けるやうに笑ふ）

エレア（やさしく）でも私、本来なら、運命は私にあなたを愛するやうにさせるべきだったと今後も始終思ふでせうよ。

ダルン（同じやうに歪んだ微笑で）ところが、或る意味では僕は幸福かもわからないと言ふ気がして来たんだ……失恋してもね。だって、僕等が物事に就てさうなってゐたかも知れない事しを考へるのは、これで仲々楽しい事だからな……夢と同様にね。でせう？（笑って）さあ幕だ！　君は二階に行って鼻に白粉をはたいて来るんですな。もう別に焔の剣をかざした天使も居ないでせうが？（戸口の方を指す）

エレア（疲れた微笑を浮べて）ええ。

　彼女は戸口の方へ行く。彼はその後について行く。其處で二人は本能的にチヨット立停って、互ひにみだめに頬笑み合ふ

ダルン（思はず）一つ訊ねたい事があるんだ。君が此處に立ってね、僕に力を貸してくれと言ったあの時に……もし僕が、精神的、倫理的、肉体的に君を一押しする事が出来てゐたら……？

エレア（微笑して）さうなってゐたかも知れないしわね、ジョン！（今度は真面目に）でもあなたは、そんな事なさらなかったわ、あなたにはそんな事はとてもお出来にはならないからよ。でも、どちらにしろ、そんな事をしても、なんにもならなかっただらうと思うわ。だって、天使は此處に居るんですもの。（自分の胸を指す）

ダルン（溜息をついて）ありがたう。お蔭で一生の間後悔しないで済んだ。

エレア（熱心に……彼の右手を自分の手でギユッと掴んで、相手の眼をヂッと見守りながら）舊い友達同志の間には……決して……後悔するなんて事が在るべき筈はありませんわね。

ダルン（彼女の手を握り返して）さうだとも、僕は約束しますよ、ネリイ。（やがて彼女の手を離して、自分の感情を隠すために傍を向き……わざと冗談めかして）結局、友情の方が、また健全で穏便ですな……僕みたいなタイプの男には、ズッ

トよく似合ってるんだな。

エレア（また更に放心した様な様子で……ボンヤりと）私には判らないわ。（今度は早口に）さあ急がなくちゃ。私、直ぐ降りて来ますわ。（室を出て、廊下にある階段を昇って行く。

タルン（チヨットの間彼女の後姿を見送ってゐたが、やがて陰気に微笑）さてと、凡々たる日常生活という訳さ。（開け放したままの戸口の空間に向って片手を何度も突き出して奇術師の様なことをする……悲しげな皮肉の調子で）御覧の通り……此處にはなんにも御座いません！　見えざる蜘蛛の巣……鋳鉄製の蜘蛛の巣とござい！（荒々しく笑ふ）脚本の芸題が出来たぞ。マイクルに話してやらう！（再び笑ふ……笑いを止め……やがて室を出て行く。二階に向って呼びかけながら）ネリイ、僕は車を廻すからね！

第二場

場面——

六番街「一泊屋」の汚い一室。中央奥に扉口があり、その外は廊下になってゐる。扉の左手に一脚の椅子。室の左手の隅には洗面台があり、その上に鉢や水差やタオル等が載ってゐる。左手の壁に小さい窓が有って、ほころびた黒いシェードが引きおろされてゐる。

右手には一台の寝台。床には、うすよごれて、はげちょろけた絨氈が敷いてある。ぶざまな壁紙は、よごれて、シミが附いて、マッチをこすったスリ疵が一杯。

幕が開くと、室内は暗い。ただ戸外の電燈の光が差してゐるのか、窓のシエードの所だけが微かにポッと明るいだけ。やがて扉が開いて、一人の女の姿が、外の廊下のボンヤリした黄色い光を背にシルエットになって見える。彼女は振返って、後からついて来る誰かに話しかける。その声は重苦しくユックリしてゐて、強い外国訛りが有るが、でも喋る言葉はハッキリと意味がわかる。

女　マッチ持ってる？、
男の姿が、彼女の後から現われる。彼はポケットを捜して、黙ってマッチを渡す。彼女は壁でマッチを擦って、扉の傍のガスの火口に火を附

ける。そのボンヤリした黄色い光で、きたない室内の部分々々がハッキリする。女は極く若い，口紅を塗り白粉を附け眉を描いた彼女の顔は夕ダ広く、愚鈍さうだ。小さい両眼がチラリと光ってゐる。然し醜くはない……彼女の様な無神経で魯鈍なタイプの女にしては　むしろ綺麗な顔をしてゐる……そして彼女の躰つきは、まだ魅力がある。だが、その動作は、現在は丁度疲れた家政婦の動作そっくりである。彼女は外套を脱ぎ、それを鈎にかけて、次に洗面台の上の壁にかかってゐる鏡のところへ行って、帽子を脱ぐ。

男はマイクル・ケーブである。彼は無帽で乱れた頭髪をしてゐる。荒々しい眼付きをした顔に熱っぽい狂った様な表情を浮べてゐる。不自然な、ボンヤリと何事かを思ひつめてゐる様な風で、戸口に立ったまま女の動作をマジマジと見つめてゐる。

女　（脱いだ帽子を洗面台の上にのせて、イライラしながら彼の方へふりむく）あんた這入らないかね？、（彼はビクリとして馬鹿の様に点頭きながら、それに応へる様に唇を動かすが、声は出ない）お這入んなさいよ！　扉をしめてね。

彼は言はれた通りにして、機械的に扉に鍵をかける……やがて眼を彼女から室内に移して、吃驚した様な、ドギマギした様な眼付きで四辺を見廻す。その様が、あたかも周囲の状態に今はじめて気がついたかの様である

女　（職業的な微笑を作って……なるべく快活に言はふと努め乍ら）さあ、此処よ、ねえあんた。（それからいかにも躰が草疲れてゐる様な溜息をつき乍ら、寝台の端に腰を掛ける）あああ　私、疲れたよ！　足がとても痛いの！　何マイルも歩き通しだったからね。底豆まで出来たんだよ。（再び溜息をつく。今度はホッとして満足した様な溜息である）こんな薄ッ汚ねえ所でも、あったかくて好い気持だよ、まったくねえ。（間）あたしはもう駄目だと思って、帰らうとしてゐたのよ、そこへあんたがやって来たの。（間。そのあひだ彼女は打算的な眼付きで彼を見てゐる）あんたどうして帽子をなくしたかね？（彼はビクリとして顫へる手を戸まどひした様に頭髪の中に突込むが

返事はしない。間……やがて女が溜息をつき、草疲れた様に欠伸する……退屈して）あんた口がきけないの？、あんた私に会った時は、トッテモ変テコだったわよ。ほんとにさ、二人とも（ママ）、てっきりあんたから、ふんづかまったもんだと、あたし思ったよ。あんたのすることはまるで気違ひみたいだったわよ。街角で、イキナリ接吻するんですもの。人がいっぱいワアワア言って囃すぢやないの、覚えてる？、

ケース（ギクリとして……あきらかに自分自身の心中の一勝の思考に対して答へながら……荒々しく笑って）覚えてる？、

彼は椅子の中に沈み込んで両手で頭を抱へる。

暫く間

女（ソロソロ待ちかける様に）今晩泊って行く？、（彼はボンヤリした顔で彼女をチラッと見上げるが、なんとも答へない。女は物憂さうに言ひ張る）ねえ、あんた耳当でもしてるの？、訊いてんぢやないか、今夜泊っていくかね？、

ケース（ちよっとの間迷ってゐたが、二三度ゴクリゴクリと唾を呑込み乍ら、何度も何度も強くうなづく。そのありさまが、あだかも（ママ）自分の声の調子を整へやうと、懸命になってゐる様に見える……最後に自暴自棄の調子で、だしぬけに喋りだす）さうだ……さうだ……勿論だよ！、僕に他に何処に行く處があるんだ？、

女　自分の家さ。（無頓着に）家に帰るよ、大概の人が……あとではね。

ケース（突然荒々しい声で笑い出す）ハッハッハッ！　家か！　そいつが君のひそかなる復讐の印かね……家庭を持った男たちと共に行くといふの—が？、お目出度う！。（にがい皮肉の調子で、独り自ら笑ふ……やがて突然死んだ様に静かになる）—さうだ、僕は家庭を持ってゐる。ちよっと考へて見てくれ……今後は地獄が僕の家庭だ！　どうも何だね、君と僕とはお仲間らしいや。（笑ふ）

女（迷信的に）あんたそんな事を言ふもんぢやないよ。

ケース（物憂く、驚ろいた様な調子で）何で？、

女　何か良くない事が起るよ。（間）あんた、神様は信じないの？、

ケース　僕は悪魔を信じてゐる！

女　（おびえて）まあ！（ちよっと黙ってゐた後やがて無理に微笑して）判ったわ、あんたの変なとこ。あんたなんかきつい酒を無茶舐めに舐めたんだね。

ケープ　（ギクギクとした口調で）いいや。僕は酔っぱらってるんぢやない。酒を呑まうとも考へた……だがそれでは逃避することになる。（荒々しく）しかし僕は自分の行為を自覚してゐなくちやあいけないんだ……完全に自覚してゐなくちやならない。判るかね？　僕が今こんな事をするのは解放の印としてしやうとしてゐるんだ！　一切の結末の印としてしやうとしてゐるんだ！（ブルブル顫へながら言葉を切る。彼女は愚鈍さうに彼を見つめる。間。彼は両手を前額に押付ける）頭がまるで燃えてゐる様だ！（突然両の拳で自分の頭を叩き乍ら……気が狂った様に）考へるのは止せ、畜生！　やめろ！（ちよっと黙ってゐた後……やがて物憂く）どれ位になる……？　今、何時だい？

女　二時ちよっと過ぎぢやないかしら。

ケープ　（驚いて）まだそんなかね？（彼女点頭く）あれから、まだ二時間にしきやならないのか……？（間）僕は憶えてゐる……街……電燈……死んだ様な人間達の顔……。それから君だ……君の顔だけが生きてゐる様に僕には思はれた、生きてゐて僕を救って呉れたやうな気がしたんだ！　僕が君に接吻なんかしたのは　そのためだ。君は僕のために復讐して呉れる人だ！

女　（不思議さうに彼を見守りて）まあ、気ちがひじみた事ばっかり言ってるね。キット、コカインでも飲んだね。

ケープ　（出し抜けに叫ぶ）ハ！（不自然な緊張で相手を凝視する）君は、まるで訳も無く、男と言ふものは必ず酔っぱらってゐるかコカインでも飲んでゐるか……又はその他……そんなもんだと思ひ込んでゐるらしいな！　素晴らしい！　君こそ……君こそドン底だ……！（異様に荒々しい悦びを示しながら、サッと立ちあがる）君は僕の救ひだ！　君は……美を亡ぼし、愛を殺す力……と権利を持ってゐる人間だ！　君は人間の憎悪を満足させ盡す事の出来る人間だ！　もう一度僕に接吻させてくんないか？（彼女の方へ大股に歩み

寄る）
女　（戸惑ひしたようにボンヤリした様子。相手から侮辱されたらしいと言ふ気はしてゐるが、でもどんな事で侮辱されたか、又、どうして腹を立てていいかがよく判らないで……彼を押しのけながらフラフラして）そだよ！　そつちへ行つておくれよ！（直ぐに、こんな風に拒んでゐると此のお客を逃がしてしまひはしないかと心配になる）ああ、いいわよ、接吻してもいいわ。（彼は明らかに非常な努力をして彼女の唇に接吻をしてから、ブルッと顫えて身体をしり込みさせ、無理に荒々しく笑ふ。彼女は彼をヂッと見詰めて、怒つたやうにつぶやく）あんまりキザな事すんのよしてよ。ね？、あんたみたいな事を言ふの、私、きらいだよ。（彼は再び椅子の中に落込むやうに掛けて、陰気な無感覚に陥つてしまふ。彼女は彼を見守る。欠伸をする。そつと媚びるやうに）あんた睡くなりやしない？、
ケープ　（ビクッとして……ひどく怒つた様な調子で）眠るんだつて！　ぢや君は僕が……！（彼女をヂロヂロ見て）ああ……わかつた……僕が此處になんのために来たんだつて言ふんだね？、
女　（前と同じ調子）もう晩いわよ。
ケープ　（まるで機械人形の様に……ボンヤリと無意味な傾向をする）二時チョット過ぎだつて？
女　さうよ。（欠伸）私を寝させよ。そして、あんたも寝たらいいぢやないの。
ケープ　（再び妙に緊張した表情で相手を守る……不意に変な笑ひ声を立てる）君と僕とが、穢れた夫婦の……縁を結んでから、どれ位になるんかね？、（自分の言葉の遊戯に、クスクスとせせら笑ふ）
女　（困つたやうにニコリとして）まあ！
ケープ　一萬年……位かな？、それとも二萬年位か？、君は憶えてゐないかね？、
女　（作り笑ひを続け）あたいを、からかつてゐるのね？、
ケープ　嘘の年齢を言ふのはよせ！　君は昔、愛の搖籃の傍に居たんだ。それが今度は愛の墓場の上でグデグデに酔つぱらつて踊らうと言ふんだ！
女　あたい、まだ二十六だよ、ホントよ。
ケープ　（荒々しく笑つて）正に事実だ！　君の言

ふのは本当だ！　人間の汚へる事は、いつまでも生きる。事実だけが殺すんだ……実行だ！（サッと立ちあがる）かくて、憎悪が僕を一人っきりにして呉れる。愛は死なきやならんのだ。僕は此の世間と同じやうに醜悪になってやる。これからの僕の夢は、下劣な夢になるんだ。僕は「豚共の向に身を横たへ」してやるんだ。その約束を君は僕にしてくれるかい、え？、

女　（漠然と気を悪くして……イライラして）ええ、なんでも約束するわよ。（起上って着物を脱ぎにかかる。それまでに頭髪から抜いてゐた沢山のピン、が、彼女が身を起すと、バラバラバラと、まるで過酸化水素の洪水の様に彼女の肩越しに落ちる。彼女は子供らしい誇らしげな微笑を浮べて彼の方を振く）あたいの髪、気に入ったあんた？、タンと有るだろ？、

ケーブ　（嘲けるやうに笑ひながら）「おお吾が恋人よ、汝が髪を解け、さらば、われ、そを吾が経帷子とせん」か。

女　（嬉しがって媚びるやうに）それ、何さ……詩なの？、（やがて不意に何事かを思ひ出し、打算するやうに彼を見守る……ヂヨット黙ってゐてから、冷淡に）ねえ、あんた、破産したんぢやなくって？、でせう？、そいであんたクヨクヨしてんぢや無い？、

ケーブ　（ギクリとする……やがて悲しげに嘲けるやうな調子で）ハ！　君は仲々実際家らしいな。（ポケットから一枚の紙幣を取出して彼女の方へ差出し……いまいましさうに）ほら！。

女　（紅を塗った顔をサッと紅らめて紙幣を見、それから彼の顔を見る）まあ！　そんな風なやり口は、あたい嫌いだよ。（誇らしげに）そんなお金を、ただ貰ふわけには行かないわよ……あんた—なぞからね！

ケーブ　（驚き且つ恥ぢて）おや、此處に置いとくよ。（洗面台の一番上に紙幣を置き、彼女の方へ振向き……ドギマギして）僕あ……君の気を悪くさせる積りは無かったんだ。

女　（直ぐ元の様な明るい顔になり）なに、気にしないだっていいわ。それでいいわよ。

ケーブ　（相手をヂーッと見詰めてゐたが……急に感動して）可哀さうな女！。

女 （感情を害して……カッとして）へん、そんな事言はないでよ！　なんだい！　そんな事、よしてくんなよ！　あたしや、誰にだってそんな事言はせやしないんだよ！（プリプリして寝台に腰かける）

ケース　（不自然な熱心さで）君は　自分が何だか知ってゐるかね？　君は一個のシンボルだよ。君は、男と言ふものが女と言ふものに與へる一切の苦痛それ自身だ……そして君は、女の復讐それ自身なんだ！　君は、愛と言ふものが、自らのために復讐してゐる姿だ！　君は、愛の自殺だ！　僕の愛の……此の世が始まって以来すべての愛の自殺だ！　（荒々しく）まあ聴きたまへ！　二時間前に……（今度は握りしめた両掌で自分の頭を打ち……気が狂ったやうに）僕をうっちやっといて呉れ！　うっちやっといて呉れ、畜生！　彼は、発作の様に涙も出ない激しい歔欷をしながら、椅子の上に倒れる

女　（めんくらって）まあ！　まあ！（やがて同情して、彼の方へ近附いてその肩に両手を置く、彼女自身まで今にも涙を流さんばかりになってゐる）ねえ　あんた、さあさ、およしなさいよ。いいぢやないの、なんでもいいぢやないの、ね。（彼の歔欷が次第に低くなって来たので……ホッとして）ねえ、もしかすると　あんたなんにも食べてゐないんぢや無いの　え？、んぢや、スープでも食べりや、シャンとなるわよ。あたい　そこの角までひとっ走り買ひに行って来たげようか、え？、なあにチヨット髪を結び直しさえすれば、訳無いんだから……。

ケース　（ヒステリックな笑ひ声が出て来るのを抑制しながら……嗄れ声で）いいんだよ……たくさんだ。（やがて苦しい記憶が一度に悩ましく群り起って来る。荒々しい口調で、どもりながら言ふ）彼女は告白したんだ……憎しみを込めて！　彼女は自分の憎しみを誇ってゐた！　僕が苦しむのを見て威張ってゐた。彼女は叫んだ┤私はあなたを憎む！　私も出て行きますよ！┘って。何處へ出て行くんだ？、彼女は出て行ったのかね？、さうだ出て行ったに違いない……！　ええい、くそ！　やめろ！　やめろ！　（混乱した顔付きでサッと立ちあがり、両腕で女を強く抱きしめる）僕を救

ってくれ、ねえ！ 彼女がけがしてしまった此の美を殺す手伝ひをして呉れ！、心の平和、即ち愛の滅亡、そいつを手に入れる手助けをしてくれ。（逆上したやうに何度も接吻する。彼女は馬鹿の様に、されるままになってゐる。しまいに、彼は唸りながら身を顫はせ、嫌悪に駆られて彼女を突きのけて、椅子にドッカリ身を沈める）駄目だ！ 僕には出来ない……僕には出来ない！

女　（手の甲で唇を押し拭ひながら……事情がボンヤリッみこめたらしい表情で……腹立たしさうに）ふっ！、なんであんたがそんなにヤキヤキしてゐるか、チット判ったよ。（それから一種妙に勝ち誇ったやうな野卑な調子で）まあ、あんたらみたいな連中が、ロクデナシの分相応な仕返しを受けたのは、気味が良いよ！

ケーる　（鈍い無力な怒りで）僕には出来ない！。僕は彼女を愛してゐる！（恰も此の告白に依って自分自らを蔑視するやうに）さうだ、彼女をまだ愛してゐるんだ！。だから俺には出来ないんだ！ 俺は愛してゐるために憎んでゐるだけだ……俺は弱虫だ。俺と彼女との間の愛は、俺の中で生き続けて行く運命を持ってゐる。亡びると言ふ事は無いんだ。そいつから解き放たれると言ふ事は無い……俺の生きてゐる限り。（或る事を考へてハッとして）それなら、なぜ……？（間）さうすりや、ただ一瞬の中に……こんな嫌な嫌な気持はお終いになる。平和が来る……心の傷手も思ひ出も無くなる……眠りが来る！

女　（身顫ひして）ねえ、あんた気味の悪い事を言ひ出すわね。

ケーる　（ビクリとして……無理に笑って）さうかい？、なあに、気にしなくともいいよ。（自分の心から或る考へを追出すやうに頭を振って、顫え嘲けるやうな微笑を作る）もう済んだんだ。でも大きな誘惑ぢやないかね？、君も此の気持、知ってるらしいな。だがしかし、こいつも、ひどい逃避だ。複雑な人間にとっては、あまりに単純に過ぎる手段……強者にとっては、あまりに弱く、弱者にとっては、あまりに強い手段さ。人間は生き続けて行かなくちゃならん。さうだろ？、……たとへ手疵を負っても、這いよりながらね……たとへ、自分の身の上に……将来どんな事が起るかを

知らうとする好奇心だけでも……生きて行かなきやならんのだ。（荒々しく笑って、素早い動作で扉の方へ振向く）おや、左様なら。僕を勘辨してくれ。ね、君ぢや無いんだよ。君は完全なる亡びだ……しかし僕と言ふ人間は強過ぎる、か又は弱過ぎるんだ……いいや、僕は僕自身だ……そしてその僕自身、そんな事出来ないんだ、判って呉れるね……出来ないんだ！　だから、左様なら。（扉の方へ行く）

女　（ビックリした様に）まあ！　あんた何を始めやうっての？

ケーブ　暗い所へ出て行かうてのさ。

女　家に戻った方がいいよ、ホントにさ。

ケーブ　（激しく）駄目だよ！（やがて苦しげに）僕は今夜一度はもう家に戻って来たんだ……。

女　（疲れたやうに）ああ、そんな事忘れちやいなさいよ。その女、あんたの奥さんだろ？

ケーブ　君どうしてそれが判るんだ？（妙に気を引かれて彼女の方へ引返す）

女　（皮肉に）ええ、あたいは悧巧だからね。あんた、その女に惚れてんだろ、え？、なあにそんな事卒業しちまへるさ。人間、どんな事にだって馴れっこになれるもんだよ、此のあたいを御覧な！

ケーブ　（悩む）いや、いけない！　だが、全くだな……人生の代償としてわれわれすべての人間が呑み込む恥辱と言ふやつだ。（反抗的に）だが、僕はそんな……！

女　（一種みぢめな含み笑ひをして）ああ、あんた帰った方がいいよ、ホントに！　自分をはぐらかしたりしちや駄目だよ。帰りさんすりや、なんでも無いさ。その内に結構それで気に入るやうになるよ、このあたいに判らないと思って？、あんたは、その女が好きなんだよ、だらう？、そんなら、それでいいぢやないのさ！　詰らない空威張りなんぞする必要ないぢやないの。家にお戻りなさいよ。接吻して仲直りをしなさいよ。いやな事は忘れるだね。忘れることなんぞ、やさしい事さ……忘れなきやならんとなったらね！（皮肉な物憂い非難の調子で言ひ終って口をつぐむ）

ケーブ　（真青な顔で……どもりながら）君は人生を浅ましくなしちまうやうな事を言うなあ。

女　（腹立たしさうに）へえ！（やがて、探るや

うに次第に怒って来て）そんな風に言ふの、あたい嫌ひだよ！　あんたは散々大嘘ばかりついて、そんな事を……そんな事を……なにさ、とにかくあたいにや……あんたてえ人は判ってるよ！　あんたにや、そんな権利なんか無いよ……全体あんたどう言ふ量見であたいをあけたの？　此處に引っぱって来て、阿呆な事を喋るために運れ込んだの？　その女に仕返しをするために、あたいを使ってやらうと思ったの？　ねえさ！　あんた此處をどこだと思ってんの？　男運中は、あたいの根子が好きになって、そいで、あたいと連れ立って来るのよ、ねえ、……そんな女さ、あたい。判ったの？……だのにあんたは、なんにも欲しがらない。酔っぱらってるわけでも無いんだ！　あんたはテッキリあたいが嫌ひなんだ。だのに、あんたは金を……唯で……あすこに置いて行っちまはうとしてるんだ。先刻はあたい、それならそれで金は貰はうと思ってたけど、もうごめんだよ。（不意に彼を激しく突きとばす。彼はヨロヨロとして壁にぶっつかる）へん！　そんな、うすっきたない銭なんか、あんた持って出て行ってくれよ！　あたいはね　何一つ、唯で貰いたくは無いからね。それから、膝を突いて頼んで呉れたって、あんたみたいな人と関はり合ひたくは無えよ！

ケーブ　（彼女を凝視する……彼の顔に、恰も彼女を初めて見るとでも言ふ様な表情が現はれる……大きい愛憐の念で）さうか、……君の中にもそいつはまだ生き残ってゐたんだ。世間でどんな酷い目に逢はせても、孤独の裡に悩んでゐる人間の、寂しい自己の生命……そいつは亡ぼせなかったんだ。（恥ぢ入った風で）こいつは、僕が悪かった。許して呉れたまへ。

女　（自ら妨ぐやうに）いやだよ！

ケーブ　愛と言ふやつが、それぞれ別々の途を選って君と僕の二人を此の部屋に連れて来てくれたんだ。苦しんでゐる寂しい人間同志なんだから。どうか君……？

女　（自分自身の気持と闘いながら……荒々しく）駄目だよ！

ケーブ　（おとなしく）僕が膝を突いて頼んでも許して呉れないかね？……（彼女の前に膝まづいて、その顔を見上げる）

女　（ドギマギしてヒステリックな鋭い声で）駄目！　お起ちよ、この……！　そんな事するなって言ったら！　お起ちよ！　でないと、あんたの頭を叩きつぶしてやるから！（嚇かすやうに両のこぶしを彼の頭上に振りかぶる）
ケーブ　（おとなしく）いいや、君が許して呉れるまでは……。
女　（疲れ切って）ぢや、いいよ……いいよ……堪忍してあげるから……。
ケーブ　（起上って彼女の顔を両手で挾んで、その両眼に見入る……それから、彼女の前額に接吻する）姉妹！
女　（半分啜り泣きながら）よしなったら！　うっちやっといてお呉れよ、ホントに！
ケーブ　でも、君から僕は教へられたんだ。
女　（口篭り乍ら）なんだって？……何を教へられたって？（彼の傍を離れて疲れきった風で、寝台の上にガッカリ腰を下ろす）ねえ、あんた、もう帰った方がいいよ。
ケーブ　帰らう。（洗面台の上の紙幣を指す）君には此の金が要るんだ。今度は受取ってくれるだらうね？
女　（ボンヤリと）ええ。そこに置いといてよ。
ケーブ　（同じやさしい調子で）翌る朝になれば君はその金を其の男にやらなくちやならないんだらう？
女　（ボンヤリと）さうよ。
ケーブ　みんなやるの？
女　さうだわ。
ケーブ　やらないと、其の男は君を打つのかね？
女　さうよ。（やがて突然ニコニコして）でも、どっちにしたって、あの人はあたしを打つでせうよ……。ホンの面白ずくで。
ケーブ　だけど、君は其の男を愛してゐるんだらう？
女　さうよ。だって、あたい淋（ママ）びしいんだもの。
ケーブ　さうだ。（ちよっと黙ってゐた後）だけど、君はその男が自分を打つんだと話し乍ら、どうして微笑ったんだえ？
女　あたい、一切合切の事を考へたからだわ。だって何もかも面白いぢやないの？
ケーブ　（ユックリと）君の言ふのは……人生と恋

愛の事かね？、

女　さうだわよ。あんたも笑はなくちゃ駄目よ、さうぢゃないの？、さうですって！　あんたもそれを好きになる様にならなきゃ駄目だわ！。

ケーブ（此の言葉が彼に深い感銘を与へる。彼は三四度うなづく）さうだ！、それだ！、確にさうだ！。それがあってこそ、叡智よりも深い所に達する事が出来るんだ。人生の真実を愛する事を知ると言ふ事……、人生の真実を受け入れて、高められると言ふ事……それこそ我々に残された唯一つの信念だ！（そして顫へる様な微笑を浮べて）さようなら、僕も君と同じ宗派になったよ。これから家に帰る。

女（不思議に情の籠った顔でニッコリして）さうよ。それがあんたのする仕事だわ。目を閉ぢてゐても、あんたの足がひとりでに自家へ連れて行って呉れるわ。

ケーブ（再び感動する）さうだ！、さうだ！　勿論足は連れて行って呉れるに違いない！　これまで何千年の間、自分の家へ歩いて来たんだものね……目が見えないままでね。だけど、僕は目を閉けたままで行かうよ……。（愛想よく微笑みながら彼女の方へ振返る）……さしてそいつを好きになる様にしよう！。

女（ニコニコしながら）さうよ。お仕合せにね。

ケーブ　さようなら。

彼は後手に扉を閉めて室を出て行く。彼女は彼の足音が階段を降って消えて行くのをヂッと聞きながら、暫の間扉を見つめて居る。やがて、ハンドバックから櫛を取出して鏡の方へ近寄り頭髪を梳り始める。他の事を考へて、ボンヤリした様だったが、不意に其の手を止める

女（混乱したやうに）えゝえ……？、

彼女は何となく困った様な、何事かを思ひ迴らす様な愚鈍な顔付で、鏡の中の自分を見つめて居る。やがて溜息を一つついて、また頭髪を梳り出す。

（幕）

第三幕

場面——

第一幕と同じく、ケーブ夫妻のアパートの室。同じ朝の五時頃。廊下へ通じる扉は未だ開いた儘で、読書用電燈は灯がともった儘。すべてが第一幕の幕切れと全く同じ。

エレアノールが卓に背をもたせかけ、扉の方を向いて立って居る。彼女の態度全体が、押へつけられた様な、何事かを予期する様な、しかも怯えた様な風で、丁度、扉口の所に立ってゐるケーブからには出してかくれてしまほうか、それとも、走り寄って挨拶をしようかと決しかねて、顫えんばかりの有様である。二人は身動きもしないで立ったまま長いこと緊張して互ひに互ひの気持をおしはかり合ふ様な目付で見つめ合って居る。やがてまるで無意識に、ためらひながら顫へ勝ちの微笑を浮べて、双方から近寄って行く。二人の唇は話し出そうと努めてゐる様に動く。二人が側近く寄ると双方本能的に手を差延べる。がその有様が互ひに自分を衛る為に相手を押除ける様でもあり、と同時に、相手を求めて所有しようとする様でもある。妙に矛盾した動作で、二人の手が握り合はされ、再び立止って互の目を見つめ合ふ。最後に二人の唇からやっと言葉が出る。

エレア（悔悟する様に）マイクル！

ケーブ（謙虚に）ネリイ！（二人は妙に互ひを理解した様な微笑を浮べ手と手を探り合ひ、接吻する。彼等は互ひに再び見出した喜びで何もかも忘れた様に、相手の身体に障って見る。二人のする事は、暫の間まるでお互ひに深く愛し合ってはゐるが、言葉が通じない異人種の二人の人間の様である）

エレア（優しく、まとまりの無い調子で）マイクル……あたし……ねえあなた……私、心配したわ……。

ケーブ（どもりながら）ネリイ……よかった！君は出て行ったもんだと……ねえお前……僕は思ってゐた……（互ひに凝視する……間）

エレア（我れに返りはじめて……少しドギマギして……チヨット身体を顫はせて彼の傍からサッと離れながら……間の抜けた調子で）なんだか……隙間風が吹き込んで来るやうですわね？、

ケープ（これもヤット我れに返って……重々しく）僕が扉をしめて来やう。（扉の方へ行き、閉める。彼女の方は自分の椅子の方へ行き、掛ける。彼もやって来て彼女の傍に掛ける。丁度第一幕に於けると同様に並んだわけである。間。二人はそれぞれ顔をしかめボーッとした風で、自分の前方を見詰めてゐる。やがて各自同時に、問いかけるやうに横眼でチラリと相手を見やる。二人の視線が、ピタリと合ふと、双方眼をそらすが、直ぐ又視線を元へ戻し、ヂッと見詰め合ふ。一種特別な、鈍い驚きで、相手を認めてゐながら而も認めてゐないと言った風の見詰め方である。二人は話し出さんばかりの様子をするが、又再びソッポを向く。彼等の顔は　次第に悲しさうになり、双方の眼の中に苦しい表情が現はれて来て、二人の身体はどうしていいか判らないやうにイライラして来る。遂にケープが鈍い怒りを込めて、大きな声で言ふ。それは彼女に対してではなく、人生に対してである）なんだ……これは？（自分の前に在る何かを拒絶するやうなしぐさをする）

エレア（相手と同じ口調で）わからないわ。

ケープ（荒々しく）ホンの一瞬間前……あそこで……（先程自分達が抱き合って立ってゐた場所を指す）僕達には一切が判ってゐた。僕達は悟ってゐたんだ！

エレア（熱っぽく）ええ、さうよ！

ケープ（苦しさうに）だのに、もう……僕達は考へ始めなくちゃならんのだ……絶えず考へ続け迷ひつづけなくちゃならんのだ……。

エレア（悲しげに）忘れるという事は幸福な事だったわ。考へないようにしませうよ……まだ。

ケープ（陰気に）ところが僕達はもう既に考へ始めてゐるんだ。（それから荒々しく笑って）人間は説明しなくちゃ承知出来ないんだ。考へることは説明すると言ふ事だ。考へると言ふ事は、説明する事の出来ない事を追出してしまうんだ。……ところが実は、その説明する事の出来ないものによって、僕等は生きてゐるんだ。

エレア（警告するやうに）私達が愛し合ふのもそれに依ってだわ。シーッ！（間）

ケープ（いぶかしげに……彼女の方は見ないで）君も、そこに気が附いたのか？、

エレア（一種の強い悦びを込めて）ええ、さうよ、マイクル……さうよ！（彼の手を掴む。間。やがて、つぶやく）それでも、もう、あたし達、平和と言ふものが判つたのよ。（二人の手が離れて垂れる。彼女は溜息をつく）

ケープ（ゆつくりと）平和なんて僕等の目的ぢや無いさ。

エレア（不意に彼の方へ振向いて、悲しげな同情的な語調で直接彼に話しかける）マイクル、あなた、あたしに訊ねたい事が有るんでせう？、

ケープ（直ぐに「さうだ」と答へんばかりの口付きで彼女の方を振返るが、彼女の視線にぶつつかると忽ちそれを言ふのをやめて、ソッポを向く……間……やがて、謙虚な調子で彼女の方へ向き直り）いいや。

エレア（相手がソッポを向いた時から彼女は顔をそらしてゐたが……彼の方は見ないで）さうですわ。

ケープ（キッパリと）さうぢや無いよ、ネリイ。（彼女はまだ顔をそうしたままの姿。チヨット黙つてゐてから、彼はアッサリ訊ねる）どうしてだい？、何か僕に訊ねたい事があるかね？、

エレア　いいえ。（間の後……悲しげなユーモアを含めて）だつて、あなたが、そんなに太つ腹な事をおつしやるのに、私だけが訊ねたいなんて言へないぢやありませんの？、

ケープ　ぢや、やつぱり有るんだね……？、

エレア　あなた、何か私に話して下さる事は無いの？、

ケープ（彼女を見る。二人の眼が再び会ふ）有る。……本当の事をね……もし僕に言へたら。で、君はどうだ？、

エレア　ええ、私も本当の事をお話ししたいと思ふの。（二人は見詰め合ふ。突然彼女が悲しげな自嘲の笑声を立てる）すると、あたし達、二人とも高潔だつたわけね。私が、あなたに傾向したわけでもなし、あなたが私に傾向したわけでも無いのに、それでも……（両手で頼り無さうなしぐさ。間。やがて出しぬけに、機械的な語調で）あたしが、最初に始めるわ。あなたが此處を出て行つた後で直ぐ私も出て行つたんですの。

ケープ（思はずギクリとする）おゝ！（自分をお

さえる）

エレア（相手の眼を見てその真意を推しはからうとする様な眼付きで……間の後……少しソッケ無く）私が、あれからズーッと此處に居たんだとあなた思ってゐたの？、（からかうやうに）あなたの帰りを待ちながら？、

ケープ（気を悪くして）よせよ！（間の後……悩ましさうに）だが、戻って来て君が居るのを見た時には、もしかすると、さうかも知れんと思って……。

エレア（鈍く）あたし、あなたよりホンのチョット前に戻って来たばかりだったのよ。（間の後）おや、あなた、其處で、とても幸福さうな顔をなすったのは、私がズーッと此處であなたを待ってゐたんだと思ってゐらしたからなのね……？、（と、先程自分達が抱き合って立ってゐた所を指す）

ケープ（いまいましさうに）さうぢや無い！。そんな事考へちやいけない！。僕はもう、そんな風に考へたり……全然……しなくなってゐるんだ！。（彼女の方は見ないで手を伸して彼女の手を握る）

エレア（彼を見る……間の後、和解するやうに）すみません……。

ケープ（自分を守るやうな調子で）勿論、君が出て行ったに違ひないとは僕も思ってゐた。もし此處に居残ってゐたとしたら、馬鹿だ。（昂奮して）それに、そんな事向題ぢや無い……まるきり向題ぢや無い！。僕なんぞ、それ以上の事をしたんだ。

エレア（相手の言葉を誤解して、冷たく）ありがたいわ。（間。冷淡に尋ねる）又話を続けてよろしい？、

ケープ（自分の気持と闘ひながら……シドロモドロに）いけない……もうそんな事……僕は聞かなくてもいい……僕は変っちまったんだ。君が何をしたかなんて事、どうでもいいんだ。僕は（突然歪んだ笑ひを浮べて）ね、好きになるって事を悟りはじめて来たんだ。

エレア（彼を見詰め、妙に感動する……間……ユックリと）あなたの仰有ってる意味が私にも判る様な気がするわ。あたし達二人とも悟って来たやうね。

ケープ（いぶかしげに）君が……？、（彼女は彼か

ら眼をそらす。彼は振向いて彼女を見詰める）

エレア（间の後、事務的な調子で、自分の話を始める）で私、ジョンさん所に行ったんですの。

ケース（さう言はれて自分が動揺したのを見せまいとして苦しみを耐へながら……间の抜けた調子でつぶやく）さう……勿論……僕もさうだらうと思ってゐた……。

エレア（前と同じ機械的語調）あの方は御自分の車で、ここまであたしを送って下すったんですの。あの方は、あなたがいつ何時帰っていらっしゃるか判らないと思って、また直ぐにお家に帰ったんです。

ケース（自制してゐたがツヒ荒々しく皮肉に笑ひ）食へない男だ……ハ！

エレア（间の後……咎める様に）ジョンさんは良い人よ。

ケース（ドキリとして振向いて、彼のそうした顔を見つめる……。やがて惨めな謙虚な調子でどもりながら）さうだ、さうだよ……。僕は知って居る……。僕は認める……。良い……。（自分自身を呪ひながら惨めな調子で崩折れる）畜生！

エレア　まあ！

ケース　君ぢやないんだ！　僕の事だ！（そして彼女の方を向き……鋭く挑戦する様に）僕はジョンを愛してゐる！

エレア（感動して、彼の顔は見ないで手を延ばしてケースの手を握る）それは……美しい事だわ。マイクル。（间）

ケース（陰気に眉をしかめ始め……彼女の手を放す）でも、辛いよ……。君からジョンの所へ行ったなんて言ふ告白を聞いた後ではね……。

エレア（怯えた様な風で）シーッ！（やがて静に）あれは嘘だったの。あたし、あなたから苦しまされるよりも、余計にあなたを苦しめ様として嘘をついたんだわ。（间……。やがて彼の方を向く）この事を、あなた信用出来て？

ケース（謙虚に）僕は信用したいと思ふ……。

エレア（恐たソッポを向いて……意味あり気に）ああ！

ケース（鋭く……、宛も自分自身に言ふ様に）僕は信用したい！　だけど、どんな違ひがあるんだい……信用したって信用しなくったって？、　僕と

言ふ人間は変つちまつたと言つてゐるぢやないか！　僕はあるが儘に受入れるんだ！

エレア　でも、あたしは嘘をついてあなたと一緒に住んでゐる訳にはいきませんわ！

ケーブ　（怒つた様に彼女の方を向けて）さう、それぢや……（宛も彼女が彼を刺激して、彼の意志に反する事をさせてでも居るかの様に……試す様な調子で）僕の方に起つた事を話してあげようかね？、

エレア　（挑む様に彼の方へ向けて）ええ。（彼は脇を向く。忽ち彼女の勇敢な態度が怯む。まるで今にも彼に向つて話してくれるなと頼む様な表情になる）

ケーブ　（間の後、躊躇しながら）君はさう言つたね、数年前……あの男に……自分を提供した事があるつて……。　（不意に振向く……期待する様に）あれも嘘だつたのか？、

エレア　いいえ。

ケーブ　（苦しみの為に身体をビクリとさせて脇を向く）ああ！（間、急に彼の顔が痙攣した様になる。復讐の慾望に駆られて彼女の方へ振向く……。毒々しく）さぢや僕も話していい訳だ。僕はね……（そこで言葉を切つて脇を向く）

エレア　（自ら守る様に……無頓着を装ほつて）あたし疑つたりしないわ……。試した通りに、あなたはしたんだわね。

ケーブ　（荒々しく彼女を睨む）ほう、君はそいつを疑はないんだね？、僕が変つちまつたのが、君には判るんだ、ええ？、

エレア　判るわ……いくらか。

ケーブ　（苦しげな皮肉で）ああ！。（間）

エレア　（宛も自他の気持に関係なく、話してしまふ事を強制でもされたかの様に　頑な様子で彼の方を振向き）あたし、あなたにお話ししたいんですの、今夜……ジョンとあたしは……あなたなんぞ、とても考へても見ない様な……。（口籠つて、苦し気な微笑を浮べてソッポを向く）あたしがこの事を話すのは、あたしが話したいから話すだけなんですのよ。あたしの言ふ事を、あなたが信じて下さらうなんて思つてゐないわ。

ケーブ　（歪んだ顔でニヤりとして）いいや。君にそんな事が出来るものか？、（今度は彼

女の方を振向いて……間の後……キッパリと）だけど、そんな事はどうでもいいんだ。

エレア　あたし、あなたと同じだけ、復讐したかつたんですの。私、破壊したかったのです。……そして、私達の愛情から永久に解放されたかったんですの。

ケープ　僕がしたのと同じだ。

エレア　（間の後……単純に）でも、私には出来なかつたの。

ケープ　（振向いて彼女を見詰める……間……やがてぶつかる様に、熱心に訊ねる）どうして出来なかつたんだい？　それを聞かせてくれ。

エレア　（間の後……単純に）なにか、そんな気持よりも強いもののためだわ。

ケープ　（熱情的な勝誇つたやうな調子で）愛だ！（強く訴へるやうに）ネリイ！　君には信じられるかい、僕もそれと同じ様に……？（彼は相手のそらしてゐる視線を自分の方へ向けさせようとする）

エレア　（間の後……前方を見ながら……悲しさうに）あなたは、モット早く寛大になつてゐて下さらなくちやいけなかつたんだわ。

ケープ　全くだ、ネリイ！（懸命に）僕は君に誓ふ……！

エレア　（間の後……物憂さうに）あたし達、これ迄だつて互ひに随分誓ひ合つたんですけどね。

ケープ　いや、すべてが変つたんだよ、たしかに！　何か驚くべき事が僕の上に起つたんだ……一つの啓示だ！

エレア　（苦しい皮肉の調子で）女ですの？

ケープ　（感情を害してソッポを向く）そんな風に言ふのは、よせよ。（やがて、間の後……深い感動を以て）さうだよ……あれは一人の女だつた。そして、はじめから僕はその女の事を唯単なる復讐として……下劣なものの中でも一番下劣なものだと考へてゐた！

エレア　（身顫ひして）ああ！

ケープ　（感情をこめて）裁いてはいけないよ、ネリイ。その女は……善い女だつたんだ。

エレア　（更に身顫ひして）善いのは、その女ぢやないわ！　あなたよ！

ケープ　（懸命に）いや僕はね……！（何とも言ひ

やうが無くなったやうに口を噤む。彼女はなんの反応も示さない。やがて、彼は悲しげに向ふ）そんな風に考へた君がどうして帰って来れたんだ？、

エレア（ヒステリックにどもりどもり）どうして？、どうしてですって？、（サメザメと泣き出す）それは、あたしがあなたを愛してゐるからだわ！（それから、恰も彼に挑戦するやうに鋭どく彼の方を向いて）あたし、あなたを愛してゐるのよ！あたしは、あなたを愛してゐるのよ！

ケーブ（椅子から立ち上って、彼女を抱きにかかりながら……狂喜したやうに）ネリイ！

エレア（彼を突きのけて……乱暴に）いいえ！私は　あなたの所に戻って来たんぢゃ無いのよ！私の愛、私自身の……私自身の愛の所に戻って来たのよ！・その力に私は負けてしまったのよ、あなたぢゃ無いわ！。私の心の中の或る物……私自身だわ……あなたぢゃ無いわ！（挑戦するやうに勝ち誇ったやうに相手の眼を凝視する）

ケーブ（おとなしく）それは問題ぢゃ無いさ。（間の後）すると、僕は君の所に戻って来たと言ふ事になるかね？、

エレア（スッと身を引いて、ソッポを向く）さうぢゃ無いわ、大方……（ケーブは不安さうに彼女を見守ってゐたが、やがて再び椅子に掛ける）

ケーブ（間の後、自分の前方に眼をやりながら……恰も誓約でもするやうに断固と）しかし、僕は信念を得てゐる！

エレア（疲れたやうに）今……ホンのチョットの間だけね。

ケーブ　さうぢゃ無いよ！。

エレア　さうよ。あたし達は信じたり……それから信じなかったりするんですわ。私達は……そんな人間なのよ。

ケーブ（抗辯するやうに）ネリイ！（暫くの間二人とも自分の前方を寂しげに見詰めて坐ってゐる。不意に彼は彼女の方へ向き……懸命に）もし僕達の間に……諦らめだけしか残ってゐないとしたら……なんになるんだ！。

エレア　私は、自分が愛してゐると言ふ事を知ってゐるわ。

ケーブ（苦しげに……次第に自身を激情に駆り立

てながら）こんな風にして僕達の夢が消えてしまって行くのを、どうして我慢して居れるんだ？、
エレア　だって、他にどうしようが有るの？、
ケーブ（強く）いや！。運命ぢゃ無いんだ！。運命は生き……動き続けて行くものだ！。僕等は既に、死滅した僕等自身の自家の犠牲に過ぎないんだ。（彼は自分の全力を集中したやうな風に、鋭どく挑みかかるやうに彼女の方へ向く）僕等は、自分の意志で選択する事が出来るんだ……最後の事をね。
エレア（相手の言葉が判ると、本能的に身を顫はせる）マイクル！。（向……やがて彼の眼を見入りながら……静かに挑戦に応ずるやうに）ええ……あなたが、さうしたかったら。
ケーブ（激しい自嘲の調子で）僕等は！　僕等は恥かしい人間になっちまったもんだなあ。
エレア　あなたが望んだ通りにね。（と、更に「あなた」を強めて言ふ）
ケーブ　僕が？、
エレア　あたしは受け容れるだけ。生きてもいいし……死んでもいいの。（向……穏かに）あたしはあなたを愛してゐるわ。あなたは苦しみ過ぎちゃいけないのよ。（片手を伸して彼の手を慰めるやうに握る）一番変ったのは、この私ですわ、マイクル。（それから、一つの決心に到達したやうに、悲しげにシッカリとした口調で語る）あたし達二人がお互ひに生かし合ふ道が、たった一つ有るわ。私達は、自分達の愛を、私達自身から取戻さなきやならないのよ！。
ケーブ（鋭く）どうしてだ？、
エレア　お互ひに相手を離してやる事でよ。
ケーブ（荒々しく笑って）君は忘れてるのか、今夜も一度僕達はそいつをやって見たんだぜ？、
エレア　憎悪の念で似てね。でも今度は、私達、互ひに愛し合ってゐるからこそ、さうすると言ふ事になるのよ。
ケーブ（激しく）馬鹿な事を言ふな！。（自分を制して……無理に微笑して）勘辨しておくれ。（昂奮して）だけど、全体、どんな風に解決するんだい……？、
エレア　さうすればあなたはお仕事が出来るやうに平和な気持になれるわ……自由になれるわ……。

ケーブ　馬鹿な！

エレア　あたしは今後もあなたを愛し続けるのよ。あなたの為めに仕事をするわ！　あたし達はもうお互ひに邪魔はしないのよ。そしてはじめて、私はあなたにホントに私の魂をあげる事が出来るやうになるし、それからあなたの魂を私の物にする事が出来るんだわ。（夢見るやうに熱心になつたあまり、立ちあがる）ああ、さうなれば、これまでの愛よりも立派な愛ぢやなくつて？、

ケーブ　（自分を制しかねて）愚劣な事を言ふなよ！

エレア　（気を悪くして）マイクル！

ケーブ　君は気が狂つてるんだ！（今度は不意に疑ふやうに彼女を凝視して）君は、どんなわけで戻つて来たんだ？、どうしてまた出て行きたがつてゐるんだ？、そんな風に色々言ふが、実は何か隠してゐるんぢやないのか？、

エレア　（感情を害して）それがあなたの信念？、判るの？、

ケーブ　（シドロモドロに）僕は……僕はそんな事言ふ気はなかった……（やがて、絶望的な苦しみと闘つた後）よろしい……承知した！　僕は君を愛してゐるんだ、承知せざるを得ないんだ。行くがいい……君が行きたければ！

エレア　（気を悪くして）マイクル！　さうぢや無いのよ……（やがて決然と）でも、たとえあなたから誤解されたつて、あたし、あなたの為めに強くならなくちやならないのよ！

ケーブ　（殆んど嘲弄するかの様に）ぢや、行くがいい……出て行けるものなら……そんなに強いんだつたら……直ぐに行くがいい。（荒々しく）君の高潔な行為を拝見させて貰はうぢやないか！（やがて忽ちにして悔恨にとらわれ、彼女の手を掴んで、それに何度も何度も接吻しながら）いけない！　僕は君を愛してゐる！　いや、もう行つてもいいけど……良いと思はれる事はどんな事でもするがいい。強くなつてくれ！　自由になつてくれ！　僕は……僕には出来ない！

エレア　（オロオロと）そつと見ませうよ……（素早くかがみ込んで彼の顔に接吻して、サツと傍を向く）左様なら。

ケーブ　（声を慄はせて）左様なら。（悶え苦しみ

つつ自分を圧へながら坐ってゐる。彼女は椅子の上に載ってゐた外套をサッと取上げて、急ぎ足で扉の所へ行き、把手に手を掛け……そこで彼と同じ様に緊張しきってヂッとなる。彼の方は不意に此の状態に耐へ切れなくなって、躍び上るやうに立ち上って、哀訴するやうに叫びながら扉の方へ走り寄る）ネリイ！。

彼は、そのまま彼女が行ってしまふものだと思ってゐた様な風で、扉の前にまだ彼女が立ちつくしてゐるのを見るとピタリと立停る。彼女は振向きはしないが、そのままの姿で、自分の眼前の扉の上をヂッと見詰めてゐる。最後に彼女は片手をあげて静かに扉をノックする……やがて手を止めて、その音に耳をすます）

エレア（妙に遠い所から響いて来るやうな声で）いいえ。もう二度と再び無いわ。出て来るしなんて。（扉を開けて、不思議な微笑を浮べてケープの方へ振向く）この扉は、内側へ開いてゐるわ、マイクル。（そこの扉を閉めて、一人手（ママ）に微笑しながら階段の昇り口の方へ引返して行く。そこで振返ってケープと顔を見合せる。彼女の表情には幸福な確信と言ったやうなものが満ちてゐる。微笑を浮べて彼を見やりながら、やさしい疲れたやうな調子で言ふ）もう暁に近いわ、キット。あたし左様ならを言ふ代りに、おやすみなさいを言ってよ。

二人は互ひに眼と眼を見合ってゐる。それは宛もすべての思想、態度、個性の虚飾をなしてゐる所の虚偽のピクチュアなどから切り離された彼等自身の姿を、今 突然心の奥からの閃きによって認めたかの様である。此の瞬間、総べての事は彼等にとって単純な……厳粛な、疑ふ余地のない事になる。彼等が、お互ひを通じて人生を拒否するなどと言ふ事は、再び不可能な事になる）

エレア（まるで母性愛に目醒めた様な、低いやさしい呼声で）マイクル！

ケープ（既に彼女に対して確信を以て情熱的な低い声で）ネリイ！（今度は自分の勝ち誇った様な狂喜の情を押へきれないで）お前はやれなかったんだ！。

エレア（単純に彼に微笑かけて）さうよ。今度も

ね。（かすかに一人手（ママ）に微笑して）あたし自分のする事に確信が持てなかったんですの。

ケーブ　僕等は二人とも、やれなかったのだ！。

エレア　あたし達は弱いのでせうか？、（ウットリと）でもあたし、倖せよ。

ケーブ　強いのさ！。僕達は通り過ぎて来たんだ！

エレア（妙に、夢見る様な喜悦の調子で）然し僕達はこれからも憎み合ふだらうよ！

エレア（前と同じ語調で）さうよ！。

ケーブ　そして僕達は今後も苦しめ合ひ、引裂き合ひ、お互ひに相手の魂を引掴み合ふだらうよ！。

エレア（うなづきながら卒直に強い賛成の意を示して）さうだわ。

ケーブ　僕達は完全な結合に到達する迄、全力をあげて進まなくちやならないだらう……互に争ひ……又失敗し……互ひに非難し合ひ……更に失敗したり、憎み合ったりしなくちやならないんだ……。（益々勝誇った様に声を大きくして）……然しだ！。……誇りをもって……喜びをもって失敗し、憎み合ふんだ！。

エレア（その言葉よりも彼の喜んでゐる様を見て、自分も喜んで）さうよ！。

ケーブ　僕達の生活は、その様な重荷を二人で一緒に背負はなければならないものなんだ。その重荷こそ我々の到達点なのだ……。どこどこ迄も！。

エレア（ウットリと）あなたの夢ね。

ケーブ　僕達の高さ……僕達の愛、僕達の生存の意義は……此の現世のずっと上にあるんだ。現世の姿のずっと向ふにあるんだ！。

エレア（彼をヂッと見つめた儘……情熱的に）あなた！。

ケーブ（有頂天な喜びに夢中になってゐたのが、激情の余り崩折れた様に半ば啜泣きながら）ああ、ネリイ、ネリイ、僕は僕の感じてゐる事を、うんと言ひたいんだけど、まるで馬鹿みたいに片言しきや言へない！。（彼女の前に膝まづいてしまふ）

エレア（強く感動して……情熱的に）まるで、あなたは天使の様な人だわ！　ねえあなた！。あたしには判る！。（身体を屈めて彼に接吻する）

ケーブ（自分の気持を言葉に出して言ふ為に、激しく自分を抑制しながら）お聞き！　しじう僕は

夜中に目が醒めて……暗い世界に、此の時間……何萬年の暗黒の中に、唯一人ゐる事が恐しくなる事がある。僕は泣き出して、生きてゐる人生の為に、神の恵みをそひたくなる事がある！　そして、僕は本能的に君を求める……すると僕の手が君にさはる！　君はそこに居るんだ……僕の側に……生きて居る……、君と共に居て、始めて僕は一個の存在となり、一の真実となる！　人生は僕を導いて、何萬人を通って君の許へ連れて行ってくれる。それは男と女の結合の始りを示して呉れる。僕が男と女の窮極に於ける結合と言ふ事を信ずる事の出来るのは、其の為なんだ！（頭を屈めて彼女の足に恍惚と接吻する）僕は君を愛する！これまで僕のした事を許して呉れ、これから僕がする事も、皆な許して呉れ。

エレア（シドロモドロに）いいえ。あたしを許して頂戴……。ねえ、あたしの子供！（しめやかに啜泣きを始める）

ケーブ（彼女を見つめて……やさしく）どうして泣くんだい？、

エレア　あたし、仕合せだからなの。（そして君に涙を流しながらも晴々と）あなたも、仕合せな筈よ！　仕合せでなきやならないわ！　あたし達の未来は、あなたのお望み通り、とても辛ひ（ママ）筈ぢやないの？　昔、あなたが夢みていらした事を、もう一度あたし達とり戻したんぢやないの？、

ケーブ　いや、以前のよりももっと深い、もっと美しい奴だ！。

エレア（微笑しつつ）もっと深い、もっと美しい！（静かに階段を昇って行く）さあ！。（階段を昇りつめて立ち、そこから彼を見下す……、そして情熱的なやさしい科で両腕を差延ばす）さあ！、

ケーブ（跳立って……強く）お前！。

エレア（夢みる様に）愛と……それから眠りよ（深い情熱の籠ったや（ママ）さしさで）あたしの恋人！。

ケーブ　僕の妻。（ジッと彼女を見つめながら階段を昇る。彼が昇って行く間に、彼女の両腕は後に延びて、最後に右と左に差延ばされた両腕が十字の形になる。ケーブは彼女よりも二段下に立上り……低い訴る様な語調で）どうしてそんな格恰で立って居るんだい？、

エレア（顔を仰向け、両眼を閉ぢて……ユックリと、夢みる様に）多分あたし、お祈りをして居るんだわ。よく判らないの。あたしは愛します。

ケープ（深く感動して）僕はお前を愛する！

エレア（あだ〔ママ〕かも遠い所から言ふ様に）あたし達は愛して居る！

彼は彼女の傍近く寄って行き、両手を出して彼女の両手を取る。暫くの間、二人の手がふれてその手が一つの十字の形になる。やがて互ひに抱き合って、唇が合ふ。

（幕）

「熔接されたもの」解題

「熔接されたもの」は、東京市芝区田村町四丁目十八番地にあった「今日の問題社」という出版社が昭和十六年四月十五日に発行した「ノーベル賞文学叢書第九巻「火の娘」に、アナトール・フランス作、吉川静雄氏訳の同名作品とともに収録されたもので（因みに、「火の娘」は「焼鳥屋レエン・ペドック」を書肆の都合で改題したものである由、訳者序に見えている）、「『熔接されたもの』序、ユージン・オニールに就て」は、「火の娘」の訳者の序文の後に三頁にわたって巻頭を飾り、「熔接されたもの」本文は、この書物の本文四一七頁のうち、第三二一頁から最終頁に至っている。

このノーベル賞文学叢書は四六判の簡単なフランス装で、各冊一円八十銭であった。「全十八巻」の予定であったらしく、シンクレア・ルイス、マルタン・デュ・ガール、デレッダ、パール・バック、ビヨルンソン、パウル・ハイゼ、ロマン・ローランなどの翻訳を出しているが、全巻刊行され終ったか如何かは明らかでない。実は筆者は、この叢書の第一巻「しとやかなる天性」（F・E・シッランパア作、鶴田知也氏訳）の中に宮原晃一郎氏訳として加えられたノルウエーの女流作家シグリ・ウンセットの中篇小説の下訳をしたことがあるので、多少この叢書のことを知っているわけなのであるが、それは筆者が大学三年目の陽射しの暑い時分のことだったはずであるから、そうすると昭和十五年のことだった勘定になるし、假りにこの叢書が毎月一冊づつ出されていって、翌十六年の四月に第九巻「火の娘」を出すに至ったとすれば、第一巻は前年の八月に出されたことになって、ほぼ筆者の記憶と符合するようである。この推定からも想像されることは、当時の出版事情の下でこれだけの出版を遂行するためには、出版社は随分訳者たちを酷使したであろうということである。現に筆者も大変に仕事を急かされて、ともかくも一冊本のテキストを二週間そこそこで訳して退けた上、碌々宮原氏の校閲も経ないまま活字にされてしまったように覚えている。これは余談に過ぎないけれども、筆者の経験から推して、おそらく三好先生もやはり「熔接され

たものしについては、出版社の督促をしきりに受けながら訳筆を執られたにちがいないと想像されるのである。況して先生の序文中に、「これを譯出したに就ては、あまり長い作品や既に飜譯されたことのある作品は本叢書に入れるに不適當であるとの書店側の御意見に依って選んだもので」云々とあるのを見れば先生のこの訳業が、書店の依頼を持って始めて着手され、しかもおそらく短日月のあいだに脱稿せざるを得なかったものであることは明らかである。ところで読者は、この飜訳を読まれて、これがそのような急場の所産であると考えられるであろうか。オニールのテキストと対照してみても、先生の訳文はまことに固苦しいほど忠実に原文の一言一句を逐い、その上いかにも先生らしい磨きを掛けた惨憺たる労作であることが察せられるのであるが、これほど苦吟に満ちた労作が果して短日月で出来るものであろうか、けれども事実はやはり短日月の所産であったにちがいないとすれば、先生は、二カ月か三カ月か、ともかく書店が許す限りのぎりぎりの期限まで、この飜訳のために晝夜を分かたず刻苦されたものと考えるより他はないようである。因みに、年譜によれば先生は昭和十五年九月に「三日間」を脱稿され、十一月に「浮標」を刊行され、翌十六年の一月に「鷲の王峠」を、五月に「梭の音」を脱稿されている。この期間にオニール飜訳の時期を求めるとすれば、一応、十五年の九月以降（「浮標」の出版には特に時を要することもなかったであろうから）年末までと、十六年の一月以降五月までとが考えられるが果してどちらであろうか。

この飜訳のテキストについては序文にも別に詳しいは記されていないが、「戯曲集「神の子には総て翼ありし中に収録されてゐるし云々とあるところから見て "all god's chillun got wings"; Jonathan Cape, Thirty Bedford Square, London; 1925 が使用されていることは明らかであり、これはおなじ体裁で続刊されたオニール選集の一冊である。残念ながら筆者はこの版本を見ることは出来なかったが、筆者が見ることの出来たおなじ選集本の広告によって見ると、これはは表題の作品の他に「楡の木の下の欲望」と「熔接されたもの」とが収められているそうである。

「熔接されたもの」の原題は "welded" である。これは数個の金属、特に鉄を熔接して一塊としたも

ののように、一体となっていて分離出来ないもの、打って一丸とされたもの、の意で、別にオニールのテキスト中にこの言葉が出ているわけではないが、訳文中にケープの台詞として、「君と僕……一年又一年と……一緒に……僕達二人の身體の外形が一つの他に合體して行ってゐるんだ」とある「一つの物に合體して」"merging into one form" がもっとも "welded" に近いから、おそらくオニールは前のの意味を後の言葉で、いかにもオニールらしくダイナミックに表現したものであろうと想像される。従って、これはたとえば「夫婦の絆」とか「一心同体」とかいったふうに訳しても一向差支えのない題名と考えられるけれども、それを「熔接されたもの」と単刀直入に訳されたところがいかにも三好先生らしく思われる。

さて、残念ながら筆者は先生の使用された一九二五年版のテキストを入手出来なかったので、止むを得ず新版のオニール戯曲集 "The plays of Eugene O'neill", Random House, New York, 1955 によって原文と訳文を校合してみたのであるが、この新版では旧版の冗長と思はれる個所をところどころ削除してある模様で（この削除については、この作品に対する世評が芳しくなかった事情が考えられる）、特に削除の多いのは各幕冒頭のト書の部分であるらしく思われる。それはそれとして、特に筆者が原文と訳文を比較してみたかった理由は、すでに本文を読まれた読者なら同感して下さることと思うけれども、先生の飜訳はまるで先生の創作のような觀を呈していて、仔細に熟読して見れば忠実な飜訳に特有の晦澁な表現も幾らかは散見するものの、如何考えても先生自身が書き下されたとしか思えない台詞が大部分を占めているからである。ところが、原文と訳文を対照してみた結果、明らかになったことは、先ず、先生の訳文が前にも記したように固苦しいほど忠実に原文の一言一句を逐っていることであり、それから、なんとかして原文の呼吸、抑揚、陰翳をさながらに写し取ろうと辛苦された結果、たまたま劇作家オニールの資質が先生の稟質と暗合するようなところもあって、オニールが三好十郎か三好十郎がオニールか見分けのつかない域にまで達していることである。次に掲げるのは僅かに一例に過ぎないけれども、ここに写

した訳文と原文を一語一語比較対照して下されば、読者もその間の消息を具体的に納得されることであろうと思う。

女（……）（彼の歔欷が次第に低くなってきたので……ホッとして）ねえ、もしかすると、あんたなんにも食べてゐないんぢゃ無いの、え？、……んぢゃ、スープでも食べりゃシャンとなるわよ。あたい、そこの角までひとつ走り買ひに行って来たげようか、え？、なあに、チョット髪を結ひ直しさえすれば、譯無いんだから……

WOMAN(……) (as his sobbing grows quieter — helpfully) Say, maybe you ain't ate nothin', huh? maybe soup'd fix you. S'posin' I go round the corner, huh? Sure, all I got to do is to put up my hair……

ここでは詳しいことは省くけれども、さらに、たとえば「ズケリと」"*sharply*"とか「シドロモドロに」"*brokenly, disjointedly, incoherently, etc.*"とか、「ドギマギしながら」"*embarrassedly, puzzled*"とか、「ゴクリゴクリと」"*swallowing hard*"とか、「ガッとして」"*excitedly*"とか、「ヘドモドして」"*confusedly*"とか、「ブルッと身顫ひして」"*with a shudder*"とかいった種類の三好十郎的語彙が随所に出没して原作の生命を躍動させていることも注目される。

いずれにしても、「熔接されたもの」を初めて読んだ時から筆者は、この飜訳とも創作ともつかない作品の持つ異様な重量感に引かれて「火の娘」一巻を空襲下の東京でも手放さずに持ちつづけていたのであったが、如何いうわけか、後に初めて先生をお尋ねした時にも先生が「熔接したもの」の訳者であることなどは一向思い出さなかったものとみえて、たまたま携えていたポケット版の「奇妙な幕合狂言」を出してオニールの話を伺ったものであった。当時オニールばかり読んでいた筆者が「一体、オニールというの

は何者でしょうか」と奇妙な質問を発したのに対して、即座に先生が「あれはフロイドですな」と答えられたのを覚えている。それから、知っての通りあの作品にはそれぞれの人物が口に出して言う台詞とは別に内心で呟く独白が多いので あれは舞台で如何いうふうに処理されるのでしょうかと重ねて愚問を呈したのに対して、先生が「ああ、あれはマイクを使えば簡単です」とこれも即座に答えられたことも覚えている。この問答によって筆者は先生がオニールを読み抜いておられたことを悟ったのであったが、今にして思えば、およそもっとも日本人らしい作家であられた先生に深刻な影響を与え得た外国の作家がいたとすれば、それはだれよりもまずオニールだったのではないであろうか。「溶接されたもの」序で先生が挙げておられるオニールの特色にしても、その五番目の「アメリカ的」を「日本的」と言い換えさえすればあれはそっくりそのまま先生の特色ではないであろうか。

（川俣晃自）

あとがき

〈世界最古の書籍〉

　昭和五年。著者二十五才。

　早稲田文学昭和二年十一月号に発表。

〈熔接されたもの〉

　この一篇については、川俣晃自氏の委曲をつくした〝解題〟に詳しく悟られている通りで、扁舟子のつけ加えるなにものもないのである。しんみな〝解題〟をお寄せ下すった川俣氏にしんからのお礼を申し上げる次第であります。

昭和三十七年九月二十四日　印刷
昭和三十七年九月二十七日　発行

限定版
２２０部
その内の
第　[illegible]　番

◎三好家に無断で上演上映、放送、出版、複製をすることはかたく禁じます。

三好十郎著作集
第二十三巻
（非売品）

著作者　三好十郎
監修者　三好きく江
発行者　三好十郎著作刊行会
代表者　大武正人
東京都大田区北千東町七七四番地
電話　東京（七一七）二三八五番
振替　東京五一七五二

印刷者　株式会社　タイト印刷
東京都中央区八重洲四ノ五梅田ビル内

第二十三回配本

三好十郎著作集

第二十四巻

三好十郎著作集第二十四巻

監修　三好きく江

編集　大武正人
　　　秋元松代
　　　高橋昇之助
　　　石崎一正

村山知義へ

1

本誌で求められたのは、主として映画人としての村山知義に対する感想であらうと思ふが、私は村山の現在迄の唯一の監督作品「恋愛の責任」を完全な形では見てゐないから、それに就ては殆んど何も言ふ資格を持ってゐない。もつとも私は曽て「村山の持ってゐる才能は映画に一番向くやうに思ふ」と言つた意味を書いた事があり、現在でもさう考へてゐる事は事実である。しかしそれは主として将来の事に関係してゐるために、一つの断定としての客観性を要求し得るやうな意見ではない。

まして、村山知義論をするのに私は適任者でも無いし、且その時機でも無いと思ふ。従って私が此處に書き付けるのは、一人の芸術家としての村山一般に就ての覚書の一断片と言った程度のものになる。

2

私は彼の戯曲を知ってゐる。彼の小説を読んでいる。そして彼の演出にかかる芝居の殆んど全部を観ているし、最近では私自らの戯曲の演出をして貰つたりして、彼の演出の現場や過程をも見聞している。

それらの全部を綜合して、村山知義を通観して見る。すると、「村山は演出芸術家だ」と言へるやうに思ふ。――なるほど彼の戯曲には弱点と同時に数多くのメリットが算へ上げられる。特に彼が最近非常なエネルギーを傾注しつつある小説には、戯曲以上の力強さや、彼としては今迄の何にも増して本格的な顕現を示しているらしい迫力に満ちたものが有る。演出の仕事に於ては今更言ふまでも無い位の特色を持ってゐる。

しかしその戯曲、小説、演出の全体を引っくるめて、彼に於ては全部が「演出」である様な気が私にはする。小説や戯曲が「演出」であると言ふのは変な言い方だが、なにかそんな気がするのである。

演出は、計画であり設計であり構成であり、そしてそれらの最も合理的現実的な施行である。別の言い方をすれば、それは「戦略」である。又別の言い方をすれば、それは「政治」である。

村山は、良い意味でも悪い意味でも「戦略」的芸術家であり、「政治」的芸術家である。言ふまでもなく、これは必ずしも否定的な言葉ではない。その様な芸術家の餘りに少い日本に於ては、むしろ独特な存在であるとさへも言へる事であろう。しかし又言ふまでも無く、此の様な芸術家の特質は、その現はれ方と、現はれる場所の如何では、かなり致命的な弱点の素因になる場合もある。

3

少し極端な言ひ方をすれば、彼に於ては、何かの芸術的意欲が彼の胸中で點火された瞬間に、それは忽ち計算され設計され構成されるかに見える。それは、溢れ出た瞬間に整頓されたやうにさへ見える。彼にとつて、整頓し得ないものは何一つ無いかのやうである。当人が非常に頭の良いせいもあるだろう。しかし勿論、本能的な性格からも来ていよう。

性来迂遠で、自分の胸中に點火したものの整理が附かずに手こずってばかり居る自分などに取っては此の事は、むしろ羨しい程に思へるのである。しかし、その事の良し悪しから離れて、村山のこの様な行き方を、もう少し突き込んで考えて見よう。

すると、村山は村山として、進展し精進して行く途上で、手段に窮し計算し能はず、整理しきれない瞬間にぶつつかる事は絶対に無いであらうか？、と思ふのである。戦略家が戦略を放棄せざるを得なくなる瞬間である。無いかも知れない。有るかも知れない。そして若し有りとすれば、一応それは、その様な型の芸術家にとつては悲しむべき瞬間であろう。疑ひもなくそれは一応の破産を意味するからだ。しかし自分には、一人の芸術家が、より高い型にまで生成して行くための跳躍の姿としては、それは結局に於て、さまで悲しむべき現象では無いやうに思へる。そして、村山に関して言ふならば、もしその様な瞬間がその内に村山の上に襲つて来、そしてそれを彼が立派に跳躍し得たとすれば、その時村山は大変立派な芸術家になつているのでは無いかと想像するのである。

もつとも、色々の意味で村山とは、かなり対蹠的な物を待つている作家の一人である私が、こんな想像をすれば、何だかひどく身勝手な考え方の様に

取れるけれど、私は私としてはいくらでもましな作家になるためには種類こそ違へ、卒業したり跳躍したりしなければならぬ瞬間や要素を眼前に数多く控へていることは、自分でも気が付いているし、又現に村山が私に與へた本誌先々月号の文章の中にも、その一二が指摘されていた事を知っている。

劇作家、小説家、演出家、シナリオライタア、映画監督等々としての村山の一つ一つの特質を拾い上げて来て感想を述べる事は私の考へでは、さまで重要では無い。

4

村山は実にいろんな事がやれる。しかも人一倍上手にやれる。それは単に「器用」と言った程度のものでは無い。

「これからも自分はいろんな事をやる積りで居る。大切な者は、その時々の個々の事に全力を集注することだ。自分は何をしても、その瞬間にはその事だけに全力をあげてかかる積りだ」と言ふ意味の事を彼は洩らしていたと憶えている。立派な覚悟だと思ふ。又、彼のエネルギイの使い方の巧みさの秘密も此處にあると思ふ。

しかし私は別の考え方を持っている。それは、芸術家はすべて「専門家」＝「玄人」にならなければならぬし且なるべき運命を持っていると言ふ考へだ。

専門家＝玄人と言ふのは、表現の手段を唯一つしか持っていない者の事である。その唯一つの手段を取り上げられれば、手も足も出ない人なのである。言って見れば「唯此の一筋につながる」者の事だ。

或る事を表現するのに、絵にも描けるし小説にも書けるし音楽にも出来るし映画でも現はせると言ふ事は一応有り得る。しかも、その様に自由な手段で表現されたものが非常にすぐれたものになる場合も往々にしてある。しかし、それは何處まで行っても「アマチユアの仕事」である。

画家ならば、どんな物を表現しろと言はれても絵にするだろう。音楽家ならば音で表現する。等々。――それが「玄人の仕事」である。勿論、玄人にも餘技や道楽はある　がそれは別だ。

言ふまでも無く、玄人の仕事よりもアマチユアの仕事の方が立派である場合もあるのだから、これは

個々の仕事に就ての価値の高下に直接関係のある事柄では無い。ただ「その道」を真に生かし　発展させ、打開して行くのは、私の言ふ様な意味での「その道」の玄人だけだと私は思ふのである。
　そして村山知義は　アマチュアである。少くとも従来の村山の裡には　アマチュア的なものが多分に在つたと思ふ。彼の成しとげた個々の仕事が、それそれ立派な強味を持っていながら、全体としては「底の入っていない」弱味に附きまとはれているのはそのせいである。
　彼が「玄人」であるならば、先づ、あんなに気軽に次から次と色々の表現手段を取り上げる筈も無いし、次に、一たん取り上げた表現手段をあんなにアッサリと諦らめたり一時放棄したりする筈も無いと思ふのである。多くの例をあげる必要は無い。彼が最近取り上げた映画が良い例だ。彼の映画への取りかかり方は、幾分手軽に過ぎ、慎重さに欠けていたのではあるまいか？　と同時に、いざ映画を実際に監督して見た上での、見通しの附け方や結論の引き出し方も、同様稍々性急に過ぎたのでは無いだろうか？、
　これが若し、物を表現するにも生活をして行くにも映画だけしか手段を持っていない専門監督であったら、多分もう少し入念に取りかかっただらうと同時に、多分もう少しネバリ強いやり方で見通しを附け結論を引き出しただらう。

5

　全体に、新劇の中から育って来た人間の中には、アマチュアが非常に多い。新劇そのものが従来へ現在も多分にアマチュアの仕事であったせいもあるだらう。小山内薫氏などは徹頭徹尾アマチュアであつた。そして現在の新劇の指導者達の中で代表的なアマチュアは、村山知義と千田是也であらう。
　とにかく、村山は、その成熟の段階から言ってもそろそろアマチュアで無くなって来はじめてもよくはないかと私などは思ふ。同時に、さうあって欲しいと考へるのである。「あんまり色んな事に手を出すのは止せ」と言って見ても、彼に対しては無駄であらう。私の言ふのは、村山が次第々々にアマチュア風で無くなって来れば、必然に、彼の表現手段の

間口は狭まって来るだらうと言ふことである。そうして、さうなれば芸術家としての村山は、もっとズッと立派になるであらうと言ふことだ。

私がこんな事を述べるのは、村山の事を、当代の代表的な個性の一つだと私が信じているからである。私の述べた事の中に言ひ過ぎや言ひまちがひが有ったら、それに免じて許してくれなければならない。

（日本映画・昭和十二年三月）

芝居随談

人

僕の机の前の壁に一枚の粗末な写真が貼ってある。それは田舎まわりの野天芝居の舞台面と、それに見入っている観客達の写真である。舞台上では三人ばかりの俳優がチョンマゲを附けて、大袈裟なミエを切っている。背景も無ければ道具も無いし、それがどんな芝居のどんな場面だか全く見当が付かない。ばかりでなく、どうヒイキ目に見ても、出来栄えの立派な芝居らしくは無い。ところで、それを藁の上に坐って見物している観客の方だ。溢れる様な満員である。その一人々々が全く自分を忘れて舞台を注視している。頬かむりをしたままの百姓爺さん、見とれて口を開け放ったおかみさん、水ばなの垂れているのに気の付かない婆さん、手に持った菓子を食ふのを忘れた子供、帽子をかむったままのおやぢ、鉢巻を締めて胸をはだけて立った青年、等々々。そこには完全に統一された雰囲気がある。楽しさうであるよりも、むしろ生真面目に緊張した空気だ。雑多な生活の苦しみや悦びやを背負った人達がやっぱりそれらを背負ったままで此処に集り、舞台で行はれている動きや心理を中心にして、全体としての一つの大きな共感に貫かれている。舞台と観客席、俳優と観客――それらの一つ〱、一人々々がそれぞれに独自の姿を保ちながら、同時に全体として一つの生体になり切っている。此の野天劇場が今や一個の有機体である。一つのユニットである――

これは単に、一つの田園風景であるだけでは無い。又、或る村に於ける或る時の特殊な光景であるだけでは無い。演劇の本質と言ったやうなものを、端的

に示している写真である。
演劇とは、かかるものの事だ。

2

劇場に行った場合の僕の関心は常に、単にその舞台だけでは無い。観客だ。特にいはゆる「三階のお客」である。何故かと言へば、一言に言って「三階のお客」が一番「生きたお客」であるからだ。そして「生きたお客」無しには演劇は成り立たない。芝居は舞台と観客との合作芸術であるから。——言ふまでも無く、「生きたお客」は三階だけにしかないと言っているのでは無い。「三階」は比喩的な言葉だ。

で、こんな事があった。——

自作「彦六大いに笑ふ」が明治座に井上一座に依って初演された時の話。たしか一週間位経ってからの事。芝居の出来は割に良い方で、劇評家達の批評やその他の評判もかなり良かった。作者として嬉しくない事は無い。しかし、これまで自作を数多く方々で上演して貰った経験から僕はそれらの批評や評判に対しては、いくらか不感性にもなっているし、且、疑い深くもなっている。とにかく、たとへどんなに褒められても、ノボセあがるような気持にはなれない。一つには、芝居らしい芝居の書けるのはこれからだと言った様な気持もあるので、「なあに、これしきの事に！」といふ心持もある。とにかく、比較的に冷静であり得た。

一週間ばかりした或る夜、僕は見に行っていた。三階の客席の後ろで立って見た。出し物は三つあって「彦六」は第二番目。第三番目には他の作者の恋愛を中心に取扱った長い芝居がある。僕はその晩は此の芝居を見るのが目的であった。むしろ勉強の気持だ。それが済むと打出しになり、お客はゾロゾロ帰りはじめる。僕も、見終った芝居の内容を頭の中で繰り返しながら、三階から出口へ通ずるラセン型の長い階段を降りかかった。少しボンヤリした頭だ。

僕の傍を降りて行く三階のお客の中に三四人連れの女の人がいた。みんな昂奮した紅い顔をしている。その中の一人が不意に

「あのお辻と言ふ女、まあ、なんてイヤな奴だろうねえ！」

と言った聲が僕の耳を打った。ドキンとして僕はそっちを見た。実はそれまで自分の考へに夢中になっていて、その三四人の女達に気も附いていなかったのだ。そう言った女の人は三十四五歳の、あまり豊かでは無さそうな、下町のおかみさんと言った風の人である。乳呑児を抱いて、昂奮した顔で眼を輝かして連れの人達を顧みた。連れの人達もそれに相槌を打って何か言っている。すべてが、「お辻」に対する義憤を籠めた言葉であった。

勿論、此の人達は第三の芝居をも見終った直後であるのが、外に出て第一に喋り出したのが「彦六」の中の人物の一人である「お辻」の事であったのだ。僕は一種異様な感じに捕へられた。次にひどくノボセあがってしまった。実は非常に嬉しかったのである。「これでよい」と酬はれた思ひであった。どんな批評家に褒められたよりも宇頂天になったのである――

考えて見ると、特に「三階の客」を僕の様に大事に考へる考へ方がセンチメンタリズムの一種かもわからない。それに、あのおかみさんの言葉が芝居の批評として適当なものかどうか甚だ疑はしいとも言へる。しかもそれを聞いてそんなにノボセあがる僕の気持は更にセンチであるかも知れぬ。しかし、何とも言へず嬉しかったのは事実である。――おかみさんは、「彦六」の中に強く共感し、「お辻」と言ふ女に対して止むに止まれぬ義憤を感じる原因なり理由なりを、彼女自身の生活体験の中に持っていたのでもあらう。それが彼女にあんな事を言はしたのだらう。彼女に取っては「彦六」は普通言ふ意味の「お芝居」では無かったのだ。こんな感受の仕方は演劇の理解の方法としては幾分誤っていたかも知れぬ。しかし同時に、この種の観客が身を以てする直接的な感受の仕方の中に、演劇芸術を成立させている意外に根強い根據も横わっているのではないかと思ふのである。

「婦人文芸」十二年三月号

観客との合作

1、

演劇芸術の容器は「劇場」である。観客席だけで

は無い。プロセニアムから内側の舞台だけでも無い。まして雑誌や活字なんかでは決して無い。――これは鉄則だ。現実的には誰にも反抗し得ないところの鉄則である。

ただ重点が何処に置かれるかで、現はれ方は色々にある。

重点が主として観客席だけに置かれると、大衆追随主義風の「邪劇」が生れやすい。現在の商業演劇の過半は、大体それだ。「お客に受けさえすれば」と言ふ奴である。此の場合、観客は要するに「カモ」なのである。タイコモチに取って「旦那」は常に「カモ」なのである。そして世の中に「旦那」の種は尽きない。「邪劇」が亡びないわけだ。（一意味は少し違ふけれど、曽て盛んであったプロレタリヤ演劇の中にも、同じ要素が存在していた事は否定出来ない。）

2.

重点が主としてプロセニアムの内側の舞台だけに置かれると、大衆から浮き上ってしまった芸術至上主義的な「独善劇」が生れ易い。それは一應非常に「芸術的」であるかの様に見える。又事実、金儲け主義一方の商業演劇に較べると、此の種の芝居の創造過程は芸術的により高く、より念入りである。成果も一般に、より立派である。しかしそれは、プロセニアムの内側だけに就て言へる事である場合が多い。そこでは、極端に言へば、演劇芸術と言ふものは、他と切り離されて「独立」して存在しているものでなければならぬかの様でさえある。この様な態度は、主として現在の新劇の内部に流行している態度である。「戯曲」と言ふものは、先づ何よりも文学でなければならぬ」と言った様な、自明な事が、言はれて、それが何か特別な意味を含んでいるかの様に考へられているかに思はれるが、これも要するに現在の新劇の内部に流行している右の様な態度からの一つの派生物であるに過ぎず、別の物では無いから、右の態度の中に含めて扱ってよいと思ふ。

演劇の容器が雑誌又は活字であるなどの考へに至っては、問題外のヘンチキ論であらう。

3.

舞台と観客との合作である。それ以外に演劇は無い。

舞台と観客とが全体として一つの感情システムの中に生きるチャンス。それ以外に演劇は無い。

舞台と観客とが相互に作用し合って、その間に散らす火花である。それ以外に演劇は無い。

従って演劇芸術の真のユニットは、舞台では無くて、劇場である。

　そこに演劇の強味がある。他の芸術形式から区別される特色がある。言はゞこれが演劇の本質だ。

真に演劇芸術を守り育てて行かうとする者は、必然に演劇の本質を確保しなければならぬ。そのためには、当然、前述の様な、観客席だけに重点を置きたがる人達や、舞台だけに重点を置かうとする人達との双方を相手にして　執拗に闘って行かざるを得ないであらう。

「東宝」　昭和十二年三月号

安住の棲家

先づ第一に彼の人格のために弁じておかねばならぬことは、彼が「引越し」などに熱中したことがないと言うことである。ばかりでなく、自分で引越したくて引越したことも一度もないと云ふことである。

　何時でも余儀ない事情が出来て、同じ家に永いこと住んでいることを不可能にさせてしまふ。家の飼犬が近所の越後屋の小僧の脛を噛んだと云っては怒鳴り込まれたり、雨が降ると雨漏りがひどく家中の洗面器や馬穴を置き並べても間に合はず仕方なしに傘をさして原稿を書いたり、向う三軒両隣りのラヂオ及び夫婦喧嘩の騒音で気が狂ひさうになったり、縁側に坐り込んだ髯の親爺が兎に角、入れて呉れなければ、出て行って欲しい由などと辻褄の合はぬことをまくし立てゝは髯を捻りあげたり……、等々々、殆んど人間として耐ふ可からざる事情が起きた時に、始めて彼は涙をのんで引越すのである。それに、彼の人生観に従へば、この世の中に人間の自由になることは他に何一つなく、只一つ「引越し」だけであると云ふのだから、更らに情状を酌量してやらなければならない。誰れが好んで妻君や友人や郵便配達夫君から呪はれたり、自分自身でさへも酔って夜更けに帰宅する際に自分の現住所がわからなくな

つて、この前の前のその前に住んでいた家の門をよぢのぼることに躍起となりすぎた結果、真逆さまに転げ落ちたりする危険を冒すものぞ。

　僕が保証するが、彼は引越しは好きではないのである。

　その證據に、彼は自分の引越し流浪を果なんだ結果、自分の住宅を建てたことがある。無理算段をして四百円ばかりの金をこしらへて大工さんに渡すと大工が言ふには
『日本当はどうしても二千と百円なければこの設計の家は建ちませんが、ようがス、三百円でも建たねえことはねえでせう。親船に乗ったつもりで委しといて下さい。』と断言し自分で自分の胸をドンとたついて、頼もしい限りであった。兎に角まあ宜しく頼むと楽しみにして待っていたら『出来上りました』と言ふ。

　新邸は、烏山の奥の麥畑の真ん中に忽然として聳え立ち、必要金額の十分の一で出来上った家にしては堂々たる偉容を持って武蔵野を睥睨した。庭も垣根も全くない自由主義的な家屋だ。押入れの中に麥が生えて来たりするのである。以来、春風秋雨約一年間、朝には朝飯しを食ふ鼻を窓の下の大根畑に撒かれる人肥の馥郁たる香気に委ね、夕には書齋に坐り乍ら見られる板壁の隙間（三百円の建築費では土の壁は塗れませんや、とは棟梁の言草であった）から、晴れた夕空に浮ぶ富士山を眺め、自己の所有する家屋に住むことの至福を謳歌したのである。ところが謳歌ばかりはして居れぬ事態が起って来た。と云ふのは、春風秋雨はまだ良い夏もまだよい、問題は冬だ。家中隙間だらけなので、一番大きな隙間からは雀達が飛び込んで来、中位の隙間からは吹雪がとび込んで来、小さい隙間からは武蔵野特有の泥ほこりがとび込んで来て原稿紙の上にも鼻の中にも積もる（いや勿論積もるのは後の二者で雀は糞だけを積もらせて逃げ去る）而も冬中を吹き荒れる空ッ風の猛威に較ぶればこれらは殆んどものの数ではない。

　彼もこの風にはゼンゼン弱った。

　一本の防風林もない。それに壁土が塗ってないので甚だ軽快な家屋はゴウーとばかりに、風がぶつつかると忽ちユラユラメリメリと家鳴り震動し、果ては一刻も早くこの地上を離れて空の彼方へ馳って行きたいかのやうに身悶えをする。家の四方の柱に太

い針金をつけて地面に縛りつけて見ても身悶えをやめない。その身悶えの仕方たるや、傍若無人と云いたいが、人は中に住んでいる奴をゼンゼン無視したやりかたであった。いたし方なく風が吹き出すと人間共は東京の街の中へ避難しそこで時間を過して風が静まると烏山へ戻る。そして驛からの曲り角に立ち、麥畑の方を打眺め、そこにまだ空へ舞ひ上らないで建っているわが家を発見して「あゝ、まだあったあった」と手を打ち鳴らして喜こびながら、またこの次に風が吹き出すまで安住の家があることについて天に感謝したのである。だが感謝の念には限りがある。遂に空っ風に敗北した彼はその家を放棄し棟梁に引取って呉れないかと頼んだら「ようがス、材木代として三十円で引取りやせう。取り壊しから後の地所の地均し代が三十円かかるから差し引き丁度算盤が合ひやす」と再び世にも頼もしい手付きで胸をドンと叩いた。

それ以来、彼は自ら意図せざる引越し流浪に、営々としてまた悲しげな顔をして熱中し続けているのである。人間の住宅として最も理想的なものは大型トラックだ。人が皆大型トラックの上に住むやうになれば何處に行って住まうと何處にどんな大きな都会をこしらへようと人の自由である。さうすれば都市が空襲などされる場合もトラック家屋が一台一台バラバラに散開してしまへば敵機は爆撃の目標を失ふであらう……と云ったやうなコトが最近の彼の意見である。「彼」と云ふのは僕のことである。

新青年　一九三七・三月号

映画に関しない随筆

「映画に関する随筆」を書けとの事で困ります。実際にが手なのです。

ほんとうに、全くほんとうに、僕は映画に就てはまだよく知っているとは言へないのです。僕は撮影所につとめている人間なので映画製作の各種の現場に出入する機会が度々ありますが、その度毎に必らず今まで知らなかった新しい事を知って驚ろいたり、又は今迄知っていると思っていた事の中に全然知らない事が有るのを発見して驚ろいたり、いづれにし

ても驚ろいてばかり居るあさましさです。

しかし よく考えて見ると、それだからこそ比較的平気な顔をしてシナリオなどが書けるのかもわからない。して見ると、僕に取ってシナリオ書きは好きな仕事であると同時に衣食のための職業でもあるので、そんな意味でなら僕の無智は僕にとって、ありがたい事になります。

又別の考え方をすれば、映画の事が一通り解っている位ならシナリオなど書いて居ないで監督になります。映画を拵える要素の中で一番直接的に大きな要素は監督らしいので、映画製作に参与する以上そこまで行くのが本当だといふ気がするからです。しかし、幸ひ(!)にして、まだ僕は映画の事がよく解っていないので監督はしません。撮影所でもさせて呉れないでせう。

なんで幸ひかと言ふと、僕の見る所に依ると現在の映画監督ほど辛い稼業はあまり沢山は無いやうに思へる。とにかく、よっぽど強い心臓を持っていないとつとまらないやうです。そんな訳で、僕は自分の心臓の弱さ相応にシナリオ書きでやって行きます。従って此の点でも亦僕の無智はありがたい事なのです。

ほかでも無い自分の無智をかくの如く双手をあげてありがたがらなければならない事態は、喜こんでいい事でせうか悲しむべき事でせうか?、お立合ひの皆さんに訊ねたい。

え

谷川徹三さんだったと憶えていますが 先頃の朝日新聞学芸欄に

「正月に自分は明治神宮にお詣りしたが、参詣人の数は実におびただしかった。それで、銀座あたりで平常見かける知人の顔にも多少逢へるかと思って注意しながら歩いたが、一人も逢はなかった。何か非常に考へさせられる機会が随分有ったが、その中でも此の時程それをシミジミと反省させられた事は無かった。」

と言ったやうな意味の事を書いていられた。

これは大変正直な、立派な反省であり、且批評家としてすぐれた着眼だと思います。いわゆる文化へ〃文学・芸術・その他〃と国民大衆の生活感情の分

離の事実に気が附くことは、それの矯正のための第一歩のやうに思はれるからです。僕は共鳴し、敬服しました。

しかしそれと同時に、正直に言ひますが、「今頃になって、こんな事に気が附いていらっしゃる。批評家と言ふものはノンキでいいなあ」と言ったやうな感想をチヨッピリだけ抱いた事も事実であります。批難ではありません。羨しかったのであります。

その理由は、僕等のやうなシナリオ・ライタアは、シナリオ・ライタアに成ったそもそもの初めから映画芸術の大衆性に就て右と似たやうな反省と格闘しなければ、稼業が成り立たないからであります。格闘は格闘であります。勝つ事もあれば負ける事もあります。僕などは大概の場合、力足らずして負けるのであります。もつとも、負けてもよいのであります。こつちが未だつやだから。且、負ける事から、何等かのプラスを手に入れ得るから。然し一言にして言へば負けは負けであって、どちらかと言へば結局あまり愉快なものではありません。

しかも、その結果は、更にサンタンたるものがあって、批評家達（注意して置きますが、谷川さんも多分その一人であります）からは、「愚作八巻！」と褒められたり、「卑俗無類」とおだて上げられたり、「失敗の原因はシナリオに在る」と投票して貰ったりするばかりでなく、更に一方に於て映画業者達からは、「客が来ないのはシナリオが悪い。文芸映画なんぞ、あかん。ウチの脚本屋はなにしとるんや？」と言った意味の絶讃を浴びるのであります。此の種の絶讃は間々「彼奴は無能なやからチヨンや」と言った意味の結語に向って発展する可能性が多分にある點に御注目を願ひたいのであります。

いづれにしても、シナリオ・ライターはその間にはさまれて、泣くのであります。

3.

しかし、「泣くばかりでは話がわからんしのであります、それに泣かされるから、勉強もするし、えらくもなります。第一、良かれ悪しかれ、何かの腹構えを持っていない日にはどんな仕事だって出来はしません。シナリオ作家の荒牧芳郎さんが「日本映画」二月号に

「自分は撮影所に雇はれているシナリオ・ライタ

アだ。だから才能の許すかぎり良いシナリオを書いて、営業部の満足を求めなければならない。そして此の場合の良いシナリオとは、勿論芸術的にも、と言ひたいが、そればかりではいけないのである。いや、むしろ、芸術的になどはどうでもいいので面白くて興行的に良いものでなければいけない。だから、僕が、いざシナリオを書く場合、誰に何と言はれても、先づ此處から発足せざるを得ないのである。」と言ふ意味の事を言はれています。そして更に語を継いで「これは作家的良心にとって、実に泥濘の道である、と言ふ意味も言っていられます。

これは実に正直な言葉であります。それに、まことに立派な本職としての覚悟だと思ふのであります。敬服しました。

僕も及ばずながら、荒牧さんと同じやうな泥濘の道を歩まして貰はうと思っている者であります。勿論、泥濘に足を取られて、あがきが附かなくなったり、悪くすると倒れてしまふかもわからないとも思ひます。言葉を代へて言へば、「芸術」家としてダラクしてしまふかもわかりません。しかし、実は、それ位の事でダラクし盡してしまふやうなら、僕には初めから芸術的素質は無かったのだらうと思ひます。僕の考へでは（少し我田引水かな？）古来ホントの芸術の道は、すべて泥濘の道であったのです。この泥濘を舐めた事のない人物とは、ともに芸術、特に映画芸術を語るに足りません。

そして、敢へて全くとは言ひませんが、一番少量にしか此の種の泥濘を舐めていないのは今のところ映画批評家と映画営利業者の御両人だと愚考いたしますが、これまたお立合ひの皆さん如何お考へになりますか？

映画の友　一九三七　三月号

三月の劇評

１

受持った劇団五座、ふたの開いた日の順で前進座（新橋演舞場）から観る。演目は四つ、真山青果原作、村山知義改修「償金四十萬弗」が第一に据ゑられているが結局これが一番見ごたへがするのは、やはり戯曲の力だらう。

主人公岡野新助の境遇の悲劇が単に彼の性格から来たのではなく、根本的には幕末の政争と封建的関係から生れて来たと言ふ主題を、かなり正確強烈にえぐり出して見せている點、演出も一応成功している。

各優の演技も立派なもので、四つの演目中、最も努力の拂はれたらしい形跡が認められる。唯、すべてがむやみと力仕事である。戯曲も演出も演技もひた押しに「目的」的だ。はいり込んで行けない。主題を押出すための骨ばかりが目立って肉が不足している。たのしめないのだ。努力は此の座の特色で結構だが、そろそろもう、その努力が裡にこもって、表にはもう少しユトリが現れて来てもよい頃ではないか。翫右衛門の新助と長十郎の大久保がある。新助を演じて此處まで迫る俳優は当代他に無いであらう。適役でもある。長十郎は第三幕第一場に至って稍破綻を見せた。それまでの冷徹な策士が此處で急に好人物になりかける。演りにくい個所でもあるが、これは演出者の責任であらう。山岸しづ江の新助の妻の好演技には感服するよりも驚いた。

いつの間に此處まで到達したのかと思ふのである。最後の第三幕第二場だけのドラマツルギーが急に他と違っている。あそこだけ独立した一幕物を見ているやうな気がした。

第二十八番〃暫〃歌舞伎の再検討かなんか知らないが、こいつは愚劣だ。スペクタルとしても良く無い。

スペクタルは、それを受容する社会的な雰囲気なり下地なりが存在していてこそ成立するのだ。同じくスペクタル的な要素を持ってはいても勧進帳や助六にはドラマが含まれているから見て居れたが、暫にはそれがない。

「歌舞伎がやれる」強味をこんな所に使ふのは無駄使ひだ。ひけらかして見せる気なら話は別。

第三、和田勝一作「ガードの下」世相スケッチ劇で、人生の交錯断面を温い捌き方で面白く見せる。演出もソツが無い。が少し気が無さ過ぎる。もっと強く作者は何かいひたい事が有るらしいのだが、ハツキリしない。「スケッチだから」では弁解にならぬ。スケッチはスケッチとして、突込み方は有る筈だ。

第四、「文明開化世相」」演出が立派だ。そして演

出だけが立派である。もっとも演出者が居なくてもこの本なら前進座では演りこなせようとも思へる。黙阿彌を手がけるのなら、なぜもっとすぐれた物をやらないのかと疑問が起る。總じて、演目全体が右顧左眄し過ぎた立て方である。反省を要しよう。

ん、

新国劇も亦、力仕事である。三本立ての第一は中村吉藏作「中江兆民」。

変な者をいふやうだが、先づいきなり新国劇調とでもいふのか、尻上りに「歌ふし癖が気になって弱った。なるほど、大劇場演技体系の一つとしては、セリフの良く通る點は歌舞伎調と同断なので、経済的な悧巧な方法だが、それは歌ってもよいやうに書かれた戯曲の場合である。私の見る所では此の「中江兆民」はそんな風に書かれては居ない。だから、始終芝居のリアルな感じを阻害している。

戯曲は良く適切なテーマの上に書かれて居り、兆民の編年史といった風のかなり困難な材料が効果的に處理されている。しかし演出演技共に、何か甚だしく浅い。本質的な把握が不足している。

一例をあげると辰己の兆民など、することにソツは無く、溢れるやうな魅力を持ちながら、ホーズが附きまとって、どこまで行っても「演じられている」と言った感じだ。兆民その人が出て来たやうな印象は殆んど無い。無論これは戯曲にも一半の責任はあらうが、新国劇全体が今考慮しなければならぬ根本的な問題ではなからうか。

第二の長谷川伸作「總穩寺の仇撃」と見較べると一層それが解る。これは新国劇としては実に身についた作品であるせいもあらうが、役々の性根が本質的に掴まれているために、芝居が萬事大衆文学的仕立てであるにもかかはらず、前者に数倍する迫力を示している。勿論、書かれ方も実に心憎いほど黒っぽい。長谷川氏としても最近の力作であらう。敬服した。

但し、義理人情の世界を、その他の諸関係からこれ程キレイに切離して芝居を作り上げる方法――まるで義理人情から出来上った一つの電池を完全な絶縁体で包み込んだやうな方法は、それ自身として行詰まっているのではないかという気がする。

演出は、殆んど至れり盡せりのものである。彼では、島田の虎松の「若々しさ」が輝く。辰己の丑蔵も、此處では冴え返って見事だ。その他皆よくしているが中でも野村の渡留と秋月の萬次郎のリアルさを、私は高く買ふ。女優では山路のおとぎが良くしている。大詰の殺し場はひどくナンセンスな気がして賛成出来ぬ。

第三は「坊ちゃん」で、脚色も演出も流石に気が利いて、一ひねりも二ひねりもひねってあるが、チーデーゴーイングさを蔽ひ得ていない。第二に、これはもうどんなにシャレた脚色や演出をしても素材自体が既に陳腐になってしまっているのではあるまいか。

3.

青年歌舞伎（明治座）は盛沢山である。沢山は結構だが、それが觀客に対する親切から出ないで、主として座組みの関係から来た現象である場合は、少し迷惑だ。この座に稍々それがあるやうに思ふ。自然、演目の一つ一つが何となく半端物が多い。

演目全部を丸ごと見せて呉れなどの無理をいうのでは無い。せめて少くとも劇的な筋の通る程度に二幕なり三幕にして見たい。科や白の一つ一つに頭の中でテキストの頁と先生の型を繰って見なければならぬやうな切れ〳〵の上演は「演劇」としては邪道だ。「俺達にはこんな事しかやれないから」といふのなら論外だが　立派な若い者の集まりの一座が親父や先代のカスを舐め、しかもお客にまで舐めさせて平然としているのは解らぬ。本公演以外の場所で先達の業蹟を習得するのは結構だ。人に見せるとあれば若い者には若い者の仕事があらう。私も若い者の一人だから言ふのである。

小学生が家にお清書を持って帰ったんぢゃあるまいし、男一匹が本舞台でする仕事に、大向うから「ようッ、親父そっくり！」なんて言はれたって、それがなんだ。演劇に何の関係があるか。演劇はもっと美しい、もっと高い、もっと仕甲斐のある、もっと生きた仕事である筈だ。——とまあ、舞台以前の憎まれ口ばかり叩くが、他にいへないからである。言葉が過ぎたら詫びよう。イミテーションの品物を見せられれば「これは良く出来ました」といっても

「これはまづい」といつても、いづれにしても失禮に当らぬではないか。

五つの演目中では、そんな訳で「十二本松武家物語」(長谷川伸作)、と「雪暮夜入谷畦道」が比較的面白い。

長谷川氏の作を新国劇のと二つ続けて見たわけだが、二つとも良くも悪くも長谷川らしいドラマの利いた物だが、私には「慈穏寺」が彼の力作の見本で「十二本松」はその反対の作の見本の様に思へる。もつとも、演出演技共に此處の方が粗雑だ。それにムヤミと気取る。

気取る事と気合ひの入る事とは別である。各場毎の幕切れの間などは臭い臭い。

「三千歳」では第一に、今更めく言草だが、世話物の傑作としての作を買ふ。見ていて楽しい。各俳優も良く演っている。

左升の老熟の芸は云ふ迄も無いとして、勘彌、高麗五郎、訥升と、他の出し物の場合とは見違へるばかり仕事に自信があり正確だ。自信があり正確なものは美しい。

扇雀といふ人を私はかなりに買ふ(事実、「十二本松」の中ではこの人が一番上出来しが、「先陣館」の盛綱にしろ「野崎」の久松にしろ、妙に芸が発作的――「しどころだけを熱演する」式で、彼の力が一貫して保持されないのは惜しい。

「野崎」では鶴之助のお染が良い。福助のお光は前半上品すぎる。もつとおきやんであつた方が後半髪を切つてからの憂ひもよく利く。

4

歌舞伎座では、新作物の史劇だと言ふので「天慶兵乱」を期待して見に行つたが、期待がはづれた。しかも、はづれ方が酷い。史劇と言ふよりもこれは神秘劇である。

敗ける筈の合戦が不動明王の御利益で勝つたと言ふ話。単にそれだけならいい。神秘劇結構だ。

作も演技もチヨロッカに過ぎる點を言ふのだ。全体に気の無い事おびたゞしい。多分、これを書いた作者も作中の神秘を真実だとは信じていないのではあるまいか。自分にも信じられぬ事を他人に信じさせる事が出来るか?、

「芝居とは嘘を描いてまことに見せる技なり」と言った風の、昔の戯作道の大先達等の言葉のウワツらだけを取って、要するに人を煙に巻けばそれでよいと思ふならば、不動明王は知らず、今に芝居の鬼神様に取って喰はれはしないか。

第四の「文覚」に就ても似たやうな事が言へる、一般に現代の「座附作者」と言はれる人達の仕事の好見本であらう。「信じられませんか」の「愛している」のと言ふ現代語のセリフを例の歌舞伎調で歌はして平気でいるなぞは、お粗末さのホンの一例に過ぎない。

同じく「座附作者」であっても、中幕「扇屋熊谷」二番目「新皿屋舗」の作者達の仕事の丁寧さ、調子の高さを見よ。もっとも役者達も既に馴れた役々で良くはしている。しかし単にそれだけでは無い。仕事に「気合ひ」が入っているのだ。

中にも菊五郎の魚屋宗五郎、生世話の突っ込み、酔態の妙は言ふまでも無いが、私が敬服したのは最初の花道からの出の時の彼の上に生かされている「真実」だ、これには殆ど参った。実は泣いちまった。しかし、それでいて、見終ってから、これでいいのかと思ふ。これは「芸」と言ふのにふさはしい第一流のものだ。しかし、それが何だと思ふのである。

一人の男が中っ腹の所へ飲んだ酒に次第に酔って来る姿を、どれほど微細に見せられても、それがどうしたと言ふのだ？ なるほど第一流には相違ない。

しかし「第一流の芸術」を味った時の感じとは少し違ふ。それに依って、こちらの生命の中心が揺り動き、昂まり、刺戟されたとはさ迄思へない。強辨しているのでは無い、正直だ。

菊五郎に私は感服させて貰ったのだから、嘘を言ふのは悪い。

そして、「演劇の本質」の裡には、それが在る。人の生命の中心を揺り動かし昂めるものが在る。無ければならないのだ。それの無い芝居は、假令どんなに美しくても、演劇としては邪道だ。菊五郎流の芝居の一切が邪道だといへばいひ過ぎる。演劇の本質的な要素が幾分欠乏しているのでは無いかとの疑ひを持ったといふ事だ。私の考へが誤っていたら矯正して欲しい。

菊五郎の事ばかりいった事になったが特に注意を惹くものが他に無いのだから仕方が無い。

踊りは唯美しいと思ふばかりで私には良く解らぬ。解らぬ事についていふのは失敬だから、批評は控へる。

5

有楽座の芸術座は、その演目と顔ぶれの點で何となく清新な印象をあたへている。それに演出や装置のスタフも従来から見るとガッチリしている。

しかし行って見て少し失望。女世帯の薄ら寂しさを蔽ひきれない。

演目の三つともが八重子の出し物と言ふのでは、たとへ八重子がどんな好演技を見せても、相手変れど主変らず。しかもその相手が大体八重子と張合って行けない役者ばかりでは、何といふことは無い。初めから終りへかけて水谷八重子と変化を見せられているようなもので、策を得たものではない。

全体役者が一晩中各幕各場毎に自分だけを売らうと思ひはじめたらおしまいである。芝居は「組合せ」であり綜合だからだ。少し考へる必要がありはしないか。

第一、中野実作「質屋と娘」ラクに巧者に書いてある。少しもギクシャクしていない。自然さもある。しかし作者はこれで何を言ひたいのだ?、わからぬ。実は無いのではないか?、世相劇であると言ふ事は解る。又、あらゆる芝居に言ひたい事がセリフの上でハッキリ言はれる事が絶対に必要だと言っているのでは無い。作者の「睨み」が掴めないと言ふのだ。

気分劇にだって睨みは要る。それが感じられないものだから、盛り上って来ない事が気になったり、駄洒落の連発が耳に付いたり、利恵子と清見との縁談が破談になるのが、腑に落ちなかったり第三幕で利恵子が明子に向って言ふセリフが哲学じみて取って付けたやうに響いたり、小林重四郎がスゴンで見せるのが板に付かなく見えたり、等々

小さな事にばかり気が付いて、人の出入りのチラクラしてうるさいのに釣られて、此方の気持までチラクラする。惜しい、村田の重蔵がその人らしい味を含んで良く演っている。

第二、北村小松作「上陸第一歩」やはり三つの中ではこれが一番面白い。良い意味のセンチメンタリ

ズムの作品、たゞなんだかひどく「時代」がっいちまった、アイデアだけ……といへば語弊がある。唯それがひどく目立つ。演出もそれまでは救ひ得てゐない。廻り舞台をブン廻して見せる。プロローグは全く不要だ。

八重子のさとは光る。馴れた役に気を入れて演ているせいだが、演出が良いためもある。残念なのは岡譲二だ。

映画で自然な演技に馴れているのだからと清新なものを期待していたら、これが誰よりも臭い。第一なんであんなに気取るのか。

小林にしろ岡にしろ、他の舞台育ちの誰よりもリアルな演技を持っている筈だと思ふのに、二人とも丁度その反対なので少し驚いた。村田正雄と較べて見ると、よくわかる。結局、永年鍛へ込んだ芸が物をいふのだらう。

東京朝日新聞、昭和12年12月3日〜7日

三面記事的リアリズム

演劇、映画を通じて、近頃「リアリズム」大流行だ。それは結構であるが、これが、往々にして三面記事的リアリズムである事には僕などは賛成出来ない。

ところが、それに就て批評家達は大概こんな風に言ふのである。「現実の様相が繊細に良く描けてゐる。力作だ」と言った工合。するとそのエピゴーネン達も、めんくらってしまって同じ様な賞讃の気分の中へ追ひ込まれてしまふ。かくて亦は栄える。

勿論「現実の様相が繊細に良く描けてゐる」と言ふ事は、一つの大した事柄である。むしろ、此の事が、すべての出発点である。だが、それだけで事が終っては面白く無いと僕は思ふ。テーマが不明確では三面記事と選む所が無い。否、現在では三面記事でさへも、少し立派なやつには紙背に明瞭なテーマを持ってゐるのだ。

テーマと言ふ事を、むづかしく考える必要はない。その作品が全體として何事を観者に伝へ訴へようとしているか、である。謂はば作者の、その題材に対する「睨み」である。それが明確に感取出来なければ仕方がない。なぜなら、僕の考へではリアリズムなるものは作者の主観と対立するもの

でも無ければ、現実から切り取って来たコマギレの束でも無くて、作者の十瞭みして再編成され再生された現実であらねばならぬ。

自由劇場

自由劇場が新らしい脚光の中に再生する事は、劇界のために大変ありがたい事である。しっかりやって貰ひたいと切に望む。その為に言ふのだが、これを一つの立派な運動たらしめるには、運動の中心にしっかりした芸術上のプリンシプルが存在して居てそれに依って人が集まって来て仕事をするが、又は金が有ってそれを出すかそのいづれかで無ければ駄目であろう。プリンシプルが有って金が出るのだったら、これに越した事は無い。そのいづれでも無いならば、運動は永続きはしない。

プリンシプルは既に有るのかも知れないが別に未だ発表されては居ない。脚本第一主義などといふ主義は存在し得ない。それは当然な事に過ぎないのだから。

第一に、報じられてゐるような雑色不統一な陣容では、積極的な活動は出来にくい様な気がする。なぜなら、演劇に於ても、強烈な仕事には、良かれ悪しかれ必ず歪みを伴ふものだからである。似たやうな事が井上正夫一座に就ても言へるが、まだ此の方は井上自身が先頭に立って、気分的なものではあっても一つのプリンシプルを持ってゐるのと、陣容が無意味に雑色では無いので比較的良い仕事がやって行けるのである。

演出家の貧困

良いプロデューサアが甚だ少い。

劇界、映画界を通じて欲乏してゐる。

演劇芸術や映画芸術の本質を十理解しするだけの頭の良いプロデューサア、はいくらでも居る。しかし、理解するだけでは仕方がない。理解したものの中で最善の作品を作成しなければ、何にもならない。プロデューサアと言ふのはプロデュースする者しの謂ひなのだ。

早い話が、先頃からの東宝ブロック対松竹ブロックの泥試合ひをキッカケにしく、日本の映画のレヴ

エルはガタ落ちに落ちてしまった。勿論各制作所の企劃のレヴエルも低落してしまった。どうも、此處当分回復の見込みは無いらしい。プロデユーサア諸氏よ、いづくに在りやと言ひたくなる。僕の考へでは、名プロデユーサアたるには、左して面倒な資格は要らぬ。ましてソフイスト流の弁證法などは有害無益である。僕は、作品を愛し、その愛に対して忠実であらうとする熱意だけで足りると思ふ。ところが、我が大部分のプロデユーサア達は概して作品よりも金を愛する。勿論金が大切でないと言ふのではない。作品を愛せんが為めに金を愛すると言ふのでなくては、たのもしくないと言ふのだ。本来の目的は作品に在るべきだ。此處がプロデユーサアと単なる企業家との差異だと思ふ。

そんな意味で、僕の知ってゐる範囲で劇界だけに就て名プロデユーサアの一二を挙げれば、新国劇の俵藤丈夫氏、前進座の幹事達、井上正夫氏、新劇座の指導者達、それから、プロデユーサアと言ふ名には厳密には当てはまらぬかも知れぬが、松竹の大谷竹次郎氏である。

彼等は多くのプロデユーサアの中では最も良く自分の演劇＝作品を愛してゐる者達である。

4. 新劇職業化

新劇が大劇場へ進出したり映画へ手を伸したりする等のことが起って、これを一般では新劇が飛躍的に大衆化した現象の様に見ている向きもあるが、僕はそれ程に楽天的に見ることは出来ぬ。しかし、この様な事がキッカケになって新劇職業化の事が現実的な日程にのぼって来た事は、おそまきながら、悦ばしい。

理窟はもうよい。とにかく芝居の仕事で「食って」見ることだ。「その道」で以て食ふと言ふ事の意味を真に解って見ることだ。そして「食ふ」事に付隨して起って来る各種の摩擦や問題の「低さ」に当面して見ることだ。

新劇の内部には未だ、悪い意味でのアマチユアが多数巣喰ってゐる。そしてアマチユアの顔は大概「高級」なものだ。そんな高級さは、石の「低さ」にたじろいで遠からずして逃げ出す。逃げ出さなけれ

ば、追出さなければならない。
そして、芸術的にも生活的にも「ただ此の一筋につながる」者だけが集ってグンズン仕事を押進める時に、新劇は真に職業化され、社会の裡に抜くべからざる根を下ろすだろう。

文芸時評(1)

読売新聞（昭和12年5月29日～30日）

最後の真実

報告文学への一疑問

「現役時代に自分と同期だった連中が続々として出征してゐるし、いつなんどき召集されても元気で行けるだけの準備も心構へも出来てゐた。少くとも出来てゐると自分では思ってゐた。それが、いよいよ召集されて現地へ行くといふ事が決定されて見ると、違ふ。勿論かねての覚悟が動揺したのでは無いが、気持がその前と後とでは根本的に変質して来てゐるのだ。その前迄は、いくら覚悟しても「もし出動したら」と言ふ假定の上に立ってゐた。假定と言っても九十九パーセントまで確定的な假定なのだから事実と殆んど同じものであったと思ってゐるが、残りのたった一パーセントの所で、全然違うのだよ。そこがどんな風に違ふか自分にもハッキリ言へないけれど、とにかく全く別のものだ。勿論今はもう元気だ。しかし、假定の上に立った時の元気と今の元気は全く違う。この上は、弾丸の下をくぐって懸命に戦って来るつもりだ。」

僕の親しい一友が、いよいよ出征すると言ふので最後に別れに来たのを送って営門まで行く車の中で僕に言った。声はシッカリとし、輝くやうな眼の色だし、微笑さへも含んだ顔だった。

彼としては、きわめて平静な自然な感想の一端に過ぎないものの様であった。だが聞いてゐる僕は身が引きしまり、心はゆったり動かされてゐた。かけがへの無い教訓を与へられてゐると思った。あらゆる事の真実といふものの本質を剔った話を聞かされてゐる気がした。全部を変質させてしまふ最後の一パアセントの峻烈さと壮美。そしてその友は今は既に現地に到着して、そこで戦ってゐるであらう。

勿論、この話に「だから、どうだから」と原理

的な意味を持たせて、それで以て文芸を語るつもりは僕には毛頭無い。ただ話そのものを語りたかつたのと、それに、最近の文芸の動きや作品のいろいろのものを考へて見るための一つの示唆になるやうな気がしたからだ。少くとも緒口にはなるであらうと思つたためである。

たとへば、事変以後、事変から刺戟されて特に著るしく起つた文芸現象の一つに報告文学が有り、そしてそれに就ては一般に討論中であるから未だどうのかうのと言ふのは早過ぎるかも知れぬが、今迄のところそれらの討論の材料や基礎とされてゐるものが、主として傍観者達の作品や記録だけである点が僕には不満でもあれば不安でもある。勿論、傍観者達の観察に依る作品や記録も無駄な事は決して無からうし、それも立派な報告文学になり得るものだらうが、しかし、それだけで以て報告文学といふものゝ性質の全部が結論されると困ると思ふ。

僕の気持では、林房雄や、尾崎士郎や榊山潤その他の観戦記は、大変読みたいし、読めばそれぞれ立派だから打たれる　しかし更に読みたく、且更に打たれるのは現に武器を取つて戦つてゐる、又は戦つた人の書いた一枚のハガキである。

石川達三の小河内村の事を書いた作品も読みたく読めば必ず相当に動かされるけれど、しかし更に読みたく、更に動かされるのは現に小河内村に身を以て生きてゐる百姓の手紙や小学生の綴り方なのだ。

勿論、観察をするにも或程度迄生命を危険にさらしたり、ひどい労苦を嘗したりしなければならない。それだけでも尊く敬意に値する。しかし現実に、一ツピキならず、その事の真只中で生きることの間には差が有る。その差は、ホンの紙一重のたった一パーセントのものかも知れぬが、しかし全体を変質させ得る一パーセントだ。

文芸時評（九）

即物性の必要

泉鏡花「雪柳」の世界

言ふまでも無く、或事実を実際に体験した人間が常に必ずしも、その事実の芸術的な語り手であるとは限つてゐない。体験者の経験は大概一局部に限ら

れてゐるし、しかもその局部的経験にのみたよらうとするために、芸術に取って大切な想像力は阻害されがちである。

　事実を知ってゐるからと言って、必ずしもそれを芸術として再現する事は出来ないと言ふ事は真理である。しかし、それよりも更に大きな真理は、事実を知らなければそれを芸術として再現する事は全く不可能であるといふ事だ。

　そして人が出来るだけ強く、正確に、美しく語り描かうとする場合、彼はその語り描かうとする事実そのものの中から、又は出来るだけそれに近い所から素材と手段を採り上げるのは必要でもあり必然でもある。即物性だ。

　即物性の必要は今更はじまった事では無い。又、報告文学だけに限った事でもない。文学、芸術一般に就ての事であり、且、自明のことである。それをもう一度われと我心に言ひ聞かせて置きたいと僕が思った理由は、自分をも含めた最近の文学、芸術全体の動きの中に、これが幾分欠乏してゐるやうに感じられたゝめである。

　リアルを描けと言ふ。そして、さう言っちまへば、おしまひである。リアルは其處に在るが如く、又彼處に在るが如く、或ひは何處にも無いかの如く、自他共にくたびれ、そしてくたびれに相応する効能は無い。

　又、この時局の中で文学、芸術を守るのは文学者芸術家の任務であると言ふ。僕も賛成だ。しかしさう言ったきりでは、言葉の大袈裟な割にはピンと来ぬ。マゴマゴしてゐると文学芸術では飯が喰へなくなるから褌をしめてかからうぜと言った方が、まだしも切実だらう。

　いづれにしろ、字面だけの物々しさに引っかゝつて、其處に重大な據所が有るやうな幻想を持つことは、なるべく避けた方がよからう。

　今月の諸雑誌の作品を読んで行きながら僕が全体として最も強く感じた事は、以上のやうな諸点であった。一つ一つの印象を述べる。

　泉鏡花「雪柳」(中央公論)。……さて、此の様な世界が有る。これをどんな風に考へたらよいか。いつも同じ種類の細工物を永い永い間作って来た名人職人の頑固さと美しさと単調さと、それから、もうどうしても抜く事の出来ない「気取り」。批評家

は概して、これを避けて通るのを例としてゐるらしい。その理由は僕にも解る。しかし実は避けて通ってはいけない。

なぜなら、此の様に片寄った官能、此の様に遊離し固定してしまった雰囲気への魅力は、僅かではあるが未だ現代――われわれの中に生きてゐるものであり、しかも文学の置かれた現在のやうな條件の中では、やゝともすれば伝染を増大して、その擬古典主義的な麻痺力を発揮しやすい。

似たやうな事が「かげろふの日記」（堀辰雄作、改造）に就ても言へる。もっとも、此處では、一応「人間」が描かうとされてゐる。そしてそれは或程度まで成功してゐるとも言へなくは無い。しかし、現代人が、しかも現代人の中でも最も強く現代人であるし、なければならぬ作家が、特に大変遠い過去や大変遠い地方を採り上げる場合には、ただ単に、それらに託して自己を叙べたいという意欲だけでは足りない様な気がするのである。

文芸時評（3）

「私」の世界
作家精神衰弱の兆候

文芸春秋の「正夫の世界」（豊島与志雄）と、改造の「菊の花章」（芹沢光治良）と、文芸の「季節の風」（佐野順一郎）の三篇を同時に僕が採り上げると、苦情が出るだらうと思ふ。三篇とも力作だが作柄も価値もそれぞれに違ってゐるからだ。しかしたゞ一つの事では三篇とも共通してゐる。三篇ともその表白に無理がある点だ。勿論あらゆる作家が、時に依って無理な表白の手段や方法を採る事は有る。それは、目的の事柄を表現するのに、その無理が是非必要な場合である。さうで無い時に無理な手段方法が採られると、珍奇さや思ひ付きが肝心の主題から浮き離れてしまって、読者が素直に作品の中に入り込んで行くことの邪魔をする。

「正夫の世界」では、正夫と言ふ敏感な少年ともう一人のエタイの知れない人物とが大人の世界を覗いてゐる。「菊の花章」では女主人公が作者と一緒になって夫の死や近親の出征前後のイザコザを述べてゐる。「季節の風」では、強度の神経衰弱である

と言ふ「私」が、実は神経衰弱なぞでは決して無い、らしい描写力で以て二・二六事件直後の東京に上京して来た自分を描いてゐる。三篇三様の特色を持ち力強さを持ってゐる。しかし読んでゐると、三人称にして読ませて貰ひたい希望が起きるのだ。でなければ、いっそ、もっと「私」になり切ったものの眼から見た世界を見せて貰ひたくなる。どっちつかずなのだ。だから、一番大切な「生のまま」な感じを受取る前に「手くだ」を感じてしまう。これはやはり弱点では無からうか。こんな傾向が単に右の三篇に限ったものであり、そして、主として手法に関するだけの事なら、大した問題では無い。しかし最近不必要に「ひねった」手法は一般に流行して居り、且それが作品並びに作家の内容的な衰弱の徴候と思はれる場合も有るから、僕はこだわった。

文芸春秋の「玩具の勲章」（岡田三郎）などが、素材上の視野も狭く且つ肉の痩せた私小説でありながら、シッカリとした骨組みで以てヂカに人に迫って来るのも、余分な「工夫」や剰った「手くだ」が無いからだらう。この事に限らず、私小説と言ふものの本領は、もう一度よく考へられてよい。広汎な外界の様相を直接的に描くことが不自由になって来れば来るほど、「私」や「身辺」に反映し集約されて畳み込まれて来る外界の断面を描くことは益々必要になって来るからだ。

近松秋江「春宵」（改造）。一応三人称で書いてあるが「かう言ふ事もあった、あゝ言ふ事もあった。だから、あった通りに書いて置く」と言ふ態度は全く私小説のものである。そしてその限りでは、練れた、行き届いた筆で良く描いてあると思ふ。しかし、作者が結局何を描かうとしたのか僕には良く解らなかった。花房と言ふ男の結婚話のなり行きの中の人さまざまの姿を描いて春宵の雰囲気を浮び上らせようとしたのだらうか、それにしては、興味の持ち方にコクが足りない。ズルヂヨアとその寄生虫達の内幕を剔らうとしたのだらうか。それにしては物を見る眼にも筆にも冴えが足りぬ。そして、それらがすべて「作家的冒険心」の衰弱から起因してゐるような気がした。

文芸時評（4）

二つの戯曲

演劇リアリズムの問題

「千万人と雖も我行かん」久板栄二郎（中央公論）力作である。この様に大がかりな骨の折れる主題と材料に正面から四つに組んでひた押しに押してゐる仕事ぶりが先づ立派だ。一人の、それ自身としては善良で偉大な性質を持った資本家が、自分自身の育て上げた資本主義的機構の自己矛盾と闘ふ悲劇的な姿を描かうとする意図も或程度まで成功してゐると思ふ。

たゞ二三の弱点が指摘される。第一に、作者はそれを避けよう避けようとしてゐるらしいのにかかはらず、或程度の図式主義を残してゐる。これは上下左右にあまりに広汎な拡がりを持った素材を何から何まで全部盛り込まうとしたために起った結果らしく、致し方が無いとも云えるが、残念は残念である。第二に、取り上げられてゐる時代、時期、事件、人物等の状態や性質に関する予備知識が、芝居の幕が明く前にあまりに多く、「周知の事」として前提されてゐすぎる点である。だから、その前提を理解してゐないか又は少ししか理解してゐない者に取つては、充分に入り込んで行けない劇的シチユエーシヨンが生れて来てゐる。第三に、取り上げられてゐる資本主義的機構の真の対立物の姿が全体に極めて稀薄にしか影を落してゐないために、歴史の必然の中での悲劇と言ふよりも、ドンキホーテ的特定個人の困果物語めいた感銘を、いくらか与へる恐れがある点。ことはつて置くが、以上は、此の第二部だけに就いての感想ではなく、第一部第二部を一つの作品と見た上での感想である。エピローグは蛇足だ。

「火山灰地」久保栄（新潮）。これも、前者にまさるとも劣らない力作である。一般文化、文芸のこの様な鬱屈状態の中で、此の作や前者のやうな、腰を据ゑたスタンダードな仕事が、しかも適切な主題と積極的な意図のもとになされたと言ふ事は頼もしい。

北海道の農民のいろいろのタイプと、それらの農民達に科学で以て奉仕しやうとしてゐる良心的な農事科学者及びその家庭を中心にして、かなり広い拡がりを持った世界が展開される。一等大きな成功は各部各人物の姿や心理の特性が実に細く彫琢されて

ゐる点だ。人間を見る眼も、それを描き出す筆も「千万人と雖も我行かん」の作者のものより、一層正確で・エラボレートされたものである。正確で細かい筆で以て一つ一つアラベスクを描いて行く事で一枚の壁掛けが出来上つてゐるのである。しかし又弱点の主なものも、その事に関連して起きてゐるやうに思はれる。先づ劇的な中心点が各部に平均して分散しがちになり、各細部にあまりに「づるく」且不必要に各種の劇的モメントや劇的要素が隠され過ぎてゐるために、主題と素材にふさはしい力と動きの感じを自ら阻害してゐる。並びに、この作品を受容する側の知性と感受性と忍耐力に向つてひどく高い専門的レヴェルが要求され、そのレヴェル以下のものが峻拒されてゐる。

この事は、チヨツと考へると作品の「内容」には関係のない欠点の様にも思へるけれど、実はかなり根本的な弱点だと僕は考へる。方言をこれほど迄に追求する必要は無い。

以上二作、力作なれども、読みつつ、やや退屈した。これは生理的な理由だけかもわからぬ。又、僕だけの好みに依るものかもわからぬ。しかし、さうとばかりも思へない節があるので、かゝる種類の戯曲＝演劇のリアリズムの性質に就いて更らによく考究して見る必要を痛感した。

文芸時評（5）

日常の地盤
岡田と森山の二佳作

感心した二つの佳作がある。岡田禎子「猫ヒス・マダム」（文学界）と、森山啓「濤声」（同）。

「猫ヒス・マダム」は此の作者の仕事の中でも有数な出来栄えの作であるばかりで無しに、最近の戯曲界での一収穫だらうと思ふ。勿論相変らず適度に大気走り、適度にトボケ返り、適度にヒネツてあるけれど、此の戯曲は単にそれだけのものでは無い。時勢を鋭く反映して生れた作品として、岸田国士の「風俗時評」と比肩し得るものであり作家眼の澄み方に於て或いはそれ以上かとも思ふ。描いてあるのは、小ブルヂヨアの日常の一片である。

しかしその日常の断面には、此の人達を取巻いて

ゐる広い状態が鋭く且単純に集約されてゐる。描き方には、かなりの強調がある。しかし強調されるものが正確に掴んであるために無駄な誇張に陥ってはゐない。人間の心理は、一応極端な所まで追求されてゐるが、しかし現実性を失ってはゐない。大事な点は、現在最も適切な主題が、平凡な日常の地盤の上で取り上げられ、しかも適切な方向へ向けて生かされてゐる点である。戯曲＝演劇の「リアリズム」と言ふものが正確には何を意味するのか僕らは知らぬが、假りにそれを「現実の現象から作者が強く感じ取ったものを、出来るだけ直接的に具体的に、出来るだけ直截明確に他人へ伝へようとする傾向」とするならば、「千万人と雖も我行かん」や「火山灰地」よりも、此の作の方がよりよく成功してゐると思ふ。

もっともいくらか僕の好みもある。ただし此の作品で不満な点は劇的展開がスタートラインから前の方へ向っては少しもなされないで、後ろへばかりなされてゐる事だ。

「濤声」。此の作者の詩や評論はこれまで読んでゐるが小説を読むのは、初めてだ。そして、詩よりも評論よりも、これに感心した。数人の貧しい勤労者達の生活の起伏を、少しのこだわりも無い淡々とした筆で書き起してあり、材料の切り取って来かたに私小説的なものを沢山持ってゐるが、全体として迫って来る客観的な現実感の幅や深さには私小説的弱点を殆んど残してゐない。しかし、それよりも、部分々々にも全体にも盛り上って感じられる豊な滋味の事を言はなければならない。

これは、単に文章の工夫などから生れて来たものでは無い。多分作者が自分及び自分を取巻いてゐる人間と日常を深い所で真に愛して大切にしているせいだろうと思はれる。

そして愛はセンチメンタルを含んでゐないので観察は透徹して居り、同時に愛はたしかな方向を取ってゐるので描かれてゐる人々の個々の苦しみや悲しみの救ひ難きにかかわらず、全体としてはこの人々やこの人々の作り上げてゐる世界のすたのもしさ（一つ此の人達こそ真に生きてゐる者達だと言ふ感じ）ーを感ずる。良い小説だと思ふ。今のところ幾分不足してゐるらしい構成力をも此の作者が手に入れる日が楽しんで待たれる。

他にも随分沢山読み、何か言いたい作品も有ったけれど、言い現し方の拙劣さのために、もう既にスペースを無くしてしまった。総じて、かかる時局下でも、創作界の状態がすなかなか捨てたもんでは無いと言ふ印象を得た事を言って、ペンを擱く。（一九三七・一一）（完）

都新聞（昭和十二年十二月三日～七日所載）

しなりお・餘話

1

常に「自分自身の興味」から出発しなければならない。自分にとって面白い事柄、自分にとって意義のある事柄を、自分に最も適切な方法で描くこと。據り所は、みんな自分に在る。

自分から離れた「他人の興味」と言ふものは無い。又、有ってはならない。まして「大衆の興味」なぞと言ふものが、自分から切離されて別に存在してはならない。

問題は、その「自分」が、シナリオを書く以前の日常の中で「大衆」の一人であったか無かったかと言ふ點だ。

2

シナリオの技術と言ふものを、唯單に「映画的な手段で以て物を表現する技術」と解すれば、これは甚だ手易い事であらう。

いや、勿論、私みたいに未だ映画的な手段で以て物を表現する技術さへも充分には持っていない者がこんな事を言ふと傲慢にも滑稽にも聞こへるかも知れない。

しかし、表現しようと思ふ主題なり感情なり情緒なりを全体として掴み出し、しかも掴み出して来たものが、自分に取って興味と意義が有るのと同時に多数の他人に取っても興味と意義が感じられるやうに、自身を絶えず鍛へ抜いて置くこととの困難さに較ぶればなんでもありはしない。

いつなんどきでも走り出せるやうに、常にウオーミングアップをして置く必要がある。言ふまでも無く、走り出すのは、後ろへ向ってではなく、前へ向

つてだ。

3

映画芸術の表現の用具は、カメラとマイクロフォンであって、その他の物ではない。まして、筆やペンでは無い。この当然過ぎる事をもう一度ハッキリと僕等は確認する必要が有りそうだ。

更に、しかも、僕等シナリオ・ライタアの表現の用具はペンと原稿であって、その他のものでは無いと言ふ事実をも確認する要あり。

そして、僕等の持っている用具と言ふものは、いつでも心細いものであり、同時に頼もしいものである。

4.

映画の部分々々は観客の視覚と聴覚の前を、たった一度しか通過しないといふ事を、いつでも思い出しながら仕事をして行かなければならない。一度、間違った、或いは不正確な印象をあたへてしまへばもう取返しが附かない。その点、音楽に一番よく似ている。瞬間瞬間が一本勝負だ。シナリオは常にそれを予想しつつ、整備される必要がある。

5

シナリオ・ライタアは、職人でも無ければ設計図案家でも無ければ幇間でも無ければ御用商人でも無ければ手品師でもない、作家である。又なければならぬ。然し更に重大な事は、いかなる作家も、条件いかんでは忽ちにして職人にも図案家にも幇間にも御用商人にも手品師にも変質し得る性質を持っていると言ふ点だ。

6

目下のところ、映画ほど営利事業的な面を多分に持っている芸術は他にない。

映画作品の質に向って、商人やビジネスマンが口を出し、しかもその出した口が仲々重要な働きを起すのもそのためである。

映画作品は、脚本や演出や演技等から支配される前に、しかもそのいづれよりも強く商人と商法から支配されている。

そして、此の事に就て、腹を立てぬ者は映画作家たるの資格を持たぬ。同時に、腹を立てて仕事を止してしまう者も映画作家たるの資格を持たぬ。

7.

映画批評家達のために書くことは、なるべく避け

た方が良さそうだ。

大概の批評家達は、遠すぎるか、くだらなさ過ぎる。そして、そのいづれにも共通な特質は、あらゆる映画人の中で彼等が一番無責任であると言ふ點である。或る批評家の或る批評がどんなに妥当なものであった場合でも、それが映画作品や映画界を動かす動力にはならないのも、そのためだ。

傾聴したい。又、しなければならぬ批評は、常識と良識と愛情を持った生活者の、入場料を拂って観たし上での感想である。

8.

「シナリオは文学として成立するであらうか、どうであらうか」と言ふハガキ問合せを貰って、返事のしやうがなく、当惑した事がある。成立すると答へる事も出来れば成立しないと答へる事も出来る。質問自体が一つのソフイストリイだ。全体「文学」などという朦朧とした語では何一つ表現出来るものではない。

いづれにせよ、そんな事よりも、シナリオなのだから、良い映画を拵へるのに最も役に立つやうに書かれていれば、それでよくはないかと思ふ。他の事は、その後の話だ。

9.

アメリカ映画式のメロドラマ性やスペクタクル性などがもう一度検討される必要がありはしまいか。と言ふのは、映画と言ふものが本来メロドラマ性やスペクタクル性に根を置いた芸術様式であるやうな気もするからである。

10.

あまりに取りとめが無いから此の辺で止す。「シナリオは如何にして書くか」或いは「自分はシナリオを如何にして書いたか」と言ふのが編輯者からの課題だろうと思ったけれど、私は未だシナリオはホンの僅かしか書いていないので、きまりが悪くて、うまく言へない。言った事は皆餘談だ。

餘談ついでに、最近映画界で一番不愉快に思った事を書くが、それは十一月に起った林長二郎刃傷事件だ。既に犯人は捕へられた由だから、いづれ真相は判明するだろうが、それとは別に、此の事件が私共にあたへた印象が実に暗く、腹立たしいものであればあるだけ、どうしてこんな事件が起ったかに就いて色々の省察を引き起した。

事の是非善悪は向ふ迄も無し。一人の俳優が合法的に契約先を変更した事が怪しからんと言ふので一々斬られていたのでは、たまったものでは無いのである。問題は、しかし、この様に暗黒な野蛮な行為が一部で何となく無理からぬ事として迎へられているらしい點に在る。これこそ刃傷事件それ自体よりも暗い現象だ。そして此の事に就いては映画界全体に責任がある。かゝる現象を根絶するために応分の努力を盡すことは、映画人全体の自己擁護のための義務でもあれば権利でもあるだろう。

（日本映画）十三年一月号

春の追想

春になって思い出すのは、矢張り少年の頃の色々な話である。

僕の郷里は佐賀だが、中学の四五年生ぐらいの時分、佐賀市と小城と言ふ町の恰度なかほどあたりになる伯母の家から、僕は二里ばかりの道を毎日学校へ通っていた。

学校と言ふのは縣立の中学で、縣下では一等権威のあるものだが、朝早く起きて、この伯母の家から学校まで歩いて通ふことが、実はたいへん楽しいことだったのである。

と言ふのは、学校へ通ふこの路は、ひろびろとした菜の花畠やそらまめ畠や、いくつもいくつもの大きな堀や、川っぷちや、草の香りのたかい土手を通って続いているからである。

斯うしたところどころに見える春の匂ひは何か心たのしいものだったし、後になって知ったのだが、関東や中部地方には絶対に見られない感じだったのである。大きな堀が沢山あると言ふのも何か変っている風景であった。

南にちかいので、気候が早く、三月末から四月にかけて、そらまめの伸びるのは、たいへんなもので、五尺から六尺にも伸びた茎がそらまめ畠一面にみられるやうになる。畠に這入ると、無論人の姿など見えなくなってしまふのだが、早い朝、このそらまめ畠のなかを鞄を肩にしたまま無茶苦茶に歩いて行くと、熟れたそらまめの、一種特別なにほひが、強く鼻に来て、僕等は此處からも、春をしみじみと感じさせられるのであった。

往路はさうでもないが、学校が退けての帰り路は、何しろ発育ざかりだし、体操や柔道を散々やって腹ペコになっているので、このそらまめ畠を通るのが更に心楽しいものになる。

身の丈けより高い茎を、ばさ／＼折り乍ら畠のなかを歩いて行って、手当り次第に大きな莢をみつけると、ポンと音をさせて折る。大きな豆をそのまま食ふのだが、甘いと言ふか、一種不思議ななまぐさい匂いがする。

見上げるような茎を別けながら、ポン／＼と気持の良い音をさせて莢をはじき、豆を食ひ食ひ家へ戻って行くのは、何としても嬉しいことの一つであった。

何しろ斯んな畠が沢山あるので、一反二反と続いているところなどは、村の若い衆のランデヴーの場所に利用されるのである。そらまめは五尺六尺と言ふ茎を伸して、密生しているのだから、此處へもぐり込んでしまふともう外から見たのでは判らないのである。僕の時代の中学生は甚だ朴訥で、此の頃のそれも都会の中学に通っている少年たちを見ると、まったく隔世の感さへあるほどなのだから、此の種の事には比較的無関心であったが朝早く例のやうに畠のなかを通りぬけて行くと、一坪ほどもそらまめの茎がすっかり倒れてしまって、蜜柑の皮などが散っている所に思はず行き当ったりしたものである。

僕のいた伯母の家には、四つぐらい歳上の従姉がいた。色の白い柄の大きな美くしい處女で、矢張り佐賀市の実科高女へ行っていたが、まあ裁縫とか生花とか、料理とか、お嫁入り仕度をしていたのである。この学校は普通の女学校とは違って、袴もはかず、髪も桃割れかなにかで綺麗な外出着で通ふのだが、朝の登校の時は、何時も此の従姉と一緒に、連れ立って行くのである。従姉は僕を非常に可愛がっていて呉れたし、勿論此方も満更ではない気持で、一面に菜の花が咲いている畑や、強い香のするそらまめ畠や、土手や川のぷちや、いろ／＼と語り合ひ乍ら、二里の道を佐賀へ通った。

春のことだし、毎朝のこの道行きは中学生の僕には相当愉快なものであった。堀には蘆が多いが、その辺でよしきりが好い声で鳴いていたりしたのを覚えている。綺麗な夢のような記憶で、春だと言ふとふと思い出したりするのである。

（東海道月報）　十三年四月

五月の各座を観る

（新橋演舞場の五郎一座）

この一座の芝居は健康だ。その点に第一に感心した。

この健康さは、唯単に各種目の素材や、作者の人生観なり作劇術や登場人物の性格等々が、健康であることから生れて来るものではない。自分の作りかつ演ずる芝居の中に含まれている正義感やモラルを自ら信じている事から生れたものだ。つまり信念から生れて来る健康さである。ロッパやエノケンやムーランルージュや、その他大概の喜劇一座には、詭弁や虚無やタイコモチ主義等は豊富だが、この様な信念は欠除している。

ただ幾分残念なことには、その信念を形作っている正義感やモラルは、ひどく旧い。旧いというのは必ずしも、時代が付いて古くなってしまったの意だけではなく、自分の持っている正義感やモラルの内容を、時に応じ折に触れて、新しい角度と新しい光の中で検討することによって深めて行くという態度が欠けていることである。

演目がこれだけ豊富で、演者にこれだけの腕達者が揃っていて、安心してみておれながら、全体としての単調さと低俗さをまぬがれないのは、多分そのせいだろう。

五つの演目の中では、「遅咲きの花」が一番見ごたえがする。入学試験地獄の問題を取上げ、それをめぐっての社会各層の人々の姿を愛情深く如実に描写してある立派な社会劇である。五郎と大磯の夫婦が見事な出来だ。この様な種類の庶民階級の夫婦を演じては、この両人の右に出るものは今の劇界にいない。特に大磯の迫真力には敬服した。名優である。他に泉虎の職工平井が一寸しか出ないが、すぐれてよい。ただ、幕切れには感心しない。鶴蝶の千代子が急に歌い出すのには不自然すぎて却って芝居をこわしている。

この芝居だけでなくすべての幕切れに、五郎その他の主演者を中心にして皆が身体を変にねじ曲げるやうにして見栄を切って間を持つのは、あれで無ければ観客を承知しないという理由から来たものかも

知れぬが、愚劣である。

「春雨草紙」は場所を京都の花街に採った人情美談。京都にしては中々風変りなお客や芸妓が出て来るので少しめんくらった。

ただ愛落した若旦那の役の二三蝶が如何にもそれらしい腹を見せながら、しかもスナホに嫌気無く演じているので僅かに救われる。よい二枚目だ。仲居おまさの萬蝶も芸風がマナホで将来の大を想はせる。

全体にこの一座には実にすぐれたバイプレイヤアを多く集めてある。この點でも五郎は偉いと思ふ。

「喜劇の種」もよく組立てられた芝居だし五郎は悉皆京人といふ喜劇作者を医士の一人二役で早替りを見せたりしてよい気持さうに演っているが、それだけに少しヒネリ過ぎて稍々楽屋落ちの感が無くも無い。西洋種から取って来たらしい匂いがする。さういへば、第一の「速記録」も西洋笑話くさい。

全部を見終って私の感じたことは、これだけの脚本を書き同時に主演してきた五郎の努力の偉さ。しかしその偉さにもかかはらず、質的には行詰まっていること、そしてその行詰まりを打開する途は広く新らしい作者と演出家を求めること以外には無いということであった。

東京日々新聞（昭和13年5月5日）

歌舞伎・新劇

△今の芝居のお客の中で一番質の悪いのは、歌舞伎のお客と新劇のお客だ。質が悪いと言ふのは、生きた「脈」が無くなりかけてゐるからである。
△その證據に歌舞伎から出て来た客に「どうでした今夜の芝居は？」と訊いて見るがいい。大概、「へ？」とビックリするだらう。たった今見た芝居は忘れてゐるのが多い。「六代目の衣裳が見事だったわ」とか、「吉右衛門はやっぱりえゝよ」と言った風の感想を持ってゐるのは上の部だ。いづれにしても「演劇芸術」から感受しなければならない一番大切なものは取り逃してゐる。芝居そのものの詰らないせいもあらうが、それよりも観客自身が現代社会の中の「老衰個所」だからである。
△築地小劇場あたりから芝居を見終って出て来た客に「どうだった？」と訊くと、大概変にカゲのあ

る顔をニヤリとさせて何とも答へぬか、でなければ「さうさ、チヨットしたものだ」であり、「リアリズムはやっぱり良いねえ」であり、とにかく直接的肉体的な感想は一つも聴けない。せいぜい「瀧沢修は勉強家だよ」であり「山本安英も良いけど、もうあんな若い役は無理ですわねえ」などと言った所。此処でも演劇の喰へる一番大きなものが見捨てられてゐる。歌舞伎の観客とは別の意味で、生きた現代社会生活の中の「遊離層」だからである。

△現代の社会にそれぞれの堅実な責任を持ち、国民の一人としての生活の楽しみや苦しみの上にシッカリと足を踏んまへて自分の生身を泣かせてミシミシと生きてゐる人間なら、右のやうなウンだかツブしたか判らないやうな感想を持つて劇場を出ては来ない。感心すれば感激して「良かったねえ」と言ふし、感心しなければ入場料と時間がおしいと言って怒るだらう。芝居と言ふものは元来がそんなものだ。それでこそ演劇は「生きた」芸術だ。フットライトの内側だけの演劇の質が、たとえどんなに立派でも、「イキ」の悪い観客相手では芝居は死ぬ。

△歌舞伎の隆盛期に於ける観客は歌舞伎を受容するために必要な生活の雰囲気を持ってゐた。新劇でも、たとへば「プロ演劇盛んなりし時期のそれは、運動自体に色々の根本的な過誤は有っても、少くとも演劇の生命素である観客の生々とした生活感情の上に立ってゐた。ところが現在、歌舞伎は「習慣」として観賞され、新劇は「観念への自慰」として観賞される。歌舞伎が衰えたのは習慣がすたれただけの話だし、新劇が栄えてゐるのは自慰を必要とする人間が多くなっただけの話である。

△演劇が強く生きるためには、国民の中で最も強く生きてゐるものを中心的に相手にしなければならぬ。腐敗した有産有閑階級や、さまよへる知識階級等は演劇が拠って以て立つべき健全な基礎ではない。

改造〈昭和十三年八月号〉所載

私の夢想

八

今日はひとつ、他の事を一切顧慮せずに、一個の映画人としての自分の夢想そのままを書き並べて見

よう。なにかの参考になるかも知れないから。

夢想は夢想だ。にわかに実現することは出来ない。だが、これらの夢想は、当事者達が忍耐強く努力して行けば、必ずしも絶対に実現不可能なものではないと私は思ってゐる。

その一。

現在の映画の仕事を支配してゐるのは「商人」であるが、もし出来ることなら、そんな商人達を少くとも映画製作の中心的支配的な場所からは全部追ひ出してしまひたい。

全体、あらゆる仕事に於て、その仕事を向上させることの出来るものは、その仕事を真に愛してゐる者だけである。映画を向上させ得るものは、映画を愛してゐる者だけだ。そして現在の映画製作「商人達」は映画を愛してはゐない。映画といふものが彼等の金儲けの道具になるから可愛いいだけだ。つまり彼等が真に愛してゐるのは金儲けの方なのだ。

勿論、映画を作るには金が要る要る金は何處からか持って来なければならない。そのためには儲けなければならない。その順序は、わかってゐる。現在のところ、それは致し方がない。なにごとも、今のところ、ここでなければやって行けない事は万々承知だ。ところが商人達にとっては、金儲けをするために映画を作る必要があるのである。順序は逆だ。金が儲かりさへすれば、映画でなくてもいいのである。映画事業よりも「ボロイ」仕事があれば、奴さん達はいつでもその方へ乗りかへるだろう。

それでゐて、「社会のために」などといふ事を一番うるさく言ふのは此の連中だ。「社会のためにもなり、私も儲けさせていただいて」と言ふのなんぞは、まだ正直な部類に属する。要するに、そんな理窟は大概嘘だ。嘘でないのは「なんでもえゝからウチで拵えた映画を見るために ギザギザを握った阿呆どもがウワーッとばかりに押寄せて来さへすればそれでえゝのや」である。社会は、彼等にとっては「衆愚」に過ぎない。

果して、「それでえゝ」しだろうか？

それでえゝと言ふ考えも有るだろうし、又、それでも仕方が無いと言ふ考へ方も有るだろう。しかし残念ながら僕は、それでえゝとも思へないし、又、それでも仕方が無いとも思へない者の一人である。

映画を真に愛する者をして映画製作の中心を支配

せしめよ。——僕の考へは、たったこれだけである。
だが果して、映画を愛してゐる者が居るか？、
居る。
どこに居るか？、
各撮影所に居る。又、国民大衆の中に居る。
だが問題は、それにもかかはらず、結局に於て、金の力が最後の支配权を握ることが多いといふ事実で在らう。それに対抗して少しづつでも映画の支配力を強めて行くためには、さしあたり、各撮影所内外の映画人が、映画に対する愛情を中心にして互ひに協力して行く事以外に無い。

え、

愛情は、告白される必要がある表現される必要がある。で無いとそれは内にこもって内訌し、鬱屈し、くすぶって、ヒステリイになったりニヒリズムになったりソフィストリイになり終る。

現に、どこの映画撮影所もヒステリイ患者やニヒリストやソフィストで充満してゐる。僕なども その一人らしい。それと言ふのが、下手に自分の愛情を告白したり表現したりすると、それが映画会社の「おえらがた」である商人達の利益と矛盾しやすいものだから忽ち睨まれてしまふ。マゴマゴしてゐると、首が落ちる。途端に飯の食ひあげだ。それが怖い。だから、つひ告白や表現はなるべく控へて黙ってゐると言ふ事になるのだ。「正直なことを言ふと損をする」と言った顔が、ズラリと並ぶと言ふ結果になるのだ。実は殆んどみんな気の弱い、良い人達ばかりである。御他聞に漏れず僕なども、良い人間の方はどうか解らぬが、気の弱い人間の一人である。

仕方が無いから大概我慢してゐる。今後も我慢するであらう。しかし時に依ると、自分のヒステリイやニヒリズムやソフィストリイが自分にも耐え切れなくなって、それを治療したいと言ふ慾望に駆られる事が有るのは人情の自然である。そして治療するには、フロイトじみるけれど、映画及び映画人に対する自分の真情を少しづつでも告白し表現するより他に手は無い。それを少しばかり此處でやって見てゐる次第だ。で——

その二。

「大スタア」と言ふものと、「ノーリツ監督」と

言ふものを、なるべくボイゴット出来たらと思ふ。少数の例外は有るが、大体に於て此の二つは映画界の毒虫である。この類の連中は概して良心などと言ふものはケチリンも持ってゐない。たとへば「大スタア」に取ての最大のそして終始一貫した関心事は自分一個のポスタア。ヴアリユーだけである。あらゆる作品の中で自分の役が「気の良い役」で「光る役」でさへあればよいのである。他人の役など如何ほど気が悪からうと、くすぶったものであらうと、自分が売れさへすればそれでよいのである。徹底してゐる。しかも彼等は絶大な権力を持ってゐるので、自分の思った事を他へも徹底させ得るのである。

「ノーリツ監督」と言ふのは「早くて安く作品をあげる」と言ふ商標だけで、撮影所内の商人達から調法がられて横行してゐる請負師である。これも徹底したものである。

二つとも、勿論、映画の商業主義から必然に生れたものであるから、その事だけを切離して批難したところで、なんにもならないし全体、これらは商業主義が存続する限り、無くなしてしまふわけには行かぬものかも知れぬ。しかし映画を愛する側から言へば、これほど有害な存在は無い。試みに想像せよ日本の映画界から、実力を伴はぬ「大スタア」と「ノーリツ監督」を根こそぎ追出してしまったら、映画はどんなに良いものになるであらう！。

3

愛情々々と叫びながら、僕は余りに多く憎悪を語り過ぎた。

さて、愛情に就て吐露しよう。

一言に言って、右に述べた二つのもの――商人、大スタア、ノーリツ監督――以外のものは僕はみんな好きである。少し慾張り過ぎるかな。しかし正直さうである。

もっと端的に語らう。僕は一個のシナリオライタアだから、自分に一番直接な関係の有る監督達の事を第一に考へるわけであるが、芸術としての映画を大切にする監督となら誰とでも組んで仕事をする機会を持ちたい。最も大切にする監督達と最も協力したい。もっとも僕の方がいくら協力したいなどと言って見たところで、お互ひに「肌」が合はなければ

不可能な事だし、それに僕などのやうにシナリオ作家として未熟なものが、協力などと言ふのは身の程を知らなさ過ぎる言葉とも思ふが、言ふだけは言って見る。

伊丹万作。木村荘十二。瀧沢英輔。成瀬巳喜男。山本嘉次郎、山中貞雄。豊田四郎、阿部豊。並木鏡太郎。石田民三。山本薩夫。内田吐夢。熊谷久虎。溝口健二。衣笠貞之助。稲垣浩。伊藤大輔。小津安二郎、清水宏。――これ以上は今急に名を思ひ出せないから書けないけれど、卒然として思ひ出せるだけでも、既にこんなに沢山あるのだ。僕は嬉しくてたまらない。尚、世間的にはそれほど有名でなくても、各撮影所に黙々として研鑽してゐる監督や助監督の中に、一緒に仕事をさせて欲しい魂達がウンと居ることを僕は知ってゐる。監督修業のために日活のスタアの地位をなげうって一介の助監督になったと言ふ島耕二等もその一人である。島耕二がいよいよ一本の監督になった暁には、もし出来たら僕は彼に頼み入って彼の作る映画の脚本を書かして欲しい希望を抱いてゐる。

その他誰でも構はない。芸術としての映画を心から愛してゐる人なら、どんな人でも、若し僕のやうなものの未熟な力で良かったら、命令してほしい。使って貰ひたい。その人の魂を僕が信ずる事が出来たら、そして僕の事情が許しさへしたら、僕はその人の足もとにヘイツクばって脚本を書くであらう。

4、

さあ、僕は敢へて言ひにくい事を言ってしまった。

諸君も、それぞれ言って見るがよい。

映画人の全部が一人々々、自分のしたい事としたくない事を語り出し、誰それと組んでどんな作品を作りたいかを発表して見るがよいのだ。所長もプロデユーサアも監督もシナリオライタアもカメラマンも装置家もミキサアも、それから俳優も、全部がそれを語り出して見よう。それを妨げるものは何も無いし、且、その事から引起きる損失は何一つ無い。しかも、此の事から生れて来る利益は莫大なものである。第一に、映画人相互が良き仕事のために協力する機縁を作ることが出来る。第二に、日本映画界全体の動向を明るいものにする要因を作ることが出

来る。第三に、全日本の映画人が映画芸術で以て観客大衆＝国民に奉仕するための明瞭な立場を樹立する出発点を作ることが出来るのである。

日本の映画界には、今や、ルネッサンスを興す必要がある。僕の言ふ事の子供らしさを笑はば笑へ。ルネサンスと言ふものは、いつでも子供らしい考へから出発するのだ。

（以上）

昭和13年8月「日本映画」所載

「シナリオ文学論」読後

1、

この著者が新聞雑誌に書く映画論・映画評・シナリオ論その他は、いつも愛読してゐるので、此の本に集められてゐるものの半分位は私は既に読んでゐましたが、それらをもう一度通読して見ると、北川冬彦がどんなに強く映画を愛してゐるかが今更のやうに解ります。

それは片手間仕事でない。第二義的な意慾から出発したものではない。全的に打込んでゐるのです。

生活者、北川冬彦が自分の生活を考へ感じるとと同じ重大さで以て彼は映画のことを考へ感じてゐる。

詩人・北川冬彦が自分の詩のことを思ふのと同じ昂揚で以て彼は映画のことを思ってゐる。

その点に一番強く打たれるのです。そして、それが彼の仕事を立派なものになしてゐる。

2、

映画芸術と言ふものに純粋に打ち込めば打ち込むほど、映画に関する諸種の考察を、現在の映画企業家や撮影所人や、タイコモチ批評家や大学一年生的映画論評者などに委せては置けません。

どこの世界に放り出されても一流の人間が、これを夢中になって考へる必要があります。北川冬彦の、これまでの仕事は、そんなものの一つであったし、これからもさうだらうと思はれます。それであってこそ、彼は映画を通して「人間」に寄与することが出来るのです。

映画と言ふものの企業面とそれから技術面に対す

る彼の知識や認識は、彼の書いたものから推察すると、まだ低く不確かなもののやうな気がします。殆んど〝素人〟的だと言へるでせう。そして、それで差しつかえ無いのです。さうで無くてはならぬとさえ僕は思ひます。たとへば朝日新聞のQの文章などにさう言った風の〝黒っぽい〟事が散見してゐますが、それが大概クスグッタクて浮いて見えるのです。

北川冬彦は、いつも彼に全人間を映画に向って叩きつけてゐるし、そして、叩きつけてゐるのが一番良いのです。そして誰に限らず全身で以て映画にぶつかって行けば、そこから生れて来る問題は常に映画の本質に関係のあることなどです。

そして映画の本質の中で一番大きな問題はシナリオの事にならざるを得ません。北川冬彦の裡からシナリオ文学論が生れて来るのは必然なのです。

3

シナリオといふものが、文学として独立した存在理由を要求し得るかどうかの問題は、なんだか自明の事のような気がして僕にはあまり興味が持てません。映画とシナリオとの関係は、演劇と戯曲との関係と大体に於て似たやうなものであるから、そして戯曲と言ふものは文学としての存在を確立してゐるのであるからシナリオも同様に文学であり得るのは当然である、と言った位の極く素朴な大ザッパな考へを持ってゐるだけです。それ以上の詳しい事は僕にはよく解りません。

だが、今僕等は映画を愛してゐるのですが、その愛する方法として、一番正しく且有効なのはシナリオを通してであります。そしてシナリオと言ふものが映画に於て第一に問題になり最高の手段になって来れば、それは撮影台本としての唯単に技術的職人的な考察の対照として止まっては居れなくなる。第一義的な関心を要求して来るのは当然です。

文学としてのシナリオは、そこから出発すべきです。シナリオも文字で書いたものだから読み物にもなるんだとか、又は戯曲に於けるレーゼ・ドラマの存在と同様の考へ方からシナリオ文学が叫ばれるのであったら、それはナンセンスに過ぎません。

この点でも北川冬彦は正しく問題を掴んでゐると思ひます。彼はあくまで映画に〝即して〟ゐるので

す。

そして僕の考へでは、常に映画に「即して」ゐるので無ければ、真の「シナリオの独立」は確立されないと思ひます。

この本の中には彼が、書かれたシナリオと、それに據って（又は據らずに）出来上った映画作品とを細かに対照しながら論じてある文章がいくつか載ってゐますが、この種の忍耐強い努力は北川の此の點に関する正しさの證據であると同時に、それ自身としても貴重な論策であります。

4

この本を読み終って、現在までの所北川冬彦の殆んど唯一つの弱点では無いかと僕が感じた事は、映画の事を考へる彼の感受性や創意性が、稍ゝ大衆のそれから浮きあがってゐるのでは無いかと思はれた点です。

彼は「選まれた」魂です。それに間違ひはありません。そして、それはよいのです。次に彼は芸術的インテリゲンツイアから「選まれた」人間です。それも、それでよいのです。

問題は、その芸術的インテリゲンツイアと言ふのが、現代の大衆の「肉体的」「今日的」＝現実的生活の中心的な流れから傍へそれたり、浮きあがったりしてゐる事実。その事実から、又、その事実の中で、僕等は皆それぞれの質量で以て影響を受けてゐるのですが、北川冬彦もその一人であり、且、相当強く受けてゐる者の一人であるやうな気がします。

それは、よくないのです。自分の事をも含めて僕は良くないと思います。芸術家又は批評家が「選まれたる者の如く」ものを言ってゐるのは、良くないのです。特に今日以後に於て良くないのです。

勿論、だからと言って北川冬彦から、その鋭い感受性と、芸術的な燃焼性の武器を取り上げてはならないと思ふ。それらの武器を持ちながら、彼は一日も早く大衆に伍さなければならないのです。大衆の一人として生きてゐる場所から、映画を見、感じ、言はなければならんのです。さうすれば、彼の感じ方や、言ひ方は、必らずいくらか変って来ると思ひます。真の展開が起って来ると思ひます。僕はそれを待ちます。

僕がこんな希望を述べるのは、北川冬彦をして映画界の一部を唯単に観念的にでは無く実際上「指導」して貰ひたいからに他なりません。（以上）

（筆者は劇作家、早大英文科出）

雑誌「作品」昭和十三年九月号　所載

演劇慰問列車

△私の親友の一人で、今満州国の奥に行つてゐる兵士から来た最近の手紙の中に、満鉄の慰問列車を見に行つた際の事が書いてあつた。それによると、列車の一部は演芸のための舞台になつてゐて、其處で娘達の踊りや漫戯や手品などが演じられ、それを取巻いて附近の将士も住民も見ると言ふ。勿論野天だ。演じられるものも芝居と言へる程手の込んだものでは無いらしい。友人の記述は簡単なものであるが、それでも此の観衆達の有頂天な悦びはマザマザとわかつたのである。そして私も、何か身内の引きしまつて来るやうな悦びを感じた。

△私の悦びは演芸又は演劇のためでは無かつた。懸命に闘つて呉れてゐる人達が、僅かばかりでも慰安を得てくれた事を知つた悦びであつた。演劇的なものが、貴重なる友人達に楽しみを与へ得たのだ。私は、そして、もし出来ることなら、敢て慰問列車の演芸に対してとは言はぬが、それと同じ性質の演劇に向つて、演劇人の一人として少しばかりでも参加したい希望を抱いた。次に、しかし、現状のやうな演劇及び演劇人（勿論私をも含めて）には、そんな希望を抱くだけの資格も無いのではないかと言ふ反省に撃たれたのである。

△すべての演劇が、慰問列車演芸にならなくてはいけない等と言ふ気は更に無い。まして、すべての演劇が観客に目前の卑近な楽しみさへ与へればそれ以外はどうでもよいとか、又は演劇は際物であるべきだなどと言ふ気は皆無である。慰問列車的演芸が必要であると同時に、もつと気永に準備され気永に受容されるスタンダード演劇が、いつの時期にも必要だ。しかし、いづれにしても演劇と大衆の関係をミニマムにまで追求して行けば、慰問列車演芸の持つてゐる本質に突き当る事を私は言ひたいのである。それを忘れたらいけないと思ふ。忘れたら演劇は亡びる。且、亡ぼさなければならない。それさへ忘れ

ず、いつなんどきでも其處まで舞ひ戻って其處から再び出発し直すだけの用意さへ有れば、その演劇は絶対に亡びないし、又、亡ぼしてはならないと思ふ。

△多かれ少かれ、いつでも国民全部は戦ってゐる。慰問列車は、彼處でも此處でも常に必要である。だが国民全体が特に激しく戦ってゐる現在、慰問列車の必要も特に激しいと思ふ。而して、国民の中でも一番激しく戦ひ一番大きい労苦を背負ってゐる国民中の最も大きな部分に対して最もその必要が大きいのは当然である。その部分とは、言ふまでも無く、額に汗して働いてゐる人々の事である。演劇及び演劇人は、もっと謙虚に、それらの人々に仕へることを考へなければならぬ。国民演劇の創成と言ったやうな事も此点を基礎とするに非んば意味は無くなるであらう。

△演劇は勿論非常の具ではない。又、要急の具でも無いかも知れない。然し、右に述べたやうな意味でなら、必ずしも全部が全部不急の具であるとは言へないと思ふ。

改造（昭和十三年九月号）所載

新劇の幽霊

―勤労者を相手にせよ―

△……先づ「進歩的」観客が居る。新劇は「進歩的」演劇なのだから、これは当然だらう。だが仮りにも「進歩」だから「足」を持ってゐないと、おかしい。少くとも怪しい。

次に「良心的」観客と言ふやつだ。これも当然である。しかし、肉体から離れた「心」がウロウロすれば、それはヒトダマだ。怪しいばかりで無くおっかない。

△……これら怪しくもおっかない連中が、初めから何もかも呑み込んだやうな、生気の無い、批判的な無感動な、うらめしさうな顔をして芝居を見てゐる有様などと言ふものは六ドロオドロしき絶景である。

幽霊達が墓の近くを出没したり、森の中で集合したりするだけならば、それは点景として適はしいのであらうが、劇場は生きたるものの中の最も生きたる場所なんだから、事だ。

△……それに、幽霊達からギザギザ二枚を巻き上げるには、幽霊達に気に入られる必要が起きる。芝

身だ。気に入られようとしてゐる間に芝居の内容まで幽霊的になろう。事実、なりかけてゐる。しかし新劇をスッカリ幽霊的にしてしまうのは、まだ少し惜い。

一日一刻も早く、足を持ち生きた心臓を持った人間達に見て貰へるような手段を採ったら如何であらうか。強く責任を以て生き、自分の額から汗を流して働き、心が命ずる事を肉体が実行し得るだけの単純さを持った人々＝現在の国民の中心部を形造つてゐる堅実な勤労者達にである。少くとも、その人達を中心的な観客にしなければなるまい。さうすれば、今の新劇の内容もその人達の批判を反映して変つて来る。勿論良く変る（夫子自身も若干「幽霊的」につき、敢へてこれを言ふ）

昭和23年9月5日　都新聞（鵜の目鷹の目）所載

歌舞伎保存と伝承

▽相当教養のある西洋人に法隆寺を見せれば大概「ワンダフル！」と言ふだらう。建築や絵画や彫刻の美に感心するのである。又歌舞伎を見せると、これも大概「ワンダフル！」だ。その様式の美と珍らしさに感心するのである。

二つながらスペクタクルとして感心するのであつて、その内容を理解した上で感心するのでは無い。勿論法隆寺も歌舞伎も、今在るがままで美の対照ではある。だから、日本の事をよく知らぬ外国人が、その美に打たれ驚嘆するのは当然望ましい事である。だがその前に、そして百層倍も重大な點は、法隆寺と言ふものが、日本上代の宗教乃至文化の結実の一つであり、歌舞伎が「演劇」の一つであると言ふ事だ。この事を見すごしてゐるのが外国人だけならば仕方があるまい。問題は法隆寺や歌舞伎を、見た眼だけの美の対照としてのみ見る見方が日本人の間にまで浸潤してゐる点だ。

▽法隆寺を語るのは、しばらく措く。歌舞伎は唯単なるスペクタクルや様式美である前に、演劇なのだ。演劇でなければならない。そして演劇と言ふものは、徹頭徹尾「今日的」なものである。今日の劇場で今日の人間を相手にしなければ絶対に成立しない芸術である。戯曲は明日の読者にも理解されるかも知れない。しかし演劇は今日の観客に理解されな

ければ永遠に理解されない種類の芸術である。そして、理解されない物は次第に亡びる運命を持つ。

その没落が叫ばれてから久しいのにも係らず今尚歌舞伎が餘喘を保ってゐるのは、それが僅少ながら、今日の観客を持ってゐる事で以て辛うじて演劇であり得てゐるためである。同時にそれにもかかはらず歌舞伎が今のままの形では早晩亡びる運命に曝されてゐるのは今日歌舞伎を受容し理解し得るところの一握りの観客が早晩なくなる事で以て歌舞伎が最早演劇では無くなってしまふためである。

世の論者が往々にして挙げるやうな、経営の不合理や、演技者の欠乏や、技術の貧困等々は結果であって、原因では無い。末の末の事である。

▽亡びるだろうの、亡びないだらうのと論議する事は既に徒労だ。むしろ、それよりも歌舞伎の裡に脈打ってゐる伝統の美を貴重な文化財として如何に正確適切に保存するかが積極的に考究されなければならない時期に来てゐる。

言ふまでも無く、それと同時に一方に於て、歌舞伎の持ってゐる優れた「劇術」が、新らしい材料の中に伝承され、新らしい舞台の上で新らしい光の中で発展させられて行く事は、きはめて望ましい。且、それは可能な事だと思ふ。

▽但し、そのためには、三つばかりの大きな要件がある。第一に、それは現代的センスの中に於てでなければならない。第二に、それは徒らに瑣末的な貧りアリズムの複雑さとは無縁なものでなければならない。第三に、それは材料や主題の點でも観客対照の点でも国民大衆の中にシッカリと根をおろしたものでなければならない。理由は自明である。歌舞伎の最盛期の事を引證する必要は無からう。歌舞伎が久しく我が国民的演劇の主流として栄えてゐた事の理由が右の三要件の中に要約されてゐるからである。

改造（昭和十三年十月号）所載

映画俳優雑論

―其の一―

最近見た映画の中で特に記憶に残ってゐる二人の俳優がある。「牧場物語」の中で牧場の獣医に扮した鶴丸睦彦と、「路傍の石」の片山明彦である。

「牧場物語」と言ふ作品は、映画批評家諸君が言

ふほど誇らない作品では無く、「路傍の石」は、これ又映画批評家諸君が言ふほど優れた作品では無いと僕は思ってゐるのであるが、此處で作品批評をしてゐる余地は無いから其の理由は機会が有れば他で述べるとして右の二人の俳優は、最近の映画界の大収穫であった。

その理由は、唯単に此の二人がそれぞれ非常に巧みな演技者であると言ふだけでは無い〳〵。巧みなことも巧みではあるが、そんな事よりも、これまでの大概の映画俳優達とはかなり異った演技システム――と言ふよりも演技の據りどころを示してゐるからである。どんな據りどころかと言ふと、それは、面倒な言ひ方をすれば色々に言へるであらうが、一言に言へば「その役になり切る」といふ據りどころである。しかも、據りどころは唯それ一つであって、その他の末梢的な技巧その他を右顧左眄してゐない。その唯一つの據りどころの上に単純謙虚に腰を据ゑて、安心しきってゐる。殆んど「演技」を見せられてゐると言ふ気がしないで、そんなものより前に此の獣医と此の吾一少年はそれ〴〵の生き方で以て生きてゐると言ふ気がするのである。つまり映画のカットの外でも生存しつづけてゐる獣医と吾一少年を映画を拵へるのに必要な部分だけを切り取って来たと言ふ感じがする。勿論これは「感じ」である。感じと言ふものは、それを受取った右の様な感じに片寄りが有るかも知れないのだが、しかし他の大部分の映画俳優達に較べれば、この二人には特に著しい「即物性」――僕は演技のこの様なリアリティを特に即物性と言ふことにしてゐる――が豊富なことは大体言へるのでは無いかと思ふ。「牧場物語」に於ける他の俳優、たとへば瀧沢修の富豪の役の演技と鶴丸のそれを較べて見る。なるほど瀧沢も良く演じてゐる。扮装は勿論のこと、チヨットした動作や表情の端々から言葉つきの細い点に至るまで如何にも「それらしく」計量され割出されてゐる。瀧沢の与へられてゐる俳優的諸條件で以て此の関口と言ふ人間の表現を處理するには、多分これ以外の、又以上の答へは出ないかも知れない。百パーセント「それらしい」。そして、あくまで「それらしい」所にとどまる。関口といふ辣腕の富豪その人が出て来たやうには感じられないのである。ところが鶴丸の獣医はパッと出て来た瞬間に「それらしく」は少しも無

い。「それ自身」である。「路傍の石」に於ける小杉勇の小学校の先生と片山の吾一少年を較べても、ほゞ同様のことが言へる。小学校の先生を見てゐると「あゝ小杉勇が上手に演ってゐる」と感嘆する。しかし吾一少年が出て来ると、片山が巧くやるなあなぞとは思はず、いきなり「あゝ吾一が出て来た」と思ふのだ。これは、或ひは、シナリオ及び演出に於て、関口よりも獣医の方が、小学校の先生よりも吾一の方が、良り良い役として位置附けられ、且、より良く描写されてゐるからであらうか?、

それもあるかも知れない。だがそれだけでは無さそうだ。それにつけて僕は熊谷久虎監督作品「蒼氓」の中の一人の俳優を思ひ出すあの中の移民館で病気になって死亡する子供が居るが、その子の父親を演った俳優のことである。子供を助けたい一心から、それまで虎の子のやうに大切にしまって置いた金を医師の前に出して「これで助けて下さい」と頼む男である。僕はあれを見て驚嘆した。極端に言ふと、「蒼氓」と言ふ作品を僕が秀作だと思ったのは、あの男一人のためである。少くともあの男に現はれてゐる現実性を中心にして感心したゝめである。あの人は、僕には「俳優」のやうな気がしなかった。実際あんな人間を連れて来て撮影してしまったと言ふ感じであった。これも亦感じであって、ホントはあれも俳優であることは知ってゐる。同時に、あれをあんな風に配役し、あんな風に演出したのは一応は監督熊谷の手腕である事も知っている。しかしあの俳優のあんな素晴らしい「生々しい現実感」と言ふものは、監督の手腕から、はみ出してしまってゐるのである。そしてこれは名優だ。世間で普通に言はれてゐる名優よりも更にすぐれた、更に貴重なる名優だと思ふ。同じような事が鶴丸と片山に就ても言へる。演技の即物性である。映画の演技に於てはこれが非常に大切な事である。演劇の演技に於けるよりも、数倍大切だ。なぜなら、映画そのものが演劇などよりもはるかに即物性は手段に依る芸術であるからである。

え

この文章は、主として僕の好きな映画俳優達をす評し、そして主として彼等を褒めようと思って書き

出したものであるが、それには予め僕が元来映画の演技と言ふものをどんな風に考へてゐるかに少し触れて置く方が便利だらうと思ったら、変に理屈っぽくなってしまった。

日本の映画俳優を論ずるのに小杉勇を逸すれば物足らぬ位に重要な俳優に彼はなった。疑ひも無く小杉はすぐれた俳優である。彼の努力の成果に対して敬意を払ひ、おめでたうを言ひたい。しかし、もつと眼を広く放って、小杉勇の優秀さをこれ程に目立たせるところの日本映画界全体の演技水準の低さはあまりおめでたく無い。およそ小杉ほど映画俳優たるの好条件を極く少しゝか与へられてゐない人は居ないと言ってよう。あのマスクに、あの訛だ。身体も必らずしも美しいとは言へまい。だのにあれだけの演技力を持ってゐる。そして一方に於て、鮮明なマスクと正確な言葉つきと美しき肉体等の好条件に恵まれながら、演技の工の字とも縁の無い人達が何と多いことか。

その小杉の強烈な演技力にしても、よく見ると、極めて狭い領域のものであることに我々は気が付く。演技のヴァラエティは非常に限られてゐるのである。彼は自分のパーソナリティの強さと同時に狭さを知ってゐる。そして、それを生かさうと努めて来たらしく見受けられる。そこまでは彼の怜悧さであり、従って成功である。ところがその次に、彼は次第にその自分のパーソナリティに過度に依拠しはじめ、それで以て自分を縛り上げ、自分の演技の領域と役の範囲をせばめ、しかもそれに固執してゐる傾きは無いであらうか？もしさうだとすれば、それは俳優としての可能性＝発展性を自ら叩き切る事であり、将来へ向ってあまり怜悧な方法では無いと思はれる。

高く評価されてよい俳優であるに関らず、個性のヂミさと配役上の不遇のために比較的目立たずに居る俳優が随分居る。その中から今卒然と思ひ出すだけでも、河村黎吉、山本礼三郎、横山運平、菅井一郎等を拾ひ上げることが出来る。そして僕は或る場合には、小杉などよりもこれらの人々を高く評価したいとさへ思ふことがある。それは技術的な点でもさうであるが、それよりもむしろ俳優としての腹の据え方を買ひたいのである。たとへば、小杉には、ギラギラと目立つ役ならば打込んで演るが、さうで無い役はアッサリ投げる（一例「人生劇場残侠篇」

中の瓢吉」と言った、式の「スタア意識」が若干附きまとってゐるが、これらの人々はそれが無い。へ――勿論、どんな心がけの良い俳優でも、立派な脚本と立派な監督の下で気に入った役を演る場合には張り切り、さうで無い場合は気乗りがしないのは当然の話であって、それは今僕の言ってゐる「スタア意識」とは区別して考へられなければならない。僕の言ふのは、あらゆる俳優がどうしても気乗りのしない役ならば、初めからそれを断らなければならない。それを断るだけの勇気も無いくせに一旦引き受けた役が不満であると言ふ理由からそれを演ずるに当って投げてかかると言ふ態度こそ「スタア意識」の消極的な現はれであると言ふのである」。そして僕の考へでは、日本映画を向上させるためには、映画の中から、あらゆる「スタア意識」を追ひ出してしまう必要がある。

河村黎吉の最近の名演技で僕の目に触れたものとしては「風の中の子供」の中の父親がある。吉川満子の母親も好演技であったが、河村の方がズッと立派だ。くすんではゐるが、しかし、まるで地面に生えた樹木のようなリアリティだ。彼の此のリアリティが無くては、吉川や少年俳優の好演技がいくら有っても、あの作品はあれ程深い感銘を与へることは出来なかったであらう。ところが吉川や少年俳優達を褒める人は有っても河村を褒める人は無いのだ。少くともそんな批評は僕の目には触れなかった。日本の専門映画批評家達の愚劣さは今に始まった事ではないので、今更言って見ても仕方がないが、とにかく河村が無視されるのは不当である。山本礼三郎は、河村ほど不当に扱はれて居ないらしいが、でもその実価に相応した扱ひを受けてゐるとは思はれない。たとへば「人生劇場残侠篇」中の彼の良さは圧倒的である。片岡千恵蔵の飛車角も彼としては近来の好演技ではあるが、相手役としての山本の堂々たる演技の背景なくしてはあれ程までの自然な現実感を出し得たかどうか疑わしいとさへ言へる位に、山本は立派だ。しかも人はその様な事を多く見ない。横山運平に至っては更に不当な扱ひを受けてゐる。僕は彼の古いファンで、随分永い間彼の姿を映画の中に見続けて来た者であるが、彼程永いこと映画で働きながら、大概の古い映画俳優達が陥り易い演技の古さや不自然を絶えず清算しつつ新らしい自然な

演技を身に附けるやうに精進してゐる人は他に居ない。そして現在、時代劇の中で中年から老年へかけてのイッコクな気性の役を演じて彼の右に出づるものは多分居ないのではないかと思ふ。それでゐて、ハッキリと「あの作品のあの役」と言つた風に一般の記憶に残るような役を与へられる事が余りないししかも彼がそんな目立たぬ役をも忠実に熱意をこめて演じ且その成果が見事であつた場合にも世間は無視しがちだ。菅井一郎に就ても同断。此の人はあまり目立ちこそしないが新興キネマ現代劇作品の中の或る種類の役を一人で背負つてゐるような俳優であり、しかもその背負い方は派手では無いが極めて着実正確な成果を挙げてゐる。しかも菅井の演技に論及してゐる一人の批評家有るを僕は知らぬ。その他にも高い演技力を持ちながら酬ばれる事の余りに少ない俳優は随分居る。

　しかし憤慨ばかりするのは控へて、少し退いて考へて見よう。これらの人々が無視されるのは無視する方が間違つてゐることは確かであるが、その無視される理由の中に当人達の責任は全く無いだらうか？　僕は、有ると思ふ。少しばかりだけど、有る。

それは一言に言ふとバイプレイヤア意識だ。なるほど事実として彼等いつもバイプレイヤアとして扱はれてゐるだから、そんな意識が生れるのは当然だし且、もともとそんな意識は「映画の仕事は沢山の人の組んでやる仕事だから、他人の芝居を食つたり自分だけを売り出さうとしてはいけない」と言つた謙虚な協同精神から生れて来たものなんだから、そんな意味でなら立派なものである。ところが、その様な意識が習慣となつて久しきにわたると、ややともすれば、それは彼の持つてゐる演技から「光り」と「豊饒」とを奪うことになり易い。ところがあらゆる芸術に、特に自分の肉体が表現上の主体でもあれば客体でもあるところの俳優には「光り」と「豊饒」が必要なのだ。むしろ、それこそ演技の核心になるべきものとさえ僕は思ふ。それを少しでも奪ふものは極力排除しなければならない。言い方は逆説めくが、バイプレイヤア意識はあらゆるバイプレイヤア達の芸術の敵なのである。

　「スタア意識」を極力否定する僕が同時にバイプレイヤア意識を否定するのは一見矛盾するやうだが実は全く矛盾しない。なぜかと言ふと、スタア意識

を裏返しにしたものがバイプレイヤア意識だからだ。本質には同じものである。スタアになって俳優にソツクリ返る精神と、バイプレイヤアになって自分の部署に対して唯職業的にだけ従順になる精神とは、根本は一つである。

勿論、僕は世のあらゆるバイプレイヤア達に、今日よりバイプレイヤアたる者を止めてしまへと忠告してゐるわけでは無い。バイプレイヤアは絶対に必要である。一人二人のスタアよりも重要な存在だ。ただ僕は「自分はバイプレイヤアだから、会社や監督の要求する役や演技ならまあ仕方がないから何でも忠実にやらう」と言った風の無反省に受身な職人的な無気力な態度を排撃してゐるだけである。勿論、俳優の中にはバイプレイをして初めてその真価を発揮する人もあるのだから、そしてそんな人に取っては与へられたバイプレイヤアの部署こそ自分を生かす最適の場所なのだから、役の大小軽重にかかわりなく第一義的に打込んで演れる筈だし演るべきであって、これは右に述べたバイプレイヤア意識とはハッキリ区別されて考へられる必要がある。

3

丸山定夫の取扱はれ方に対する僕の不満は右に述べた人々の取扱はれ方に対する不満よりも遙かに大きい。最近の丸山は映画の中でその価値にふさわしいだけの取扱ひを受けたことは殆んど無い。

僕は小杉勇と丸山定夫とを併せ考へる度毎に、妙な言ひ方ではあるが、小杉が幸福なる映画俳優の見本であり、丸山が不幸なる映画俳優の見本のやうな気がする者がある。小杉が自分の持ってゐる内容や技術を百パーセント駆使出来るようなチャンスに恵まれる事の多いのに反して、丸山は唯単にそんなチャンスを極く稀れにしか与へられてゐないばかりで無く、往々にしてその内容と技術は映画の中で歪められてしまってゐる。そしてそれは、彼の参加する映画作品の企画者や監督の考への至らなさ以外に、全く理由の無い事である。

丸山は、しかし、その様に少いチャンスの中でその様に歪められながらも、不安全な形ででではあるが一流の映画俳優である実質を示してゐる。一本の映画の中で彼が出て来た事に依って不意にその部分だ

けが美しくなり、彼を中心として画面が生々として来ると言ふ事がこれまで随分有った。彼が比較的成功したと思はれる作品、たとへば「ふるさと」「あにいもうと」「地熱」等の中で彼の役の出て来る部分を思い出して見ればよい。これは単に丸山の技術がすぐれ且柔軟性に富んでゐると言ふためだけでは無く、彼の人間の裡に既に本能にまで蓄積された「俳優材」が豊富なためであらう。

しかしそれにしても、彼の演技を見つめてゐるとそれが映画的演技として間然する所の無い場合にでも、われわれは、やゝともすれば、舞台的演技を思ひ出してゐる時がある。それは或いは彼が舞台出身であると言ふ事を前以て知ってゐるためであらうがしかしそれだけのためとも言へないやうな気がする。その原因は色々有るが一言にして言へば、一カット一シーンの中に於ける演技の質量の密度が濃すぎると言ふ事だ。演劇に於ては、それを見る観客全体の感受性には、かなり大きな「盲点」が有る。しかも舞台の演技はその盲点を越えて全観客に「渡す」ことが要求されている。従って演技の中には初めからその盲点までが計算の中に入れて表現される。即ち表現はいつも大きく、且説明的にならざるを得ぬ。舞台俳優は、これを殆んど無意識の裡に実行してゐるのである。ところが映画になると厳密な意味での「観客」はカメラの眼だけである。映画館に押しかけて来る実際の観客はカメラが見たものを、すきうつしをして見させられるだけである。そしてカメラには盲点は無い。少くとも演劇に於ける多数の観客全体から生れるような広い範囲の盲点は無い。そんなカメラの前で、広い盲点を計算に入れるように習慣づけられた演劇的演技が行はれると、それは悪く行った場合には説明的演技や演技過度になって映画的演技としてはリアリティを失ふことになるだらうし、それ程ではない場合でも、ややともすると一カット一シーンに於ける演技の密度を濃くなしすぎて、他の演技者達の演技又はその作品の他の部分とのバランスを失はせ、且、映画の流れを其處でせき止めて停滞させる事になり易い。

この種の弱点は丸山だけのものでは無くて、殆んどすべての舞台出の俳優に共通してゐる。前進座の俳優に就ても言へるし、新協劇団の俳優に就ても言へる。前進座の場合にそれがあまり目立たずに済ん

であるのは、大概全員総出演に依るユニット作品のみを作ってゐるから、部分々々にアンバランスが生れないからであって、必らずしも彼等個々の舞台的演技が映画的演技にまで調整し盡されてゐるがためでは無いのである。

河原崎長十郎と中村翫右衛門の二人は、文字通り前進座の代表的俳優であり、又何處に突出してもすぐれた俳優であり、演劇的演技を映画的演技に調整する点でも最も進んだ人達であるが、その二人さえも未だ調整に完全に成功してゐるとは言へないように思ふ。具体的な実例を挙げてそれを説明してゐる余裕は無いが、たとへば、私はこの原稿を書くために「人情紙風船」をもう一度見て来たのであるが、あの中の河原崎の浪人、中村の新三は両方とも大体に於て映画的演技への高度な習熟で以て統一されてゐながら、僅かではあるが或部分々々に、演劇的観客を予期（勿論無意識的にだらう）することからで無ければ生れて来ないような目の配り方、足の踏み出し方、身のこなし等を見出したやうな気がした。―（これらの点に就ての私の意見は、機会が有れば他で詳しく述べるつもりです）―勿論これは既に本能的に身に附いたものなので一朝一夕に處理することは不可能であるし、且、處理する事が果して良いか悪いかに関しては論議の余地が有ると思ふが、少くともカメラと言ふものの写実性の前で、同時に映画的演技のアンサンブルの中で一部分にだけそれが現はれて来る事は、映画作品にとってはマイナスであらう。

ところで、こんな書き方をしてゐたのでは、どこまで長くなるか見当が附かない。最初論及したいと予定してゐた俳優達の総数の廿分の一にも足らぬ七八人を語っただけで既に紙数は超過してしまった。他は次の機会にゆづらざるを得ない。女優に全く触れなかったのは、女優さんの事をあれこれ言ふのは僕の苦手なせいもあるけれど、それよりもその内に女優だけの事をひとまとめにして概観して見たいと予定してゐたためである（以上）

日本映画（昭和十三年十一月号）所載

独語風自傳（一）

「御兄弟が多くて結構ですね」

さう言はれる事が三度や四度では無い。

十郎と言ふので、十人以上の兄弟が有って、その十番目の子だと思はれるのであらう。実際は兄が一人居たきりで、つまり二番目である。その兄が五郎と言ふ名でもあれば、配合上まだいくらか據りどころが有るらしく思へるが、兄は勝治と言った。

十郎と命名したのは、町の裏の禅寺の住職である。どう言ふ了見だかわからない。多分デタラメだらう。

自分の覚えてゐる頃のその坊主は、もうスッカリ老衰してしまって、梅ぼしのやうに痩せて小さくなり、本堂の傍の書院に終日一人で坐ってゐた。殆んど人と口をきかなかった。大黒さんとの間に男の子が二人居て、二人とも父親よりも大きい身體をしてゐる。特に長男は父親の約二倍近い大兵で当時中学に通ってゐたが、書物などまるで読まない。「おれは満州に行って馬賊になるんだ」と言って、柔道の稽古ばかりしてゐた。学校から帰って来ると、綺麗に掃除の行きとどいた本堂に弟や近隣の子供達を集めて、ドタンバタンと柔道をはじめる。跳ね腰とか大外刈りとか巴投げとか言った種類の手で彼から投げ飛ばされた彼の弟が、拝壇の前の木魚に頭をぶち当てゝ、コポッと言った風の音をたてたりする。それでも父親の住職は、別に小言を言ふのでも無いのである。諦め切った無関心な顔をして、書院に坐ってゐた。たゞ、拝壇の上に並んだ佛像達が、柔道の震動のために少しづつ歩き出して、しまひに、その悲しげな顔を仰向けにして、壇から転げ落ちる事がある。それを防ぐために、時々大黒さんが庫裡の方から現はれては、歩き出した佛達の足を掴んで元の位置に戻してやりながら、いくらかその佛達に似通ってゐるところの白い柔和な顔に悲しげな微笑みを浮べて、未来の馬賊である息子達の運動を眺めてゐた。

長男は、そこに集って来る子供達にも柔道を教へるのである。特に、私に教へ込むのに熱心であった。思ふに、当時まだ七つか八つの痩せこけた身体をした私のどこかに、未来の馬賊の眼を以てすると、一脈の見所が在ったと見える。彼の身長の三分の一しか無い私の身体をムンズと掴み上げ、ストンと投げ飛ばし――勿論彼としては痛く無いやう手心を加へてゞあるが、しかし彼の手心如何に関せず、小さい身体をコロコロ転がされた末に柱の所で頭をゴツン

とぶつけたりしなければならぬ私としては並々ならぬ痛いので、ワッと泣き出すべき当然の順序を、けなげにも歯を喰ひしばつて我慢してゐると、

「これが竹内流の足搦ひである」

とわが教師は説明した。

言ふまでも無く、ここに書いたやうな言葉ででは なく、「こいが、竹内流の足ばりやたい」と言った式の、つまり九州佐賀縣佐賀市の土着の訛りで以てである。彼は中学を卒業するや否や寺を出奔して予定通り満州へ渡った。其處でどんな仕事に従事してゐたのか、果して馬賊になったかどうか明瞭な事はわからぬが、四五年後、彼に関する町の人々の色々の噂さが殆んど消えかかった頃、華美な色の支那服をゾロリと着込んで戻って来た。ところで、その時には、以前の快活な人柄は全く消え去り、その服装の華々しさとは正反対に、ムッツリと引きしまった暗い顔をして、何か沈鬱な人物になってゐた。私の想像の中にある馬賊を働いて来た男としてはどうしても私の眼には映らなかったのである。しかし、とにかく、少くともその美々しい支那服姿の点だけでは少年時代の夢を実現したるものと言ふべく、今から思ふとその四五年の間に世路の困難の風雨に曝されたゝめであるに違ひ無いところの陰気な彼の表情を、十一二才の私は一種異様な畏敬の念で以て見上げた。

既にその頃の私は、彼にとって不肖の弟子に成り終ってゐた。竹内流の何たるかも遂に解さなかった。同時に、馬賊の弟子たるの気骨をも、とうに失ってゐた。ばかりでなく、竹内流とも馬賊とも縁もゆかりも無いところの一介の孤児として世間に投げ出されてゐたのだった。――

それはさておき、此の「馬賊」の弟である次男も中学を出ると医学校に入学してしまった。人を救ふには宗教なりも医学の方が有効であると思ったらしい。いづれにしても梅ボシ住職の愛息等は二人ながらお経などは全く読まうとしないで父親の寺を捨て去ってしまった。誰一人、この禅坊主の宗教的遺鉢を継ごうとする者は居なくなった。随分悲しかったらうと思ふのである。彼は無口になり、益々痩せ衰へた。その梅ボシ的風貌はいつの間には田のクロで乾からびてしまった田螺的風貌に変って行ったのである。私は子供心にも、自分の名付親がそんなにまで

しぼんで行くのが悲しかった。彼は極く稀れに、雞だらけの顔から飛出るかと思へるほどに眼を大きく怒らせ、歯の一本も無い口を咽喉まで覗けるやうに開いて、

「喝《かつ》！」

と怒鳴るのであった。その声は、殆んど三尺位にまで小さくしぼんでしまった彼の身体の何處から出るのか全く解らない。とんでもなく大きく強い響きをもって、本堂一杯を鳴り顫はせた。それを見てゐた私はビックリし、それから急に怖くなって一散に自家に走り戻って、祖母にこれを話した。しかし、久しく此の坊主を熱心に尊崇してゐた祖母は、

「お住持さんは偉かけん、悲しがってりはなさらん。ありゃ、悟って居なさるとたい」

と断言した。私にはなんの事やら、よく解らなかったのである。思ふに、坊主が私に対してデタラメな命名を敢へてするに至ったのは、どうも此の祖母の依頼に據るものらしかった。

この祖母が私を十二才の時まで育て上げた。そして祖母だけが育てて呉れた。父の味も母の味も私は知らない。祖母が同時に父であり母でもあった。又それにふさはしい、豪毅でもあれば温和でもあれば愛情深くもある色々の性格を豊かに持った老女であった。私は彼女一人から育てられた事を、当時も現在も、寂しく物足らぬ事に思った事は一度も無い近所の遊び友達が父母を持ってゐるのを見ても、うらやましいと感じた事は全く無かった。負け惜しみでは無く、私には初めからその事が極めて自然な、満ち足りた状態だった。一言に言へば、祖母に抱かれた私の幼年時は全く幸福だったのである。それ程に此の「おとし」と言ふ名の老女は豊かな性質を持ち、そしてその生活の全部をあげて孫を愛したとも言へるであろう。

ただ肥前鍋島家の武士の娘として生れ、自身も、舊藩士の未亡人であった彼女は、その孫を愛すれば愛する程、「祖母さん子は三文安い」と言ふ諺の與へる警告に耳を傾け、ややともすれば溺愛に流れんとする自己を、スパルタ式養育方針で以て武装することを決意したかに思はれる節々がある。スパルタ式とも言へるけれど、もっと簡単に言へば、それは乱暴千萬とも言へる方針であった。おかげで此の私

は、たとへば、物心が附くか附かぬ頃は、腹の張り裂ける程に水を呑むなどと言ふ憂き目を見ねばならなかったのである。それは次の様な次第であった。

　私が生れ、そして育った入戸町と言ふのは、佐賀市の西の端れに位する一本町であって、その両側の家並の裏は直ぐに広々とした築紫平野の耕地に続いて居り、その耕地には深い水をたゝへた川や堀が縦横無盡に交錯してゐる。貧しい一本町は、その周囲を水路で以て取巻かれてゐると言っても過言では無かった。夏になると町のすべての子供達は河童のやうに其處を泳ぎ廻る。泳げない奴は溺れた。一人も溺死者の出ない夏と言ふのは珍らしかった。言って見れば、泳ぎを知らない子供は此の町で成長する資格を持たなかった。子弟養育者達が競ってその子等に泳ぎ方を習得させるのに躍起となったのは無理で無い。私の養育者、納富とし女もその例に洩れなかった譯である。ただ、彼女が私に課した教程が少しばかり独創的に過ぎてゐただけである。それも然しそんな方法を案出せざるを得なかった彼女の苦心の程も察せられ、且、それは如何にもかのデスペレイトな梅ボシ走禅僧を永年尊崇し続けた彼女に適しい教授法であったと言はなければなるまい。

　如何なる教授法でそれがあったかと言ふならば、それは、約六才位になった私を町の近くの一番大きな一番深い堀の傍に連れて行き、クリクリと素裸かになし、これはどうされるであろうとオドオドしてゐる私の手と足、又は首と尻をひっ掴むや、いきなり目よりも高く差し上げて、堀の水面の中心を目がけてエイとばかりに放り込んでしまうと言ふ簡単なものであった。小さい私は空中に抛物線を描きながらワーッと泣き叫びかけるのであったが、実際に於て泣き叫ぶのは、ドブーンとばかり水中に落ち込んだ後になる順序で、当然、泣き叫ぶために開いた口からは、声が出る前に、小さい水草などを浮べた堀の水が入って来た。苦しいから手足をバタバタやる。無我夢中であった。自分でも知らぬ間に私の身体は水面に浮び出し、次に、岸の方へ向って、死にもの狂ひに力泳へて、〳〵してゐるのであった。すえらいぞ！」と賞讃の声が聞へる。もうそれで終りかと思ふと、再び私の身体に仁助さんの両手に掴まれて再びドブーンと放り込まれる――出しぬけに此處に現はれたこの男は豫備砲兵上等兵の町の青年であり、

当時出稼ぎの炭坑夫であり、同時にバクチ打ちであり、炭坑にも行かずバクチも打たない折には、私を肩車に乗せて連れ歩き、私が欲しいと言ふものは何でもかでも買って食はせてしまふと言ふ方法で以て私を愛してくれた六兵剛力の男である。祖母は私に泳ぎを習はせるために、仁助を依頼したものと見える。私を掴んでは水中に投げ込むことは、何回も何回も反復され、その間、当の祖母は、仁助と並んで立ち、今は既に声を立てず、水で以て満腹したる最愛の孫の姿を、歯を喰ひしばり眼に涙を浮べて見詰めてゐた。

かくて、私は、他の子供等が一夏又は二夏を以つて覚える泳ぎへ〻、〜をたった二時間たらずで覚えた。納富とし女の論理に依れば、人間が溺死するのは、人間の身体が水中に沈んでしまうために起きるのだから、身体が水面に浮きさへすれば孫の生命は安全であると考へたに相違ない。そしてそれは確かに真理である。おかげで私は、現在でも蛙と同じやうな手足の動かし方で水面に八分間位は浮いてゐる事が出来る。私は、わが祖母の実践的教育方針に感謝し、それを誇りとしやう。

彼女の方法は、その他の事に於ても、すべてこれに類してゐた。当時彼女と私との二人が、その一部を借りて住んでゐたところの巨大な家は、近隣の人達から荒木屋と呼ばれ、長い長い一本町の中程に、その欝然たる屋根を聳えさせてゐたのであるが、いつの程よりか此の家にはバケ物が現はれると言ふ噂が立ち、それが私の耳に入るや私は少からず脅えて夜もオチオチ眠れなくなった事であった。すると祖母は押入れから一振の大刀を取り出し、そのドキドキ光るコヒグチを切って、私の枕元にドッシリと置いて、「何か出て来たら、これで斬んしやいよ、十郎」と言った。私は、闇の中から現はれて来るかもわからないバケ物よりも、頭の傍に光っている刀身が気になって二晩も三晩も眠れなかった事であった。

だが、このやうな挿話から、此の祖母を唯もうむやみとゴツゴツした硬派教育者のやうに想像する人があったら、それは彼女を誣うるものである。教育は教育として、彼始一貫して私を熱愛した。彼女は幼い私を毎晩自分の懐に抱いて寝たし、私が要求すれば、そのしなび切った乳房を私の口にふくませさへした。私の手や足を強くさせる事に役立つと思は

れる甘味い食物を買うためには、その貧しい貧しいてくれたので、或る晩、祖母には友達の家に遊びに財布をはたいた。私の「ばばさん」の愛撫は前にも行く様に装って、コッソリと家を抜け出した。夜更書いたやうに、私をして父や母の居ない事を寂しくけまで懸命に機械を踏み、私にだけは特別にその晩思い起させる隙を無くさせた程に、至れり盡せりの直ぐに渡して貰った少しばかりの賃銭を握った私がものであった。その足で近くのうどん屋へ飛んで行ったのは言うま

　真剣に叱責された事が、たゞ一度だけある。それでも無い。うどん鉢を自身で持って家へ戻ると祖母は、彼女が死ぬ前年のこと、それまで彼女と私の生は眠ってゐたが、起して鉢を出すと彼女はニコニコ活は親戚から送られる零細な金と、彼女の手内職等と喜んで忽ち食べにかかったが かねて家中に銭のに依って支へられてゐたのであるが、その前から次無かった事を思ひ出したと見え、第に老衰して今はもう内職も出来ぬ彼女は病臥して「借って来たかん？」と言った。いゝと私が答ゐる時の方が多くなり、貧窮の度は極端になって来えると、彼女は「ではその銭はどうしたのだ」と向詰てゐた。小学生徒である私が看病と炊事に当った。めて来た。私は暫く答へなかったが、隠しおうせる辛ふじて米味噌だけは有るし、看病と言っても　薬事ではないので、事実を述べてしまった。すると彼を飲むまでもない老衰病のことで、別に大して骨の女は不意に疊を叩いて怒り出したのである。それは折れる事ではなかったが、現金を一銭も持たぬので、殆んど激怒と言ってよかった。私が生れてはじめて祖母の好きなうどんを食べさせてやれないのが辛ら彼女の内に見出したものであった。私はめんくらっかった。私は何とかして銭を儲けてそれを喰はせてい、瞬間「うちのおばばさんは、気が違うた！」とやりたいと思ひ色々と苦慮した結果、その頃その町と思ったのである。しかし彼女は気が狂うたのではで流行してゐた副業の縄の機械撚いを臨時にやらせ無かった。「出世前の男たるもんが、こざゝんへこて貰って銭儲けをすることを思ひ付いて、或る小さんな〳〵おそうらしかへいだらしい〳〵事ば、するもんな工場式にやってゐる家に行って頼み込むと承知しだや無かっ！」

と叫けんで、彼女はポタポタと破れ畳の上に涙を流したのである。そして遂にうどんには箸を附けなかった。

当時の私には、彼女の心理は全く解らなかった。それが解ったのは私が二十を過ぎ人生の味を僅かばかり知った後であった。そして、それが解った瞬間に、祖母の愛情は私の全身を押包んで甦り、私の眼からは湯のような涙がふき出して来た。

翌年の秋、七十四才で祖母は死んだ。私の十二才の時である。行く所と、たよるべき人を失った私はその冬の或る晩、八戸町の西の端れを流れる大川の水面に落ちる雪を見詰めながら、「ここに飛込んで死んでしまはうかな」と考へながら立ち盡してゐた。しかし自殺を決行するには至らなかった。曽て祖母と仁助から、はじめて泳ぎを教はった時の事を思ひ出して、「あの時と同じやうに、飛込んでも浮いてしまふから駄目だ」と思ったためであるか、又はその他の理由に依るものか、よくわからない。とにかく飛び込むのは止めて、次の日を佐賀市内を歩き廻ることで以て費し、そして空腹のために最早歩けなくなると、松原公園の佐賀市図書館に至り、眼のくらむやうな思いで、手当り次第に書物を読みちらした。

(二)

それから私は伯母の家にころげこんだ。

空腹のために、もはや晏如として図書館で書籍を読んでゐるのに耐え切れなくなったゝめである。大至急何かを食べさせて呉れる人を捜さなければならなかった。私は兄のことを思ひ出した。兄は久しい前から、佐賀市の東の端れにある町で大きな土木請負兼材木商を営んでゐる伯母夫婦の家に引取られ、そこで番頭の一人として働いてゐた。

私はグーグーと無慈悲に鳴り続ける腹に憤りを感じながら図書館を出て、なるべくならば最早これ以上腹を空かせないようにソロリソロリとその町の方へ歩いて行ったのであった。今にして思ひ出して見ると、俊寛僧都を小型にしたやうな面構えと精神状態で以て私は伯母の家にたどり付いたらしい。兄は丁度留守であったが、伯母は私を見て驚き、いぶかり、でもよく来たと歓迎の言葉を述べ、しかし全体

どうした事だと矢継早やに訊ねかけたが、私は眼ばかりギョロギョロさせて黙ってゐた。実は口を利くだけの気力がなかったのである。伯母は尚も私を見守りながら、「何か食ふかい？」と言ふから、ウンと頷くと、直ぐに飯を出して呉れた。私はそれをムシャムシャ食ひながら、嬉しさと悲しさと腹立たしさを一緒くたにした、一種異様の感慨に陥り、茶碗の中へポタポタと不覚の涙を落したのであるが、泣声は立てなかった。それは我慢して出さなかった訳ではなくて、口の中は次から次へと詰め込まれる飯で一杯なために声が出なかったまでであった。

　この時以来、飢えはズッと私を追ひかけて来る運命になったわけである。

　と同時に、その他もろもろの悲運と苦痛も一緒になって私を追ひかけることになった。そして唯もう気の弱い私を追ひかけて来るかれらのものは、一度も私を追い抜いてしまった事はないが、しかも遂に私の踵の所から謂はば三尺と離れた事は一度もなかつた。祖母から愛されて育つた十二才迄の生活が此の上もなく幸福であつたゞけに、それ以後の不幸は実際よりも誇張されて小さい私にこたへたのである。

しかし十二三才と言ふピチピチした年令の力は間もなくそれにも馴れさせ、忘れさせて呉れた。今や私は伯母の家の食客であり、同時に材木運搬の荷車引きであり、同時に小さな土方であり、これを一言に言へばクリクリと元気良く働くところの一個の小僧であった。

　伯母の家では、手広くやってゐる材木商の部に数人の使用人を雇って居たが、私もそれに混って材木を製材所に運んだり、売れた柱や板を建築場や大工の家へ届けたりする仕事をした。一方に於て土木請負業のために多い時には数十人の土方が土工部屋に合宿してゐたのであるが、私もそれらの土方達に混ってコンクリートの袋を運んだりモッコを擔いだりする事を加勢した。どちらも私にとっては力に余る労働ではあったが、しかし不愉快ではなかった。むしろ自分も大人の仲間入りをして働く事に依って、少くとも自分が伯母の家で食べさせて貰ふ物位は稼いでゐると言ふ少年らしい満足を感じてゐた。

　激しい筋肉労働のおかげで、それまで繊弱であつた私の骨格は、急速にシッカリしたものになって来た。土方や運搬人夫達の生活や気風や言葉使ひにも

馴れて来た。私は彼等と同じ部屋に雑魚寝をし、彼等と同じやうに土間に立ったままで朝飯を掻き込み、「土方殺すにゃ刃物は要らぬ」と言った式の歌を唄ってトロッコを押し、バクチの打ち方から喧嘩出入りの作法に至るまでの土方仁義を教へ込まれ、果ては馬のキンタマを食はされるに至った。――この最後の事に関してはチヨット説明して置く必要がある。で無いと、馬のキンタマを喰ふのはこれらの土方連の風習であつかのやうに誤解されでもすると、彼等の名誉を毀損する恐れがある。キンタマを喰ったのは、彼等の中の一人で、極めて善良な性質と、殆んど毎晩寝小便を垂れると言ふ悪習慣を持った中年の土方の興七と、それから私の二人きりである。或る夕方、現場から戻って来て夕飯をすませた後、興七は私を材木屋の隅に呼んで行き、「十郎さんよ、スキヤキ食ふか？」と言ふ。ウンと答へると、よしよしと言ひながら、既にスッカリ準備を了へてグツグツと煮え立ってゐる鍋のかかった七輪を炊事場から運んで来て、さあ食はう、他の連中に見付かると面倒だから早いとこ食っちまはうと促しながら、先づ自らの肉の一切れを口の中に投げ込んで、「うんうめえ！」と言った。私も食った。噛むと、変にシャリシャリする。何の肉だと訊くと、キンだと言ふ。なんだって？、と問返すと、興七は、ニコニコしながら「うめえだろ？、 馬のキンだよ。昨日、農事試験所へ仕事に行ったらのう、丁度馬のキン抜きがあってゐたけん、貰うて来た。美味からうが？、こぎゃん美味か上に、これは食ふと身体が温まって、寝小便の薬になるとたい。こたえられん！ まだ、ドッサリ有るぞう！」と言ひ、彼はその腹掛のドンブリの中からガサガサと音させて取出した新聞紙包みを開いて見せた。鍋の中の肉は薄く輪切りになってゐたから、何の肉とも見当が附かなかったが、新聞紙の中には、一見してそれと判る異様な形をした物が十個以上も転がってゐたのである。私達はそれを横目で見ながら、鍋の中の物を全部味ひ盡した。次の晩も興七は私をスキヤキに招待したが、私は好意だけを謝して、これを辞退した。悪食をいやがったためではない、少年ながらそれ位の食ひ物にはヘキエキしない位の度胸と食慾は備へてゐたのである。正直の事を言ふと、此のスキヤキはあまり美味で無かったからである。興七の寝小便が、これで以て快

癒したかどうか、残念ながら記憶してゐない。――

これはホンの一例だ。多い時には四五十人、――少い時でも二十人からの土方達は皆、それぞれの方法で以て私を可愛がってくれたのである。彼等は、彼等の「親方」の義理の甥であるところの十三四才の少年が、好んで自分達の仲間の一人として生活し労働し、すすめられれば馬のキンのスキヤキを食ふ事さへも辞せない姿を見てゐる間に、私の事をたとへて言ふならば野球チームに於けるマスコットの様に、自分等一群のペットとして考へるやうになったらしい。或ひは又、将来の「若親分」として、「筋の良い」土方に仕立て上げようと言ふ気になったらしい形跡もある。いづれにしても当時の私には、彼等の間に混って暮してゐる事ほど自由で楽しい事は他になかった。私は其處ではノビノビと手足と心を伸ばして、歌ひつつ土や石を運び、彼等と同じ人生観で以て世の中を覗いた。その世の中は、私に取っては謎と、それから希望に満ちてゐたのである。

この一群の組頭みたいな事をしてゐる清水さんと言ふのが居たが、これが特に私の事を気にかけて呉れた。伯父から信頼されるのと同時に多数の土工連からも心服されていて、当時四十二三の顔色の悪い痩せた男であった。元来は流れ土方で、伯父の土工部屋に草鞋を脱いでから数年経ってゐた。粗暴な土方達が此の男の言ふ事なら何でも聞く。「学」が有って「人殺し」だからである。少くとも高等程度以上の学力を持ってゐるのは事実であった。現場へ通ふ途中や、その作事場で働きながら私に英語の初歩と漢文と、それから高等数学らしいもの少しばかりを教へて呉れたのは彼である。人を殺した事があると言ふのは噂さにとどまってゐた。若い頃に大阪で殺人をして出奔して以来、所々方々を流浪したあげく、九州に流れて来たと言ふのである。言葉に大阪辨が混っている。無精者である事は事実らしく、手紙などが来た事も自分で出した事もないし、勿論人が訪ねて来た事もなく、自分の素歴に就ては一言半句も語らないのである。土工達は彼が人を殺して来た人間であることを信じ切ってゐた。私も信じた。ところが、彼の人柄は、そんな噂さとは全く反対に柔和と言ひたいが、それを通り越して何か虚脱したやうに弱々しい。身体つきなども、むしろヨボヨボしてゐる。大概ニコニコしてゐて、口数が少く、大

きな声を出すことなど全くないのである。極く稀れに怒った時に、眼の色だけが一種異様に光り出すのだが、そんな時でも言葉つきは非常に穏やかなものである。それが変に陰にこもって凄かった。土工達は彼を尊敬してゐて、彼の言ふ事にタテを突いたり、まして土工の間では流行物の喧嘩を彼に仕掛けたりする者は、一人もなかった。彼は皆の中に居ても、一種仙人じみた静けさを身体のまわりに漂わせ、スコップを働かしたりモッコの数を勘定したりしながら、傍に働いてゐる私に低い声でボッリボッリと「世界」に就て語るのである。彼の話には、初めもなければ終りもなかった。出しぬけに「老子と言ふ人が、こんなに事を言ふとる」と言った風にやり出す事があるかと思ふと、地面の上に円椎形に盛り上げた砂利の体積の算出の方法に関する数学を教へたりする。風の強い日であると、フッと風の話になる。空気中の気圧の変化のために風が起きる事を、科学的に詳しく説明するのである。かと思ふと、永いこと黙り込んだ末に、弱々しい表情をフッと仰向かせて、

「あゝ、よく晴れたな。青いな。十郎さん。この空と言ふのは、なんで青いのか知っとるか？」

と言った風だ。私は彼を尊敬し、愛した。私は次から次へと傾向し、彼を相手にして色々の事を考へたり感じたりした。なぜなら、彼の話は正確であると同時に非常に暗示的であるために、彼の言葉で以て一つの問題が判って来ると、今度はその事から五ツも六つもの判らない事が生れて来るのであった。私にとって「人殺し」の清水さんは、まるで「学校」であった。そこで私は、少し大ゲサな言ひ方をすれば、人生の謎のいくつかを解き明して貰ひ、同時に更らに大きな沢山の謎を与へられたのである。一言に言って、少年時代の私に最も大きな影響を与へたのは、私を育てて呉れた祖母の次ぎには、此の無籍者の流れ土工であった。

次に私は、兄の事を語らなければならない。

私の兄が勝治といふ名である事は前に書いた。幼年にして友達と喧嘩をして足首を挫いたのが原因で全身的な骨膜炎を病み、祖母はこれを方々の病院に入院させて治療に努めたが仲々全快しない。この入院費用捻出は、前に記した祖母と私の貧窮状態を引

き起すのに失って力が有ったわけである。祖母はそのために、祖先伝来の家財道具その他を売り渡し、尚足らずに諸方の親戚から多額の金を借りたらしいが、それも限りの有る事で、兄の入院の状態も最初の一年は病院の一等室におさまってゐたのが、次の半年は私立病院の三等室の患者となり、又その次の二年位は県立病院の「丁下等室」と言ふ五十畳位の室にベッドが四十八個ほども並んでゐる病室の一隅に吟呻するといった風の、やむにやまれぬ下落ぶりを示した。遂にその下等室の、殆んど施療に近い費用の支払ひも滞りがちになり、病院からは退院を強ひられるに至った。幸いな事にその時は兄の全身を駆けめぐったさしもの骨膜炎も大体に於て下火となってゐたので、丁度入院以来四年目に、彼は意気揚々と退院して来たのであるが、その時には彼の左の足は右の足よりも約一寸ばかり短かくなり――早く言へばビッコになり、左の腕にはまだ繃帯がしてあり、ばかりでなく、どう言ふ病気の加減であるか右の耳だけが全然聴えなくなってゐると言ふ有様であった。まるで人間の廃艦だ。しかし元気だけは恐ろしく良い。天来生れつき非常に明るく善良な性質であったのが、ひどい病苦に散々に痛めつけられてゐる間に、その性質にシンニウが掛って無鉄砲な位に明るいノンキな人間が出来上ってしまった。チヨット人とあべこべの様に思へるが、でも、スネの骨を鋸で引き切られたり、又は腰の骨に一尺位のゴム管を貫き通されたり、多い時には一月に三度も四度もコロロホルムを嗅がされたりするやうな病苦を四年間も背負はされた後では、人間の性質は暗くなる代りに、反対に野放図に明るくなってしまふ事もあると見えるのである。私の兄が何よりも良い證據である。この廃艦は人生に於て屈託すると言ふ事を知らなかった。又、廃艦になり果てゝも戦ふ事をやめなかった。もともと彼が骨膜炎になった原因が十四才の時の喧嘩なのであるが、十七才になって退院して来た翌日には既に喧嘩を始めてゐた。退院早々で未だ用心のために突いてゐる松葉杖をふるって近隣の悪童達とわたり合った末に、その松葉杖をコナゴナに折られても、

「おりやうへおやおや」折れてしまうたあ！」

と笑ってゐると言った調子である。私を愛するのと同じ様に此の兄を愛してゐた祖母も、さすがに行

末が心配になったと見える。齢も齢であるし、まして不具であって見れば、今の内に何か職を覚えさせて置く必要があると色々に思案したあげく、遂に意を決して土木請負兼材木商の伯母の家の、材木商の部の番頭見習に住込ませる事になったわけであった。だから、祖母が死んで、私がその同じ伯母の家に転げ込んで行った頃には、この勝治兄は既に押しも押されもせぬ材木屋の中番頭として、ビッコを引きながら活躍してゐたのである。彼は、転げ込んで行った私を見ると声を上げて悦んだ。彼は、やにわにポケットに手を突込むと、多分そこに持ち合せてゐた材木の小売代金の一部であらうところの三四個の五十銭玉を私の掌に握らせて

「饅頭でも買うて食へ」

と囁き、ニコニコと笑ひ、しかしその両眼は嬉しさのために涙で膨らんでゐた。

自分の実の兄を語るのにこの様な事を言ふのも異なものだが、私は彼の事を思ひ起す度に、これは一種の天才か又はそれに近い者ではなかったらうかと思ふ事が時々ある。たとへば、彼は骨膜炎のための入院のためもあり、それ以前から極端に病身であったためもあって、小学校も多分三年とは通ってゐず、教育らしい教育は何一つ受けてゐないのに拘らず、いつの間にか読み書き算数その他なんでもやれるやうになってゐたばかりでなく、それらをかなり高い程度にまで上手にやれるやうになってゐた。一例を挙げると、杉の丸柱か何かの三間も四間もの長さの材木で、木の根元と梢の所ではひどく大きさの違った直径を持った奴の全体の容積をソロバンで計算する仕事は、なかなか難かしく、でも材木商には是非必要な仕事だそうであるが、この才《さい》取り——たしかさう言ってゐたやうに記憶してゐる——を、兄は此の材木屋に見習に住み込んでから一ケ月位の間に別に誰から習ふと言ふ事もなく、大番頭のやってゐるのを見様見真似でドシドシやれるやうになってゐた。萬事がその調子であった。別に大して努力してそんな智識を習得しようとしてゐるらしくは見えない。かと言って特別に鋭い所が有るわけでもなく大体ムラなく機嫌の良い、相変らずノンキで善良などちらかと言へば、平凡な野人である。しかし私が彼のことを、一種の天才みたいな男ではなかったかと思ふのは、そんな点よりもむしろその性格に在っ

た。どう言ふ性格であつたかと言へば、むやみに女に惚れると言ふ性格である。むやみに惚れると言つても、それほど数多くの女に惚れるわけではないのだが、それは実に腹立たしい程に、又よく見てゐると吹き出したくなる程に、まるで「惚れる」と言ふ言葉は彼のために出来た言葉であるかの様に、うつつを抜かして惚れた。また、彼に惚れられた女達が、どういうものか、打てば響くように彼を好いた。なるほど男振りは、現在たつた一枚残つてゐる彼の写真を引き出して見ても判るやうに、相当良い方で、先づ十人並以上であろう。しかし前述の通りビッコで片手が利かず片耳は聾だ。金にしても、せいぜい材木の売上げの中からクスネた奴を運んで行く位のもので、高が知れてゐる。彼自身が女に惚れ込むと言うのは、いくら惚れつぷりが見事であつても、性質だと思へば判らない事はないが、相手の女が同じ様に彼を好くと言ふ事実は、初めの間人々から信じられなかつた。それが色々の確證で以て信じられるに至つてからも、伯父も伯母もその他の店の者達に至るまで、これを不思議としたのである。しかし、男が女を好いて、同時にその女がその男を好いて、しかも男は店の金をチヨロマカして女の元へ通い詰めるとなると、不思議がつてばかりはおれない。「惚ち「放蕩三昧」と言ふ極印が捺されて、兄の上には伯父と伯母の手でそれ相応の弾圧が下される順序と成つたのである。兄は、しかし、その様な事は意に介さないかの如く、シヤアシヤアとして放蕩を中止しない。その有様は、むしろ自らの行為に權威を持てる者の如くであつた。

しかし又、私が切角身を寄せる事の出来た此の伯母の家で約二年にして立退かざるを得ないやうな憂き目を見るに至つたのも、この兄の「放蕩」のためであつた。

（早稲田文学　13年12月号）

(三)

私は兄の女の一人を見たことがある。その時、私は大勢の人夫達に混つて、伯父の家の前を流れてゐる川から材木の水上げを手伝つてゐた。日田の山奥から筏にして流して来て杉や松の角材を水の中でバラバラに解ぐして、一本一本に鳶口を打込んでは川

岸に引き寄せる。それを擔ぎ上げて川端に積む仕事だ。着物を着てゐては濡れてしまふので人夫達は皆半裸体で威勢のいい掛声をかけながら働く。

水に濡れた角材は重い。小さい私には荷が勝ち過ぎるのだが、大人に負けまいとしては歯を喰ひしばるやうにして働き廻ってゐた。

その中、一つの視線が自分に注がれてゐるのを感じて、ヒヨイと眼をやると　川端に立ち止って、こつちをぢつと見詰めてゐる若い女がゐる。子供の目にも素人女とは見えない風態で、肥つた柔らかそうな身體附きだ。初め、通りがかりの芸者か何にかが材木水上げの光景を珍らしがつて眺めてゐるんだと思って、たいして気にもならなかったが、女は何時までも立ち去らうとしない。だんだん変な気がして来た。私が女の方を見る度に彼女はその白い顔をやさしくほころばしてにこにこ笑ってゐる。なれなれし過ぎるのだ。裸一貫の私の身体中がむずむずして来出した。そこへ、それまで材木部の店の奥にゐたらしい兄が小走りに駆け出して来て女を連れて何處かへ消えてしまった。察するに彼女は兄に会ひに来て、彼が出て来るのを待ってゐる間に、かねて兄から聞いた話だけでは知ってゐたであらうところの弟の私が、素っ裸になってクリクリと働いてゐる姿を発見して、面白がって眺めてゐたものと見える。私はその女の顔を忘れない。それは兄が次から次と惚れてゐた女達の代表者ででもあるかのやうに美しく色っぽく、何かくずれたやうに深い情感をたたえて私には懐しいと同時に怨めしい姿であったのである。

怨めしいと言ふのには次の様な理由があった。兄の放蕩は約三年も続き、店の売上金をくすね込んでは通ひ詰め、時によるとどうにもゴマカシの効かない大穴を開けることがある。伯父は黙ってゐるが、伯母は自分の身内のことで、伯父に対する義理合ひからも、これを喧ましく制止し、怒り立て、果ては現金出納の権利を兄の手から奪ひ去るに到った。しかし我が不撓不屈の色男はその様な妨害行為にもへこたれる色を見せず、大番頭の目を掠めて材木の一部分をべら棒な安値でゴッソリと抜け売りをしたりして夜になると女のゐる町へ駆け出して行くのである。伯母は今度は私を捕まえて泣き言を並べる。前にも書いたやうに兄も私もそれぞれ働いてゐるとは言ひながら結局この家に厄介になってゐる境遇であって

見れば、「伯父さんに義理が悪い」と伯母に泣き言を繰り返されることが頻繁になるにつれて私は伯父や伯母に対して済まない気持になった。遂に私は兄を説伏しにかかったのである。つまり、十三才の少年は勇気をふるひ起して兄に向って意見をする次第とは成り果てた。しかし、伯母の言ひ方を以てすれば「気の違った阿呆たれ」であるところの兄の恋愛に今自身が言ってゐることは仇やオロソカな言葉でではないぞと言ふ事を強調しながら、「もう今夜から、家を出て行ったら、いかん！」と、声を張り上げて言ったのであった。兄は此の弟の顔を珍らしい物でも見るように打眺め、そして彼自身の顔の方は、ひどく嬉しさうにニコニコさせながら「うん、もう行かんよ」と答へる。

そして日が暮れると、アッと言ふ間に彼の姿は消えてしまってゐる。私が殆んど附きっきりに彼の傍で張番をしてゐても、同じ事である。まるで「立川文庫」記述するところの「忍術」中の遁身術の一種ででもあるかの様に変幻を極めたのである。これが度重なるに従って私は感服した。しかし更にこの様な事が度重なるに従って、私は、女の魅力と言ふものはそれほどに甚だしいものであろうかと呆れ返った。しかし、又更にこれが度重なるに及んで、私も伯母と同様に腹を立ててしまったのも、やむを得ない。私は遂に腕づくででも兄の色町通ひ阻止する決心を固めた。或る晩のこと、私は、ソッと家を抜け出して行く兄を尾行して、その色町の曲角まで行ったことがある。彼はビッコを引きながら歩いて行くのだが、心は既に女の所に在るのであらう、スタスタと恐ろしく早い足だ。その滑稽なる後姿を見るにつけても「このチンバの助平め！」とばかり、十三才の正義派の怒りは燃えた。私は、色町への曲角の所でやっと追付くや、かなわぬ迄も組打ちをしてやらうと、腕をまくり上げて名乗りをあげた。兄は変な顔をして、此方をすかして見てゐたが、それが私である事を認めると、チョット困ったやうな様子だったが、忽ち何と思ったか、「あゝお前か、エッへへへ」と笑ひ出し、「まあ、いいや、何かうまい物を食はしてやろうか。チャンポン食ふかん？」私は一言も返事をしなかった。失敬な、チャンポンとはなにごとだ！「腹へっとろうが？、俺も腹のへった。食はう食はう。一番上等のチャンポンば食は

せてやる」言ひながら兄は私の背を抱くやうにして、丁度その街角に有る小料理屋に引張り上げてしまってゐた。ローラクしにかかったな。私はさう思ってゐる。なあにそんな甘い手に乗るもんか！。やがて上等チヤンポンが眼の前に出される。これを喰ったら不可んと私は思い、しかし、その美味さうな匂ひに咽喉がグビグビ鳴るのは致し方がなく、それを兄は見すましたやうに、「これを食ったら俺も直ぐ家に帰るから、とにかく食っちまわう」さうだ、それなら食っても良いではないか、どうせ食っても食はなくても銭は兄が拂うのだから、なあに、これを食っても此方が軟化しなければよい……言ふならば心境の変化である。私は食ったのである。そして、勝負は私の負け。私が夢中になってチヤンポンと闘ってゐる間に、「チヨツト小便に行って来るからな」と座をはづした兄は、遂に再び姿を現さなかった。私が「逃げられた！」と気が付いた時には、私の胃袋は温く気持よく膨れ上って居て、もはや既に、兄を追跡しようと我れと我が気を、どんなにはげまして見ても、私の身体は自分の言ふ事を聞かなかった。兄は上等のチヤンポン一杯で以て、私の闘志に眼つぶしを喰はす事に成功したのだった。即ち、最初の少しばかりの贈物をツイ受取ってしまったために、ズルズルと罪の深みに陥ってしまった収賄犯人の心理を私は味ったわけであるが、同時に、すべての収賄犯人に共通な内心の煩悶をも経験したのである。ザッとそんな調子であった。ところで、兄の骨膜炎は大体に於て治癒してゐたのであるが、しかし完全に治ったわけではないので、季節の変り目などになると、突然に高熱を発して脚の患部が化膿する。そんな時には、さすが物に動じない兄が、四、五日間と言ふもの殆んど七転八倒の苦しみ方をした。患部が痛むのだ。その間殆んど食物も食はず、勿論、女の事など思ひ出しもしないらしい。脚は真赤に腫れ上ってしまって、普通の四倍ほどの大きさになって来る。彼は唸り、転げ廻り、ワーワーと号泣する。然し、その平常が平常なために、伯母は良い気味だとばかり医者にかけてくれようともしない。伯母以外の家の者達も伯母や伯父の思惑をはばかって看病してやろうとする者はない。皆が病気の性質に馴れてしまって、化膿しきって膿さへ出てしまへば、生命に別條はない事を知ってゐたせいもある。すべて

の声から見捨てられて、悲惨のかたまりの様になった兄は、土工部屋の一隅にころがって四五日間と言ふもの泣きわめいて痛がった。何と言って泣きわめくかと言へば、「十郎さーん、十郎さーん、痛かばい！痛かばい、十郎さーん」と言ふのである。いくら十郎さんと言はれても、私に何とも出来るものではないのである。呆然として彼の枕もとに突立って、黙って眺めてゐるばかりだ。心の中では若干「いい気味だ」と思ふ気持もあるし、さうかと言ってかかる苦しみを舐めてゐる兄の身が可哀さうでもあるし、それにしても熱が四十一度もあるのに、よくもこんな大きな喚き声が出せるものだと感心し、時々思ひ出したやうに「もう少し低い声を出した方が苦しみを耐えるのに得策ではあるまいか」と言った意味の忠告を私は述べたのである。さうすると兄は唯単に私の忠告に耳を傾けないばかりでなく、益々声を大にしてたけりにたけるのであった。後年、正岡子規がその病間録の中に「病苦の激しい際にはどうしてゐても苦しいけれど、大声で泣きわめいてゐれば、いくらか凌ぎ良い様な気がする」と書いてゐるのを読んだ時に、当時の兄の号泣が別に私を驚かすためのものでも伯母一家に対する示威運動でもなかった事を、はじめて私は悟ったのであった。それは激痛を耐えてための「歌」だったのだ。ところでそれほどに苦しみながらも、永年かかる難病と闘って来た功は偉いもので、兄は近の患部の腫れ上り具合はチャンと側定してゐると見え脚が適度に化膿し終ると、「十郎さん、砥石を持って来て呉れ！」と命ずる。そしてその砥石で以て枕の下から取出した肥後の守の小刀を砥ぎはじめるのである。次に脱脂綿と繃帯とヨードフオルムを買って来る事を命ずる。

相変らず号泣しつつ言ふのであるが、しかしその言葉の内容は、あたかもこれから外科手術の執刀をしようとする医師の如く冷静なものである。私が薬屋に走って行き、それらを買いととのへて戻って来ると、肥後の守は砥ぎあがってゐる。直ぐに手術が開始される。

と言っても甚だ簡単なもので、その小刀を、まるでガラスの徳利のやうに完全に膨れ上った脚にサッと突き立てるだけである。膿が奔り出る。それは、ビックリする程に多量に出た。膿が出さへすれば痛

みが去る事を知つてゐる彼は、まるで子供がキャラメルを貰つて悦こぶ時の様なニコニコ顔で「これで、よか！これで、よか！」と叫びながら、パクリと開いた疵口にガーゼを詰め込みヨードフオルムを振りかけ、グルグルと繃帯を巻く。実に馴れたものである。現金に、この手術が済むと、その晩から高熱が引いてしまふ。ところで、その夜だ。幾日もの間、あれ程の痛みに苦しめられ通して、ろくに眠りもしてゐないんだから、まさかと思ふ。ところが、その夜から忽ち彼は喜々として色道修業に飛出して行くのである。私はその後姿を見送りながら、詠嘆した事が何度有つたか知れない。その晩が月夜ならば、月光に照されながら、その晩が雨ならば雨傘の下にである。平常からのビッコが、今日の切開手術をしたばかりの疵の痛みのために、特に甚だしくなつてゐる。ビッコを引くと言ふよりは踊りながらと言つた方が当つてゐる。それは物凄いとも、滑稽とも、浅ましいとも形容のしやうのない観物であつた。事実、私はその後姿を見送りながら、ゾッとしたり涙が出て来たり、こん畜生と思つたり、そして結局に於て、可笑しくてたまらなくなつた事を憶えてゐる。しかし思ふに、これほど一事に専念し得る性格を持ち、且、これほどに打込む相手の見つけ出すことの出来た彼は幸福であつたと言はなければなるまい。ただ幸福なのは彼であつて、残念なるかな、私の方は不幸福であつた。なぜなら、彼の徹底せる放蕩のために、遂に私は伯母の家にも居づらくなつて、約二年足らずの後には此の家を出て、再び宿無しと成つたのである。——それは後の話。兄の様な行状は約三四年も続いた。続いたばかりでなく、それは益々昂じて行つた。伯母も伯父も、勿論私も全く匙を投げてしまつた。そんな人力を以ては到底堰き止め得ず、神様の力でも佛様の力でも所詮は阻止する事の出来ない程の勇敢さを以て継続された。その中に、確か冬の事であつたが、兄の姿がヒョッと見えなくなつた。

伯母の姿も消えた。誰に訊ねても、伯母と兄が何處に行つたかを話して呉れる者は無い。

心配しながら一ヶ月餘を過した頃、兄は伯母に伴はれてヒョッコリ戻つて来た。ひどく痩せ、顔色が変に蒼白くなつてゐる。どこへ行つてゐたんだと訊ねても、ニコニコして答へない。何度も繰返して聞

くと、「清水（きよみず）の山へ行って来た」と言ふ。「なにしに？」「うん、滝に打たれて来た。冷たかったぞう」「伯母さんも打たれたの？」「うん、俺だけだ。伯母さんが、どうしても打たれろと言って聞かん。チエ！　俺にキツネが憑いてゐると言うんだよ」「キツネ？　兄さんにキツネが憑いてゐるって？　伯母さんがさう言ふの？」「いや、ミコさんがさう言うんだよ。伯母さんが清水の山のミコさんに、言ったんだ。この子は不具者のくせに、こんな放蕩ばっかりするのは、どうしても腑に落ちんから、ようく占って見て呉れと言ふんだ。したらミコさんが神がかりになって、眼をこんな風に釣り上げてな、こりゃ、何とかのキツネが取り憑いてゐるせいだと言やがる。そいで、キツネを落とすために滝に打たされた。冷たかったぞ。ダーッと頭の上に岩が落ちて来るやうな気がするんだ。

ハッハハハ。そいからね、それでもまだキツネが落ちんと言やがって、こんな風に立木にグルグル巻きに縛り上げて青松葉でくすぐるんだぜ。苦しいの苦しく無いのって！　そんな事して何の役に立つもんか。俺にゃキツネなんて初めから憑いて居ないんだもん。ミコの馬鹿が！。ザマを見ろ。ハッハハハ。しかし笑ひ事じゃ無いよ。お蔭でえらい目に逢うた。ハッハハハ」仕方話を入れて兄は語り、憤慨し、しかし結局例の通りの明るい眼の色で心から可笑しさうに笑ひころげた。そして最後に「キツネが憑いたとか何て言ふなあ。しつきやめ（悉皆）迷信たい、十郎さん」と断言した。私は驚ろき呆れ、やがて尊敬に似た気持であって。どんな目に会っても、兄の行状は依然たるものがあった。彼の色道は、彼自身が言った通りにキツネよりも強かったのである。遂に一年後、彼は伯母や伯父やその他一切の親戚から見離され、フロシキ包みを一個とバスケットを一個だけ持たされて、満州に追いやられてしまった。佐賀駅から出発する時に私が見送りに行くと、彼は三等車のブリッジの所に鳥打帽を被って立ち、プラットホームの私を見つめてゐたが、その内に何を感じたのか涙をボロボロ流し、その頬を右腕で拭いた。

私は泣かなかった。

兄も直ぐ泣くのを止め、例のニコニコ顔になり、「すぐや行って来らあ。直ぐ帰って来るからね」と言った。だが彼はそれきり帰っては来なかった。満州

で炭坑の事務員になって働き、二連発銃を抱いてフンゾり返ってゐる写真など送ってよこし、それっきり死んでしまった。骨膜炎で死んだのでは無くて、急性の肺炎だったと言ふ。行年二十六。彼が、あれ程までに打込んでゐた女（又は女達）がその後何處でどうしてゐるか、遂に私は知らない。

私は、兄を心から愛してゐた、ばかりでなく年月が経つに従って益々強く愛する。兄と私はあまり似てゐなかったが、しかし、兄弟と言ふものは恐ろしいもので、時々、行きずりにチラリと覗いた飾窓の硝子に映った自分の横顔や、それから、フトした陽光の加減で地上に印した自分の影ぼうし等に、兄とソックリの線を見出したりする事が有るが、そんな時にはハッとすると同時に、なつかしくて思はず涙ぐんでゐる事がある。兄を青松葉でくすべたミコさんや伯母を、今でも私は憎んでゐる。

早稲田文学（昭和十四年一月号）

四

ああ神々よ！

私がこの世に生れてから未だ三十と幾年しか経っていないのである。だのにその短い年月を振返って見ると、それは何んとまあ、ゴテゴテと沢山な事件と人物達とに依って混雑していることであろうか。人は誰でも自分の過去を振返って見るとそんな気がするものであろうか。いや、どうも私の年月は特別に盛り沢山に過ぎるやうに思はれるのだ。一つの事件なり一人の人物なりを書き付けようと私がするとその事件や人物と抜き差しのならない関係を持っていた他の人物や事件が後から後からと浮び上って来て、ひしめき合ひながら各自その存在権をわめき立て、私のペンを徒らに原稿紙上に立迷はせ、果ては私の頭の中に引っかき廻しズンズンと鳴りひゞかせるのである。私の記述のペンがタドタドしく、此處に回を重ねること四回に及んでも、私が十五才になった時代までにも進まないのは、そのせいである。もはや絶望的だ。六十枚や七十枚の紙に、私の歩いて来た道を一応語り盡して見せるだけの才覚は私にはない。いや、多分、六百枚乃至は七百枚を費しても、書けるか書けないか、見当が附かないのである。なさけ無いではないか。

なさけないのは、単にそれだけではない。それ程に私の少年時代の内容を混雑させている事件達と人物達の姿の一つ一つが、なんとまあ、暗い事であろう。なんとまあ、滑稽な事であろう。あはれでは無いか。みじめではないか。馬鹿らしいではないか。どんな事件達も、どんな人物達も、なかんづく、そんな事件達と人物達に取巻かれて来た自分自身がである。其處には、あるひは眞実と言ったやうなものは在ったかも知れぬが、明るい幸福と言ったやうなものは殆んど無かった。又、其處には、あるひは少年や青年らしい熱情や夢は在ったかも知れぬが、しかし、それらの熱情や夢を美しく培ふための手がゝりと言ったやうなものは、殆んど無ったのである。私は辛うじて、しかもデタラメに呼吸して来たに過ぎないやうな気がする。私は自分の事を、たとへて言ふならば、風の向に向に吹きやられながら、それでも持って生れた運命は致し方が無くて、何處かの片蔭に吹き附けられてソッと芽を出して見たり、コッソリ根を生やして見たりしなければならなかった一粒の貧弱な種子のやうに思ふ時がある。――こんな風に語ると、人は或ひは私が私の過去を呪ってでも居るかのやうに取るかもわからぬ。が、それは全く反対だ。私は私の過去を此の上もない物に思ってゐる。どちらにしても、これは私にとって唯一つしか與へられなかった物だ。暗ければ暗いだけ、滑稽であれば滑稽なだけに、其處に光輝や誇りと言ったやうなものを見出そうと考へるのは、人性の自然であろう。思ふに、私はこれで相当の甘チャンであるかも知れないと考へる譯である。

さて、話を続けなければならない――

私が中学校に入学したのも一言に言ふと、デタラメの結果であった。勿論私自身のデタラメの為では無い。前述したやうな境界に居た少年がどう間違っても、自分自身のデタラメで以て中学校に入学出来るわけは有りやうが無い。デタラメをしたのは伯父である。

前述したやうに十三才になった私は、土工や人夫達に混ってセッセと働き、時折は勝治兄の放蕩のために肩身の狹い思ひがする事はあっても、周囲の人々は此の孤児に対して温い気持を抱いてゐて呉れてゐた。上工や人夫達の生活の竹を割ったやうにサ

バサバした自由な空気が私の性に合ってゐたこともある。勿論その年頃の少年としては当然な希望――、学問を勉強したいと言ふ慾望は有ったが、なにそれは講義録を取るか書物を買って一人で勉強すればよいと考へてゐる位のもので、学校へ行こうなどとは夢にも思って居なかった。事実その当時（今でもさうだろうが）中学校へ入学するなどと言ふ事は、金持の息子だけに、しかもその中でも特に頭脳の秀れた少年だけに許された幸福であった。持ってゐる物と言っては毎日着てゐるタッター枚の着物と、その着物に包まれてゐる壮健な身体だけで、あとは、ただもう色道の修業に邁身することに夢中になって他の事は一切忘却してゐる勝治兄と、それから、或ひは貧乏きわまる百姓か、同じく貧乏きわまる小商人などの三四の親戚を持ってゐるだけの一人の孤児に、その様な特権に類する幸福を夢想することが、どうして出来たであろう。

だのに伯父は或る日のこと、彼の愛用の自轉車に跨って外から帰って来るや、材木部の店頭で働いてゐる私をつかまへて「明後日、縣立中学の入学試験があるから、十郎受けて見ろ」と言ひ、受験料の三円を出して呉れた。私は伯父の真意を押しはかりねて、暫くの間彼の顔を見上げてゐた。……そして未だにその時の彼の真意は私には解りかねる。もしかすると彼は、子供と言ふものを一人も持ってゐなかったので、事と次第に依っては行く行く此の私を養子にして、請負兼材木商の後継ぎをさせようと夢想したのかも知れない。然し、それならそれで、前もって受験準備の少し位はさせて置いて呉れたであらうのにそんな事は更に無かった。全然出しぬけな話なのである。多分彼は単に土木請負師らしい気まぐれに取りつかれた結果たとへて言ふならば、自分の飼ってゐる軍鶏を闘鶏大会に出場させるやうな気持で、自分とこに居る小僧を、競争激甚な縣立中学の入学試験に出場させて、金持の子供達と噛み合はせて見たかったまでであろう。――と言ふのは私の小学校に於る学業の成積は、どう言ふ因果でか、丁親無し子には勿體無いし位に優秀だと言ふ噂さであった。――さうで無ければ、私に入学試験が受かってしまった時に、それを聞いた伯父が、あんなに煙ったい迷惑さうな顔をする筈が無いのである。話が前後したが、私はヨレヨレの小倉袴を一着に及んで

試験を受けに行ったのである。軍鶏は軍鶏でも、それは何と言ふ見すぼらしい軍鶏であったろう。身なりもだが、心持も見すぼらしかった。なぜなら、たとへ試験が受かっても、入学出来ない事は、解りきってゐたからだ。

試験がパスしたから、これこれの日に登校すべしと言った文句の書いたハガキを掴んでまゝ、伯父の顔を仰ぐと、彼の顔はいつもの通りの沸頂面をくグさないで黙りこくってゐる。私は泣きベソを掻いてゐた。入学出来ないのが残念なためでは毛頭無った。伯父を迷惑がらせる事が済まなかったのであった。だから、最後に伯父が殆んど吐き出す様な句調で、

丁受かってしまったもんなら、仕方が無か。とにかく入学してしまへし

と言ひ放っても、私の心は微塵も楽しまなかったのである。

そんな始終であった。伯父はブツブツ言ひながら靴を一足買って呉れた。それを穿いて私は翌日から中学に通ひはじめた。生れてはじめて穿いた靴の、しかも出来合ひを買ったせいか、ひどく足を喰って、大きな豆が出来て痛いのだ。豆がつぶれると、我慢にも穿いては居れないので、靴は手に持ってハダシで歩くのである。同級生達はまだ教科書も満足には持って居ない私を眼でヂロヂロ見る。なさけ無かった。小さな中学生は嬉しくない事は無い。が、どうにも周囲の空気になじめないし、自分の身體の何處かを撫でられてゐるやうな気がしながら同時に別の何處かをツネられてゐるやうな気持がする。毎日のやうに、何者かに対してだかハッキリしないけれども腹が立って仕方がないのである。——私がこんな中学入学事件などの小さな記憶にこだはって忘れきれず、この様にクドクド書き記したい気になったのは、この事件を述べる事が、当時の私の置かれてゐた境遇や心理を端的に示してゐるやうに思はれるためばかりでは無い。これに似たやうな事情と、この時に味わった心理は、私に於て此の時だけの事では無くて、その後も少しづつ変った形で繰り返し繰返し起ったことだったからである。

あゝ俺のことを軍鶏に見立てた伯父の靈よ、と私は言ひたいのである。足下はデタラメに此の俺を書物を読んだり字を書いたりする謂はば丁学びしの道に追ひ込んだ発頭人であるが、足下の為した事が良

い事であったか悪い事であったか俺には解らないのだ。既にして俺は、かく成り果った自分が幸福な人間であるか、不幸な人間であるか、どっちやら解らないし、又、解らなくとも結構である。であるからには、足下に対して感謝してもよいし、また足下をうらんでもよいし、つまりが足下の霊魂よ安らかに眠れと祈ればよいのだ。然しながら時々は、足下があの時あんな気まぐれさえ起して呉れなかったならば、今頃は多分、チョットした顔の一人の土方として、美しい程に単純な生活と観念とを以って、「山で切る木は数々あれど、思い切る気は更にない」と言った風の歌に合はせて青天井の下でツルハシを振ってゐたかも知れないと言ふ事に想ひ至ると、あゝ残念だなあ！と思ふ事もあるのである。

　私がヤット中学生らしい気持になったのは、靴ずれの豆が破れてピリピリ痛かったのがスッカリ全治し終り、もはやビッコを引かなくとも歩けるやうになった頃からであった。

　その後二年、伯父夫婦に気がねしながら月謝その他の学費を貰って学校に通い、学校から帰って来るやカバンを投げ出して土方や人夫に早変りをして働いて夜更けに至ると言った風の毎日を過したが、丁度その頃が前述した勝治兄の放蕩の末期に当って居た。私は伯父夫婦に済まない気持で一杯になり、ベンベンと中学に通って居る事は勿論のこと、唯単に此の家の飯を食ってゐる事さえも悪いやうな、居ても立っても居れない気持に駆り立てられて、遂に此處を飛出してしまった。再び宿無しになったわけである。但し今度は、前の時よりもいくらか気が強くなってゐたと見えて、身投げをしようなどとは考えなかった。飛出して行く時に、勝治兄に、

「兄さん、俺あ、もう此處さ出て行くよ。もうあんまり女の所に行くのはよせ」

と言い、自分が此處を出て行かざるを得なくなったのも、その為めであるぞと言ふ意味を籠めて彼の顔を睨み詰めてやった。彼は悲しさうに眼をショボショボさせて居たが、

「さうか。……でも俺が直ぐに銭を儲けて中学にやってやるよ。だからそれまで学校はよさないで居るんだな」

と答えて、それが癖の、意味も無くニヤニヤと笑

ひ出したのである。此の家を出てしまへば立ちどころに何處に住んで何を食うかと言ふ當てもない弟をつかまへて、銭を儲けるまで中学に通ふのは止さないで居ろとは、何と言ふ言草であろうか。私は呆れ返って外に出た。

こん度も、私を拾ひ上げて呉れたのは、もう一組の他の伯父夫婦の家であった。佐賀市から西北二里ばかり離れた田舎で百姓をしてゐた。持ち田地が、セイゼイ五段か六段の自作小作で、富裕であろう筈がない。それに、私には従兄弟にあたる子供が多い。余分の人間を食客に置くなどの余裕はなかった。しかも、私と血のつながってゐるのは此の家の主婦である伯母であって、伯父の方は義理の仲である。ところが、此の伯父と言ふのが無類の好人物で、私の話を耳にするなり、ひどく憐れみがってくれ、自ら進んで私を転は込ませてくれた。「内には金はないが、食って行くだけの物は有るから、それでよければ、いつ迄いてもよかたい」と言ふのである。事実家族一同がセッセと働いてゐさえすれば、食って行くだけには困らないのである。この百姓の一家族は泣きっ面をして舞ひ込んで行った私を疼しがり、心から歓迎してくれた。私は一家の素朴な空気に馴れて来て、伯父や長男に従って耕地に出て田の草を取ったり、灌水の水車を踏んだりしてゐる間に、「これは、もしかすると、土方をしたり材木屋商売などよりも、百姓の方がホントは立派な仕事かも知れんぞ」と思ったことである。なにか、一番安心してやって居れる仕事の様な気がした。もともと、私の血液の半分は百姓のものである。母方の血筋は鍋島家の士の家が、父方は代々百姓だ。私は 自分の顔色が陽に焼けて百姓色に赤黒くなりかけた頃には タンボ仕事の手伝ひが面白くなり、本気に身を入れてやり出してゐた。中学などは勿論やめる気だし、事実暫く通学は中絶してゐた。

「いや、学校はやめたらいかん。これから先は人間学がなくては出世でけん！」

と言ひ出したのは、他ならぬ、此の伯父であった。

私は出世などは少しもしたくなかった。第一出世をすると言ふ事がどんな事なのか、私には見当が附かなかった。しかし伯父はどうしても自説を固執してやまない。私は遂に言ひ負かされてしまひ、それに私がいくら此の家で一人の百姓になってしまひたい

と熱望して見ても、一坪の田地を持ってゐるわけでもなし、持てるであらうと言ふ見通しも無いのだ。私は再び不承無精に二里半ばかりの道を歩いて中学に通いはじめた。

この伯父が自説を主張した主張の仕方は、当時の私には勿論、伯母にもその他周囲の人達にも理解の出来ない、少しおかしく思はれる位に偏執的なものであった。その熱心さは、前の材木屋の伯父が入学試験を受けさせる際に示した気まぐれな熱心さとは全く違って居り、又、自家に轉げ込んで来た義理の甥に対する親切気からの配慮の域を、遥に飛越えたもので、殆んど眼の色を変へて言ひ張るのであった。もしかすると彼は、自分が近隣の人達からは、十土の蟲しと呼ばれる程に五十幾年の生涯を文字通り田畑の中を這ひずり廻って働き通しに働いて来て、その過労の結果今は既にそんな齢でも無いのに腰骨が弓の様に曲ってしまひ、七十才になったと言っても人が不思議には思はない程に老ひ疲れた顔付になっても、結局はやっと食って行けるだけの貧乏百姓に過ぎない事を振り返り、それと言ふのも自分が文盲で自分自身の名前も書けないやうに十学が無いし事に一切の原因が有るかの様に思ったのでもあろうか。そのために彼の眼から見れば輝ける学向の道に既にせっかく足を踏み入れてゐる私に、それから引返させたくなかったのでもあらうか。又は、彼がその田地を小作させて貰ってゐる所の、同じ部落の大地主の二番目の息子が、やっぱり私と同じ中学の同級生として通学してゐるのを見るにつけても、その息子と自分の甥が肩を並べて町の中学に通ふと言ふ事を自身が生涯を費しても成れなかった地主や分限者に自分の子か孫の代か、又は当の甥かが成れるかもわからないと言ふ幻想として眺めたためであろうか。

私はこの伯父の裡に、本当のドン百姓の姿を見たことは確である。貧乏百姓としての歪んだ性質と同時に、まるで土と言ふものの代辨者ででもあるかの様に黙々たる根強い意志と、人に対して悪意と言ふものを全く持たない善良な感情から成り立ってゐた老人であった。

朝早く、私とそれから地主の息子が肩を並べて町への道を歩いて行く近くの田で、既に伯父は耕作に出てゐる事があったが、その様な際に、彼がその折れ曲った腰を地べたから引っぺがす様にして延びあ

がり・地主の息子の方に深く深く頭を下げた後で、私の顔を見上げて「おい十郎、今、中学へ行くかん」と叫んで、しんから頼もしそうにニコニコ顔をして見送った姿を、私は永久に忘れないであろう。

後年私が、これもどうした風の吹き廻しか東京へ出て来てから、チヨツト郷里へ戻る用事が有つて、此の伯父一家を訪ねて行った事があるが、私の姿を見て狂喜した伯父は、まるで子供の様に私の手を掴んで離さなかつたのである。

「十郎さんに御馳走しろ、御馳走しろ！」と家内中を喚きちらして歩いた。でも私は東京に直ぐに帰らなければならぬ事情を控へて居たために一晩も泊らないで帰京した。後になつて伯母から来た手紙に依ると、この事を伯父は気が狂ふほど残念がり、その後三四日間と言ふもの伯母その他の家の者に喰つてかかり、

「十郎は俺の家に一晩も泊らなかつた！　お前がロクな物も喰べさせなかつたからだ！　畜生！　東京の美味しい物を食ひつけてゐる十郎に、こんな、こんな塩つからい塩シヤケを食はせたから十郎は泊つて行つてくれんかつたんだぞッ！」

といきまいて、果ては、その地方の習慣で台所の火鉢の上に梁木に釣してあつた塩シヤケを引つぱりおろし、それを振り廻してあはれながら泣きぐるひをしたと言ふ。ありがたくも、又、愛すべき伯父よいづくんぞ知らん、その時この私は東京の美味い物はおろかな事、その塩シヤケの一切れも口にする事が出来ない様な有様で、早稲田鶴巻町はづれの裸国食堂で、一杯三銭の飯と一杯二銭の味噌汁に舌鼓を打つてゐたのである。

藝術小劇場の「紋章」

横光的鋭さに缺く

◇…素材は非常に興味のあるものである。脚色も演出も丁寧なものだ。なかんづく俳優達は皆よく演じてゐる。だのに、それに相應した面白さが、生れて来ない。「乗つて」行けないのである。多分、脚色も演出も演技もすべて、原作の「解説」に忙しくて、ツボツボの突込みが手薄になつたせゐだろう。

隨所で演劇的なモメントを取り逃したり、またはその上を走り通ったりしてゐる。ために當然盛りあがって来なければならぬ所が燃焼不足に終る。

(・)

一番大きな不満は、発明という事についての社会的観察の眼が狭い。というよりも、主人公の発明事業をめぐる各人物に対する観察眼の密度が不平均でありすぎる。ために、全體がいくらか善玉悪玉式の発明美談臭を帯び、作者及び脚色者が意図したらしい人間観察または人間の生き方についての切り込みが、ややともすれば鈍く甘いものになってしまふ。

(・)

◇…各俳優の演技の出来栄えは脚色の出来栄えに次ぐ。一番成績の悪いのは演出の點ではないかと思はれる。第一に全體としてのスタイルの不統一(一例、第五幕海岸の場だけの装置の様式化)。第二に、俳優個々の演技の様式及び眼度の不統一を制御し得なかったこと。

(・)

◇…俳優では、藤輪欣司の山下久内が最も良い。ただ、誠実なインテリを表現すれば足りる所を、変に曰くありげなへそしくどんな曰くが有るのか不明へ複雑さを出さうとしたのは失敗。鶴賀壽の雇金は黙演だし一種愛嬌の有る七轉八起的人物の表出にかなり成功してゐるが、演技が往々にして寸人形風しの痙攣を起すのは困る。村瀬幸子の敦子は、よくある中途半端なインテリ女をそのままに現して立派な出来だが、この人だけが畫面に浮び上り過ぎるのは、全體のまとまりから見ると損だらう。他に田邊若男の村田博士が着實老巧だ。

(・)

◇…總じて、各人物に横光利一式人物らしい鋭くギラリと光ったものが缺乏してゐる點は、脚色者と演出者と演技者中誰の責任だか分らないけれど、せっかくの「紋章」を採り上げてそれが出ないのは寂しい。

東京日日新聞(昭13・11・8)

國民に返せ!

▲小林一三氏が中央公論詩上に連載してゐる「芝居ざんげ」は、「ざんげ」と言ふよりも「宣言」に近いものだが、読んで行くと彼が芝居に打込んでゐる若々しい熱情に敬服させられ、同時に演劇の國民大衆化に関する彼の意見に傾聴すべき點の多い事に気が附く。ところで、大谷竹次郎氏なども、これに優るとも劣らぬ熱情と意見は持ち合せてゐるに違ひ無いと私は信ずる。小林氏が語るのに反して大谷氏が語らぬだけの話だらう。両氏だけに限らぬ、これに類する熱情と意見を持った興業主、経営家プロデューサア、劇団當事者等は他にも随分たくさん居る。だのにそれにもかゝわらず、その様に多数の、その様に美しい熱情や、卓見は、大概、実現されると言ふ事が無く、ややもすれば「ざんげ」をやり出すのである。不可思議と言はざるを得ないではないか！・もしかすると、そんな熱情や卓見と演劇の実際との間に、何か恐るべき怪物が介在してゐて、熱情及び卓見の実現を阻止してゐるのであらうか？、

▲たしかに介在してゐる。怪物の名はソロバンと言ふ。これは一切の物を、最後のドタン場で決定する代物である。小林氏や大谷氏その他の営利的経営家達の熱情や卓見と演劇の実際との間には巨大なソロバンがぶら下つてゐて、これがうまく調和してゐる場合は問題無いが、ひとたび矛盾しはじめると〜そして大概矛盾するのだが〜彼等が結局に於てその胸に掻き抱くのはソロバンの方であって、熱情や卓見では無いのである。勿論これは批難すべき事でも自ら恥ずべき事でも無いかも知れない。なぜなら、それは現代に於ては必然であり必要であるからだ。たゞ、それならその様に言って呉れゝば良いのだが、往々にして彼等は自分のソロバンを「演劇への熱情」や「國民演劇創成の意見」などの花で以て飾り立てる趣味を持ってゐるものだから、事がコングラガルのだ。

▲私共は此の際銘記して置かなければならない。演劇の向上や國民演劇創成に就て壮語する事は誰にも出来る。然し真に演劇を向上させ國民演劇を創成し得る者は、何よりも強く演劇を愛し同胞國民を愛してゐる者である。商人では無いのだ。勿論、職業上商人である者の中の或る人達が演劇や同胞を真に愛してゐる事を私は否定しない。結構だ。たゞその場合はソロバンを捨てろ。少くとも演劇と國民に奉

仕する目的を達成するのに必要な時にだけソロバンは採り上げてくれ。金儲けの目的を達成するのに必要な時にだけ演劇及び國民に就ての名論卓説を振りまわす事に依って、私共の鈍い頭を混乱させるのは控へてくれ。

▲又、私共は此の際銘記して置かなければならぬ。――現在各種の劇場に三圓乃至五十錢の入場料を持って通って来る観客（そしてこれが演劇商人達の採算の基礎になってゐるのであるが）のズッと下層に――経済的にそれだけの力を持たず、生活的にそれだけの便利さを持たぬ所の尨大な大衆が存在してゐるのだ。勤労者と農民である。國民の實體であり中軸でありながら久しく演劇文化から除外されてゐた層だ。これらの層に演劇を返へさなければならぬ。この勤労國民大衆に演劇を返さうとする運動が、即ち國民演劇運動のスタートラインでなければならぬ。

改造（昭和13・12月号）

映畫俳優論

―その二―

一、

再び此の稿を書きつづけるが、俳優諸氏に就て語る前に、前の文章（本誌十一月號）の冒頭に私は「牧場物語」は世の批評家諸君が言ってゐるほど詰らない映畫では無く、同時に「路傍の石」は批評家達が言ってゐるほど良い作品では無い、理由は他で述べると言って置いたのであるが、その後チャンスが無くて述べなかったので、責任を感じるので、少し時期遅れの感があるが、此處で述べる。

細かい専門技術上の事を一つ一つ取上げてゐたのでは大変なので極く簡単に、大づかみな事だけを語らう。また事実、専門技術上では、此の二作品には別に大した甲乙は無いのだ。非常な優秀の差が有るやうに思ふのは、現代に流行してゐる諸種の「傳説」のために、観賞や評価の中に先入主が入って来てゐたためである。

なるほど「牧場物語」は「路傍の石」に較べれば缺點の多い作品である。しかし「路傍の石」が九十八點位に傑出してゐて「牧場物語」が二十點位の愚作だとするのは愚論だ。批評家側の感傷である。批評家達は「牧場物語」を「西部活劇」だと言ったが、

それならば「路傍の石」は「新派悲劇」と言はざるを得まい一方がフイクシヨンならば、他方もフイクシヨンである。「はめ手」は双方にあるのだ。一例を挙げれば、「牧場」の中で牧場乗取りを計る資本家側のカラクリが餘りにアザトくて、一篇の劇的シチユエーシヨンを作り出すために、取って付けたやうになってゐてリアリテイに缺けてゐる事を示摘するならば〈そして私自身もその點を強く示摘する。つまり、此れは此の作品の一番大きな弱點だと私は思ふ者である〉同時に「路傍の石」全篇のストーリイの出發點となつてゐる所の、母子の孤独と貧窮の原因である父親が、どんな理由であのやうに歪んだ性格となり、あのやうに無慈悲に妻と子を捨てたかと言ふ事情が全く不問に附されて居り、それはまるで新派大悲劇「まゝ子いぢめ」の中に於て鬼の様な性格を持たされる所の継母と同じく天下り的に設定されてゐる點も一篇の涙ぐましいストリイを組上げるための「カセ」として利用されてゐるだけでリアリテイに缺けてゐると言はねばなるまい。指摘さるべき事はチヤンと指摘された上で、その上に立って評價されなければ、それは不公平と言ふものであらう。この様な事はこれのみに止らぬ。この二作品に対する評價の中には、これに類する不公平が無数に有った。そんな不公平は日本の映畫のために良く無い。しかし、この種の不公平だけならばまだ仕方が無い。なぜかと言ふと、それは或る程度まで避け得られない事だし、それに映畫批評家と言ふものは、僕の見る所に依れば、目下のところ主として「評價の不公平」を武器にして存在してゐる技術者なのであるから、これ又避け得られない事だからである。

本當の問題は、そんな事よりも、他に在った。「牧場物語」は全體主義的作品と言はれた。「路傍の石」は人道主義的作品と言はれた。「言はれた」と言ふのは、私には全體主義のことも人道主義もまだホントには解ってゐないからだ。全體主義と人道主義もまだホントには解ってゐないからだ。全體主義と人道主義とが　どんな點で相反するか、どんな點で抱合するかと言ふ問題も、私にはよく解ってゐない。たゞ「言葉」としては「牧場」は全體主義的と言はれ、「路傍」は人道主義的と言はれた事を述べてゐるのである。そして「言葉」は重大である。「言葉」は場合に依つて一切を支配する。そして、「

牧場」「路傍」の二作品を見た批評家達は、それを見る前に既にそれぞれの「言葉」を用意してゐた。即ち、支配されたのである。それから、彼等は二作、品を見終ってから再び「言葉」を用意した。即ち支配された。

そして、批評家達は、自分達の用意した「言葉」で以て正面から批評をすれば、まだよかった。しかし、どう言ふ理由でかそれは為し得なかった。それならば黙ってゐれば未だよいのだが、それでは彼等のお喋りの習性が満足されないと同時に、営業上の利益が満足されない。だから、瑣末な事ばかりに触れたり、頭だけはスッポリと隠して尻だけを出し、その尻の穴で歌を歌はせるやうな事だけを言ってのけた。一言に言ふと「顧みて他を」言ったのである。彼等は彼等の「批評」で以て、「指導」はしないで「ぶらさがった」のである。また、それをするのに此の二作品ほど好適な作品は無いと言ってよい。人の好感を引きつけるのに「路傍の石」ほど澤山の好條件を備へてゐる作品は無いし、人の反感を集めるに「牧場物語」ほど澤山の好條件を備へてゐる作品も無い。

シネマツルギーの上で、「路傍の石」は舊くから使ひ馴らされてゐたシンテーゼであり、「牧場物語」は新しく提出されたテーゼである。前者は老熟して居り、あぶなげが無く、人を安心させ、人を包んでしまふ。後者は未熟で荒々しく、人を刺戟し、人を突き飛ばす。前者は、これまで考へに考へ抜かれたあげくの結語であり、後者は、新らしく而も極めて激烈に感じた瞬間の叫び聲である。双方の是非や優劣を言ってゐるのでは無い。特色を言ってゐるのである。長所と短所を言うならば双方に有り、しかもそれは全部この二作品の右の様な性格から生れて来てゐる。そして、これらは結局この二作品それぞれの企劃、製作、原作、脚色、配役、演出を一貫してゐる特色であり、代表的には、田坂具隆と木村荘十二の相異である。

田坂は「成功」し、木村は「失敗」した。それは技術上の巧拙のためでは断じてない。作家としての本質的な性格から来るのだ。言ふならば田坂は「牧畜者」であり、木村は「種を蒔く人」である。勿論あらゆる場合に、成功は望ましいし、失敗はありがたくない。同時に成巧者が世の喝采を受け、失敗者

がそれを受けないのは當然の話であるが、假りにも、「批評家」と言はれる程の者ならば、およそ芸術の世界に完全な成功も無ければ完全な失敗も無い位な事は知つてゐてもよいであらう。そして、その成功がどの様な性質の成功であり、その失敗がどの様な種類の失敗であるかを明瞭にしてやるだけの職能を持つてゐても悪くは無からう。場合に依つては、たとへそれが成功ではあつても拒否しなければならぬ事もあるし、失敗であつても歓迎しなければならぬ事もあるからだ。

　この場合は勿論、田坂の成功は歓迎さるべきである。同時に木村の失敗も歓迎されなければならぬものである。私自身の事を言へば田坂の成功の中に於けるよりも木村の失敗の中に、より多くのプラスを認める。集団としての人間達が強く生きようとする攻撃的な意慾な芸術的形象を與へようとしたプランにそれを認める。プランは隨所に、破綻を示してゐるが、同時に数多くの力強く美しい部分をも生み出してゐる。その一つ一つを此處に書き並べる必要はあるまい。それは、單純で公平な心を持つた人々の眼にはひとりでに見える事だから。

　以上のやうな理由で、私は「路傍の石」を批評家達が言ふほど良くない作品だとは思はぬ。もつと具體的に例を擧げて評論すればよいかも知れぬが、今はそれほどのスペースがないし、これだけでも充分だと思ふ。私がこんな事を書いたのは「路傍の石」をくさすためではない。これはこれで秀作である事に間違ひはないのだ。「牧場物語」に下された批評が、あまりに片寄りすぎてゐた事を指摘したかつたまでゞある。

二

　さて、そこで三四人の映画俳優諸氏に就て語らう。此の前は私は河村黎吉を褒めた。しつこい様だが今度もまた褒めないでは居られない。最近松竹映畫「美枝子の兄」及び「悪太郎」を見たが、そのいづれに於ても河村は良い成績を示してゐる。特に「悪太郎」の中のトラック運送屋の小父さんは良い。「風の中の子供」「美枝子の兄」そしてこの「悪太郎」と思ひ出して見ても一役々々それぞれ全く別の人間として明瞭に仕分けられてゐるし、一役々々は不自然

さがない。しかも、たとへば小杉勇其の他の大スタア達が映畫の中で非常に度々一人だけのアップで撮られる事に依ってそのうまさが明瞭になるのに較べて、河村は比較的にそんな事がなく一カットに多数入れこみの芝居の中で光る。更にそのうまさがウッカリして見てゐると特に「うまい」と言った風に目立たないから、大したものだと思ふ。たとへば、「美枝子の兄」の中の伯父さんが伯母さんに頼まれて美枝子の結婚話をまとめにやって来て、美枝子の兄から、実は彼女の愛してゐる男は他に居る事を打開けられた結果、折角持って来た結婚話にアッサリ引込めて「女は好きな男の所にかたづくのが一番良い」てな事を言ってニコニコするくだりの演技――もっとも此の邊は演出も非常に良いのだが、殆んど据えっぱなしのカメラの前で、あれだけの気持の変化をハッキリ附けながらの流れるやうな自然さ、それから、「悪太郎」の中で皆で浅草に遊びに行くことになり、洋服を着込んだ運送屋さんが、チヨッキの胸にぶら下げた時計の鎖を次郎に褒められて「うん古いもんだがこれで物は仲々良いんだよ」と言ふくだりのタッタあれだけの量の演技の中から、運送屋の人生と人生観が暖かく流れ出て、その邊一帯を包み込んでしまふ豊かさ、等々々。

この人にこれ程感心するのは一つは私の好みにもあるらしいのだが、とにかく感心するのだから仕方が無い。これだけの人に、いつもバイプレイばかりをさせて置くのは、松竹現代劇の製作者や監督諸氏やシナリオライタア諸氏の不明ではないだらうかと思ふのである。元来、映畫界では、若い美しいヒーローとヒロインを中心にしなければ営業にはならぬやうに思ひ込んで居り、特に松竹映畫にその傾向が甚だしい。これは現在の観客の大部分の嗜好なのだから或る程度までは仕方があるまいが、しかし或る意味では「傳説に過ぎない」とも言へるのである。或る意味ではと言ふのは、もう既に現在では、映畫観客の中にも中年以上の層はかなり多数に出来て居りそしてそれらの層は、たゞもう愛したの愛されたのと言ふ話以上の大人の映畫を見たがってゐる事は事実だからである。

ところで、河村黎吉の役柄の範囲も、かなり狭いやうに見受けられる。特に、心理的に深く突込んで行かなければならぬ役や、理智的に高いものを表現

しなければならぬ彼などは、今のところ彼には不向きなやうだ。人柄も幾分さうであるが、しかし私の言ふのは柄の事ではなくて、もつと本質的に、彼の芸の中に、謂はゞ「底の浅さ」や「小味」が巣喰つてゐるやうに思はれる。彼が多人数入れこみのカットの中でうまい事は書いたが、そして之れはすばらしい事だが、その裏を言うと、一人でアップの演技をやらせると力が急に弱くなつてしまうのでは無いかと言ふ危惧を感じさせる所があるのだ。此處で私は「風の中の子供」中で、彼の父親が人気の無くなつた会社の一室でタバコを手に持つて考へ込んでゐる長いアップのシーンを思ひ出し、あれはあれで優れてゐたと思ふのだが、この事の反證にはならないやうに思ふ。なぜなら、あの場合の長いアップの力が弱くならなかつたのは、彼の演技力のためと言うよりも、むしろ、あのシーンの前後の映畫の流れの圧力が、あれだけの澱み（休止）を許して呉れたためだと思はれるからだ。松竹の映畫作家達が、彼の演技をアップで掴まへないのは私には不満であるが、そんなわけで、一面無理も無いと思ふのである。この點私にも、これ以上を突込んだ事はよく判らない。

たゞ、河村が演技の中に深い心理性や高い智性を消化し得るやうになつた日はすばらしいと思ふ。且それは不可能では無いと思ふ。

河村のことをこんな風に語れば、自然に私は藤原釜足に就て一言したくなる。河村と同じ鑛脈に屬する俳優のやうな気がするからだ。

藤原のことを世間でも製作者も監督も三枚目俳優と見てゐる。私は賛成し得ない。でも、それは大した事ではない。三枚目でも二枚目でも世間で押すレッテルなんぞ実はどうでもよい。肝心なことは本人の了見がそんなレッテルの上に据つてゐるか、又はレッテルなんぞよりズッと深い土臺の上に据つてゐるかである。なぜかと言へば、二枚目にしろ三枚目にしろ、世間が押して呉れたレッテルの上に了見を据えて、得意になつてゐる態度は、俳優の態度では無くてタイコモチの態度だ。流行児の二枚目や三枚目に、これが非常に多い。批難してゐるのでは無い。それはそれで又面白いと思ふが、それは私がその内に書く豫定でゐる所の「映畫界タイコモチ論」の領分であるから、その際にゆづるとして――

藤原釜足の了見がどの邊に据つてゐるかと言ふと、

勿論、レッテルの上などにではなく、もっと深い所に据ってゐるらしい。彼が単なる笑劇映畫に出ても彼の扮する人物の周囲だけには、笑劇中の人物のものとは言ってしまへない現実味のある後味が揺曳するのはそのためであらう。言うまでも無くこれは常に彼の強味である。そして大概の場合には彼の出演する映畫作品全體としての強味になってゐる。しかし、時々は――その映畫の演出の狙ひと配役のアンサンブルの色合ひ如何では――つまり「ナンセンス篇」又は「快笑篇」と言った調子の映畫の中では、彼の現実味は作品全體の上からはいくらか邪魔になる場合が有る。

これらの事に彼自身も気が附いてゐるのでは無いかと思はれる節々がある。しかも、彼は往々にして無理無態にレッテルに服從させられてゐる。「ナンセンス篇」や「快笑篇」が大きな口を開けて彼の出演を待ってゐる。彼ほど、俳優としての自分に貼られたレッテルに對して内心の抵抗を感じてゐる人はさう澤山は居ないやうに思はれるのである。そこまでは良い。ところが、或る事に對して抵抗を感じる事が繰返し繰返して久しきにわたると、いつの間にか自が抵抗してゐる當の物から何かの形で本質的に支配を受けてしまふと言ふ現象は誰の上にも起り易い。そして藤原釜足の上にも、幾分それが起きてゐると見るのは僻目であらうか。たとへば「鶴八鶴次郎」に於ける鶴次郎の番頭の役は藤原の最近の傑作であるが　その良さ加減は、彼が主役を取って撮った作品のいづれに於けるよりも良く例へば最近の好演技であった「青空部隊」のそれに較べても、ズッとすぐれてゐる。それには種々の原因が有ると思ふが主として「鶴八鶴次郎」の役では平常彼が感じてゐるレッテルに對する抵抗を左まで感じる必要はなかったゝめに、却って気楽にスタンダードな演技が出来たためではないであらうか。もしさうだとするならば、そんな抵抗からの支配を、初めから全く切り捨ててしまふのが一番良い。そしてそのためには結局そんなレッテルと自分をつないでゐる縄を切り捨ててしまふ以外に方法はないであらう。つまり私は、藤原が一日も早く「喜劇俳優」でも「三枚目」でもなって唯の俳優になることが彼のために一番よいと考へる。（一番最近の彼の出演映畫「チヨコレートと兵隊」を見てゐれば、この事に就いてもう少しハッ

きりした事が言へさうに思ふが、運悪く未だ見てゐないのでそれに觸れられないのは残念）

私がこんな事を言ふのは、私が現在藤原釜足をすぐれた俳優だと思ってゐるばかりで無しに、今後も随分伸びる事の出来る俳優だと思ってゐるためである。尚、彼の演技の中に、河村と稍々共通する「浅さ」と「小味」が附きまとってゐる點は指摘して置かなければなるまい。

三

私が今書いてゐるやうな文章は、本當を言へば順序をたゞして代表的な俳優全部をまんべん無く並べ、しかも全部を自分から等距離に置いて見た上で書かなければならないやうである。しかし私にはそれが出来ない。いくらそれをするやうに努力して見ても、結局の所やはり主として自分が興味を持ってゐる俳優に就て、しかもそれらを雑多な距離や角度から眺めて、そのままに語る以外に方法はないやうである。前稿中に、女優の事はまとめて扱ふと書いた事も取消して、思い付いた順、で男優女優に関せず取り上げて行く。

そこで、少し唐突であるかも知れぬが、松竹現代劇の水戸光子を登場させる。

実は私は最近まで此の女優の存在に気が付いてはゐなかった。私が彼女に気が付き、気が付いたトタンに感心したのは「美枝子の兄」に於てゞあり、その後「妻を怖がる夫」で別の意味で感心して、たゞ此の二本の映畫に於てだけである。映画女優としてどれ位の経歴を持ってゐる人であるか等も全く知らない。

とにかく感心した。これほどに豊富な敏感なフレキシビリティを持った新人へ（だらうと思ふ）女優を他に私は知らない。今後彼女を育て上げて行く演出者その他の指導開発よろしきを得れば、同時に彼女自身の努力次第では演技の深さの點でもヴァラエテイの點でも現代有数の女優になりはしないかと思った。生理的條件では、日活の村田知榮子に似ている。たゞ村田ほどの鋭どい線には缺けてゐるが、柔かいデリケートな線では村田に勝ってゐる。演技には、まだ陰影が不足してゐるけれど、明るいニュアンスは豊かである。此の人の将来の生長への期待は、私

には実に楽しい。

そこで、私はフッと考へるのである。……然しながら、現在の水戸光子のこの様な良さは「演技」なのだらうか、それとも生れ附いた人柄と言った方が當ってゐるものだらうかと。もしかすると、それは未だ演技とは言へない範囲のものではあるまいか。つまり、未だすぐれた「素材」程度のものではないだらうか。勿論、生れ附いた人柄――素材と演技とは切離せるものではなくて、この二つが統合されたたものが俳優の芸術である位の事は私も知ってゐる。しかし、一人の俳優が完成されて行く過程の中では（そして私の考へでは大概の俳優が常に完成への過程の中に居るのだが）時に依って演技々術が優位を占めたり、又時に依って生れついた個性が優位を占めたりその段階と機縁に依って色々になるものである。そして一方、映畫と言ふものには、元来次の様な性質、即ち、あらゆる映畫が常に必らずしも演劇と同じ様な意味での演技力と言ふものを不可欠に必要とはしない性質がある。換言すれば、演技を度外視しては演劇は絶対に成り立ち得ないが、映畫は時に依って演技無しにも成り立ち得るのだ。これは良い悪いの問題ではなく、演劇と映畫それぞれの運命である。そして、それ故に、映畫が俳優を扱ふ場合には、演劇に較べると往々にして彼れの演技力によりも彼れの生れついた個性に依據しがちになる。これを俳優の側から見れば、いやおうなしに、自身のの演技力よりも自身の個性に優位を占めさせる機会を多く与へられる事になるわけだ。映畫俳優の能力が、ややともすれば自分の個性――俳優素材の範囲の中で行き止りになってしまふのは、そのためである。

現在の水戸光子にドミネイトしてゐるのが、演技であるか個性であるか、たった二つ位の出演映画を見ただけで断定するのは危険であるが、もしいくらかでも私の不安が當ってゐるとするならば、水戸光子が大女優になるかならぬかの境目は、彼女が演技上の精進で以てその個性の限界を乗り越へ得るかに懸ってゐる。

若い映画女優で、多少でも内的に「深い」演技の出来る人は極く少ししか居ないが、堤眞佐子はその中の一人である。それは彼女の人間的な良さと、絶えず自身を啟養して行こうとしてゐる努力の結合に

依る成果であらう。事実、彼女ほどムラ無く温健でありながら、底の方に鋭どく一徹なものを蔵してゐる性格は若い映畫女優の内には非常に稀れなものではあるまいか。芸熱心なのもそのためであるいつまでも賢いのもそのためである。いつまでも賢い、と言ふのは変な言ひ草であるが、若く美しい女性が映畫女優になれば、初めは假りに人並以上に賢い人であっても、二三年経てば百人中九十九人迄がどうにも手の附けられない馬鹿になってしまふのが通例であるからこんな事を言ふのである。馬鹿の徴候は、先づノボセあがってしまふと言ふ點だ。それもただ親の生んでくれた顔の格恰が美しいと言ふだけで、ノボセあがってしまふ。勿論、映畫界の商人達が商売上おだて上げるからの事である。第二の徴候は、配役上で利己的な熱を吹きはじめる點に現はれる。つまり「気の良い役」――観客から同情され好意を持たれて自分だけ光る役――で無ければ首をタテに振らないと言ふ奴だ。堤眞佐子には、そんな徴候は二つとも無い。むしろ、言ひ得べくんば、無さ過ぎる。

私は堤眞佐子がスクリーンの上に現はれたソモソモの初めからのファンであるが、そして現在彼女が到達し得てゐる演技力の内容や段階を或る程度までは知ってゐるつもりで居る者の一人であるが、その彼女が、そこはかと無き「明朗篇」や、恐るべきフィーチア映畫等に唯ツラだけでスタアとなった女優たちに混って女学生などに扮して現はれて来ると、假りに彼女の演技が明るく正確であった場合にでも、なんとなく物悲しくなってしまふ。しまひに腹が立って来る。勿論彼女に対してではなく、馬鹿の一つ憶えのやうに「ベビーフエイス」とか何とか言ってこんな風にしか彼女を使へない製作者や作家へ對してである。最近特にこの傾向がひどい。その俳優として持ってゐる内容に相応したチャンスの与へられる事が少いと言ふ點では、彼女は私にこの前で書いた丸山定夫を思い出させる。もっとも丸山に於けるほど極端では無いが、不當は不當である。

しかし又、勿論、これに就ては彼女自身にも全く責任のない事ではないやうに見受けられる。と言ふのは、現在の営利的な映畫製作機構の中では必然的に、俳優は常に受身であって俳優の歩いて行く道と

と言ふものは殆んど製作機構が上から強制的に決定して行くことになって居り、その強制に従はない時は、最悪の場合はその俳優は遠からずして俳優たる事を断念せざるを得ない危険にさらされてゐる事は事実だが、それにしても俳優が自分の道を自ら選び、自分の内容を自ら守って行く道が全くふさがってゐるわけではない。それは、前に書いた大スタアや馬鹿達のそれとは全く違った意味で、自分の役を自ら選擇して自分がその下で演出される監督を自ら選擇し自分の出演する脚本を自ら選擇する事である。言ふまでもなく、こんな事が直ぐに又全部的にやれる譯のものではない。だが、気永がに執拗にその方向に向って努力すれば、出来ない事は絶対にない。たとへば今年は自分の出演したく無い映画に五本だけ出演してしまったが、来年からは三本で済ますと言ふだけの事でもその一つだ。勿論これは闘ひである。特に相手は営利的映画製作機構の重圧である。必ずしも勝つとは決ってゐない。大概負けるかも知れない。だが、十度に一度だけ勝っても大したものだ。

堤眞佐子はそんな點ではあまり闘ってゐるらしく無い。それは彼女の謙遜さのためでもあらうし、温健さのためでもあらうし、なかんづく此の一両年来の彼女が映画女優として、自分のパーソナリテイに依據すべきか内容的演技に依據すべきかの、岐路に立って迷ってゐるための逡巡なせいもあらう。しかし、いづれにしても自分自身が闘い取ること無しには、俳優の進展の道は開けて来ないであらう。他人が道を附けて呉れるのを待ってゐるのでは駄目だ。私は切に彼女に闘ひをすゝめる。

そして私が闘ひをすゝめるのは、彼女に對してだけではない。良い心を持った映画俳優達の全部にすすめる。それは映画製作組織の中を不穏にしたり不和にしたり不統一にしたいがためではない。反對に其處を本當に働き甲斐のある、眞の活気に満ちた、眞の和合のあふれた場所にしたいためである。つまり、芸術としての映画が可愛く、従って、それを目ざす映画俳優が可愛いいためである。別に他意は無いのだから言葉の不穏当は許して欲しい。

どうも妙な話の順序になってしまったが、妙になりっぱなしで筆を擱かなければならない紙数に来てしまった。それにしても今回はせめて十人位の俳優を語るつもりが、たった四人きりと言ふのは我れな

がら我がペンの鈍さが情けない。（以上）

日本映画（昭和十四年一月号）

劇評雑感

一

すべて批評と言ふものは、どんな達人がやつても、これで一切の事が言ひ盡されたしまったと言った風の完壁なものには成り得ない位にむづかしい仕事である。同時に、物事を批評することは、どんな馬鹿にも阿呆にも即坐に簡単にやれる位に手易い事でもある。

この邊が、批評と言ふものゝ面白さであらう。そして更に面白いのは、世間には、達人の数よりも馬鹿や阿呆の数の方が多いらしい事、加ふるに、達人が批評を発表する機会よりも馬鹿と阿呆が批評を発表する機会の方が多いらしい事である。

然し、更に更に面白い事は、その様に大部分は馬鹿と阿呆に依つて作り上げられた批評と言ふものが量的にムヤミと積み重ねられて行つた場合には、すべて批評としての價値の如何に関せず、現実の状態を或る程度まで支配する力になり得ることである。もつとも此の事は、唯単に面白いばかりでなしに、おつかない現象でもある。

そして、新聞や雑誌に載つてゐる劇評も、とにかく、まあ一種の批評であるから、右に述べたやうな面白さと、おつかなさを持つてゐるものと見てよからう。

二

今の専門劇評家達は殆んど皆、興行資本トラストや新聞雑誌等のバックや足場を持つてゐる。それは當然である。結構なことである。

しかし、その人間から、その様なバックや足場を引き去ると、その跡になんにも残らないやうな専門劇評家が随分多いのは、あまり結構な事ではない。もつとも、これは、その様な興業資本トラストや新聞雑誌に存在してゐる以上、その様な劇評家も生れて来る必然性が有るわけだから、昂奮したって始まらぬ事らしい。ボーフラの発生するのに好適なドス

が有って、そのドブの中にボーフラが発生したからと言って、そのボーフラだけを目の仇にしたって始まらぬと同断であらう。

唯、しかし、それだけに、その人間からバックや足場を差引いても何かシッカリした本質の残るやうな専門劇評家の存在は、劇界に取って貴重だ。だが、その様な存在は極く少い。私の知ってゐる範囲では伊原青々園と三宅周太郎と大山功ぐらゐのものだ。他にもまだ居るらしいが、ハッキリ知らぬから此処には挙げぬ。この人達の劇評が常に必らずしも妥当なものだとは私は思はぬ。加ふるに、伊原青々園は往々にしてそそっかしい。にも拘らず、これらの人々の劇評ならば私は信頼して読む。評の当否は別として、頭を下げて謹聴するのである。

それと言ふのも、必らずしも此の人達の学識や見識に対して敬意を抱くだけのためでは無くて、此の人達が演劇に向って打込んでゐる没我と真剣さに打たれるためだ。勿論、教へられる所も一番多い。

三

非専門劇評家に至っては多士済々である。柳、櫻をこきまぜて、馬鹿も俐巧も花の山と言ふ次第である。

ただ、妙な事を言ふやうだが、劇作家と俳優のものする劇評が一番つまらない。一見ひどくうがった批評をしてゐるやうで、大概の場合かんじんのツボをはづしてゐたり、見方が片寄ってゐたりする。やはり、料理屋の板前が、チヨット考へると料理の出来栄えを批評するには最も優れた能力を持ってゐさうで居て、本当はさうでも無いと同じ理窟であらうか。自戒する必要がある。

私なども、まあ劇作家の一人なのだが、これまで劇評をして良い成績を上げた事は一度も無い。若手だ。但し、劇評の批評ならば多少は出来さうだから本誌上で時々やるつもりだ。

（劇評（昭和十四年五月創刊号）

劇評談義

―その二―

この間、或る雑誌を読んでゐたら、評論家の窪川

鶴次郎さんが
「新劇は招待切符を貰ふので大概見に行く見れば必らず何か得る所が有るし、見に来て良かったと思ふ。しかし、自分で入場料を払って自由に芝居を見て楽しまうと思ふと、自分の足はムーランルーヂュの方へ向いてゐる。」
と言ったやうな意味のことを書いてゐた僕はそれを読んで実に面白いと思った。そして、先づ第一に窪川さんなんて馬鹿だなと思った。その次に、いや、やっぱり窪川さんは偉いと思った。

○

最初に窪川さんを馬鹿だと僕が思ったのは、特に窪川鶴次郎と言ふ個人のみを馬鹿だと思ったわけではなくて、窪川と言ふ個人が代表してゐる或る種のインテリ観客層をも指してさう思ったのである。

世間が知ってゐるやうに窪川さんは、現代の或る種のインテリ層の代表的な存在である。しかも大変すぐれた存在である。少くとも、すぐれた存在だと思はれてゐる。すると、観劇に就ての右の様な感想も或る程度まで、その様なインテリ層の観劇の態度を代表してゐると見ても大して間違ひは無いだらうと思はれる。いや、こんな類推からだけでは無く、窪川の例から全く離れて観察しても、現在のインテリ観客のかなり大きな部分が、窪川と同じやうな気持で以て新劇を見に行ったりムーランその他を見に行ったりしてゐる確證が有る。勿論それを、どんな意味からも、とがめようと言うのでは無い。とがめる資格なんか僕にはない。たゞ僕一個の感想として、そんなのは馬鹿らしいと思うだけだ。

先づ、新劇を見てから「見に来て良かった」と思ふならば、その次から彼の足は「自然に」新劇の方へ向う筈ではないだらうか。「得る所が有った」ならば、益々さうでなければならぬ筈だらう。だのに、「入場料を押つて自由に芝居を楽しまうと思ふと」彼の足はムーランに向いてしまふのである。つまり、彼の場合には「見に来てよかった」り、「得る所が」有ったりする事と自身の「自然な慾望」や「楽しみ」とは、全く切離された別々の物らしいのである。まるで、此處では知性と本能とは全く分離してゐるかのやうだ。そして、新劇は、知性の虚栄心みたい

なものを満足させるために見ムーランその他は本能の官覚を満足させるために見てゐるかの様に思はれる。しかも結局「自然に足の向くし」のは本能の方へと言ふのだからムーランこそ良い面の皮だ。いや良い面の面は新劇の方かな。言って見れば新劇の方へは首から上だけが行き、ムーランの方へはヘソから下だけが行くと言うわけだから、いづれにしてもスサマジイわけである。まるで怪物屋敷の話みたいだ

言ふまでもなく、世上の演劇には各種各様のジャンルとエコールが有り、それぞれが観客大衆のさまざまの要求に応じてゐるのを僕は見落してゐるのでも、又、否定しようとしてゐるのでも無い。新劇でも歌舞伎でもムーランでもロッパでも猿芝居でも屋芝居でも、なんでも有ってよろしい。それらを見に行く観客は、知性をも本能をも引っくるめて、つまり「自由に」見に行きたくて見に行くのである。それが健康な観客と言ふものだ。さうで無い観客は不健康であると思ふし、更に、そんな不健康さに対して屁理屈をくっつけやうとする態度は、なんだか馬鹿らしい事に僕には思へる事を言ってゐるまでゞある。

○

しかし次に、窪川さんは、やっぱり偉いと僕が思ったのは、芝居の観客としての自分のその様な二重性を、アケスケに言ってしまへるから偉いと思ったのである。言ひ方の自然さと、言はれてゐる事の正直さを偉いと思った。

いい加減なインテリだったら、こんな風には言ってしまへない。必ず片一方の事だけしか言はない。新劇は「勉強」と「芸術的良心の満足」のために、ムーランは「娯楽」と「本能的満足」のために行ってゐるのが実際であっても、新劇だけの事を語るか、又はムーランだけの事を語る。しかも前者の事を全く肯定的に、後者の事は全く否定的に語る。又は、その関係を恰度裏返しにしたやうに語る。いづれにしても嘘を言ふ。しかも、その嘘をもっともらしい理屈で飾る。恐ろしく手の込んだ順序だ。窪川さんは、それをしてゐない。結局彼が正直さや誠実さを持ってゐるせいだと思ふ。僕はそれをありがたいと思ふ。僕は窪川さんの事を、必ずしも非常にすぐれた批評家だとは思って居ない者である。

持に彼の演劇の批評には、どちらかと言へば、あまり信を置いてゐる人間ではない。しかし、彼がこの様な正直さや誠実さを自らに對して残してゐる事を知って、やっぱり仲々えらい批評家であると思ふのである。もっとも、此の手の正直さや誠実さは、実はその邊に遊んでゐる子供等が大概みんな持ってゐる性質である。ところが、驚いた事には、そいつを現在の批評家――劇評家と言はれる様な人々は極く稀れにしか持合せて居ないらしい。だから、大事にしなければならないと思ふ。僕は今後、窪川さんの劇評、ならびに窪川さんと同じやうな正直さと誠実さとを持った劇評を大事にしようと考へてゐる。よしんば、その劇評が劇評としては支離滅裂で取るに足らないやうな場合でもである。

たゞ、勿論、せっかくそれだけの誠実さを持合せて居るならば、観劇乃至は劇評上の二重性――知性と本能の遊離の本体が如何なるものであるか、如何にすればその二つが統一綜合されるか、等々に就て、その様な誠実さを少しでも持合せてゐる優秀なインテリ自身の頭で考へて欲しいと思ふそしてそれを発表し、僕等を啓発して貰ひたいと望むのである。

―(昭和十四年五月)―

劇評(昭和十四年六月号)

昭和三十七年十一月一日　印刷
昭和三十七年十一月五日　発行

限定版
220部
その内の
第194番

三好家に無断で上演上映、
◎放送、出版、複製をするこ
とはかたく禁じます。

三好十郎著作集　第二十四巻
（非売品）

著作者　三好十郎
監修者　三好きく江
発行者　三好十郎著作刊行会
代表者　大武正人
東京都大田区北千束町七七四番地
電話東京（七一七）二三八五番
振替　東京　五一七五二
印刷者　株式会社　タイト印刷
東京都中央区八重洲四ノ五　梅田ビル内

第二十四回配本

三好十郎著作集

第二十五巻

三好十郎著作集　第二十五巻

監修　三好きく江

編集　大武正人
秋元松代
高橋昇之助
石崎一正

浮標

時……………現代

所……………千葉市の郊外

人間……………

久我五郎（洋畫家。卅三歳）

美緒（その病妻。卅三歳）

小母さん（四十五六歳）

赤井源一郎（五郎の友人。卅歳）

伊佐子（その妻。廿三歳）

お貞（美緒の母親。五十一歳）

惠子（美緒の妹。廿八歳）

利男（美緒の弟。廿六歳）

比企正文（五郎の友人。医学士、卅七歳）

京子（その妹。廿五歳）

尾崎謙（小金貸。卅八歳）

裏天さん（家主の荒物屋。四十八歳）

酔つた男

少年

少女１

少女２

１、家で

海添いの村の一角に建てられた旧さびれた借家を庭の方から見た所。

上手から下手へ座敷（病室）、三疊の玄関、六疊の居間、その前に廊下、廊下を通つて湯殿、便所の順序で、何の曲もなく一列に細長い平屋。上手は垣根を隔てて隣家、下手は便所の角を曲つて裏木戸へ通ずる。庭には二三本の樹とこわれかかつた藤棚と、少しばかりの草花。

夏の末のよく晴れた正午前。遠い沖の方を通る船の汽笛がボーッと響いて来る。四邊はジーンとする程静だ。

美緒が病室の前の縁側に据えられた静臥椅子の上に横になつて、ウットリしている。中形の浴衣の胸にはでな色の大きな經木製の海水帽を抱いている。患つても顔はあまり痩せぬたちで、どちらかと言えばフックラとして顔色も良いし、チヨット見には病人のようには思われぬが、実は第三期の殆んど重態といつてよい位の患者である。よごれぬ白足袋を穿き、身だしなみ良く白い柔かい顔を縁取つているユッタリとした束

髪。永い間の病苦にさいなまれ盡した末、それに抵抗する事の不可能なことを知った結果、普通とは反對に、極めて無邪気な幼児の様に柔順な明るい人柄になってしまった。時々、自分の眼の前に在るものを透して遠くの物を眺めているような虚脱状態を呈することがある。
……そのままで、永い間。

小母さんの声　（此処から見えない台所で）……ふええ！．まあま、出しぬけにビックラするじゃないかいな！．いつもその通りですなあ、あんたはん！．声も掛けんと、だまあって入って来てヌーと突立っておいやす。ホンマに……（あとはハッキリ聞えなくなる。この小母さんは、かなりひどいツンボのために、口の利き様がスットンキヨウに高調子だ。京都生れだが、中年から大阪や東京や田舎などに移り住んだせいで、いろいろな言葉が混り込んで、不思議な京都辨になってしまった。誰か台所口に訪ねて来ている声がゴトゴトする。それを相手に喋っているらしい）……アッハハハ、ハハハ、そんな事おいやしても、私はツンボーではおまへんで、ハハハ、どれどれ、なにが有るか見せとくなれ。ホウ！．

美緒　……（その方へ耳を澄ましながらニコニコしている）

小母さんの声　……（ハッキリしないままに続いていたが、再び聞えはじめる）そないな片意地な事いわれると、お嫁さんの世話してあげまへんえ！ここの奥さんの生徒さんには、綺麗な方がターンとお居やすからな、今度めお見舞いにおいなした時に、あの魚屋さんチヨイとオツな若いしやなと見染めなしたお方が有っても、私、だまっててなんにもいってあげまへんえ！．ええか？、

青年の声　（それまでゴトゴトいっていたのが、ハッキリする。）小母さんに逢ったや、かなわんのう！．

美緒　……（クスクス笑い出している）

小母さんの声、な！．そんな、あんたはん見たような青年団がケチケチするの見とむないぜ。青年団は青年団らしくイサギようしなはれや、な！．日本国は今、非常時どすえ！．チヤンとすべき時

が来れば、チャンとしますからな！この間、大臣さんもラジオで、そういってはりました……（へあとはハッキリしなくなる。尚、互いに押問答をしているらしい）……

（間）

小母さん　（下手を廻って庭へ出て来ながら、裏木戸の方を振返って）大丈夫、お嫁さんの舌は、私があんじょう世話してあげますよって、安心しておいなれ。ハッハハハ。（右手に鮮魚の大きいのを一尾ぶら下げてイソイソと美緒の方へ。質素だが、まだ上品な美しさを残している様子が、小母さんと呼ばれるには少しふさわしくない位の人柄である。京都の舊家の人となって、その後、種々の不幸に見舞われ、今、こうして半ば好意から舊い知り合いの此の家に働きに来ている身分である。眼をズルそうに輝かしながら）ヘッヘヘヘ、奥さんこれ、見なはれ！どうや！

美緒　……（両手の指を全部パット開いてビックリした事を示す）

小母　これで今夜のおさいがでけた。三枚におろして、サシミを取った残りをおツユにしてあげまっさ。

美緒　……？（手真似で魚がいくらしたと訊ねる。唖かと思われる位に手真似の会話に馴れている。絶対安静中は声を出してはいけないと命じられているし、又、此の小母さんに聞える位に大きい声を出すことは彼女には既に困難になっているのだ）

小母　これで八銭どす！十五銭というたのをチャッと八銭でまき上げてきましたわ。凄腕どすやろ！

美緒　……（うれしがって拍手をして見せる。しかし銭のなかった事を急に思い出して、心配そうに指で丸を作って見せて、代金はどうしたと訊ねる）……？

小母　へ？　アハヘと手を大きく振って）大丈夫、大丈夫！そないなものミソカでよろし。

美緒　（非常に低い澄んだ声。この時だけでなく彼女の声は始終ひどく低く小さい。高く大きな声はもう出ない）だって、小母さん、あの魚屋さんには、もう二カ月も拂いが溜っているんじゃなくって？

小母　（美緒の言葉は耳に入らない）そんなもんミ

ンカでよろしおす。これ位のことグズグズいうようでは、あきうど冥利に盡きますえ。

美緒　……（手で小母さんの片方の耳を引っぱって自分の口の近くへ持って来て）……だって、あのね、あの魚屋さんには、もう二ヶ月も溜っているんでしょう？、

小母　へ？、へえ。なあに、二カ月位がなんどす！三十圓や四十圓、みんながみんな拂わんと逃げ出しても大事おへんわ！　それ位の儲けは此の二年の間にチャーンとさせてありますがな！。

美緒　だって、そんなわけには行かなくってよ。

小母　奥さんは、そないな心配せんと置きやす。餘計な心配おしなすから、五郎はんに年中おこられる。えいか！　お金なんぞ全麗なんどす？　有る所へ行けば、いくらでもありますがな。今に五郎はんがターンと絵を描きはって、トクマン圓でもなんでも儲けて来てくれはりますがな。

美緒　……（嬉しそうに、しかし同時に寂しそうに微笑んでいたが、やがて湯殿の方に眼をやる）

小母　クヨクヨしたら、あかん！　奥さんは大々名にならはった気でゾックリ返って空でも眺めて暮していなはれ。五郎はんはこんな綺麗な海水帽も買うて呉れはるし、奥さんが心配なはる事など、なんにもあれしまへん！　そうどっしゃろ！、

美緒　うん……（耳を引っぱっていた手で小母さんの頭を撫でる）

小母　（自分も左手で美緒の腕を撫でてやりながら）そうどすえ！、威張っていなはれや。そしたら、あてが此の辨で以てな、魚屋でも米屋でも、裏天はんでもベラベラとだまくらかして、あんじようしてあげまっさ。向うが、何かウダウダいうても、あてはツンボーどすよってに、なんにも聞こえへんのどっせ。太平楽どす。アハハハ。

美緒　小母さん、ありがとう……。（涙）

小母　なんどす？……ほらほら、又、泣かはる！それがいかん！　五郎はんおこられはるぜ。コラアッ！（眼をむく）

美緒　……ハッ、ハハ（こらえていたが笑声を出してしまう）

小母　アッハハハ、こうどすやろ？、

美緒　……（クスクス笑いつづける）

小母　ハッハ、さ、お午の支度や。……だが、なん

だすなあ、近頃、兵隊さんチヨットもお見えになりまへんな？、　兵隊さん見えんと五郎はん、なんやら寂しそうにしてはります。どうぞなさったかいな？、もしやすると、いきなりもう出動なさってしもたんではないやろうか？、

美結　そうじゃないの、今度の日曜あたり見えるそうよ。東京から伊佐子さんも来るそうだから、此處で赤井さんと落合う事になるわ。

小田　どすかいなァ、でもいくらお上の事でも、それじゃ、あんまりではないかいなあ。

美結　いえ、だから、この日曜には赤井さん御夫婦が来て下さるのよ。

小田　どすかいな？、でも日曜日に、東京の御親類の皆さんがお見舞いなんぞに来て下さるのも、もうよろし！　皆さんがお見えると、後、奥さんがキットお加減が良うないのどすさけ。（話がトンチンカンになってしまう）

美結　そうじゃないの、あのね……（自分の声では話が通じないのでガッカリして、再び小田さんの耳を引っぱりにかかる）あのね、兵隊さんは、此の日曜に……。

いっている所へ、湯殿のガラス戸が、ガラッと開いて、運動シャツ一枚にサルマタ、手拭で向う鉢巻をした久我五郎が出て来る。一仕事終った後のホットした気持で何か舊い外国の民謡を唸るような声でハミングしながら。両手はポスターカラアで汚れ、顔や胸から汗がタラタラ流れている。湯殿をアトリエ代用にして絵を描いていたのである。しっかりした骨組の男で、善良で神経質らしい顔。ただ眼の光と、頬のかけが極めて強い偏執性をたたえているのが、時に依って善良さや神経質の感じを裏切って、非常にしつこい、動物的なシブトさを現わすことがある。栄養不良と絶え間のない心労とのために、肉體も精神もひどく痛めつけられて居り、殆んど、ドタン場に追い詰められた野獣の様なあわれな有様だ。しかもそんな自分の状態を美結に気取られまいための努力が永い間続いて来たために、美結の眼の前では明るく呑気で平静であり、それだけに、その反動で美結の居ない場所ではイライラと神経質になり、表情も言語動作も激しく動物的なものに変ってしまう。その変

り方も変り目も彼自身は意識していず、全く自然に行われているが、はたから見ていると変化があまりはげしい對照をするために、まるで別人を見るような感がある

小母　（美緒が湯殿の戸の開いた音でハッとそちらを見るので、その視線を追って）ああ、こらいかん！お仕事をすましはった。

五郎　（廊下をドカドカ歩いて来ながら）こら！また喋っていたな！

小母　（首をすくめて、にげ腰になりながら）奥さんはなんにもいわはらんのどす。私だけが、兵隊さんの噂をしていたのどすえ。

五郎　（美緒に）チヨット油断をしていると直ぐにベラベラやり出している。食事前の時間は、喋ってはいけないと、あれだけいっているのが解らんのか。

美緒　……（手真似で喋りはしなかったと打消しながら、子供が叱られたように眼をオドオドさせている）

小母　ホンマに、お喋りをして居たのは私だけどすえ。

五郎　（しきりに辨解している小母さんの右手で鮮魚がブラブラしているのを見て）どうしたんです、それ？

小母　生きのええ魚どすやろ？、魚屋の若いしから買うたのどす、お嫁さんと引っ代えこにな。

五郎　お嫁さん？

小母　ハッハハ。ほい、しもた！御飯の支度がしっぱなしや！（ごまかし乍ら小走りに台所へ去る）

五郎　（それを見送っていたが）……ホントに俺のいう事を聞かないと、張り倒すよ。

美緒　だって私、そんなに話はしないんだもの……。

五郎　（怒って）返事はしなくっていい。嘘をつけ。たった今笑っていたじゃないか！

美緒　だって──。

五郎　返事はしないでいいといったら、馬鹿め。……今お前にとって食慾と咽喉をチャンとした状態で保つという事がどんなに大切かという事は知っているだろう？

美緒　……（うなずきながら、手拭を持った手を伸して、立っている五郎の首や胸の汗を拭いている）

五郎　小母さんはお前の気を浮き立たせようと思っ

て面白い事を喋って呉れているんだ。それはわかる。小母さんは良い人だ。しかし、蛇の黒焼が一番どっせなぞという人だもの、科学的には全然無智なんだよ。そこはハッキリ區別していないといけない。お前までが小母さんの調子に乗って安静を破る法はないんだ。

美緒　……（クスクス笑い出す）

五郎　なんだ！

美緒　……（五郎のヘソの邊を指さす。そこにはポスターカラアのとばっちりがコテコテくっついている）

五郎　（うつむいて見て、苦笑）フフ、今日は少し能率を上げたからな。五枚描いた。好文堂の金庫から一金拾圓がとこチヨロマカした次第だ。

美緒　でも湯殿は暑いでしよ？

五郎　なに、あれで丁度いいんだよ。うん気で以てカーツと頭へ来た所で描きまくる。

そこへ、今度は居間を通って小母さんが用意の出来た大型の膳を運んで来る。

小母　へい、御馳走どすえ！　そこであがりまっか、庭へ出まっか？

五郎　こりや甘味そうだ。ホーレン草がよく有ったなあ。どうする庭へ出るかい？

美緒　……（コックリをする）

五郎　小母さん、すみませんが椅子の方を――（と美緒の肩と両脚の下に手を入れて、ソーッと抱きかかえる。小母さんは椅子をかかえて、庭の樹の下へ運んで日蔭に据える）

美緒　……（海水帽を指して）あれを――。

五郎　いいじやないか、陽は當らないよ。

美緒　ううん、かぶるの。……かぶるのよ！

五郎　しようがねえなあ。小母さん、それ取って。

小母　へ？　へいへい、奥さんの大事な大事なシヤッポや。（取ってかぶせてやる）これ、かぶらはると飛んだ別嬪はんに見えまっせ。

五郎　（庭へ下りて、美緒の身體を動搖させぬ樣に運んで行きながら）そら！

美緒　……（帽子の下でニコニコしながら）軽くなった？　重くなった？

五郎　そうだなあ。昨日よりも八匁だけ重くなった……。（ムッと怒ったような顔になっている。美緒の身體がひどく軽いのには、馴れっこにはなって

いても、その度に胸がドキリとする気持を押しかくすのに努力を要するのである）やれ、どっこいしよ！（美緒を椅子の上に静かに臥せ、腰から下を毛布でくるんでやる）

美緒　……きれいな空！（シミジミと空に見入る）

五郎　（近くの椅子代りの石油箱を引きずって来て腰をかけながら）あんまり仰向くとクシャミが出るぞ。（小母さんが縁側から運んで来た膳を自分の膝の上に受取る）……今日は僕が食わせますから、小母さん先きにやって下さい。

小母　でも、あんたはん、お疲れどす。

五郎　なあに、小母さんこそ腹が減ったでしよう。僕あ、まだあんまり空かんから。ユックリ食べて下さい。

小母　そうどすか？、じゃま、お先きにいただきま。又、喧嘩せんように、仲良う、ターンとおあがりやす。（笑いながら台所へ去る）

五郎　寒くはないか？、もう少しくるんでやろうか？

美緒　……なんて良い人でしようね、小母さんは。

五郎　良過ぎる。……だから、ああして不仕合せだ。（食物をスプーンや箸で美緒の口へ持って行って養ってやりながら）

美緒　（食物をユックリ噛みながら）私はそうは思わないわ。小母さんは結局、一番幸福な人よ。

五郎　……お前をシンから好いてくれているんだね。こないだ、お前のタンが詰った時、いきなり口をつけて吸い出してくれたにや驚いた。伝染するなんてまるで考えていない。ありがたいけど少しありがた迷惑だ。止めようと思っても止める暇もありやしないものな。……自分の娘みたいな気になっちゃってるんだな。

美緒　娘以上よ。……私なんぞ。小母さんが居てくれなかろうもんなら、トックの昔に死んじまってるわ。

五郎　……へん。お前より、俺の方が先きに死んじやってら。

美緒　……（五郎の顔をマジマジ見守っている）……ホントにあなたも、少し休養して頂戴な。痩せたわ。

五郎　俺は少し痩せて良い男になるつもりだ。蓮池あたりの娘さんや後家さん連中を少し唸らしてや

る。

美緒　どうぞ。

五郎　お前は本當にしないが、これで仲々もてるんだぞ、二三日前も市場の角でタマネギを買ったら、あすこの娘さんがリュックサックの中に一つだけ餘分に入れて呉れた。奥様がお悪くっちゃ、お大変ですわねえというんだ。ホロリズムは利いている。あれは、もう一押しで物になるね。

美緒　御遠慮なく、押してね。……でもどんな娘？、

五郎　それ見ろ。べっぴんだぞ。惜しいことに、少しビッコでね。

美緒　フフフ……。（笑いながら軽く咳く）

五郎　そらそら、もう黙って。……噛みようが、まだ足りない。フレッチャリズム、フレッチャリズム。呑み込もうと思うからいけない。自然にノドに流れ込むまで噛むんだ。そら今度はハムだ。

美緒　……頭が、だるい。

五郎　口を利くな。生きてるんだから、頭ぐらいだるいよ。……一切れのハムを十度噛めば十カロリー、百度噛めば一萬カロリーだ。……一萬は少し多過ぎるかな。いずれにしても、等比級数的に栄養は増すんだ。……医者の薬はあまり効かず候。小生の病気に最も有効なる療法は、うまい物を噛みに噛んで貪り食う事にて御座候。あまり噛むせいか、近頃にてはどの歯もどの歯も欠け落ちて口中満足なる歯は一本もなき程に候。……子規居士に俺は賛成だな。……お前なんか、歯は全部満足にそろっている。大したもんじゃないか。（養ってやりながら、美緒が噛んでいる間を、退屈させまいとポツリポツリと話しつづける）……なんだ、今のは、せいぜい三十度位だったぜ。

美緒　……（せっせと噛み込んでいたが、息苦しくなってハアハアいいながら）……チヨット、ストップ。

五郎　苦しいのか？……室の中で食った方がよかったかな。空気が少し荒い。……（美緒が首を横に振る）……タンか？（美緒がコックリをする。五郎、チリ紙を出して、美緒の口に附けてソッと取ってやる）……一分間の休憩、チエッ、まけてやらあ……（言葉とは反對に眼はジット注意して病人の様子を見ている……間）

美緒　……（少し楽になって）いやんなっちゃうな。

五郎　なにが？…

美緒　だってさ、あんまり噛んでると、食べ物みんな、口ん中でうんこになってしまやしないかな。

五郎　バ、バ、馬鹿な！　馬鹿をいうな。

美緒　でもヒヨッとそんな気がする事があってよ。口ん中が黄色くなるような気がするの。そしたらもう駄目。

五郎　そういえば、小さい時そんな話を聞いた様な気がする。或る所に馬鹿がいたが、それが食事のたんびにシキリと何か考え込んでいる。その内に時々ヒヨイと居なくなるから、どうするかと思つて附いて行って見たら、椀のメシを便所へ持って行ってほうり込んでいるんだそうだ。……どうせしまいにはそうなるんだから、食べて身體を通すだけ無駄な手間だというんだそうだ。……お前も段々その馬鹿に似て来たわけだ。

美緒　ええ、どうせ私は馬鹿よ。……だからこうして、あなたの仕事を一寸きざみに食いつぶしているんだわ。

五郎　なんの話だい？

美緒　……あのね。……私、こんなに御馳走を食べなくったってヘイチャラだから、時々はあなたホントの絵を描いてよ。

五郎　又はじめた。……子供の絵はホントの絵じゃないのか？……そりゃ、描けば金になるから俺あ描いている。それでいいじゃないか。……しかしそれだけじゃない。美しい絵を描いてそれが絵本になれば、日本中の子供がそれを見るよ。……金儲けだからヤッツケ仕事をする気はないんだ。又、そんな事は俺にはとても出来ない事はお前も知っている筈だ。俺あこれでも本気に描いているんだ。

美緒　……知ってるわ。だけど……だから、ホンの一月に一枚でもいいから、油で制作して欲しいの。

五郎　……純粋絵畫の価値に就て、俺あ疑いを持ちはじめているから駄目だね。美とは全體なんだい？……描けば描けるよ。しかしそいつを、誰が何処で見るんだい？　詰らんよ。そんな時代じゃない。

美緒　……うん……だけど、私が見たいのよ。あなたがコッテリと油で描いた風景かなんかを、私が見たいの。それならいいでしょ。

五郎　お前が見たいんなら描く。その内に描いてやらあ。……だが、お前のいっているのは嘘だ。俺に制作をさせたいために、わざとそんな事をいっているんだ。

美緒　……だって、あなたは、天才だといわれた畫描きよ。……私もそう思っているわ。

五郎　それ見ろ、それがお前の本音だ。……お前なんかに何がわかるもんか、天才なんてナンセンスだよ。世の中に天才なんて有るもんじゃない。ありゃ形容詞だ。

美緒　じゃ、唯の才能といってもいいわ。それをあなたは殺そうとしているのよ……。

五郎　へん、そのセリフの一番最後にお前がいおうとしていわなかったセリフを俺がいってやろうか？、「私のために」というんだ。へっ、しよってくらあ。お前なんぞのために、誰がどんなものでも殺すものか。亭主に犠牲を拂わせていると思い、それを濟まない濟まないと思っている事で以て、二重に良い気持でいる病身の妻。……そんな気の良い役を自分だけで取ろうというのはチッと虫が良過ぎるよ。もう今では、天才や才能なんかは死ななきゃいかんのだ。しかしそれは細君の病気の中やなんかで死ぬんじゃなくって、今の時代の中でだ。そんな物はみんなぶち殺して、人民の中で叩き込まなきゃならんのだ。叩き込んで、もう一度鋳直さなきゃならんのだ。……今、日本は戦争をしているんだぜ。

美緒　……この近くだけでも、もう二人出征した人があるわね？、……すまないと思う。……それに何だか考えるたんびに、怖くなって、私、身内が顫え出して来るわ。

五郎　……お前も戦争をしているんだ。お前もじゃなくって、お前が戦争しているんだ。他人の事じゃない。顫え出すなんかといって、自分だけは病人だから責任は負わないでいいなどと思っていると大変な量見違いだぞ。まして、食物を噛むのがいやだなんて、怪しからんよ。クソになったって石になったってなんだい。……さ、食べよう。（再び食物をスプーンで養ってやりはじめる）

美緒　……（黙って噛みながら涙ぐんでいる）

五郎　（それを、わざと無視して）……そう、ホーレン草。……ああ、この土曜に目黒診療所の比企

さんがやって来るそうだよ。今朝手紙が来た。……日曜には赤井達が来るし、利男君も来るだろうし、賑やかになる。

美緒　……比企先生？……そう？、

五郎　なんでそんな変な顔をするんだ？、いやか？、

美緒　ううん。だけど……あんた手紙を出したの？、

五郎　うん、こないだ。あんまり御無沙汰していたからね。

美緒　……私の身體、又、そんなに悪くなった？、

五郎　なんだい？、なにをいっているんだ！、俺が来てくれといってやったわけじゃないぜ。向うで避暑に来たいというんだ。

美緒　だってあなた、今頃になって、避暑なんて、変じゃないの？、

五郎　邪推するのもいい加減にしないか。診療所が忙しくって、みんなのキマリの休暇が今迄遅れていたのが、やっと土曜から三四日取れたから見舞いかたがた行きたいというんだよ。お前の病気に医者を呼ぶ必要が起きたら、そんな卑怯な真似を俺がするか。現に比企さんの妹も一緒に泳ぎに行くからといって来ている。

美緒　……京子さんは、声楽の方はまだなすっているのかしら？、

五郎　そうらしいね。

美緒　……、そいで、夜具はどうするの？、二組なんて内にはなくってよ。

五郎　いや、此處は駄目だよ。そこの臨海亭にでも泊ってもらうさ。先方でもそんな積りらしい。

美緒　じゃ前もって臨海亭に頼んで置かないと……。

五郎　なに、もう客はないから大丈夫だよ。……でも、とにかく後で、そういっとこう。

美緒　（噛みながら）……御飯すんだら、又、萬葉集読んでね。

五郎　でもお前、俺の解釋を笑うじゃないか。

美緒　……だって、おかしいんだもの。……でも萬葉の歌というのは、好きだ。……私にだって解るわ。……歌なんて私には解らないと思っていたけど、この頃、わかるような気がする。……聞いてると、とてもいい気持よ。

五郎　じゃ、後で読んでやる。……萬葉こそは俺達の故郷だという気がするな。……どうだ寝てる向に全部あげて、病氣が治った時は萬葉學者になっ

ちまうか？、ハハ、ところが、その歌の解釈が全部まちがっていたってね。なあに、それでもいいんだよ。古典には色々の解釈が有っていいわけさハハハハハ。

玄関の奥（入口）に二個の人影が立ち、その中の一人はズカズカあがって来る。これは美緒の母親で、大変上品で立派な顔形と、それと激しい對照をなすひどく粗野な表情動作を持っている。他の一人は、あがらないで、一度下手奥へ消えて、下手から庭傳いに出て来る。母に從って東京から見舞いに来た美緒の妹の恵子。母親にも姉にも似ない線の鋭い尖った顔を、ドーラン化粧で塗り上げ、よく伸びた身體に表現派模様を藍で染め上げた着物に草履

恵子　（姉夫婦から少し離れた所に立って）……やって来たわ姉さん。どう、具合は？　（美緒はニッコりしてうなずいて見せる）

五郎　やあ、いらっしゃい。遠い所を、どうも――

小母　（居間で母親と挨拶を交している）これは、これはようおこしやす。（母親も何かいっているが此処からハッキリ聞えない）

恵子　すばらしい食堂じゃないの。これならウンと食べられるでしょう。（シガレットを取出してセカセカと吹かす。此の女は肺病の傳染を極度に恐れるために、此處に滅多に見舞いに来ないし、稀れにやって来ても家の中へはあがろうとせず、姉からズッと離れて庭先に掛けて欲しくもない煙草を引っきりなしにスパスパとふかしている。今もそれである。美緒も五郎もそれに気付いているので強いてあがれともすすめもしない。美緒は肉身の者達からこんな風に扱われる事には馴れてしまって、一々反感を感ずる事はなくなり、ただ遠い所に住んでいる人を見るような冷静な無関心な微笑を浮べて黙っているばかりである。五郎の方は、それに気付いて不快に思いつつ、しかしその不快さを表に出すとそれが美緒に反射して苦しませる事を恐れて、複雑に気を使っている）

五郎　先日は利ちゃんにあんなに澤山バタをことづけて下さって、すみませんでした。ズーッとあれで間に合っていますよ。此處じゃ、あんな良い奴は手に入りません。（美緒に養ってやりながら）

恵子　どういたしまして。雪印というのが近頃みん

な外国へ行ってしまうとかで、捜してもなかなかないのよ。亀屋に二つ三つあった中から、ヤッと分けて貰ったんですの。なくなったら又送ってあげるから、姉さんウンと食べるといいわ。

美緒　ありがとう。……でもそんなに送ってくれなくともいいのよ。ちっとも不自由はしていないから。

五郎　津村さん御元気ですか？、

恵子　ええ、なんですか会社の方が、又役が一つふえたもんだから、とても忙しがって。一度あがらなくちゃといい暮しているんだけど、つい失禮しちゃってて、よろしくといってていました。

美緒　又着物こさえたのね。……変って綺麗だこと。

恵子　そう？、姉さんに及第すりゃ大したものね。お友達と一緒に下絵を選んでわざわざ染めさせたの。物が何だか判らない所がミソなの。チヨットた大した物みたいでしよ。実は安物よ。津村はケチで駄目。

小母　（盆に茶椀を載せて持って来て恵子に）ようおこしやす。どうぞ——。

恵子　小母さん、いつも大変ですわね。

小母　へえ、今日も良いお天気で。天気がええと奥さん此處で御飯あがれますので、気分良うて、助かります。お茶を一つ。

恵子　どうぞお構いなく。私　ちっともノドは渇いていませんから。

小母　（両え、盆を突き付けながら、恵子の姿を眺めまわして）へえ！　いつもキレイにしていやはりますなあ。

恵子　（盆を避けながら）ありがとう。いいえ、いいんですの。たくさん。

美緒　……（ニコニコしながら）恵ちゃん、その茶椀は煮立てて消毒してあるから大丈夫よ。おあがんなさい。

五郎　（少しギヨッとして）美緒、お前……何をいうんだ。

恵子　（バツが悪くて）いいえ、そんな積りじやないのよ。タバコ吸っているから。……じやいただくわ。（と茶椀を取って暫く待っているが、結局飲まないで話の間に縁に置いてしまう）……久我さん、畫は描いていらっしやるの？、ソロソロ、展覧会のシーズンですわね？、

五郎　え？、ああ、いや、あまり描きませんね。

恵子　そうね、これじゃ描けないでしょうね。惜しいわ、あなた程の人を。

母親　（室から出て来て、庭におりる。五郎立って黙ってお辞儀をする）……オヤ、オヤ、まあ、利男は姉さん具合が悪いようだなんていっていたけど、何をいうんだろうねえ、まあ。血色も良いし、なんだか此の前よりも太ったようじゃないか。そうでしょう、五郎さん？、（恵子と同じ様に、美緒の傍へは寄りつかうとしない）

五郎　え？、いや、利男ちゃんは、気が早くってどうも……（返事に困っている）

母親　なに事も気のもんですからねえ。ね、恵子、この前よりも姉さん太ったじゃないか？、この分なら、なあに、直ぐによくなりますよ。

美緒　（相変らずの母親の粗雑さにウンザリしながら、仕方なしに）そう、太ったでしょう？、今にお母さんより太って見せるから……（笑おうとするがベソをかいた様になってしまう）

母親　熱はどうなのかねえ？、まだ有るの？、

五郎　有るにゃ有りますけど、大した事はないんです。……（膳を椅子のスソに置き、椀を二つばかり持って立って行きながら）僕、おかわりをついで来るぜ。（台所へ去る。そこで小母さんと二人でゴトゴト何かしている）

恵子　（見送って）五郎さんも大変だわねえ。

母親　そうさ。良くなさるよ。ふだんが変屈なだけに、なんでもやるとなるとわき目もふらずやる事になるんだねえ。美緒さんも仕合せだよ、ね！。

美緒　……（母や妹にアッサリ夫を褒められるのが気に入らない。あなた方に五郎の事が何がわかるものかという気がある。冷笑を浮べて）そうかしら？、……そうでもないわ。随分乱暴な時もあってよ。私が大きな声で喋ったりしていると、いきなりガーンと頭をやっつける事があるのよ。フフ。

恵子　だってそりゃ、姉さんを大事にしているからじゃないの？、

美緒　……だって、真青になって呶鳴るわよ。

恵子　私なんか、そんなの、うらやましいな。津村なんか何か気に入らない事が有っても、私の事というとニヤニヤニヤニヤしているの、きらい、五郎さんは畫の方に仕事だって犠牲にしちゃって、こうして

姉さんの看病に没頭しているんだもの。偉いと思うわ。そうじゃなくって？、姉さんは仕合せだわ。こんな――。

美緒　……（安っぽくベラベラと自分と五郎の事が喋られるのに次第に腹が立って来て、イライラして来る。イライラしはじめると、彼女はその白い美しい両手の指をチラチラ動かしてハンカチや毛布や着物の襟など、手の届く物を取ったり離したりするのである。……妹の言葉を遮って、いきなり別の事をいいはじめる）それで、今日はお揃いで、どんな用事で来たの？、

恵子　え、用事？、……まあ、勿論見舞いだわ。母さんが来るというから、私も暫らくごぶさたしていたし、それで――。

美緒　そう。……（母に）母さん、国の方の不動産の事でしょう？、

母親　ええまあ、それも有ったけど。……利男が何かいったのかい？、

美緒　利ちゃんは何もいいません。……でも母さん此の前にもチヨットそんな事いってたし、……此の間から五郎に何度も手紙をよこしたのは、その事なんでしょう？、

母親　私の手紙をお前も読んだのかえ？、

美緒　読みはしないけど。……五郎は手紙が来た事だっていわないんです。……ただ私がそんな気がしただけ。

恵子　（若いだけ母よりも敏感で、姉が庭の方でかなり昂奮している事を見て取って）いいじゃないの、母さん、来るそうそう　姉さんまだ御飯を食べているのに、そんな話は後にしたって。

母親　ええ、そりゃ何も急ぎはしないけどね、キマリを付ける所だけは早くキマリを付けとかないと利男だってもう直ぐお嫁を貰わなくちゃならない身體だから……。

いっている所へ、五郎がお代りの椀と、それに更に新しいお菜の皿を持って台所から出て来て庭に下り、美緒の傍に来る

美緒　そりゃそうだわ。だから私――。

五郎　なんだ？、……なんの話？、

母親　いえね、こないだ中からいってよこしましたねえ、名古屋の方の例の――。

五郎　（ハッとして、相手をさえ切って）いや、そ

れは、後で僕が詳しく伺いますから、なんですよ、とにかく、美緒が飯を食っちまって、それから、（美緒に）今度は豚とタマネギだ、うまいぜ。これが先刻のべっぴんの一件さ。アハハ。どうしたい？、

美緒　……（毒々しいような眼付きで、母親の方を睨んでいる）

恵子　……私達、海岸を歩いて来ようかな。（此の場の空気を取りつくらおうとして立上る）

母親　（鈍感のため他の三人の気持がわからず、却って皆の調子が変になったのにキョトンとして見廻して）どうしたんですよ？、私はただ――。

美緒　（眼は母をまだ見詰めながら言葉は妹に）ええ、そうなさいよ。海岸の方なら、病気が傳染る事は絶対になくってよ。（神経的に二ッ三ックッ クッと笑う）

恵子　直ぐそんな風に取るのね、姉さん。ひどいわ！

五郎　美緒！（と妻のブルブル動いている左手をグッと圧えつけて）さ、食え、うまいぞ。（箸に食物をはさんでやる）

美緒　……（まだクスクス笑いながら）ビッコのタマネギね？、フ、フ、私もビッコになったら、どうしよう？、（食べる）

母親　ビッコのタマネギとは何の事ですかね？、

美緒　（終にこらえ切れず、低いが鋭い声で）母さん、母さんはいつとき、あっちへ行ってて頂戴！

五郎　ば……（と箸を持った手でゲンコを作って、美緒の顔を今にも殴らんばかりに構える）黙れ！黙って食え、馬鹿！。（尚も母を睨もうとする美緒の顔を、手ではさむようにして自分の方に向かせる）

母親　なんですよ？、……やっぱり、なんですねえ病気になると神経が強くなるからねえ。よっぽど気を付けないとねえ……。お医者は近頃なんていうの？、やっぱりなんじゃないかね、いくら大学病院は有るといったってやっぱり田舎の大学ですからねえ。東京のお医者に代えた方がよくはないかしらねえ。……とにかく、こんど良くなったら生活が苦しいのに散々無理をして託児所をやったりするなんてえ物好きはフッツリよすんだね。お前が病気になったのも、もともとそのセイなんだ

からー。

五郎（美緒にそれを聞かせまいとして）もっと噛むんだよ！・今のは足りなかった、今度は卵だ。さあ、一、二、三、四、五、六、七、八、九、十、十一、十二、……（続ける）

母親　アッハハハ、卵を噛むのを勘定してやるんですか、まあねえ、ハハ。

美緒　……（既に自分でも母親に気をとられまいと歯を食いしばるようにして五郎の眼ばかり見て噛みつづける）

小母（縁側へ出て来て）……あのう、五郎はん、お客さんどす。（玄関の方を指す。なるほど人影が一つ立っている）

五郎　え？　誰です？、

小母　あのう、東京の尾崎さんどすけど。……あがって貰いまっか。

五郎　尾崎君。そうか。ええと……（少し混乱して考えている）いや、僕がそちらへ行きますから。……そうだな（玄関へ向って大きな声で）尾崎さん、ようこそ……此處じゃ汚なくってなんだから、失敬だけど、海岸の茶店へ行こうか。チョット待ってて呉れ。

美緒　金の事でしょう？　此處で話して下すってもいいわよ。私、平気。

五郎　なに、いいんだ。いずれ奴さんの事だ、ビールでも飲むんだろうから、とっちせ、海岸の方がいい。……じゃ、沢山食べろ、いいか、口を利いたらいかん。（心得て庭に下りて来て食膳を受取った小母の耳元に）小母さん、直ぐに戻って来ますから頼みます。美緒に口を利かせちゃ駄目ですよ、いいですね。

小母　ハッハハ、あても、喋くりはしませんさけ、大丈夫どす。

母親　私が食べさせてやろうかね。（いうだけで、離れた所に立ったまま、手出しはおろか、近寄ろうともしない）

美緒　いいの。小母さんが食べさせてくれるから。

五郎（母親に）あのう、話の方は後で僕が、その事は僕がよく伺いますから、ごゆっくりして下さって、後で僕が、なんですから——。

恵子（小さい声で）大丈夫よ、五郎さん、私が居るから、此處で母さんにその話はさせないから……。

五郎　じゃ頼みますよ。（庭を廻って立去る）
小母　（美緒に養ってやりつつ）赤かあい顔なさって、どうぞしやはったか？、
美緒　……（顔を横に振って打消してニッコリする）
小母　ターンとお食べやす。……ハッハ、五郎はんは、なんぼそういうてもあきまへん、ハダカのままでトットと表に行きはる。……なんぼ海岸というたかて、今に、おまわりさんに掴まりはったら、目玉を喰うた上に罰金や。
美緒　……（手真似で、小母さんは食事は済んだかと訊く）
小母　へえ、済んました。……（離れてマジマジ見詰めている母親に）奥様、そこに立っておいやすと、まだ暑うおす。おなりなって、チョットお休みやしたら。
母親　（実の娘と小母さんが仲良くしているのを妬みながらも、自分が小母さんほど美緒に近づいて看病をしてやる勇気はない。その矛盾した気持を自分で処理しかねてイライラして、小母さんを必要以上に見下げているような態度を執る）……小母さんはいつも丈夫でようござんすね？、
小母　へえ、奥さんも、この間中暑い頃にはチョットお悪うおましたが、近頃メッキリ元気におなりやした。
母親　（美緒に）小母さんの月給はチャンチャンと払って呉れているだろうね？、
美緒　……（返事をしない。もう母や妹に返事はしない決心をしていると見えて、しまいまで貝の様に黙って、噛んでいる）
恵子　聞えるわよ、母さん。
母親　大丈夫だよ。……でもこの年になって、耳は遠いし、身寄りもあんまりなくって、こんな事をしているのは可哀そうな人だねえ。
小母　へ？、そうどす。（母親の言葉の一部分が聞えたと見え、ニコニコして）こんなに耳が遠うなって、もうあきまへん。……（美緒に養ってやる）もっとも、日に依って、ズッと良く聞える時もあるのどす。変どすえ、なあ奥さん。
美緒　……（うれしそうにコックリ）
母親　（美緒に）なんていったっけ、気胸療法とかも駄目だったって？、……そうかねえ、そりや、その医者がまずかったんじゃないかしらねえ？、

一回二十圓取られて二回やったそうじゃないか。四十圓無駄をしたわけだねえ、ホントに。……そうすると、今やっているのは注射だけなのかい？……すると、なにかね、お医者の方は、まあ一言でいうと、差當り手當なんぞしないで、いえさ、見離したとか何とかいう事はないだろうけど、でも此の間来ていた先生は、たしか四人目の人だろ？……どういうのかねえ？、五郎さんが、あんまり気むづかしい事をいうんで先生達が手を引いてしまうんじゃないのかねえ？……（美緒は石の様に返事をしないので仕方なく小母さんに、少し声を大きくして）ねえ、小母さん！。

小母　（耳の遠い人の常で、相手の唇の動きをマジマジ見ていたが）へえ、そうですとも。お医者様のお薬なんぞ、あきまへん。ホンマの一時押えだけで、あんなもんで病気は治りまへんえ！。気をシッカリ持って、おいしい物をターンと食べる事どす。どうしてもお薬飲みたければ、縞蛇を黒焼きにして食べたらよろし。

恵子　蛇を？、まさかあ！。（ゲラゲラ笑い出す）

小母　（自分も笑い出しながら）お笑いやす！。でもな、わてが十七の時に肋膜炎患うて、蛇食べて治ったんですよって、それが何よりの證據です。ハッハハ、でもな、ロクマクエンは治ったが、治った時には、髪の毛えが、みんな抜けてしもうてな、キレーに丸坊主になりましてな。尼さんが一人でけました。

恵子　（笑いながら）そんな非科学的な物、駄目よ、小母さん。

母親　蛇なんて、迷信だよ、ああ。

美緒　……（小母さんに向ってニコニコしながら、その顔を撫でてやる）

小母　そうどすえ！。えらい精の強いもんどす。五郎はんは、わてがそういいますと、目に角を立てて怒らはりますけど、わてが生き證據どすよって。……もっとも、五郎はんが反對しやはるのは、奥さんを丸坊主にしてしまうのがお嫌やなんどす。わてにはチャーンとわかっていますがな！。なあ、奥さん。

会話はトンチンカンなままで進行する。母親も恵子もそれから美緒までが、それぞれの気持で笑う。當の小母さんも美緒が笑い出したのが嬉

しくってゲラゲラ笑いながら、食物を美緒に養ってやりつづける）

小母　そうどすえ！　奥さんが尼さんになってしまはるのを、五郎はん、いやがっておいやすのや！

母親　ハッハハ！。

ろ、濱で

もともと第三流どころの海水浴場で、殆んど設備らしい設備もない海岸なのが、今は既に真夏も過ぎて、さびれ切っている。

上手は街道、下手は海、中央は雑草の生えた砂丘が起伏して下手奥の波打際に開いている。街道に添って既に店の人の引上げてしまったヨシズ張りの茶店の一部が見える。時々ザーザブンと低く響いて来る波の音。

五郎が先刻のままの姿で、腕組みをして砂丘の下にあぐらをかいて坐っている。少し離れて長髪に上衣を脱いでシャツにズボンだけの尾崎が、右手にビールのコップを持ったまま立って、砂丘の中腹に置かれたスケッチ箱の上の、描きかけのスケッチ板をためつすがめつ眺めている。スケッチ箱の傍には飲み倒されたビール瓶が五六本と、食いかけのイナリずしの包みなど。それまで五郎と共にビールを飲み、話しながらスケッチをしていたらしい。此の男は、金貸しが本業だが、畫商みたいな事もやり、暇があればムキになって畫を描こうという男で、金貸しはいう商売柄から来るズルイ所は時々覗くけれど全體の人柄に稍々とぼけた様な愛嬌があり、もともと好人物なのであろう。とにかく坊主頭にしてギリギリに疲れ切って、特に今イライラときびしい顔付になっている五郎と並べて見ると尾崎の方がよほど本物の洋畫家らしい。

尾崎　……こいつは、どうも、しくじったかな？、（コップのビールをガブッと飲む）

五郎　……（考え込んでいる）

尾崎　若干、最初にこの、構図を取りそくなったらしいや。

五郎　……（気が付いて、スケッチ板の方を見る）なに、そうでもないだろう。

尾崎　君がビールなんか仕入れて呉れたりするのが

良くない。飲んでたら、変な絵になっちまった。ハッハハ。（ビールの所に戻って来て坐る）……少しやったらどう。

五郎　いや、俺あ、いいんだ。

尾崎　だっていくらも飲んでないじゃないか。たまには君も少しやって、ポーッとしないと身體が続かないよ。

五郎　いや、今あまり飲みたくないんだ。こっちの方がありがたい。（いいながらイナリずしをつまんでムシャムシャ食う）考えて見たら晝飯が未だだ。

尾崎　大変だなあ君も。……そいで奥さん近頃、どんな具合なんだよ？、

五郎　う？……うん。……

尾崎　そんなにいけないのかね？……いや。毛利さんがこないだいっていた。久我んとこの病人の具合が良いか悪いかを知るにゃ奥さんに逢って見る必要はない。久我の眼付きを見りゃ一遍にわかるってね。……痩せたよ君は。（ビールを飲む）

五郎　……あのね尾崎君、……何度も同じ事ばかりいうようで済まないけど、もう半月、この月末まで待ってくんないかなあ。頼まあ。月末になれば何とかして、といっても勿論百五十圓そっくりとは行かないが、溜っている利息の分と、元金の中からせめて五十圓でもなすようにするから――。

尾崎　なんだい、君あ先刻から、その事にばかりこだわっているが、僕は今日は催促に来たわけじゃないとこれ程いってるじゃないか。そりゃ勿論、多少でも何とかして貰えれば、僕の方も目下融通が付かなくって弱っているんで大助かりだが、今日の主眼點はそれじゃないんだ。

五郎　……でも水谷先生の方の話は、とにかく、駄目だ。

尾崎　それが僕にはどうしても解らないんだよ。なるほど、久我五郎ともいわれた者が、今更水谷先生の門をくぐってペコペコするのは不愉快なように思うかも知れないが、水谷先生という人は、別にそんな変な人じゃないんだよ。それに何と言ってもあれだけの大先輩だもんなあ。そりゃ君としては、今こんな風にいわば落目になっている所を一時君が仕事の上ではまるで弟子の様にしていてやっていた毛利さんなどの口利きで、水谷先生の

所に出入りするのはいやかもわからない。 それはわかるよ。毛利さんはズッと以前から水谷先生の所へ行っていたんだから、今度君が行けば、どうせ一応は毛利さんの下風に立たなきゃならんだろうからね。しかし、そんな事をいっていた日にゃ人間どうにも運命の打開のしようはないと思うんだ。毛利さんだって君んとこに通っていた頃に較べると偉くなっているよ。良い畫を描くようになったぜ。

五郎　……毛利は　以前から良い畫を描いていたよ。

尾崎　そう、君は直ぐにそれだ。……大體毛利さんがこの事では君宛に何度手紙を出しても君はロクに返事も出さないそうじゃないか。それで、手紙ではラチが明かないというんで、こうして説き付けに僕をよこしたりするというのも　以前から受けた好意を徳としているからだよ。そんな風にこじれて受取るのは、どうかと思うんだ。

五郎　……それだけの好意が有れば、自分でやって来たらどうだいって、俺達が東京から此處へ引越して以来、毛利は見舞いに一度来やあしないぜ。いや、うらんでいるんじゃない。畫描きや羽振りが良くなれば忙しくなるのは俺だって知ってる。その點はむしろ、俺あ毛利のために喜んでいる位だ。

尾崎　嘘だ。君はひがんでいるんだ。それじゃあんまりケツの穴が小さくはないかなあ。毛利さんの方じゃ、いつも此方の事をシンから心配しているんだよ。

五郎　……〈すなおに、毛利に對して反感を抱いた事を自ら恥じて〉うん、俺もケツの穴が小さい。近頃益々偏狹になって来たようだ。俺あなさけないと思う事があるよ。……でも仕方がないんだ。……毛利にはよろしくいってくれ。好文堂の絵本の仕事だって毛利が見付けて呉れたんだから、俺が毛利の事を少しでも悪く思うのは間違っている……俺あ、ホントにありがたいと思っているんだそれだけで澤山だから、どうかソッとしといてくれといってくれ。

尾崎　……そうかなあ。しかし……結局君がそんな風になるのは畫が本當に描けないからだよ。だから、水谷先生の所へ行って何か仕事を貰って、金が出来りゃ道具も買えるし、暇も出来るし、自然―。

五郎　いや、金の問題じゃないんだよ。……畫が詰らなくなっちゃったんだ。

尾崎　ば、ばかな！　君が、そんな——。

五郎　信じられないだろう。以前には畫の虫といわれた俺だもんなあ。でも事実、そうなんだ。……美緒がね、…実は美緒の事をホンの此間まで、俺は彼奴の病気は治るもんだ、どんな事があっても治して見せると思っていたんだ。どういうわけだか俺はそう思い切っていた。……いや、今でも俺はそう思っているけど、でも近頃、ホンの時々、フッと、美緒はもう駄目になるかも知れない、どんなにしてやっても此奴は死んでしまうかもわからないと思う事があるんだ。……以前には唯何となく、俺がこれだけ大切にしている奴が死ぬなんて筈は絶対にないと思い切っていた。そいつが、つまり俺の本能的な信念が、少しグラついて来た。

尾崎　……だって、その事と、畫が描けないという事に、どんな関係が有るんだい？、

五郎　……俺も始めは、関係なんかないと思っていた。……ところが有るんだね。有る段じゃない、美緒の事も畫の事も同じ所から来ているんだ。……つまり何といって良いか、生命の力というのかねえ、……医学だとか人間の意思の力だとかいったものも含めてのたよ、この生命といったものに對して俺が無意識の裡に抱いていた信頼というか信用というか、勿論今から考えると妄信だね、……実は俺は子供の時から、人間がホントに一生懸命になれば、ホントに火の様になってやれば、どんな事だってやれない事はないという気がしていた。それこそ地球を背負う事だって出来ると思っていた。嘘じゃない、そう信じ込んでいた。どういうわけでそう思っていたか、わからん。少し気狂いじみているかも知れないが、とにかくそんな人間だった。……そいつが、美緒を見ていて少しづつくずれて来た。…いやまだくずれたわけじゃないが、もしかすると此奴はという疑いがチラッと射すようになって来たんだ。そのトタンに畫を描くのが詰らなくなっちゃった。……つまり俺の畫の一番根本的な要素は、今いった人生に對するいわば盲目的な信頼だったんだね。美緒の事でその信頼の根本がゆるんだ、……俺の畫の根本まで一緒にゆるんじゃったんだ。……わかるかね？、……

いや、女房がもしかすると死ぬかもわからない、死んじまえば畫を描いたって始まらないといった風の悲観論では絶対にないんだぜ。そんな悲観論なんか俺あ持っとらん。まして、女房が生きるか死ぬかの病気なのに畫でもあるまいといった風のヘナヘナした畫見なんかじゃないんだ。そんな事を感じてる暇なんか俺にゃない！そんな悲観論やヘナヘナ畫見とは、まるっきり別物なんだよ。もっと本質的な絶望といったようなものだ。その證據に、此の春あたり、美緒が毎日喀血して殆んど息もつけないでいる枕元で俺あ平気で畫が描けたんだ。その頃は、此奴は今苦しがっているが今に絶対に助かる、助けて見せると俺が確信していたからだよ。……いや今だって、絶望はしていない。していないが、でもチラッとそんな気がすると、もういけない。……俺の性格の一番かんじんな所がグラグラしてしまう。俺が生きているという事の中心が不確かになって来る。一番大事なものが信用出来ないようになって来る。すると畫を描いたって何だという気がするんだよ。……どうにも仕方がねえ。

尾崎　そうか。……でも、そいつは、君が君の芸術を唯無意識に本能的にばかり押し進めて来ていて、シッカリと自分の芸術の立つべき地盤に就て意識的に……つまり、もっと理智的に考えていなかった點に理由が有るんじゃないかな。

五郎　……そうかも知れないな。自分ではこれまでも意識的に考えてやって来たつもりだけど……。

尾崎　君が一頃、左翼的な団體に近寄って行った者だって、今から考えると、理智的に思索した結果というよりも、感情的になんとなく弱い者の味方をしたいといった風な、いわばまあ一種のセンチメンタリズムだった。

五郎　うむ。センチメンタリズムも確かに有ったな。自分に果してあんな所でいつまでも戦って行けるだけの力が有るか無いかを考えきれなかったからな。又は、有ると思いちがえていたからな。徹頭徹尾、自惚れだった。身の程を知らな過ぎた。その證據に、あの連中のいっていた唯物論なぞというものだってドンづまり迄突きつめて行くと、僕にゃ信じられなかった。……それでまあ、直ぐにおん出てしまったけど、……考えて見りゃどっちにしても

も、恥さらしな話さ。……しかしね、自分だけの気持は真面目だった。人間として下劣な動機で以て動いた結果ではなかった。

尾崎　そんな事はなんでもないさ。具体的な問題としてだよ、現に君は熱がさめちゃったら、いつの間にかあんな団体から手を引いちまったじゃないか。もっとも団体の方でも解散したり転向したりしちまって形はなくなっちまったんだから、手を引くまいと思っても引かざるを得ぬわけで、いわば問題は君だけの事じゃないんだがね。ヘッヘヘヘ、ヘヘヘ。（突然に笑う）

五郎　……？、（それまで自分自身の考えに没頭して、相手の表情などに気付かずに率直に話していたが、笑い声でヒョイと尾崎を見て、眼がさめたようになって見詰める。――すると、商売がら色々の画家達と交際している間に、いつの間にか自分まで芸術家らしい気持に伝染し、その外貌や用語などは芸術家以上に芸術家らしくなって来ているが、しかし実は唯一個のディレッタント――というよりも、本質的には唯一人の商人を相手にして今迄自分はまじめに喋っていたのだという事を不意に知ったのである）……何を笑うんだ！

尾崎　笑いはしないよ。ただ、昔、さも確信ありげにプロレタリヤがどうしたとかこうしたとかいった連中が、自分のいった事に責任も執らないで、いつの間にか消えてなくなったという事をいっているまでさ。

五郎　なんのために君がそんな事をいうんだい？……今頃になって君がその事を笑うのかね？、じゃ、君あ一体何だ？、

尾崎　……僕は金貸しさ。ハハハ、それがどうしたい？、金貸しは、他人の言葉の責任に就ていっちゃならんのかね？、まあ、怒りたもうな、ハハ。君も知っているように金貸しなんてものは世の中で一番怪しげな商売かもわからんさ。しかし、それでも自分がハッキリいった事に就ては責任を執るよ。人が自分に対してした約束も信用する。信用すればするほど、その約束の履行を期待するわけだ。つまり貸した金は必ず返して貰う。

五郎　だから俺は、返さないなんかといってやしないじゃないか！

尾崎　結構だ。今僕のいってるのは、君にしても、

左翼の連中にしても以前のイデオロギーで世間に約束した借金をちっとも返さないという事さ。踏み倒し過ぎるんだ。

五郎　……一言もない。……しかし、そんな連中は、その後、世間的には黙っていても、自分だけで自分の身體で以て昔の借金をなしくずしに返しているかも知れないよ。

尾崎　すると、さしずめ君もその一人かね？、

五郎　或る意味ではそうかも知れんな。……あの時代の生活の無理がたたって女房は病気になってるし、俺あ畫は描けなくなるし……そんな事よりも、人間が生きている事自體に對してこんな風に確信がグラつきかけて来て、死ぬ苦しみをしている。……見ように依っては昔の自分……昔の自分の生活や物の考え方から散々に復讐をされている状態だともいえるからね。……ざまを見ろといったテイタラクさ。しかし、そいつは、とうに自分が自分にいっている事だ。君なんかから何かいわれたってチッともこたえやしないさ。

尾崎　しかし、そんな有様をみていれば、おかしくなるのは、これ、仕方がないからね、ハッハハ。そうじゃないか？、僕にいわせりゃ、そんな風に後になって自分の事をざまあ見ろといわなきゃならん様な事を自分にさせるものは要するにセンチメンタリズムなんだ。回収の利かない金を、一時感情的にホロリと来て貸してしまうのは、よした方が、いいという事さ。

五郎　君のいう事を聞いていると、俺に君の丁稚になれとすすめているように取れるな。

尾崎　さあね、そう取って呉れてもいいや。金貸しという商売も君が思っているように軽蔑すべき商売でもないよ。第一これがないと君達が早速困るじゃないか。アッハハハ、いや、これは冗談だがね。要するに、君の才能を惜しいと思うから、こんな事をいうのさ。君が昔、左翼の方に近寄りはじめた頃、だって、水谷先生や巨利さんなど君の事を惜しい惜しいといっていたものな。

五郎、（腹の底から怒りを辛うじて押えながら）その事をいうのは、もう止そう。

尾崎　……（ハッとして相手の表情を猫の様にうかがっていたが）よせといえば止すよ。……ただ現在の君の気持だって、やっぱり似たような一種の

センチメンタリズムじゃないかしらんといっているまでだ。君から畫の仕事をさっ引けば、一切がなくなるんだよ。一切だよ――。
五郎　君にゃ、わからん！
尾崎　だって君、……（と尚もいい続けようとするが相手が殆んど爆発直前の顔付きをしているのに気付いて、黙ってしまってマジマジと見守っている。しかし五郎の怒りは直ぐに尾崎からもっと別のものに移って行ったらしく、尾崎の存在など忘れてしまって、ギラギラと光る眼で沖の方を見詰めたまま、黙って考えている）
　間
　街道の方から母親と惠子が砂を踏んでブラブラ歩いて来る
惠子　……ああ、こんな所に居たのね？、
母親　お客が来るといつでも此處にお連れしていなさるんだよ。美緒の安靜をこわさないようにね。此處が應接室だってさ。ホッホホホ、ねえ五郎さん。
　五郎考え込んでいて返事をしない、
尾崎　やあ、こりゃ。暫くでした。今日はお見舞いですか。
母親　いいごきげんですわね。こんな廣々した所でお飲みになると、さぞ氣持のおよろしい事でしょうね。
尾崎　つい久我君がすすめて呉れるもんですからね、ハッハハハ、飲み助は意地が無たなくて。（と惠子に目禮をして、ひどく愛想が良い）えっと、たしか、津村さんの――？、
惠子　はあ。（これまでホンの一度か二度チラッと見たきりの相手があまり馴々しいので、妙な顔をしながら）……いつも義兄達が御厄介になっていまして。
尾崎　そ、そんな事をおっしゃられると穴にでも入らなきゃなりませんよ。なあに舊い友達なもんですから、まあ自分に出来るだけの事をしている迄で――。（母親に）なんですかねえ、御病人がハッキリしないそうで、御心配ですねえ。
母親　はい、いいえもう、なんですか……ホホホ。（久我が美緒の療養のために、金を借りているらしい此の男にかかり合っていると、その借金の責任が自分にもかぶって来そっなので、相手にした

くなりのである）……何か御用談でしょう？、恵さん、私達は少しその邊を歩いて来ようじゃないか。（歩き出す）

恵子　（描きかけのスケッチ板を変な顔をして見ていたが）ええ。

五郎　……あのう、美緒は飯を食べちまったんでしょうか？、

母親　もう濟んだようですよ。でも、あの小母さんあんなに美緒を笑わしてばかり居て、病気に障りはしないですかねえ？、

五郎　いや、そりゃ構わないんです。機嫌が良いと食慾がつきますから。

母親　小母さんの月給はチャンと渡して呉れているんでしょうね？、

五郎　渡しています。……どうしてそんな事をおっしゃるんですか？、

母親　いえ、それならいいんですけどね、なんだかあんまり内輪の人間みたいに、馴々しいというか……。

五郎　そうでしょうか？、でもあれは美緒をしんから大事にして呉れているんです。

母親　そりゃそうの様だけど。……、でも美緒も、なんであんなに近頃神経を尖らしてイライラするんですかね。あれじゃまるで話もなにも出来やしないんですものね。（五郎答えない）

恵子　五郎さん、先刻誰か来ていたようよ。なんか商人みたいな恐ろしく鼻のペチャンコの中年の人だったわ。小母さんが相手になってチンプンカンいってたわよ。

母親　いつか来ていた乾物屋らしかったじゃないか。

五郎　じゃ裏天でしょう。僕が間もなく戻りますから。

母親　でも、あなたとは先刻の話をしたいから、こちらが濟んだらチョット此處にいてくれないと！。

五郎　そうですか……。

恵子　（沖を指して）母さん、汽船が通るわ。

母親　へえ、綺麗だねえ、まあ！。（といいながら二人は濱伝いに向うへ消える）

尾崎　……妹さんは相変らず綺麗だな。……なんだい、先刻の話というのは？、

五郎、うん？、……うん、なあに。

尾崎　めんどうな話らしいじゃないか。そんなら僕

あもう帰ってもいいよ。
五郎　そうか、済まなかった。とにかく月末まで待ってくれ。必ずなんとかするから——。
尾崎　しかし、なんだろう、何とかするといっても結局好文堂の仕事を餘分にさせて貰うんだろう？、
五郎　うんまあ、それ以外に差當り方法はないから——。
尾崎　まあ月末にゃ、とにかく當てにして来て見るにゃ来て見るつもりだけど、でも僕の方の事だけなら、あんまり無理をしてくれなくともいいよ。僕のいっているのは、君が毛利さんのすすめを無にして水谷先生の方をうっちゃる事になれば、毛利さんだってあんまり良い気持はしないだろうし、もともと毛利さんは好文堂では仲々顔が利くらしいから、君のそっちの方の仕事もまずくなるんじゃないかなあ？、
五郎　じゃ、仕事をことわるとでもいうのかい？、
尾崎　さあそんな事もないだろうが、事変以来絵が売れないで困って内職を捜している畫描きがいくらでも居るからなあ。
五郎　……まさか、あの毛利がそんな酷い事はしないよ。そんな點では彼奴は絶対に信頼の出来る男だよ。
尾崎　そうかね。……でも結局どういうんだね、絵本の方は描いて水谷先生一派には入りたくないというのは、わからんがなあ？、まさか、水谷先生が君にインチキ畫を描けと命令するわけじゃあるまいし、君の描く畫の批評だってしやすまいと思うんだが？、又批評されたって、水谷先生は水谷先生、君は君で、お互いに一家をなした畫家なんだから　自由に仕事をすればいいじゃないか？、大體、畫の仕事の上で、水谷先生位を怖がるような君でもないだろうし、怖がる必要もないと思うがなあ。君なんぞ、あらゆる意味で水谷清次郎なんか、とうの昔に卒業しちゃってるもんな。もっとも先生が今君を欲しがっている理由も実は、そんな君の実力に在るんだが。……とにかく、どんな點からいっても、なんで君が彼處に行くのをそんなに嫌がるのか、僕にゃわからん。
五郎　……俺にゃ當分畫が描けんからだ。
尾崎　だからさ。彼處に行って金になる仕事を分けて貰えば描けるようになるじゃないか。先刻いっ

た本質的な行詰りといったようなものも、周囲の空気で打開出来るんじゃないかしら。君は少し大袈裟に考え過ぎているよと思うんだ。

五郎　……それに、俺あ、水谷さん嫌いなんだ。

尾崎　子供みたいな事をいいたまうな。君が先生を嫌いな事は初めから知っているよ。しかし、好き嫌いが何だい？、そんな変な事ばかりいってないで本當の事を聞かしてくれよ。

五郎　……じゃね、尾崎君、君も本當の事を聞かして呉れ。俺あ不思議でならないんだ。水谷先生。なんでそんなに俺を欲しがるんだ？、先生は以前に俺の畫をクソミソに頭からくさした人だよ。そりゃ、いいんだ。世の中にはどんな批評だって有るから、どんな筋違いの事をいわれたって、俺あ構わん。含んでいるわけじゃないんだ。ただそんなにいっていた俺の事を、なんでそんなに欲しがるんだか、俺にゃ腑に落ちないんだよ。

尾崎　そいつは先刻いった。あの人が君の実力を認めているからだよ。昔いくら悪口をいったって、いや、つまり認めていたから悪口をいったわけだが。……いや、君がそこまでいうなら、モット本当の事をいっちおう。もっとも、これは半分以上僕の解釈だから、そのつもりで聞いてくれ。いいかね。それは、一言にいっちまうと新水會で現在水谷さんの占めている位置のためさ。……君あ多分知るまいが、今新水会の内部は審査員や会員の間の勢力争いの暗闘で大変なんだ。以前からそりや有ったが、最近文部省展覧会が大々的に組織変えになる筈になっているんだ。それに民間の美術団體も大部分合流する事になってる。新水會も多分そこへ解消する筈なんだ。ところで、解消する場合、今迄の新水會の頭株の連中が文部省展覧会の中でどんな風な位置を與えられるか。みんなやっぱり、こいつは大事だからね。今迄新水會で威張っていたのが、官展になって急に追い落されたくはないやね。第一下手をすると飯の食い上げだもんな。それで目下の所、會の中で出来るだけ有利な地盤を固めて置く必要が有るんだ。内部の暗闘が急に盛んになったわけだよ。ところが、明石、室井、水谷の三頭目なんだが、こん中から官展の審査員に推されるのは多分一人だ。すると、明石、室井に較べると水谷さんは経歴こそ稍々古いけど

実際の勢力からいってチョット分が悪いんだよ。人望の點では室井に押されてるし、弟子や支持者を澤山持っているという點では明石さんに劣るしね。第一、門下生に持駒が少い事が一番の弱味なんだ。毛利さんを筆頭に十人以上も息のかかった會員が居るにゃ居るが、毛利さんじゃ腕は有っても、少し畫が古くなったしね、何といっても新しい魅力の有るスタア級の水谷派が一人も居ない。フォーヴやシユールがかった連中が二三人いるけど、まだチヤチだしね、やっぱり官展になってから特選級になれるような大物で、しかも新しい物の描ける奴が欲しいんだよ。……そいで、君にそのなんだ、來て欲しいんだと僕は見ている。

五郎　……なる程、持駒か。

尾崎　わかっただろう。どうだい？

五郎　わかった。

尾崎　僕は洗いざらいいっちまった。今度は君の番だ。なんで君が嫌がるか、本當の所を聞かしてくれよ。

五郎　君がいっちまったよ。

尾崎　なんだって？

五郎　ハッハハ、俺が水谷さんの所に行きたくない本當の理由は、今君がスッカリ話したんだ。水谷さんが俺を欲しがる理由が、そっくりそのまま俺が水谷さん所に行きたくない理由だ。嘘はいわない。俺あ、人の持駒なんかになるのはごめんだ。自分がホントに尊敬している奴なら、そいつの足を俺あ舐めてもいい。俺あ未だ畫にかけては青二才だ。自分よりも偉い畫を描く奴の前にゃ、いくらでも頭を下げる。しかし水谷さんなんかの畫に頭を下げるわけにゃ行かん。第一、俺あもともとエコールって奴がしんから嫌いなんだ。小さく固まった一つ一つのエコールなんて、そんな、そんな事のために男が一生かかってムキになって修業をする價値があって、たまるかい！　俺あ一個の畫描きだ。それで澤山だ！　徒党を組んで押し歩こうという慾望なんかない！　野っぱらをたった一匹で歩いて行く狼でたくさんだ？　ましていわんや、そんなくだらない藝術政治や策謀なんか、骨がシャリになってもいやだ。ことわるよ！

尾崎　……ふーん。……そいで、そんな偉らそうな事をいっていて、生活はどうするんだい？　金は

どうするんだ？、君のいっている事は、現在では、自分の生活を拒否するという結果になるぜ？、

五郎　そんな事あない！……萬一そうだったら、俺あ食わなくったっていい。

尾崎　そうかねえ。……しかし、じゃあ、奥さんはどうするんだ？、

五郎　なに？、

尾崎　そんなおっかない顔をするなよ。金がなくって、あの奥さんをどうするんだといってるんだ？、

五郎　……。殺す。

尾崎　なんだって？、

五郎　俺が殺す。殺してやる。

尾崎　冗談いうなよ。第一、僕がたった今、金を返してくれといったら、どうするんだ？、

五郎　……だから、だから、月末まで待ってくれとこれ程頼んでいるじゃないか！。

尾崎　勿論、それでいいと僕もいっている。唯、君が、ひどく古めかしい潔癖さのために不必要な苦しみをなめているから同情してこんな事をいっているんだ。ハッハハ、昂奮するなよ。

五郎　……いよいよ困れば俺は荷車引きにでも何でもなるから放っていてくれ。

尾崎　同じ事じゃないかね？、芸術の世界に入り込んで来ているいろんな現実も醜いといえばいえるけど、そんな物をも消化したり吸収したりして芸術それ自體も肥えて行くんだと僕は思うがなあ。

五郎　知ってるよ。現に俺もそれをやってる。しかし水谷さんの話は駄目だ。

尾崎　これだけいってもわからんのかねえ！。……全體君は人間を見るのにキレイな人間とキタナイ人間との二色にハッキリと區別しすぎるよ。そうじゃないか！・現に君があれ程讃美しているツンボの小母さんにしたって、結局人間だ。つまり、水谷さんや此の僕とチットも違わない性質を持った人間だよ。腹ん中にドブも有ろうし、慾も持ってる――。

五郎　（遂に火の様に怒ってしまった）黙れ！・小母さんはな、俺達からなんの報酬も期待しないであぁして身を粉にしてやってくれるんだ。それをそれを――君なんかが、小母さんの事をどのツラ下げていえるんだ！・君は唯の金貸しだ！・人に金を貸して高利を取っていりゃいい人間だ！・蓄

描きの真似事をして芸術家ぶった事をいっているが、それがどうしたんだ！，いつでも、君も僕も共通な問題を持っているよ、君の考えている事は僕も考えているよといわんばかりのツラをしてザコがトトに混った気でいるが、ヘドが出らあ！，ザコどころか、き、き、君なんかな、人間でも芸術家でもあるもんか！，ただの猿だ、畫描きの真似をしている猿だ！，なんだ、こんな畫が！，これで畫を描いているつもりなのか！。（と下駄でスケッチをベリッと踏み破る）畫というものはな、借金の催促をする片手間に描けるようなヤワな物じゃないんだぞ！人間一匹、血みどろになって火の様に焔の様に、命を投げ出してかかって描いても描いても、描ききれないもんだぞ！。ツラでも洗って出直せ！

尾崎　（相手の狂態にびっくりしている）な、ななんだよ。そんな……そんな僕の畫を、そんな事しなくてもいいじゃないか！。　君は神経衰弱だよ！。

五郎　神経衰弱だろうと、気違いだろうと大きなお世話だ。帰れ！，帰ってくれ！，金は月末に返す。心配しないで、帰れ……（自分の昂奮に疲れ、ハアハアいっている）

尾崎　帰るよ。せっかく好意を持ってやって来たのに、猿だなんていわれてさ、あげく、せっかくの畫を踏み破られりゃ世話あないや。わあ、真ニッになっちまった。ひでえよ！（ブツブツいい続ける。でも此の男の性格は、こんな目に會ってもホントに怒っているのかどっか見當がつかない。顔を悲しそうに歪めて破れたスケッチ板をつりで見たりしている）

間。……少し風が出たと見えて波の音が稍ゝ高くなる。

五郎は黙って家の方へ向けて行きかける）

五郎　……（砂丘の向うを見て）あ……来やあがった。

尾崎　なんだい。

そこへ商人らしい半白の中年過ぎの男がボンヤりした様子で出て来る。これは五郎の借りている家の家主の荒物屋の主人。少しぼけた様な感じがあって、ノロノロと物をいうのである。五郎を見てニヤニヤと笑う

五郎、やあ、裏天さんか。

裏天　なあんだ。いくらなんでもシトの目の前で、そんな事をいうのは、ひでえよ、久我さん。

五郎　なんだよ？、

裏天　近所近辺から、内のかかあまで、そういっているのは知ってるけど、鼻の先でいわれたなあ、あんたが初めてじゃ。へへへ、いくらわしらの鼻が低いたって、まだこれでツラの地面よりゃ、いくら高えと思うちょるんじゃからなあ。気い悪くするよ。へへへ。

尾崎　（クスクス笑う）へへへ、ツラの地面より高いは良かった……（五郎に）近所の人なのかい？、

五郎　（裏天に）……いつも済まんけど、もう少し待ってくれんかなあ。

裏天　今、家の方へ行ったが、又あのカツンボのおっかあが出て来て、ベラベラやるんだけど、どうにも話が通じねえで困ったぞ。あんなに喋りまくられたんじゃ、此方で何か口を出す暇なんかねえ。

五郎、済まなかった。……実は、今、金がまるっきりないんで、……もう半歳以上たまっているんで実に申訳ないと思っているんだけど……それに荒物の借りも相当溜っているしね。

裏天　なあに、金のねえ時あ、誰の身も同じ事だ。クヨクヨしたって仕方がねえ。わしらの所でヒツパクさえしていなければ、どうせあんなボロ家だもん。家賃なんか半歳一年溜めて呉れたって、こんな事いやあしねえよ。……どうも悪い時あ悪い事が重なるもんで、仕様がねえのう。かかあがヤイヤイいうもんだから、こうして来るにゃ来たけど、まあ久我さん、クヨクヨしたって始まらねえ、萬事なるようにしかならねえからな。……奥さん大事にしてあげなよ。そいじゃ、又……（もう帰る気だ）

五郎　ま、待ってくれ、裏天さん、まあ、待ってくれよ、そいじゃ、あんたの方だって――（気の毒で気の毒で、此方がアワを喰っている）

裏天　又、そねいな事をいう。目の前で裏天なんていうなて！。ヘッへへへ（尾崎に）やあ、……ごめんなして……（ノタノタ行きかける）

五郎　待ってくれ、それじゃ、あんたの方も困りゃしないかね？、そんなムヤミと親切な事ばかり言ってくれたって、そいで、あんたの方は――。

裏天　やあ、ま、いいさ。どうにもならなかったら、

首でもくくっておっ死んじまうか。ハハハ、なんしろ、町に白木屋の支店のデパートが出来て以来というもん、荒物の店なんかサッパリあかんようになってしもうてね、ハッハハ、そこへ持って来て主な品物の値段が統制されてから此方、店を開けていればいる程損になる月が有ってのう。國策じゃというから諦めとるが、さて、どんな勘定になるもんか、どうもこんな有様では今にえらい事になりそうなんで、もう一月ばかり様子を見た上で、あかなんだら、店じまいをしてしもうて、田舎で百姓しようと思うとる。そうなりゃ、あんたに貸している家なども売って行かななならんが、さてしかし、五段や六段の田でこれから百姓をするというても、うまく行くかどうか心細い話よ。でもはあ、クヨクヨ取りこし苦労をしても始まるめえ。まあ、いいよ。

五郎　だって、あれだけにした店を、惜しいじゃないかね？、なんとかならんかなあ？、

裏天　そりゃそうさ。まあ、なんとか此の一月の間に少し整理をして立直したいと思うとるよ。ところーが、その一月がもう危くなって来てのう。なんしろ、銭が五圓もなくなってしもうて、かかあなんぞもう眼が釣り上っていら。こんな事いうてもあんたらにゃ本當になるまい。ところーが、それが本當じゃから仕様がねえ。わしらだけでなく、此處いらん小商人の内幕なんぞ、そんなものさ。へッへへへ。そんな心配しなさんな、なんとかなるべえ。そいじゃ……。

五郎　ま、待ってくれ。そんな君！……弱ったなあ。そいで、その、現在どれ位金が有ったら半月でも一月でも、その、なんとかして行けるの？、

裏天　ああに、心配しねえでいいよ、あんたにもねえんだろうが。あんたはこれまで金が有りさえすればチャンと呉れただからなあ、わしらあ信用してるよ。しかし、ねえものはねえ。お互いだあ。

五郎　だから、今、いくら有ったらー？、

裏天　いくらかくらといったって、二十圓でも三十圓でも有りゃ大したもんさ。んだが、まあ久我さんそんな心配するなよ。アハハハ。

尾崎　（笑ひながら押問答を傍觀していたが）おい、久我君、僕が出してやろうか？、

五郎　え？、……君がか？、……貸してくれるのか？、

尾崎　全體、家賃はいくらなんだい？、

五郎　一月十五圓だから、百圓足らず溜っている。

尾崎　十五圓とは安いなあ。そうさなあ、（と大きなガマ口を出して）百圓なんて今日は持って来てないけど、五十圓ならある。（アッサリ紙幣を取り出して）これを君に貸してやろうじゃないか。なに、此の次に来た時に書類を書き換えて呉れりゃいいさ。

五郎　……（変な顔をしてためらっている）そうか、でも……。

尾崎　遠慮はいらん。僕としてもこんな話を聞いて知らん顔はして居れないよ。いいから君――。

五郎　……そうして呉れりゃありがたいが……（決心して）じゃ拝借しよう。これだけ僕の元金の方へ繰込んでくれよ。ありがとう。……（裏天へ）さあ裏天さん　これを。

裏天　（けげんそうな顔で尾崎と五郎を見較べている）……いいのかね？、わしら、どっちにしたって同じようなもんだから、無理をなすっては、いかんぜ。後であんたがみすみす困るような金は貰えんぜ。いいかね？、

五郎　いいんだ、いいんだ。大丈夫だから。

裏天　そうかね？……じゃいただくか。これで助からあ。かかあ大明神がよろこぶよ。へへへ、ありがとう……（紙幣を二つに分けて）これは、久我さん、あんた持っていな。わしらん所は三十圓有りゃ澤山だで。

五郎　いいんだよ、俺んとこは今要らんから、いいんだ。

裏天　困っているのはお互いだ。さ、これを。

五郎　いいんだっていったら。早く帰って、おかみさんに渡してやれよ。

裏天　そうかい？、濟まんなあ。そいじゃ……どうもありがとう（と當然の家賃を貰って頭を下げる男である。尾崎に向っても、なんとなく頭を下げて）ありがとうがした。そいじゃ又――。（鈍重ながらイソイソして砂丘を越して立去る）

尾崎　……おっそろしく人の好いオヤジじゃないか。

五郎　（裏天を見送りながら）うむ。……おかみさんが、又、少し足りないかと思われる位の良い人間でねえ。……俺あ、あの一家族を見ていると時々泣きたくなる事があるよ。無智は無智なりに、

あんな美しい連中が時々居るんだ。ホッとするよ。こんな所でゴタゴタしながら生きているのも、捨てたもんじゃねえという気がするんだ。……（振返って）だが、君にやすまなかった。助かったよ。ありがとう。

尾崎　なあに、お役に立って何よりだ。ハッハハ。

五郎　先刻は、暴言を吐いたり怒ったりでしてすまなかった。どうもひどく疲れているもんだから。たしかに神経衰弱だね。

尾崎　なあに、礼をいわれちゃ却って恐縮だよ。いわばまあ、まあ、これが僕の商売だからな。

五郎　（純粋に感謝していたが、相手の言葉でフッと妙な気がして尾崎の顔を見る）……そんな君！すまなかった。せっかくの書を破っちゃったりして……。

尾崎　なあに、いいよ。いいよ。ヘッヘヘヘ、どうせ君、こんな畫だもの。ヘッヘヘヘ。どうだい、助かったと君はいったね？、ハッハハ、僕の金だって君を助ける事が出来るんだね？、僕は君のいうように猿だからな、猿の金だ。今のは猿の金だよ。そいつで君も、今の裏天も助かるんだ。ヘッへ、俺あ猿だ、俺あ猿だ、猿の金だよ。ヘヘヘヘ！（とぼけた様な調子で笑いつづける。それが却って殆んど呪い倒すように毒々しい感じである）

五郎　……（相手の気持がわかって、突然真青になる。しかし今度は何とも怒りようがないのである。みじめな姿。両手がピクピク痙攣している）

尾崎　（スケッチ箱をしまいながら）僕あ、猿だよ。ハッハハ。キッ！キッ！キッ！キッとね。ヘッヘへへ、へへ。

間。……沖を通るポンポン蒸汽船の響。

次第に坐ってしまった五郎。歯を喰いしばり石の様になったまま、猿の鳴き真似をジッと聞いている。尾崎は又あばれられては困ると思って横目で五郎の方をチラリチラリと見て、少しずつ後しざりしながらヘラヘラ笑う。そこへ、母親と恵子が戻って来る

母親　やれやれ、砂の上を歩くと、くたびれるもんだねえ……（五郎に）お話はすんだの？、

五郎　……

尾崎　やあ……すみましたよ。ハハ、すみました。

恵子　（五郎の様子が変なので）五郎さん、どうか

なすったの？、
五郎　……え？、いや、ああ、なに。
母親　そいで、あの、名古屋の地所と家屋の書換えの事なんですけどねえ。ねえ、五郎さんへといきなり勢い込んで語り出す）…もともと、あれが美緒の名儀になっているというのが、死んだあれの父親が散々道楽をして、次から次と家の不動産を金にしちゃ使い込んでしまうもんですからね、このままにして置くと子供達の養育費なんかなくなってしまうというのでお祖父さんが心配なさって父親をいわばまあ禁治産といった風にして分家させてしまって、その後へ長女の美緒を戸主にして現在残っているだけの地所家屋の名儀人に立てたんですよ。その邊の所は、あんたも知っていますね。
五郎　……ええ、知っていまず。
母親　そんなわけだから、初めっから、どうせ利男が大きくなれば、何といってもあれが長男だから、地所も家屋もあれに来るのが當然なんだから、早く戸主に直して利男のものにしてやらなきゃならない物なんです。それが延び延びになっていたのは、書換えには、なんでも六百圓以上も相続税やらなんやらかかるそうで、それが内でも、美緒の病気やなんか次々と物入りで、それだけの現金がどうしても浮いて来なかったものですからね、それでさ――。
五郎　ええ、よくわかっています。……そりや利ちやんが受取られるのが當然ですから、どうぞそんな風に――。
母親　それがですよ、利男もああして學校も無事に卒業して就職すれば間もなく嫁も取らなきゃなりませんしね、そして結局、行く行くは私も利男にかからなきゃならないし、僅かな物でも、早く片附けとかないと安心出来ませんからね。
五郎　ですから、御自由に書換えをして下すってもいいだろうと思うんです。美緒には、少し良くなったら、僕からそういいますから。
母親　このままズルズルして居て、もしかして美緒に萬一の事でもあると、當人が居なくなるわけなんだから、又又面倒な事になります。この間辨護士に聞いたんですよ。いえさ、私だって、どんな事があっても美緒を死なしたくはありません。自

分の腹を痛めたかしら娘なんですからねえ。このままポックリ行かしてたまるもんですか。（泣き出している。彼女が娘を愛していることは真実なのである）でも人間、老少不定という事はありますからねえ。それに美緒が今の様な有様では、あんまり安心しても居れないんですから。（泣く）

五郎　……（心にズキリと斬り込んで来るものがあるが、黙ってこらえている）

恵子　母さん泣いたりして、エンギが悪いじゃないの、姉さんまだ死ぬものと決ったわけじゃなくてよ、馬鹿ねえ。（と人柄にはおよそ不似合な事をいう）

母親　だってさ、近頃の美緒を見てごらんな。あんなに綺麗な顔になってしまって。死ぬ病人は綺麗になるもんだからねえ、私あ、あの子の顔を見るたんびに、ドキッとするんですよ。私あ、あれに今死なれたら、今死なれたら、どうして生きて行けるんだか。……ホンになろうものなら私が身代りになって死んでやりたいよ！　ほんとに！（泣く。これは全く正直にそう思って悲しがっているのであって、嘘でも偽りでもないのである）……たった卅過ぎやそこらで、貧乏ばかりして何一つ楽しい目も見ない……良い着物の一つ着るんじゃなし、気だての良い子は早く死ぬというが、……こんな事なら、もっと良い目を見せて置くんだったよ。

五郎　……（相手の言葉がピシリピシリと自分を打ち叩くのである。その打撃に首を垂れて動かない）

恵子　母さん、……五郎さんにそんな事いうもんじゃなくってよ。

母親　えゝ、いえさ、私あ五郎さんに当てこすってこんな事をいっているのぢゃありません。だって可哀そうじゃありませんか。

五郎　……すみません。……しかし……しかし、美緒は死にやしません。……死にやしませんよ。

母親　だって。あんたがそんな事いったって、あの分じゃ、どうなるかわかりません。そいで今の内に、書換えをすましとかないと、ポクリと行かれると、不動産が宙に迷うからですよ。（泣きながら。これも彼女としては真実なのである）

五郎　……で、この事は利ちゃんは知っているんですか？

母親　知っています。でも利男は、今姉さんが、こ

んな状態になっているのに、そんな話をするのは悪いから、後にしろというんですよ。でもねえ、今日明日にも萬一の事が有ると取返しが附かないから。

五郎　僕も利ちゃんと同じように考えるんですが。……今美緒にそんな話をすると、又病気を悪くするばかりだと思うんです。いわばまあ、あれだけ重い病人の枕元で、病人の死んだ後の遺産相続のことを相談するわけなんですから。……そんな残酷な事はとても出来ません。もう少し、もう少し良くなってから……。

母親　ですからさ、もう少し待って良くなればいいが、死なれてしまうと、それっきりになって、又餘分な物入りだから……。

五郎　……大丈夫です。かりに萬々が一、いけなくなる事があっても結局不動産は利ちゃんに行くんですから、別に問題はないと思うんです。

母親　そうですとも。そりゃ、あんたという人がいるけれど、美緒が戸主になっているんで、籍もまだ入れてありませんしね、あんたにはお気の毒だけど、そこん所は――。

五郎　え？……（ギクリとする。自分が今迄思っても見なかった事をいわれて不意に、相手の考えが掴めたようだ。青くなっている）……それ、なんの事でしょう？、

母親　いえね、あんたにも散々苦労をしていただいたんですけど、美緒の病気では私の方でもこれで隨分の物入りを続けて来ているんですから。

五郎　ええ、それは、ありがたいと思っています。僕に金がないもんですから色々御心配をかけて――。

母親　ですからさ、財産を利男に書換える際には、どうせたんとの事は出来ないんですけど、あなたの方へもいくらか廻さなければならないと私は思って――。

五郎　いや、僕あ、そんな物要りません。

母親　いえ、それはね、とにかく今迄名儀だけでも美緒の物だったんですから、あなたが要らないといっても、どうせ美緒にやらなくちゃなりませんから。

五郎　いえ、美緒も僕も、要らないんです！。

恵子　だって五郎さん、それは當然の事ですよ。家の財産ですもの。長男だけがソックリ相続してし

まうという手はないわ。娘だって、それぞれの分け前を貰うのが当然じゃなくって？、姉さんだって、それから私も実はいくらか貰おうと思っているのよ。貰って邪魔になるもんじゃないわよ。

五郎　……それで恵子さんは、今日見えたんですね？、

恵子　まあ、ひどいわ！　それだけの事でわざわざこんな所に来るもんですか。姉さんの見舞いが主よ。

間。―― 母親はまだ涙を流している。話からすっかり除外された尾崎が砂丘の蔭から時々覗いている。

五郎　……もしかすると、お母さんは、美緒に萬一の事があると僕がその遺産をみんな自分の物にしてしまうとでも思っていられるんじゃありませんか？、

母親　（いろいろの意味でひどく狼狽して）いいえ、そんなー　そんな、あんた！。そんな事を考えたんだったら、初めっからこんな事を、あんなに相談したりするもんですか。そりゃ、そんな事をあんたいうのは、あんまり……。

五郎　……（ニヤリとして）籍こそ入れてなくっても、美緒と僕が結婚してから七年になりますしね、美緒の物はチリッパ一つだって合法的に僕の思う通りになりますからね。ハッハハハ、（不意に笑い出す）でも安心して下さい。僕にゃそんな気は全然有りません。不動産はお父さんの物です。美緒は、分け前も要りません。ただ、今、彼女にこんな事を聞かせるわけには行きませんから、自由にして下さるにしても、あれに聞かせないでやって下さい。

母親　（涙を拭きもしないで　怒り出す）……でも弁護士のいうには、美緒の承諾がなくては登記するわけには行かないというんですから、そんな事いったって ――。

五郎　とにかく、あれに聞かせる事は僕がおことわりします。

母親が眼を怒らせて喰ってかかろうとしている所へ、家の方向から小母さんが息せき切って驅けつけて来る

小母　五郎はん！、五郎はんッ！、五郎はん！、（眼の色が変っている）五郎はん！

五郎　（ハッとして）あ、小母さん、どうしたんです？、

小母　早う戻って！　早う戻っておくなれ！　奥さんが、又、奥さんが——。

五郎　どうしたんです？、

小母　（口から何か吐く真似をチョットして）……早う！、早う戻っておくなれ！。

五郎　（ギクリとするが、今迄に馴れているので割に自分を制しながら駆け出しそうにするが）……（チョット何か考えてから、母親と恵子に）書換えの話を美緒になすったんじゃないでしょうね？、

母親　……いえ、そんな、そんな事いうもんですか。

五郎　本当ですね？、

恵子　（五郎の眼に射すくめられて）……いいはしませんよ。

五郎　そう。……（急に、小母さんと一緒に脱兎の様な早さで家の方向へ走り去って行く）

母親　……（さすがに実の母親で、思はずその後を追つて小走りに行きかけ）どうしたんだろうね？、え、恵子？、美緒に何か——？、

恵子　行かない方がいいわよ、母さん。母さんが行つたって、又病人が気を立てるばかりで、邪魔になるばかりよ。大丈夫よ。（肉身の姉に対する心配を感ずれば感ずるほど、美緒の病気に対する嫌悪の情も強くなる。その自分の矛盾を、母親を殆んど乱暴といっていい程の動作で押しとどめる事に依って打切りながら）ソッとしといて、鎮まってから行ってあげる方がいいといったら！、

母親　そうかねえ……。（やっぱり恐くて行きたくはない。しかし心配で心配でたまらず、その辺をウロウロしたり、流れっぱなしになっていた涙を拭いたり、ウロウロした末にそこに落ちていたスケッチ板のカケラを無意識に拾い上げて、それを見たり、家の方向を見やったりしている）

恵子　きたないわよ、母さん！（これは割に落着いているが何と思ったか、不意に帯の間からコンパクトを出して、鏡で顔を覗いて白粉をはたきはじめる）……。

尾崎　（砂丘の横から出て来て、ニヤニヤと恵子の傍へ寄って行きながら）やあ、御心配ですねえ。どうなすったんですかねえ？、どうも、……。

3、家で

数日後の日曜日の午過ぎ。

ドンヨリと曇って蒸し暑く風のない天気である。美緒が病室の寝台の上に仰臥し、静かな眼で庭の方を見ている。寝台の頭の寄っかかりの上に酸素吸入の器具が取りつけられていて、そのガラスの口が彼女の顔の上に開いている。低くシユーシユーと酸素の出る音。大きな発作から数日を経て一應小康を得たといった感じで、あたりの道具の配置その他、この前とはなんとなく違っている。たった今、医者が戻って行ったばかりらしく、病室に椅子が一つ出しっぱなしになって居り、小母さんが、医者が手を洗った洗面器とシヤボンと手拭の後始末をしている。数日間の心配と睡眠不足のために小母さんも疲れている。珍らしくきまじめな顔をして、話す声も努めて低い。

小母　（洗面器をかかえて立上り）……奥さん、どうどす？、障子締めまっか？、

美緒　……（静かにかぶりを振る）

小母　相変らず黙あったお医者さまどすえなあ。

美緒　……（ニッコリして手真似で、横になって眠って頂戴という）

小母　へい、へい。奥さんが良うなって呉れはったで、今頃になって睡気が出て来ました。でも、五郎はんに較べたら、あてなどが睡いなどいうたら罰が當りま。……でも、なんどすな、いい具合に比企先生が東京からお見えになっていやして、ホンマにようおしたなあ。これというのも奥さんの運気が強い證據どすえ。

美緒　……（何度もコックリして見せる）

小母　此處のお医者さまだけでは心細うてなあ。あの方はホンマに黙あってばかり居やはって、たよりのうて。……さあさ、少しお休みやす。

美緒　（ニコニコ笑っている）

小母さんは洗面器を持って庭に降り、樹の下に水を撒く。……間。

そこへ医者を送り出して外へ行っていた五郎が玄関から黙ってあがって来る。注射液のアンプルを一本手に持っている。唯さへ憔悴した顔付きが、この数日間の不眠不休の看護のため怖い

い位にゲッソリと青ざめている。美緒よりも顔、色が悪いのである。しかしこんな事には馴れているのと、気が張っているので、前場の濱に於ける彼よりも自分で自分を支配している平静さを保っている。……スタスタと居間の方へ行き棚の上から注射器を取って、明るい縁側に来てアルコールで消毒しはじめる

小母 五郎はん……お疲れどすやろ?、

五郎 小母さんこそ疲れたでしょう。少し晝寝をして下さい。

小母 そいで……どんな風?……〈眼に物をいわせて、手真似で立去った医者の事を示す〉

五郎 ……〈病室の方をチョット振返って〉なに、これをやっといてくれ、もう大した事はないといってました。……

小母 ……〈手真似と眼顔で色々と訊く。それに五郎も答える。話の内容を病人の耳に入れたくないのである。會話の細かい事はハッキリわからないが、とにかく、既に差し當りの危険は通り過ぎたと五郎がいっているらしい事が、小母さんのホッとした様子から察しられる〉……。

美緒 ……〈低い低い静かな声で〉あなた……。

五郎 ……おい。〈唖向答をやめて、病室を見る。小母さんはそれに気付いて、ソソクサと洗面器を持って庭を廻って台所の方へ去る〉どうした?……今注射器の支度だ。……この患者の注射にかけてはあなたの方が私よりうまいらしいから、あなたに委せます。先生そういうんだよ。笑わしやがらあ。……さ、出来た。〈いいながら、病室の方へ行く〉もう大丈夫だそうだ、でも用心のため、もう一本打っとこうというんだ。こんなもん大して効きやしないがね。どうせゼラチンをどうにかした薬だろうからな。……直ぐ、やるかい?、

美緒 ……痛いから、いやだ。

五郎 ハッハ、ちっとは痛いよ。

美緒 その代りに、この吸入を、よしてくれたら、やる。

五郎 又馬鹿をいう。吸入よしたら又息が苦しくなってヒーヒーいうぜ。

美緒 ううん、もういいの。……とても、らくになった。……それに、今日は赤井さん達来るんでしょ?、こんなものしていて心配させちゃ悪いわ。

ね、取ってよ。……ホントにもう何ともないから……だいち、変に臭くって、いやだ。

五郎　赤井が来たって平気だ……でもホントならチョットの間、よしてやってもいい。（吸入器を片付けながら）どうだい、平気か？

美緒　ええ。……却ってセイセイしてよ。

五郎　……だが、比企さんが丁度来てくれて、実に助かったなあ。やっぱり、ありゃ良い医者だね。處置の仕方が徹底的だよ。一番ひどい時に、お前の手足の根元をギユーギユーしばり上げたにやチョットびっくりしたがね。だが、考えて見ると止血の方法としては原始的だが一番効果があるわけだ。

美緒　でもしびれて痛かったわ。まだ跡になっていてよ。……比企さんも京子さんも、臨海亭でよくして呉れてるかしら？

五郎　大丈夫だ、昨日も俺が行って頼んで来た。（酸素筒の始末をしている）

美緒　……京子さん以前よりも綺麗になったわね？

五郎　そうかね。……

短い間

美緒　あなた、少し眠ったら？

五郎　なに、いいよ。大して眠くないよ。

美緒　でも、もう四日四晩よ。……私がいつ眼をさまして見ても、あなた、おっかぶさるようにして私を睨んでいるんだもの……。眼をクリクリさせてさ……私、しまいに滑稽になったわ。

五郎　へっへ、おっしゃいます。ボロボロ、ボロボロ涙ばかりこぼしていたくせに。

美緒　だって苦しいんだもん。……あなたったら、咳をするな、……こらえろ、……気を鎮めて、……戦争だぞ……咳をするな……呼吸をするな……。あなた、憶えていて？

五郎　馬鹿いえ。呼吸をしなかったら、出血も止るだろうが、命もとまっちまわあ。

美緒　だって、そういってよ。……行だ、行だ、行をしているんだ。俺もしないから、お前もするな、呼吸をするな！……憶えているわ、私。……あんなに落着いているようでも、あなたやっぱりアガッてしまうんだわ……ッッッ……でも、大丈夫かなあ？

五郎　なにが？

美緒　……だって、私が咳をすると、あなたの顔や胸の辺まで……トバッチリで真赤になったわよ。傳染らんかなあ？、

五郎　傳染るもんか。傳染るもんなら、もうトウに傳染ってら。そんな心配は手遅れだ。

美緒　あなたが又私みたいになったら……私、どうしよう？、……でもね、私、時々……あなたも私と同じように……病気にしてやりたい事があるの。

五郎　どうしてだ？、

美緒　どうしてだか。……意地が悪いでしよ？、……もしかすると私には、……なんか悪魔みたいな、恐ろしい性質が有るかも知れないわよ。……よくって？。（眼だけ鋭く五郎を見詰めたまま、顔はニコニコしている。それが何かゾッとするような印象である）

五郎　（少しドキリとして）……。（押し殺した声で）いいよ、お前が悪魔なら俺も悪魔だ。傳染したきゃ傳染せ。そして二人で一緒に死ぬか。プッフフ。

美緒　……私、とても滑稽になる事があるの。

五郎　なにが？、

美緒　……だって私は死ぬまいと思って、こんだけ気ばっているでしよ？、あなただって、そのために苦しんでいるわね。……だのに私がもう生きていまいと思えば実に簡単なの。こうして、グッと舌を噛めば、それでおしまい。とめようと思ってもあなたにもどうする事も出来ない。そうじゃなくって？、

五郎　……（相手を睨んでいる）

美緒　……ねえ。あのね──。

五郎　うん？、

美緒　神様は在るの？、

五郎　なんだよ？、神様？……（びっくりして相手を見詰めている。美緒の頭の中にどんな思考が往来しているかを見透そうとしている。不意にわざとニヤニヤして）ハッハ。お前、病気がつらいんで、神様が欲しくなったのか？、俺が何と答えればお前の気に入るんだ？、欲しきゃ、いくらでも作り出したらいいじゃないか。

美緒　（眼をカッと開いて、五郎の調子に乗って行こうとしない）ううん、はぐらかそうとしたって駄目。……私、まじめよ……聞かして。……私、あなたのいう通りに信じるから。……だから、あ

なたもまじめにいってよ。ううん證明して貰わなくともいいの。理窟は要らない。本當の事を一言でいって！……神様は在る？、
向。
五郎何とも答えられないで、美緒の顔を見守っている。美緒も、五郎から眼を離さない。殆んど憎しみを込めたともいえる位の睨み合いである

五郎　……（咽喉がカスカスになった様な声で）在る。
美緒　……ほんと？、
五郎　お前は俺の神様だ。……お前が育てて大きくしてやった託児所の子供達は、お前の神様だ。
美緒　そんな事じゃないの。……私のいってるのはね、……死んでから……死んだ後に、……そんな世界が在る？、居るの？、
五郎　そうか。そんな事をお前……（二三度喘いだ末に）居るよ。在る！、
美緒　だってあなた唯物論者じゃなくって？、
五郎　……。なんか知らんが、在ると思うから仕方がない。
美緒　……ああ。（疲れてガッカリして）……あなたオデコから汗を流しているわ。
五郎　（やっとホッとして）お前だって汗を出してるぞ。……ああ、注射だ、注射だ。忘れるとこだった。ハッハハ。はぐらかしちまおうと思って、宗教問答に引っかけたな？、
美緒　（涙ぐんでいる）フノフ。そうかも知れないわ。だって痛いんだもの。
五郎　駄目だといったら駄目だ。
美緒　かんにんして！、その藥だけはホントに痛いの。ほかのと違って、いつまでも吸收しないんだもの。……もう止まったんだから大丈夫だわ。かんにんして。
五郎　我慢しろ。頼むから。
美緒　そいじゃ、私の頼みも聞いてくれる。
五郎　うん、どんな事でも聞く。
美緒　約束したのよ。……（いって腕を出す）
五郎　よしよし……（アルコールでチョット拭いてから注射針を刺す。馴れている）動かないで……。
美緒　ア、ツ！（痛みをこらえながら）……、そいじゃ、あのね、……油で風景を一枚描いて。

五郎　なんだ、そうか。又引つかけたな？、お前はズルイよ。
美緒　お願い。見たいの。三十號でいい。よくつて？、
五郎　仕方がない、描くよ。……（注射液を愼重に押し出しながら）だけど、三十號は無理だ、絵具がない。俺のは又むやみと盛り上げるんだから十圓や二十圓では足りん。（注射をすまして跡にバンソウコウを張る）……そうすんだ。
美緒　金はあるの。ほら……（といつて枕の下から紙幣を五六枚取出す）
五郎　……え？、どうしたんだ？、
美緒　天から私にさずかつたのよ。
五郎　本當に、どうしたんだよ？、
美緒　……母さんが呉れたの。こないだ来た時――。
五郎　へえ、だつて変じやないか。お母さんからの二十圓今月の分はもう貰つてある。
美緒　国の私の不動産を利男に書換えたら、私にも恵子にも三百圓ずつ分けて呉れるんですつて。……その一部をあげとくんだつて
五郎　え！、そいじや――（と急に何かに思い當つて椅子から立上る）……そいじや、なにか、お母さん此の間、書換えの事をお前にいつたのか？、
美緒　……（おびえてオロオロしながら）うん。……あん時……あなたが尾崎さんと庭へ出て行つた直ぐ後で……。
五郎　そうか。……そいで、お前、昂奮して、その後、あんな事になつたんだな。そうだな？、……変だ変だと思つていたんだ。あんな風になる筈のない症状なのに、どうしたんだろうと、今まで俺あ腑に落ちなかつたんだ。そうか……（今にも爆発しそうに腹が立つて来る。そのままでいると美緒に喰つてかかりそうな自分を怖れて、プイと廊下に飛び出して）……畜生！。（廊下をドシドシ歩きながら）あんなに俺が頼んだのに、……。
美緒　……（小さくなつて、五郎を眼で追つている）
五郎　無智だから無智だからとお前はよくいうが、単に無智なだけで、こんな、見す見す、実の娘に對して、毒々しい事がやれるもんか。……あれは此の俺がその不動産を自分の自由にでもするかと思つているんだ。
美緒　……（おびえて手を合せんばかりにして）却

っていいじゃないの、こんな事でサッパリと縁が切れてくれれば、もううるさくなくって。……怒らないで。……私、こわいわ。

五郎（それを見て、辛うじて自分を制する）……心配するな、乱暴はしない。……フフ、それでいて、あの人がお前の病気をしんから心配しているのも本當なんだ。母親としての愛情に嘘はない。だのに、あんな話をズケズケと、お前の病気にさわる事も考えてる餘裕がない。たとえ死んでも仕方がないと思ってる。……俺にゃ、どういうんだかサッパリわからないよ。……それが人間か？、……そうだな、それが人間かもわからんな……（廊下に立停って何か考え込んでいる）

美緒（すがり付くように）そんな事どうでもいいから、畫を描いてね、此の金で。

五郎……（全く別の事を考えている）いや、そんな事どうでもいいや。……ハッハハハ、アッハハハ（不意に笑い出して）よし、それでいいんだ、人間それでいいんだよ。なにがなんでも生きりゃ、それでいいんだ。生きる事が一切だ。そいつだけがすばらしい事だ。善いも悪いもあるもんか。

美緒　なんの事いってるのよ？、
五郎、うん？、うん、……あのなあ美緒、今日は赤井達が来るし、利ちゃんも来るかも知れんが、喋っちゃ駄目だよ。いいな、無言の行だぜ。

美緒　いいわ、約束してよ。……でも此處でみんなお話してね、私寂しいから。……私、黙って聞いているだけだから、此處で話してね、……よくって？

五郎　よしよし
美緒、ああ、うれしい！……あなたったら、誰でも直ぐに濱に連れて行ってしまうんですもの。……あすこで一體、どんな良い話をしているの？……妬けてよ、私……。

女の声（玄関から）こんにちわあ……。

美緒　ああ、京子さんよ。

五郎、そら、黙って！（玄関の方へ行く）や、いらっしゃい。

京子の声　これから泳ぎに行くんですの。

いっている間に、京子の兄の比企正文が黙って微笑しながら病室に入って来る。つづいて京子も玄関の間にあがって、そこに坐る。比企は口数が少いが、しかしいつも平均して機嫌の良い

調和の取れた真面目一方の男である。頭の中が常に論理的に整理された人間のみに在る落着きと、同時にそんな人間にのみ特有の、病的でない偏執性を現わしている。開業医らしい所はなく、研究室にこもっている科学者といった風だ。これから海に行くつもりか、浴衣姿に皮のバンドをしめ、聴心器だけを懐中にねじ込んでいる。京子は身體の立派な美しい女で、潮風に荒れないように乱暴に厚く塗った白粉の、額や首の所がまだらになったのが、変に魅惑的である。比の女にはひどく子供の様に――というよりも白痴の様に無邪気になる時がある。そんな瞬間には、眼がスガメになってしまって、彼女自身も自分が今何処にいるかわからなくなりでもするようだ。これも浴衣姿。ニッコリして美緒に目禮する。美緒も目禮。

二人の来た事を知った小母さんが、イソイソしながら茶を運んで来る

比企　（美緒に）やあ、今日は、どうです？

美緒　毎日、ホントにすみません。

比企　なに、濱へ行くついでにチヨット診てあげようと思って……。（聴心器を出す）久我君、フイズルは？

五郎　（比企と京子の中間、つまり玄関の間と病室の間の敷居の上に坐って）ありません。昨日の午後から。

比企　一昨日の僕の處方は？

五郎　やってます。おかげで食慾が少し出た。

比企　ナッハシユヴァイス？

五郎　かなり有ります。

比企　今朝起きぬけのプルス？

五郎　六十六。稍々微弱。

比企　フム……で、主治医は、やっぱり例の――？

五郎　ええ、今日も先程、一箇打った。

比企　うむ……（あとは無言で、美緒の胸に聴心器を当てて、永い間、非常に慎重に診察している。小母さんは美緒の着物を直してやったりして診察の手助けをする）

京子　久我さんも泳ぎにいらっしゃらない？

五郎　（診察の方に気を取られながら）え？　いや僕あ。……第一、もう冷いでしょう。

京子　でも私、真夏よりは今の方が泳ぐの好きよ。

ヒヤリッとして良い気持。……こないだ、三越であった梅川隆三郎の個展御覧になって？、
五郎　いや、なんしろ暇がないもんですから。
京子　見たわ私。相変らずケンランたるもんね。でも、なんですか、同じ事の繰返しね？、よく飽きないと思うわ。第一、あんなに豊富な色を、あんなに繰返されると、美しいと思って見ている向はいいけど、ヒョッと鼻についてトタンにヘドが出そうになるわ。そうじゃなくって？、
五郎　さあ、でも、あれはあれでいいんでしょうね。
京子　……久我さん、音楽はお好き？、
五郎　好きです。美術も好きなんで、レコードでもと思って心がけているんですけど、そこまでは未だ未だ手が廻らなくって……。
京子　レコードやラジオじゃ駄目だわ。生で聞かなくっちゃ。此の秋、私達の仲間でオペラを上演するから聞きにいらっしゃらない。切符送って差上げるわ。
五郎、ありがとう。でも僕にゃオペラってやつは解らないんですよ。声を張り上げて歌ひながら啜り泣くなんていうのは苦手だ。あれは——。
比企　（はたで話されている事にはお構いなく、診察を続けながら）メンスは規則的に有るのかね、久我さん？、
五郎　え？、
比企　……あんまりないのじゃないのかね？、
京子　まあ！、兄さんたら！（真赤になっている。美緒も赤くなって、まぶしそうに片手で額をかく）
比企　なんだ？、（キョトンとしている）
京子　失礼だわ！。婦人の面前で、ねえ奥さん！。
比企　いやあ、不規則なクランケで時々原因なしにブルーツングを見る事があるんだ。そいで——。
京子　もう、いやっ！、私、じゃ、先きに泳ぎに行くわ。失礼ねホントに兄さんは！。（いいざまパッと立上って玄関からドンドン出て行ってしまう。動物じみた敏捷さである。遠ざかりながら、カルメンの独唱を歌って行く）
比企　……なんだい、スットンキョウな奴だなあ。……いやねえ、その五日前の発作の原因が、どうもハッキリしないんでねえ。
五郎、いや、それなら有るんだ。原因は有るんだ。

チヨットト精神的にショックを受けた事が有るんですよ。
比企　そう、それなら、それでいいが。でも、そんな事今後避けてくれないといかんなあ。……とにかく別に変りはない。處方は一昨日と同じでいい。安静を守って貰う。流動物を、そう、量は好きなだけ。……じゃ、又来るから、これで僕は。
美緒　……ありがとうございました。
比企　これから泳ぐんですよ。かなり冷いけど、仕方がありません。でも、もう若い奴にはかなわんね。京子の方が僕よりズッと泳げるんですよ。ハッハハ、（五郎に）君も行かない？
五郎　僕は後で……。
比企　そう、じゃ……（気軽にズカズカ立って、小母さんがペコペコして下駄を揃えたりしているのも殆んど無視して出て行ってしまう）
小母　……（美緒に）ホンマに、いい先生どすなあ！
美緒　（それにコックリをして見せてから五郎に）ホントに純粋な科学者なのね？　診て貰ってもいい気持だわ。
五郎　うん。ハッキリしてるよ。自信も持っているが、出来るのも出来る。福岡の医科大学はじまって以来だというからね。もう、とうに博士になっていいんだが、論文なんか愚分で書く気がしないというんだそうだ。
美緒　……京子さん、なんだか、あなたに興味を持ちはじめてるんじゃないかしら？
五郎　馬鹿な事いうな。……ハハ、そうだ、興味といえば、変った生き物がいるから見てやれといった眼付きだね。
美緒　いえさ……。
五郎　そう、無言の行、無言の行。……赤井達はおそいなあ。……俺あチヨットひと仕事やろうか。……よし。（立って、手で美緒の額の熱を計ってうなずいてから、ズカズカと廊下を通って湯殿に消える）
小母　（それを見送ってから）……奥さん、お気分どうどす？
美緒　……（コックリ）
小母　（ニコニコしながら）こうんな所までペトペトに白粉塗りはって、（と京子の真似）そうですわよ！　はあ、そうですわ！　こうどす。可愛ら

しいモダンガエルはんどすけど、えらい鼻が天井向いてはりますなあ！。アッハハ。（美緒がニコニコするのに満足して茶の道具や座蒲団を片附けに居間の方へ。そこでゴトゴト片付け物をしている）

間。

美緒はジッと動かない。……やがて、ソロソロ自分の頬を撫でて見る。それから枕元に差し込んであるコンパクトを抜き出し、ソッと開いて怖いものを覗くようにして鏡をどけるが、又暫くして覗く。今度は眼を釘付けにされたようにジーッと鏡の中を見詰めている。……衰えてしまった容色。……急に四辺をキョトキョト見廻して、五郎も小母さんも現われそうにないのを見すましてから、手早くパフで白粉を顔にはたく。自分では無意識らしいが、白粉の塗り方が頬や襟に濃く、いつの間にか京子の白粉の塗り方にソックリになっているのである。……塗り終って、又鏡を覗く。……少し斜めにしたりしてジッと覗いている間に顔が引歪がんで来る。手が顫えて来る。……声を出さないで自嘲の笑い、笑っている間にベソをかいて、タラタラと涙があふれて来る。でも涙を拭くのを忘れて、寝ていて自然に見える鴨居の辺をジッと睨んで動かない。……出しぬけに手のコンパクトを投げる。それは病室と玄関との間に一枚だけはずさないで立っている襖に当って、ピシッ！、と音を立てて落ちる）

小母　（その音を呼ばれたものと感違いして）はい、はい、（道具を片付けながら）直ぐ行きまっせ。美緒は、その声を聞くと、いきなり白粉を落そうと顔中を掌でゴシゴシと撫でまわす）

小母　（玄関の前へ出て来て）なんぞ、御用どすか奥さん？、

美緒　……（首を横に振る）

小母　まあまあ　綺麗にならはった！。

美緒　……（顔を歪めて笑う）

小母　少うし、わてがお話ししまほか？、

丁度そこへ玄関の外へ（奥）に元気の良い靴の音が響いて歩兵伍長の新しい軍服を着た赤井源一郎が勢い込んで玄関に飛込んで来る。

端麗な顔に眼鏡をかけ、理智的にどぎすまされ

た人柄だ。骨組がガッシリしているのと、軍服の強い線と、それから永い勤務で鍛えられたために現在はそんな感じはないが、平常の生活でこの男を見れば、むしろ弱々しい位に敏感な人間を発見しはしないかと思われる。喜びに顔を紅潮させている

赤井　久我っ！　久我！　やって来たよ！（靴をぬぐ）

小母　（びっくりして振向いて、赤井を見るなり喜んで）まあ兵隊さん、来やはった！奥さん、兵隊さん来やはりました。赤井はん、ようおこしやす。さあさ、おあがり。

赤井　は。（と挙手の禮をして）小母さん、暫くでした。（あがる）

小母　（湯殿の方へ向って）五郎はん、兵隊さん見えはりましたえ！

美緒　……（今迄の変な顔付きを一遍に笑いにほころばして、寝台の上から目禮する）ようこそ、赤井さん……。

赤井　いかがです？、……

五郎　（湯殿の戸をガタピシ開けて、走るようにドタバタ飛び出して来る）来たか！（廊下に出て来た赤井とぶつかりそうになる。現在の彼にとっては殆んど唯一の気の許せる親友が久しぶりに来たので、うれしさの餘り少しあがっている）……よう！

赤井　……（出合いがしらに、両足をピシッと揃えて習慣になってしまっている挙手の禮が出る）来たよ。

五郎　……（自分も思わず釣り込まれて、絵筆を握ったままの右手を額の所へ持って行くが、それに気付いて）なあんだ！（二人声を揃えて笑い出す）

小母　さあさ、服をお脱ぎやす。暑うおしたろ。（これも笑いながら、飲物の支度に台所へ）

五郎　アッハハハ。（絵筆を湯殿の戸の方へポイと投げ出す）よく来てくれた。三ケ月ぶりだ。

赤井　そんなになったかな。なんしろ忙しくって。

五郎　そうだろうな。飯はまだだろ？、

赤井　いや食って来た。実はもっと早く来る豫定でいたが、今朝になって不意に非常呼集がありやがってね。

美緒　とにかく、お脱ぎになったら――？、

五郎　そうだ、脱げよ。……（赤井が剣帯をはずしにかかる。その赤井の服装にフイと注意して）今日は馬鹿に立派な服だね、真新しいじゃないか？、
赤井　立派だろう？、第一装用さ。これで持つ物を持ちゃ、いつでも出発出来るさ。
五郎　え？……そいじゃ、いよいよ、近い内に…？
　男二人がいろいろな意味を込めて眼を見合わせている短い間。
赤井　……微笑して見せ、剣をスラッと抜いて）もうチャンと刃が附いている。
五郎、（その刃に指先で触って見ながら、眼は赤井を見ている）……そうか。……で、何日頃になりそうだい？、
赤井　わからんよ俺達にゃ。わかってもいっちゃいかん事になっている。
五郎　すると、なにかね、明日にでも出発という事だって有り得るわけか？、
赤井（服を脱ぎながら）うん、まあ、そうだな。よくわからん。ただ準備はいつでも出来ているんだ。ハッハハ、此処にこうしてやって来るのも今日でおしまいになるらしいよ。君はどうせ、佐倉の方へ来て呉れる暇はないだろうしなあ。
五郎　いや、そんな時はどんな事が有っても会いに行くよ。
赤井　いや来てくれても、多分ロクに話も出来ないだろうと思うんだ。最後にもう一度外出できるらしいけど、さてどうなるかわからんしね。仮りに出来てもその際も伊佐子の事やなんかで東京の家の者に会いに行かなくちゃならん。……まあ今日が左様ならだね。
五郎　……そうか。
赤井　……美緒さん、どうですか、その後？、
五郎、うん、まあ、割に良い方だ。
赤井　そりゃ、いい。そういえば、なんだか元気そうになりましたよ。
美緒　……伊佐子さんは、どうして遅いんでしょう？、
赤井　又家でグズグズいっているんでしょう。なんしろ僕が行っても、伊佐子とはユックリ話しも出来ないんですからね。そいでまあ、美緒さん病気の所へ御迷惑をかけてすまないけど、こうして此処で落ち合わそうと勝手に決めちゃって。
美緒　いえ、そんな、私なら少しも構いません、ど

うか御遠慮なく。

五郎　お前チット黙って居れ。

美緒　フフ、あなたの事というと久我は直ぐに焼餅を焼くんですの。

赤井　ハッハハ、いや、どうもすみません。

そこへ小母さんがビール三四本と、つまみ物を載せた盆を運んで来る

小母　さあさ、お二人とも此処へ来てお坐りやす。そこは暑い。（キチンと坐って赤井に對して辞儀をして）ようおこしやす。

赤井　やあ、小母さん相変らずお元気ですね？

小母　へえ。五郎はん、あんたはんのおいでやすのを、えらい待ちこがれていやはるのどすえ。なあ奥さん！（美緒うなずく）まるで、コイービト待ってる若い人そっくりやいうて奥さんと話していたとこどす。

赤井　なあんだ、ハッハハ、ハハハハハ。

五郎　（これも笑いながら、ビールのせんを抜きコップに注いで）さ、赤井、あげてくれ。

赤井　なんだい俺あ飲めないよ、知っているじゃないか。

五郎　いや、今日は飲め。

赤井　だって、一杯やると俺あフラフラになっちまうぜ。

五郎　いいから飲め。ホントは美緒にも飲ませたいけど、此奴は病人だからな。……フラフラになったっていいよ。小母さんも―（小母さんにもコップを握らせる）

小母　いえ、わては―。

五郎　（小母さんの耳に口を寄せて）赤井がね、小母さん、間もなく戦地へ行くんです。それを送るんですから。

小母　そうだっか！。それは―。

五郎　美緒の枕元で、俺あ乾杯したいんだよ。なあ美緒。

赤井、ありがとう。（コップを握る）美緒さんも、早くよくなって下さい。石にかじり付いても！

五郎、俺達の前には、ノッピキのならないギリギリ結着の絶壁が有るだけだ。もう、それに死にもの狂いで乗りかけて行くきりだ……。赤井、戦って来てくれ。

三人ビールを乾す。

美緒が涙ぐんで見ている。小母さんは涙を流している。しかしそれをビールにむせたようにごまかしながら指先で拭くが、仲々とまらないので、コソコソと立って居間の方へ去ってしまう。あとに三人がしばらく沈黙に落ちている。

間

赤井　……(シンミリした空気を破ろうとしてニコニコして)たちまち少し廻って来たらしいや。

五郎　いいよ酔ったって。六時迄に戻りゃいいんだろう?、

赤井　……電車の時間を二時間見とかなきゃならんからな。

五郎　すると此処を四時に出りゃいいから、まだタップリ二時間は有らあ。それまでにゃ醒めるよ。もっと飲め。(赤井のコップに注ぎ、自分も飲む)

赤井　……近頃、どうだい、仕事の方は?、

五郎　……あんまり描かん。そんな気になれない。

赤井　そうだろうなあ。

五郎　いや、病人を控えているせいやなんかじゃないよ。もっとなんか、現在の事をよほど考え直して見なきゃならん事が有る様な気がするんだ。今迄通りいくらセッセと畫を描いても、なんにも解決されないような気がするんだ。いや、今の世の中を否定する気持じゃない。うまくいえんけど、……もしかすると俺達は今　なんかすばらしい時代に生きているかもわからんという様な気がするんだな。

赤井　そりゃそうだ。俺もそんな気がする事がある。しかし、それにしても君が畫を描かない理由にはならんだろう。

五郎　だからさ、俺にゃ、畫なんか描いていると、このすばらしい時代の意義、……いや、意義なんてそんな理窟張ったもんじゃない、姿というか光りというかね、そんなすばらしい物が俺の指の間からこぼれ落ちてしまうような気がするんだよ。……もっとも、こんな気がするのは、もしかすると、もともと俺の畫がホントに生きた物でなかったからかも知れん。

赤井　そんな事あないよ。君あホンモノの畫描きだ。

五郎　お世辞をいうな、君らしくないよ。

赤井　お世辞をいったって始まらん。近頃僕あ恐ろしく単純になっちゃってるんだ。いよいよ行くと

決った時から、お世辞だとか論理学だとか、そんなものが洗いざらいなくなっちやった。頭の中が子供みたいになっちまった。

五郎　じや、ホントにそう思ってくれるんだな。俺あホンモノの画描きなんだな？、きっとそう思うんだな君は？、

赤井　ああ、思ってる。君あ俺達の仲間の中で一番ホンモノだ。

五郎　……そうか。……そりやどうでもいい。とにかく俺あ、戦争の大砲の音を間近かに聞きながら小説を書いていたというゲーテなんて奴の事はわからんね。わかりたくもない。ゲーテなんてインチキな男だ。それにズルイよ。ありや政治家で、幸福で、結局自分が直接戦争に参加しなければならぬ危険がなかったからなんだろう。第一、それは醜態だよ。自分も参加して、たとえば戦闘の行われている塹壕の中で小説が書いて居れたら、偉いと思うがね。……とにかく、俺あ、今の瞬間を自分だけ安全だという気はしないものな。実感だよ。それに俺あまだ人間としても画描きとしても青二才だ。自分の動揺をかくしたくない。動揺する時はした方がいいんだ。それが生きて行く事じやないか！、みっともない姿で、あっちへフラフラこっちへフラフラしたって構うもんか。それが自分だ。一枚二枚の画を描く事よりや、その方が大事じやないか。その内に偉くなりや、動揺なんかしない時が来るかも知れん。そんな事あどうでもいい。芸術よりや生きる事の方がズッとすばらしい事だよ。（いくら喋っても何か肝心の事がうまくいえないような気がするのである。そのために、明るく幸福な気持のままに、少しイライラしている）

赤井　そりやそうだ。動揺をかくしたって始まらん。実際の僕なんかも、もう今では割に平気でいるけど、白状すると赤紙が来た時は顫えが出て止まらなかった。怖いのとも違う。が、どうしても顫えて顫えて、その一晩どうしても眠れないんだよ。伊佐子に、まあどうしてふるえるのといわれて、どうしたんだか顫えだけは一遍にとまった。……そんなもんさ。……僕達の若さじや動揺するのが本當かも知れないね。第一、五六年前までの僕達だって、今から思うと一つの動揺であったといえ

ばいえる。……あの當時の思想の體系は簡単に僕等の裡ではくずれてしまった。……しかし、あの當時に掴んだ物の考え方の中の一番本質的な要素……つまり人間に對する信頼といったようなものだな。そいつは、やっぱりなくなっていないんだものな。僕あ、兵隊に行って、そいつを痛感するんだよ。僕がもし兵隊として幾分でも秀れた兵隊だとしたら、そりゃみんなそのせいだよ。事実、僕あ中隊長その他の上官から非常に信頼されている。同じ兵隊仲間や、そいから僕の部下だって――これでも部下を持ってるさ、伍長殿だからね――どういうんだか僕の事を一番信頼しているんだよ。自分達が困っている問題は必ず僕の所へ持って来るし、そいから仲間同志で喧嘩をしてもその決着をつけるには必ず僕の所へ来るんだ。自分達の気持を一番よくわかって呉れる仲間として全然信頼している。不思議な位だよ。はじめは、どうしてだか僕にもわからなかった。唯単に僕の生れつきの性質の良さといったようなものじゃ決してないんだよ。その内に、ヒョッと、そいつは若しかすると、今いった、あの時代に鍛え上げて来た本質的なもののためじゃないかと思ったんだ。

五郎　そうだ！　そうかも知れん。いや、そうだよ、それというのがあの時代を俺達がホントに生きて来たためだ。良かれ悪しかれ生きて来た。そこから一切が生れて来ているんだ。あの時代の俺達を批判することなんか偉い奴等が勝手にやってくれりゃいい。そんな事なんか、どうだってかまわん。大事な事は、嘘も偽りもなく生きて来たという事なんだ。

赤井　しかしね、久我、君が畫を描かない事にゃ僕あ反對だよ。そりゃあ君の気持は判る。判るけれど反對だ。……僕あもう自分の仕事の事なんぞ考えてる餘裕はないし、考える必要もない。僕の今迄書いていた小説なんか、もうどうでもいいんだ。しかしそいつは、今こんな風にして立っている僕の事だよ。そして、そいつは僕等にまかして置いてくれりゃいいんだよ。いやいや、どうもうまくいえんけど、僕なんぞ、こんな風になって何か書こうにも書けなくなっているからこそ、それだから尚、君には畫を描いて欲しいんだ。そんな気がする。理窟にしてはいえんけど、僕が向うへ行っ

ている間に、君が畫を描いてる事を想像して居れると、なんか心丈夫な様な気がするんだ。もっとも、いよいよ向うへ行ってガンガンやりはじめたら、君に對して今度は嫉妬を感じるかも知れんけどね。でも今の所、是非描いて欲しいと思う。……第一、君は少し自分の考えを頭の中だけで追ひ詰め過ぎてると僕は思うよ。そいつは、いつも君の悪い癖だ。君は此の瞬間に落着いている事なんか出来ない。自分だけ安全だとは感じないといっているが、そいつは正直そうだろうけど、だから畫は描かんというのは行き過ぎだよ。フラフラしながら描いたらいいじゃないか。

五郎、そんな事あない。今の俺に何が描けるもんか。

赤井、すると全體君は何がしたんだい？、君は生れつきの畫描きだ。それが畫を描かなりで、何をするんだ？、

五郎　俺も戦争に行きたい。

赤井、そう、そんな馬鹿な事をいうんだ。……行くべき時が来れば否応なしに行かなきゃならんのだ。第一君の考えているものと、実際の事との間には殆んど紙一重の違いだけど、全體を根本的に変えてしまう違いが有るんだよ。そいつあ僕が実際に於て経験した事だから、ハッキリいえるんだ。十中八九自分が行くものと決めて色々考えていた時は、それで全部が整理されて覚悟は出来たという気がしていた。それが、いよいよ行くと決定された瞬間に、全部がもう一度ガラリと変ってしまうんだよ。ホンの紙一重だ。しかしそれが全部を変えてしまうんだよ。そしてそいつは、前以て予想して置くことなんぞ絶對に出来ないんだ。その時をキッカケにして、自分の頭の中に外界の事も以前のままでいながら、どこかガラリと変ってしまう。うまくいえんけど――。

五郎、わかる！。そりゃ、わかる。絶對だ。そいつが絶對だ。

赤井、もっとも、僕も、まだまだ変ってくるだろう……僕と同じ小隊に前に一度出征した伍長が一人いるが、そいつの話で召集された時、出発の時、運送船に乗る時、船中でと、何段にも自分の気持が変って行くんだそうだ。そして向うに上陸した瞬間にはチャンと国のために生命を投げ出して戦おうという気になっているんだそうだ。そういつ

てた。……だから僕もまだ大きな事はいえん。第一僕には戦争というものが全体何だかよく解っていないものな。少しは解るような気もするが、正直いうと、その中に何が有るか、自分でぶつかって見ないとわからん。だけど今の所では、なんか非常にサッパリとした気持で行ける。ひどく明るい気持だよ。一人の日本人として裸になってぶつつかって見ようという気持だ。嘘じゃない。今の所嘘じゃない。だから君も餘計な考へ過ぎなんかしないで畫を描かなきゃ、いかん。今いった紙一重を自分の頭ん中だけで作りあげて、それを跳ね越えようといくらしたって何になるんだい？、君の言葉でいえば、目下の所、畫が君の絶對さ。

五郎　……（不意にバラバラと涙をこぼして泣き出す。泣きながら、二度も三度も頭を下げるような事をする）

赤井　……（その相手を自分も涙ぐんで見詰めていたが、やがてわざと少し滑稽に）どうだ描くか、久我先生？、

五郎　……すまん。（又頭を下げて）描く、描く。

この二人の親友の会話を、寝台の上から、静かに、しかし昂揚した愛情で以て見守っている美緒。短い間。

赤井　……それからねえ久我　僕の未発表の小説が三つばかり有るんだが、今になると別に発表したくもないが、でも発表してもいい。どっちでも僕あかまわん。どっちにしたって大して気にならなくなった。とにかく伊佐子が持っているから、後で、そいつをどうするか、君に一任するから、君が良いと思った通りにしてくんないか。

五郎　そんな事いうな。（怒っている）そんな事は俺は聞きたくない。君が帰って来てから決めりゃいいんだ。手か足かがなくなってもいいから、とにかく帰って来てから決めろ。

赤井　アッハハハ、いいよ、いいよ、怒るなよ。とにかく聞くだけ聞いといてくれ。ハッハハハ。それからね、伊佐子の事もよろしく頼む。実はやっぱり、彼奴の事では家との間がうまく行ってないんだ。やっぱり以前家の女中をしていたという事が両親はじめ兄弟達の頭から離れないんだ。僕が行った後は、どうなるかわからん。まさか追い出しもしまいが、相当彼奴がひどい目に遭う事は覚悟

していなきゃならん。で…どんな事があっても、君が相談に乗ってくれて、君が一番良いと思う方法で処置してくれ。伊佐子にもその事はいってある。こんな状態にいる君にこんな事頼むのはすまんけれど、ほかに頼む奴はいないからな。

五郎　……よし、その事は引受けた。俺あベストを盡すよ。だが多分そんな必要はないな。伊佐子さんは、なかなか偉い女かも知れんよ。なまじっかな、インテリ風の教養に毒されていないだけに単純で、頭の中はハッキリしているからな。

赤井　うん、彼奴はたしかに僕よりは偉いよ。僕が三四年前の蝶地獄みたいな解剖癖から抜け出て、チットは生きた人間になれたのは彼奴のおかげだからな。動物の様な単純さを持っている……。僕が居なくなっても彼奴は彼奴流にドシドシ生きて行くだろうという気がする。その点は心配していない。しかし又それだから家との事では正面衝突を起して苦しむだろうと思うんだよ。……うん、籍は半年前に入れたから、その点はいいんだ。だが親父が病身だからね、もし死にでもすると、その後始末、つまり遺産……といってもたいしてないらしいが、そんなこんなでゴタゴタするだろうと思うんだ。兄弟は多いし、母は気むずかしいし、とても複雑なんだからな。

五郎　よろしい、俺が責任を以て引受けた。大丈夫だ。

赤井　ありがとう。……これでもう心配な事は一つもないよ。もう一つ飲むかな。今日はどういうんだかビールが馬鹿にうまい。

五郎　よし……（と注ぐ）そいで、なにかい、伊佐子さんの生活費やなんかは？

赤井　うん、それは社の方から僕の留守中、月給全額支給して呉れることになっているんだ。

五郎　そいつは、ありがたい。そんな点、君の雑誌は気持がいいな。もっともそれが当然なんだけど。

美緒　……伊佐子さん、おそうござんすねえ。もうあと一時間半位しかないのに。

赤井　もしかすると今日も家を出られないかも知れませんよ。なんしろむずかしい家で……。

美緒　でも、いくらなんでも、こんな際に……。

赤井　いいんですよ。話すだけの事はスッカリ話しちまってあります。それよりも僕あ久我ともっと

話したいんですよ。でも、どういうのかなあ、あんまり話す事なんかないなあ。

五郎　俺あ、なんかまだ大事な事を話してないような気がするんだが、それがどんな事だか思い出せないんだ。かんじんの事が出て来ない。頭がしびれた様になっちゃった。睡眠不足のせいかな、チエッ！。

赤井　ビールのせいだよ。僕あもうフラフラだ。

赤井　美緒さん、あなたの託児所の方は、その後どうなっているんです？

美緒　ええ、畑さんやなんか続けてくれているんですの。その後あそこも——。

五郎　お前黙ってろ、俺が話す。その後あすこも経営難で一時は閉鎖しちゃったりした事があるがね、あれっきりになったら、美緒なんか、こんな病気にまでなる位に骨を折って創立した所だしね、あきらめがつかないんで、とてもヤキモキしていたんだ。第一、あの近所の貧乏なお神さん達がトタンに困るんで、色々気をもんでいたら、やっと、あの地域の家庭購買組合の方で引受けてくれたんだ。そいでやっと命がつながってズーッと続いているが、面白いもんじゃないか、美緒たちの育てた子供達がいつの間にか大きくなって、こないだも四五人でお見舞いに来てくれた。それぞれ女工さんになったり職工になったりしている子もあるし、驚いたよ。なあ美緒。自分が年を取るのは知らずにいるもんだねえ。しかもそれが、まだ大人にもなりきらないのに、それぞれシッカリやっているんだ。もっとも、これは託児所で一緒にやっていた職業補習学校に来ていた　連中なんだが。一人の男の子は、もっと勉強したいけど家が貧乏で困っているんで家のために働いて行こうか、それとも家を出て勉強しようかと苦しんでいるし、もう一人の男の子は来年になったら満洲へ働きに行くんだといって仕事の隙に満洲語を習っているし、女の子の中には、自分の出席した補習学校の助手になって、もう恋愛みたいな事をしている奴もいる。面白いのは、或る鉄工場に入っている少年でね、そこの自治会に加入して——勿論あまくだりの会だがね——その内部をモット自分達のものにしなきゃいかんというんでグングン活発に働いている奴なんかがいるんだよ。そいつの父親もやっ

ぱり職工で、以前城北の方でかなり優秀な男だった奴だ。その子がそんな風になったのには、父親の影響も有るにゃ有ろうが、表面なんのつながりもないんだね。勿論書物を読んでそんな考えになったのでもない。第一、父親の昔の運動とは、考え方の基礎が全然違うんだな。いわば一種の全體主義的とでもいえる協同主義みたいなものを目ざしている。まだハッキリしたもんじゃないが、當人は大真面目なんだ。とにかくそんな小さな子が自分の頭だけで考えた事なんだよ。生活というか時代というか、そんなものが教えてくれたんだな。面白いじゃないか、え？、いろんな奴が居るねえ美緒！

美緒　……（非常に幸福そうにニッコリして見せる）

赤井　そうか、そいつはすばらしいね。良い仕事というもんは、いつの時代になったって、なんか後を残すもんだな。消えてなくなりゃしない。美緒さんもうれしいでしょうね。

美緒　ええ。でも、私、こうして寝ていても、あの子達のことを思い出すたんびに、心配になってしようがないんですの。いつまでも小さい子供のような気がしているんですのね。

赤井　それでいいんですよ。それでいいんですよ。次から次と、頼もしい奴等は生きて行ってくれる。僕あね、久我、近頃急にそんな気がする事があるんだよ。僕が死ぬ。その死んだ後で、この自然やそれから多勢の人々が僕の居なくなった事なんか知らずに以前通りにヘイチャラな顔をしてズーッと続いて行くという事を考えると、以前はイライラしてたまらなかったけど、近頃そいつが反対に、なんかとても頼もしい気持がするようになって来た。

五郎　……（なんにもいえない）

美緒　……私も、もう一度、生れ変るかなんかして、どんな事をやるかというと、又過労にためにこんな病気になる事がハッキリわかっていても、又託兒所をやります。……そんな気がするんですの。

五郎　ば、ば、馬鹿な！　そんな――こら！　お前達！　たまるか！　いや、そうして見ろ、そんな元気があったら、それもいいだろう！　ただ、死んだらいかん！　死なれてたまるかい！　（睡眠不足とビールの酔いと昂奮のために、美緒を見た

り赤井を見たりしていう）な、赤井！ そんな、そんな、野狐禅の坊主のいうような事は俺は嫌いだよ！ 美緒、阿呆だ、そんなおめえ――

赤井 アッハハハ、ハハハ（これも酔って真赤になっている）怒るな！ 怒るな！ 話をしているんだ。ハッハハハ。

この時玄関に美緒の弟の利男と、赤井の妻の伊佐子が連れ立って入って来る。利男は背広姿で、少し軽佻で落着きに欠けているが、善良そうな男である。言語動作に学生風が抜け切らない。伊佐子は、簡単な洋服姿に、フロシキ包みを下げている。ガッシリした直線的な身體に、思い切って明瞭な感じの美しい顔。素朴な人柄の中に永らく他家の女中をしていた者の習慣的な卑下の態度がまだ抜けていないし、それに今日は出征する夫に會いに来たせいか、稍々おびえた様な顔つきが時々覗く）

利男 今日は。

五郎 ……ああ利ちゃんか。伊佐子さんも来ましたね。ようこそ赤井はもうトックに来ていますよ。（伊佐子、無言で辞儀をする）さあさ。……

利男 （あがって来ながら）電車が丁度同じでしてね。どこかで逢ったようなと思っていたら此処でいつかお目にかかっていたんだ。……姉さん、どう、具合は？（美緒うなずいて見せる）もっと早く来ようと思っていたけど、又お母さんに話しかけられちゃって。なあに例のお嫁の話さ。いやんなっちまわあ。ハッハハハ、これ、おみやげ。（と菓子の包みを姉の枕元に置く）

美緒 ありがとう。

伊佐子 （あがって片隅に坐ってモジモジしていたが、キチンとお辞儀をして）暫くでございました。奥さん、その後いかがでいらっしゃいますの？、

五郎 いいんです、いいんです。挨拶なんか抜きにして下さい。赤井は随分待っていたんですよ。

利男 （赤井に辞儀をして）……今度いよいよ、なんですってね。電車の中で伺いました。

赤井 やあ。後の事はどうかよろしくお願いしますよ。

利男 それで、御出発はいつなんですか？、どの方面ですか？、やっぱり北支でしょうね？、

赤井 ハッキリわかりません。いずれ、そこいらだ

ろうとは思っているけど。（小母さんが一同に茶を運んで来る。小母さんと伊佐子は辞儀を交す）
利男　どうかしっかりやって来て下さい。僕なども今に来るだろうと思っていますけど、なんでしょうか、補充兵というのは、入隊してからどの位の間教育してから現地へ行くんでしょうか？、大學で軍事訓練の方はやって来ているんですけど、ウワの空でやったもんですから、どうも身體に自信がなくって。こんな事ならもっとマジメにやっとくんでしたよ。ビシビシやるんだそうですね？、
赤井（苦笑しながら）補充兵の教育期間もいろいろで、一定していないようですね。一時随分気合いをかけられて辛らかったそうだけど、現在はそれ程でもないでしょう。
利男　なんですか、痔が悪いと、はねられるそうですけど、僕も少し痔の気があるんで……。もっとも大した事はありませんけどね。
美緒　利ちゃん、あんたばかりそんなベラベラ喋るもんじゃなくってよ。
利男　なんだよ？、
美緒　いえ、伊佐子さんも見えているんだから――。
赤井　なに、いいんですよ。ハハハ、（伊佐子に）又、家でグズグズいったんだろう？、
伊佐子　ええ……いいえ。……あのう、これ、こちらの奥さんにハムを少し、それからあなたの冬のシャツを二枚。……それから、欲しがっていたライタアと、固型ガソリン。ガソリンは随分捜したの……（フロシキ包みを差し出したまま、おびえた様な顔をして、しかし目を大きく開いて、赤井の顔をジーッと見詰めている）
赤井　そうか、ありがとう。……どうしたんだ？、
伊佐子　……（石の様に夫を見詰める）
利男　……なあんだい姉さん、元気そうじゃないか。お母さんや恵子姉さんが、なんだか大分悪そうだというもんだから、心配しちゃったよ。この間お母さんや恵子姉さんやって来た時に、なんか有ったんだって？、だもんだから僕あ――。
赤井（聞きとがめて）え？、なんか有ったんですか？、
美緒　いえ、なんでもありませんの。（利男に）相変らずね、お母さんは、ホンのチョットやって来ただけで、私をよく見もしないで、直ぐにそんな

風にいうのよ。
赤井（美緒のために心配して、五郎を見て）具合が悪かったんじゃないか？、こうしているの良くないんじゃないか？、
五郎 ううん、いいんだ、いいんだ。なんでもないんだ。利ちゃん、お母さんは直ぐに大架裟にいうんだよ。
利男 でも、とにかく、あれで姉さんの事を心配している事は本気で心配しているんだからなあ。
五郎 そりゃ、そうだ。そりゃ、そうだ。ただねー。
美緒（イライラしている）利ちゃん、あんた、少し濱の方を散歩でもして来たらどう？、
利男 うん、そうしようかな。勤めていて久しぶりに外へ出て来ると、なんかしらん。気が立ってね。ハッハハ、海でも見て来るかな。赤井さんも行きませんか？、
美緒 いえ、赤井さん達には色々お話が有るだろうから――。
利男 あのね、姉さん、僕の事で此の前お母さん何か話していなかったで、いや、目下、その、候補者が二人有るんだよ。僕あまだ月給四十五圓しか取っていないし、そんな話は未だ早いというんだけど、お母さんは、そんな事あないといって肯かないんだ。それで――。
美緒（苦笑して）後で聞かせて貰うわ。後でね。比企さんの京子さんも見えているわ。
利男 え、京子さんが？、そう、一人で？、
五郎 いや、兄さんと一緒だよ。今、濱で泳いでいる筈だ。
美緒 利ちゃんも泳いで来たら、どう？、
赤井 いや、僕等の事なら、どうぞ、御遠慮なく。かまいませんよ美緒さん。
利男（やっと少し姉の気持が分って）……じゃ僕チョット行って来るかな。泳ぐのも久しぶりだなあ。水着は此の前のが有ったね。……じゃ又あとで。（台所の方へドンドン去る。）
赤井 相変らず元気だな。
五郎（苦笑）なんしろ勤めはきまったし、面白くって仕様がない時代なんだね。でも性質は無類に良いんだ。これの肉身の中で、あの男だけは飛び抜けて善良なんだよ。……伊佐子さん。わざわざおみやげをすみません。いよいよ赤井が行くとな

ると、あなたも大変だ。

伊佐子　はあ。……（眼はやっぱり赤井を見ている）

赤井　なあに平気だね？　あとの事は久我君にみんな頼んどいたから。家の者が少し位変な態度を見せたって、知らん顔してりゃいいんだ。

伊佐子（今迄固くなっていたのが、フッと自由な気持になってニッコリして）あなた、顔が真赤だわ。

赤井　ひどく飲まされた。ハッハハハ

伊佐子　あのね……（と何かいい澱んでいたかと思うと不意にシクシク泣き出す）

赤井（びっくりして）なんだ、どうしたんだ？……どうした？

伊佐子（二つ三つ声を出して泣く）……私、どうしたら、いいんだろう？　あなたの居ない時に生れちゃったら、どうしよう？

赤井　なんだって？……生れる？

伊佐子　そうじゃないかと思うの。……私　ホンの此の間まで気が附かなかったの。でも、もしかすると、そうじゃないかと思うの。……家の姉さんに聞いたら、多分そうだっておっしゃるの……。

赤井　そうか。でも、なにか、医者に診て貰うとかなんとか……？

伊佐子　姉さんは、医者に見せるまでもないんだって。……それで私、どうしようかと思って――。

五郎　そうですか。いや、なあんだ！　それでいい。それでいいんだ。どうしようかなんて思う必要はありませんよ。なあんだ伊佐子さんも少し馬鹿だ。いいじゃありませんか、それでいいんだ。俺がいるからいいんだ。

赤井　……僕の子が生れる。……そうか。

五郎　いいんだ、いいんだ！　それでいいんだ！

赤井　……久我、ひとつ、よろしく頼む！

五郎　大丈夫だ。俺が引受けた。

美緒　伊佐子さん、お目出度う。

伊佐子　まあ……（両手で顔をかくしている）

赤井（うれしさを隠しきれず、でもテレて頭を掻きながら）……こんな、今頃になって出しぬけにどうも――。

五郎　いいじゃないか。赤井、もう一つ飲め。伊佐子さんも一つ飲みなさい。（ビールを注ぐ）

美緒　伊佐子さんは飲んではいけないわ。

五郎、え？……あ、そうか。じゃ赤井、お前飲め。

赤井、でも俺あもう先刻からグラグラして、ひどく睡くなって来ちゃった。（飲む）

五郎、いいじゃないか。睡くなったら寝たらいい。時間が来ればチャンと起してやる。

美緒（しばらく前から何かひどくイライラしている）そう、ホントにお眠りになったらいいわ。あなたは、少し散歩して来なさいよ。

五郎、俺か？　いや、俺あもっと赤井と話が有るんだ。

美緒　だって……そんな事になれば、伊佐子さんも、もっと何かお話があるでしょうし、あなたホントに嶺へチヨット行って来るといいわ。

五郎、嶺へなんか行きたくない。伊佐子さん話があればすればいいじゃないか。どんな話だって俺達の前でしてくれていいよ、なあ赤井。

赤井、うん。なんかもっと話して置きたい事が有ったんだが、――いや君にだよ、――どうも、うまくいえなくなって。そこへ持って来て、今の話で、スッカリどうも毒気を抜かれちまった。ハッハハハ。

伊佐子（明るい自然な嬉しそうな顔になっている）だって、あなた。……（笑って）でも、ホントにあなた真赤よ。うでだこみたい。それで聯隊へ帰ったら叱られやしない。

美緒、ですからホントにあっちの居間の方でいっとき横におなんなさいよ。なんなら小母さんにチヨット毛布でも出して貰いますから。（五郎に）ねえ、お願いだから、あなた散歩して来て頂戴よ！（語気が強い。先程から顔を紅潮させて、イライラしているのである）ね！　もうあと一時間しかないのよ！

五郎――だから俺あもっと赤井と話がしたいんだといったら！　お前、なんでそんな風にいうんだ？少し怒っている）

美緒　ですからさ！　だから――（伊佐子に）伊佐子さん、ホントに御遠慮はいりませんから、あちらへ、どうぞ！　それじゃ赤井さん佐倉へは帰れませんわ！　居間の押入れに毛布がありますから。小母さんは、たしか買出しに行ったようですから、どうか御遠慮なく。ホントに！　横になってユックリなすって！

伊佐子　はあ、でも（モジモジしている）

赤井　（びっくりして不安な眼で見ながら）……いいですよ、そんな。寝たきや、勝手に寝ますから、そんな……。

美緒　どうぞ、ホントに……（涙声になっている）

五郎　（美緒の昇奮のしかたが、あまり異様なので、ドキンとして）美緒、お前、どうしたんだ？　真赤じゃないか。（と額に掌を當てて熱を計る）なんでそんなに……？

美緒　（その五郎の掌を振り拂って）いいのよ！　ホントに濱へでも散歩に行って！　ね！

五郎　行けといやあ行くけど……なにをそんなに気を立てるんだ。どうしたんだ？

美緒　どうもしない！　気分が悪いんじゃないの。だからさ！……（泣き出してしまう）

五郎　……？　（不安そうに、どうしていいかわからず美緒を見詰めている。赤井夫妻も心配そうに美緒を見守って困っている）

4、濱で

3と同じ場所。

砂丘の上にも、波打際にも人影は見えない。砂丘の中腹の草の上に、比企の脱ぎ捨てた浴衣が置いてある。その上の草の中から聞えて来るアルトのTorna A Surriento（G. B. de Curtis）「ソレントへ帰れ」唄声はその憂一麗に流れ漂うている。

京子が砂丘に寝て歌っているのである。草にかくれて姿は見えない。歌は二度繰返えされる。

その二度目の眞中あたりで、利男が水着姿で、街道の方からスタスタやって来る。唄声に近ずくに從って足音を忍ばせるようにして、砂丘の下で立停り、ジッと唄を聞いている。

唄が終る。

利男　……京子さん！　京子さん！

京子　……（草の上に上半身をムックリ起して）ああ、利男さんでしたの？　誰かと思った。……（海水帽に水着一枚。肩から浴衣を羽織っている）

利男　（チヨットまぶしそうにしながら）しばらくでした。兄さんと御一緒ですってね？

京子　いついらしたの？　御見舞い？

利男　ええ。たった今来たばかりですよ。あなた方

泳いでいらっしゃると聞いたものですから……。比企さんは沖ですか？、
京子　もう海は冷たくってよ。私は後でボートに乗るの。
利男　……相変らず良い声だなあ。
京子　あら、聞いていたの？、お人の悪い。
利男　少しボーッとしましたよ。毎日ガチャガチャと仕事に追われているもんだから、たまにこんな所に来ると、何だか変な具合になっちゃいましてね。（京子に並んで腰をおろす）
京子　御就職きまったんですってねえ？、おめでとう。
利男　そうそう、この前お目にかかったのは、学校卒業したばかりの時分でしたっけ。いやあ、どうも月給の高を考えるとおめでとうなんかといわれると泣きたくなる位のもんですよ。（でもニコニコしてひどく幸福そうである）
京子　そんな事ないわ。はじめは誰だってそうなんでしょう？、でも男の方はいいわね。學校出ると直ぐそうして世間に出られるんですもの。女なんか、何かというと、お嫁の話よ。いやんなっちゃう。（口先では相手の話に乗って行っているが実は、利男とこんな話をするのに大して気乗りはしていない）
利男　でも京子さんなんか、兄さんは良い方だし、自分でもそうして勉強なすっているし、そんな事はないでしょう。
京子　そうでもないわ。いくら唄の勉強をして、自分だけは本気になって一生やる気でいても、それだけの才能が有るかないか……なければそれっきりでしょ。そん時になって急にあわてて出してお嫁に行く気になっても、もうオバーちゃんになっちゃって、貰ってくれ手なんか居ないと。フフ。
利男　そんな事はないでしょう。
京子　（高飛車に）利男さんも、そろそろお嫁さんの話じゃなくって？、そうでしょ？、いいわね、どんな美人でも選り取り見取りってわけね。
利男　（頭を掻きながら）なんだ、ひでえなあ！。……でもなんですね。見合いの写真なんてものも、次から次と見せられると、なんだか変な気がしますね。
京子　どうして？、そんな事ないでしょう？、だって男に取って得意の絶頂じゃなくって？、そうじ

やありませんか、この中からどれでも自分の気に入った美人を選び出しさえすれば、それが一カ月後には自分の物になるんですもの。まるで英雄になるんですもの。これがエエノウといいさえすれば、自分の前にチャンと御馳走が並ぶんですものね。

利男　それが不愉快なんですよ。だって、大概まあ一人一人、必ずしも美人ではないとしても、とにかく何処へ出しても恥かしくない娘さんでしよう？、それを次から次と、まあ、たかが寫眞だといえば、それまでなんですけれど、とにかく舐めまわすようにして見て行くんです。……正直いって、男が見合い寫眞を見ながら、腹の中で想像することなんか、どんなに醜悪なものか、とても人前でいえたもんじゃありませんからね。

京子　どうしてそれが醜悪なんでしよう？、第一その娘さんの方で、そんな風に見て貰う事を望んでいるんじゃなくって？、寫眞に限りやしないの現にその人を見ながらなら尚更ひどい所まで考えられる譯じゃなくって？、それでいいんじゃないかしら。

利男　そりや、……なんですよ……その、愛情というか恋愛というか、そんな感情がともなっている場合なら、それでいいんですよ。しかし、いきなりそんな失敬な——。

京子　同じ事じゃなくって？、それに、いきなり初めて見てその瞬間に恋愛なんて、そんな手の込んだ気持なんか起りっこないわけでしようし、無理だわ。

利男　それじゃ、なんですか、……それじゃ、ええと——京子さん、現にですね、あなたがそうしていらっしゃる所をですね、僕がですよ……僕が見てですね、どんな失敬な事を考えてもいいんですか？、

京子　（自分の半裸の身體を見廻して）……そうね、……どうぞ御自由に。……だって、あなたの頭の中まで私が支配するわけには行かないんですから。……でも、私の方だって、あなたがそうしていらっしゃる所を見て、どんな事考えることだって自由ですからね、相みたがいだわ。

利男　……（立ち上ってモジモジしている）そんな！。そんな事いえば——。

京子　アッハハハ。ハハハ。

利男　……そいじゃ、京子さんは、結婚の前提としての恋愛といったようなものは否定なさるんですかねえ？、

京子　否定なんかしないわ。でも、私がもしも結婚するとすればお見合いをタッタ一遍だけして、決めちまうわ。もしかするとお見合いもよしちゃって、いきなりまるきり知らない男の人の所へ行くかも知れないわね。同じ事じゃない？、恋愛から入って行ってもそうでなくっても、そこから先きに何が在るか、どっちにしたって前以って判りゃしないんですもの。

利男　そうかなあ……。

京子　そうよ、第一恋愛なんかメンド臭いわ。私のお友達なんかでも恋愛している人も澤山いるし、恋愛から結婚した人も何人かいるけど、見ているだけでもモタモタして来るわ。……こんな風に考えているの、私だけじゃないの。同じようなのが、随分いてよ。私たちみたいな変に半端な教養を持った女なんか、顔でこそ何か理智的みたいな風をしているけど、実は近頃殆んどこんな風に思っているんじゃないかしらん、と思うわ。

利男　……いやあ、なんじゃないですか、もしかすると京子さんは自分でその恋愛をしているもんだから、わざとそんな事をいってはぐらかすんじゃありませんか？、

京子　私？、……そうね、そうだとありがたいけどな。

利男　……あなたは、久我さんの事など、どんな風に思っているんです？、

京子　久我さん？、……五郎さんのこと？、

利男　そうです。

京子　才能のある畫家だと思っているわ。それに奥さんが御病気でお気の毒ね。

利男　僕のいっているのは、そんな事じゃありませんよ。あの人の性格のことですよ。

京子　……暗いわね。あの方を見ていると私時々、ゾッとすることがあるわ。近頃益々そうじゃない？、それに、ひどい独断家ね。良い意味でも悪い意味でもいつもドグマしきゃあ持っていない人だわ。現に奥さんの病気だって、もしかすると、あんな事をしているよりも、奥さんだけサナトリウムにでも入れた方がいいかも知れないでしょう。

だのに久我さんはそんな風には絶対に考えられない人なのよ。もっとも奥さんだって、現在のようにしている以外の事は考えられないでしょうけどさ。だから、それの良し悪しをいっているわけじゃないの。なんか、運命といったような物を感じるわ。結局、自分というものをローソクみたいにして、そのローソクに火を附けて燃している人よ。その火の光で人を見るんだわ。……あのままでだんだん行っていると、下手をすると気が変になるんじゃないかしら。……でも久我さんの持っている魅力もそのせいかもわからないわね。なんか恐ろしく執念深い動物電気みたいなもの。あの方の畫だってそうだわ。どす黒いみたいな情熱ね。

利男　……いや、そんな事じゃありませんよ。僕のいうのは、なんといったらいいか、……久我さんの事を、もしかするとあなたは、かなり興味というか、なんか関心を持って見ているれるんじゃないかという気がフッとした事を憶えているもんですからね……。

京子　……私が？　へえ、そう。そうかしら？

利男、あの人は、僕の姉の亭主ですがね、今僕がいっているのは、自分の姉の味方をして、なんか心配になったりしていっているじゃないんですよ。……僕、自分の気持からいっているんです。自分でそいつを知りたいからなんですよ。

京子　……そうね。そう、嫌いじゃないわね。でもなんか、あぶない様な気もするわね。それに何だかあの方は古いわ。もっとも、私は古いという事自體は好きだけど……。

利男　……実はさっきも其処まで来てあなたの歌を聞いていながら、もしかすると、あなたは歌を唄いながら久我さんの出て来るのを待っているんじゃないかという気がチラッとしたんですよ。いや、こりゃ僕のチョットした空想だから當らないかも知れません。多分當っていないでしょう。

京子　當っているかも知れなくってよ。フフフ。とにかく、今此処に五郎さんがヒョッコリやって来ると、なんだか面白いわね。……利男さん、私がね、あなたのお嫁さんになりたいといったら、あなた、どうなさる？

利男　ええ？　そ、そ、そんな―。

京子　私、本気でいっているのかも知れなくってよ。

ホントなら、横あ——。
京子　ホホホホ。フフ……だからさ。どうなさるのよ?、

この時、出しぬけに砂丘の向うから五郎が出て来る。酔った顔に何か戸迷いした様な表情を浮べて、家の方角を振り返り振り返りしながら、ボンヤリしていて、此處の二人が居る事など全く知らずにいる。

足音で京子が振り返り、次に利男が五郎を見る）

京子　……まあ、五郎さん
利男　どうしたんですか?、
五郎、うん……（まだ家の方角を見る）
京子　ホホホホ。ハッハハハ。
五郎、なんです?、どうしたんです?、
京子　……いえね、あなたが此處へ来たら面白いと話していた所だったの。それで——。
五郎、そうですか。……（此の場の会話には関心が持てないらしい）
利男、どうしたんですか?、ひどくボンヤリしていますね。
五郎、（やっと表情らしいものを動かして）うん?、……うん。なあに、ハハ、女房の奴に家を追い出されちゃってね。わけもなしにジレジレと怒り出すんだ。病人の頭の考え出すことなんか判らんよ。ハハハ。
利男、熱でも出たんじゃないかな?、
五郎　それさ。……心配させやがる。
利男、赤井さん達はもう帰ったんですか?、
五郎、いや、まだ居る。
利男、だいぶ飲みましたね?、
五郎、うん、頭がガンガンしやがる。三日ばかりロクに寝ていないしね。
利男、じや、やっぱり姉さん悪るかったんですね?、
五郎、……一時はもう駄目かと思った。まるでもう死に物狂いだ。此企さんが来てくれたんで、ありがたかった。でも、もう大丈夫だ。いつでも一定の周期があって、つまり峠だな……そいつの昇り坂の所では、どんなに抵抗しても人間の力では到底駄目だ。自然に頂上に来るのを待つより手はない。やり過すんだね。下り坂にかかると、うっちゃって置いても、多少無理をしても、平気だ。ケロリと落着いてしまう。やれやれという所だ。

ああ！
利男　実際、ずみませんねえ。五郎さんにばっかり苦労させて
五郎　なんだよ？……利ちゃんが、そんな風にいわなくってもいいよ。僕は辛いとも何とも思ってやしない。……美緒が変なことにでもなると多分、もう俺の駄目になるかも知れんからなあ、つまるところ自分が可愛いいから、こうしている様なもんさ。
利男　……母さんが、もう少しシッカリしてりて、代り合って看病でもしてくれるといいんだけど……。
五郎　いやあ、……いやね、看病はいいから、ただ美緒に変なこといってくれないと、ありがたいけどね。
利男　……この前も、なんか名古屋の家の話をしたんじゃないんですかね？、
五郎　うん、チヨット。
利男　やっぱりそれで姉さん悪くなったんだな？
五郎　いやいや、そういう譯もないが、……。
利男　僕があれ程反對しても母さんはいっちまうんだからな。大體、名古屋の財産なんか、いくらの物でもありやしないし、初めから美緒姉さんの物なんだから、今更僕等がヤイヤイいえた譯のもんじゃないんですよ。事実僕なんぞ、そんな物なくたっていいんだ。そりゃ金は欲しいけど、それは姉さんの病気が治ってユックリ分配すりゃいいんですよ。
五郎　いや、美緒が現在の様な有様だから、もし萬一の事があったらと、お母さんとして心配になるのは無理はないかも知れないんだ。……でも、兎に角彼奴は恐しく神経質になっているからね。たとえば僕が彼奴の病状を心配しているという事をチラッとでも感付かせただけで、もういけない。ビリビリッと反射して行くんだな。恐しい位だ。それを押えつけて、彼奴の気持を安静にしとく為には、絶えず病人の神経の届く範囲に先廻りをしたり、裏の裏をかいたり、とにかく彼奴よりも強い神経でビシリビシリとのしかかって押えつけて行く以外に手はないんだ。西洋の医者でも結核は呼吸器病というよりも精神病であるといっている奴があるが、全くだよ。……それ位なんだからな。

利男　とにかく母には今後その話は絶対にさせない事にしますよ。

五郎　いや、僕あね、なるべく早く、その書換えの書類に美緒に印を捺させてしまおうと思っているんだ。……どうせ利ちゃんがとめてくれた位で話を控えてくれるお母さんじゃない。いや悪くいつているんじゃないぜ。どうせそうなるんなら一日も早くそうしちゃった方がいいからさ。

利男　……そうですか。

五郎　……今日は、だいぶウネリがある。……沖は荒れてるな。……京子さん、もう泳いだんですか？、

京子　いいえ、兄だけ泳いでいるわ。

五郎　へえ。……（沖を見て）此處からは見えないなあ。

京子　そんなに遠くまで行けるもんですか、あのブイの處よ。

五郎、見えんなあ……。

京子　ほら、赤いのが見えるでしよ？、鴎の飛んでいるチヨツト右の邊、赤いブイの近くよ。

利男何か考えながら下手の方へ歩み出している）

五郎　……波が高い。……（ボンヤリ沖の浮標を見ている）

京子　あら、利男さん泳ぐの？、

利男、いや。……そうだな、ボートでも少し漕いで来るかな。貸しボート屋やっているかな？、（眺めて）ああ、まだやってる。京子さんもどうです？、

京子　あなた漕げて？、ウネリが高いから、マゴマゴして、ひっくり返りの　ドブンなんて、ありがたくないからな。

利男　（苦笑）冗談いっちゃいけません。中學時代これでボートのチヤンだったんですよ。

京子　そう？、そいじゃあ後で乗せて貰うわ、その邊まで持って来て、濱につけてね。

利男　かなわんなあ。……（いいながら上手へ歩み去る）

短い間

五郎はまだ沖を見てる。

京子　……善良な方ね、利男さんて？、

五郎、え？、……そう。ありや良い男です。

京子　恋愛結婚なんて認めないっていつたら、憤慨なすっていたっけ。

五郎、なんの事ですか？、
京子　五郎さん、お顔が真青だわ。眼の中は真赤。酔っていらっしやるのね。
五郎　或る程度以上飲むと、近頃、青くなるんです。でも酔っちやいません。ハハ。……赤ん坊が生れるんです。
京子　え、赤んぼ？、赤んぼが生れるって、奥さんに？、
五郎、いやあ、なに。いや、それは、いいんですよ。美緒の話じやありません。アッハハハ……（いいながら笑っていたが、京子を見ているうちに、フッと眼がさめたようになって、笑いをパタリと止めてしまう）……。
京子　なんですの？、
五郎、いや……（ジロリジロリと京子の姿を眼で舐めまわしている）
京子　どうなすったのよ？、
五郎、あなた、……目方はどの位あるんです？、
京子、いやだわ、そんな事聞いてなんになさるんですの？、
五郎、どれ位あるんですか？、
京子　……十四貫五百。
五郎、十四貫五百。思ったよりないな。十四貫五百か。……（まだ京子の身體から眼を離さない。ギラギラとして殆んど残忍な眼光である。畫家として久し振りに美しいヌードを見たショックと、永い間抑圧されていた男としての刺戟のこんぐらかったものである）
京子　（少しモジモジしながら）……そんなに御覧になっちや困るわ。
五郎　ああ、いや。……ハハ（と、痙攣する様に短く笑って、平手で顔をゴシゴシこする）…失敬——
京子　何を考えていらっしやるの？、
五郎、え？……ああ。……僕が今なにを考えているか、わかりますか？、
京子　そんな事わかりやしないわ。
五郎、……美緒の身體の事を考えているんです。あいつの目方の事ですよ。十四貫五百。……あなたは十四貫五百あるが、彼奴はいくらあるかなあ。十貫……いや、そんなにはない……八貫……いや、もっと軽い、七貫位かな。とにかく恐しく、軽いんだ。僕の片手で、持ちあがるんですよ。元

来、肥えていた方なんで、丈夫な頃は十三四貫はありましたよ。今は七貫位……あなたの半分――。

京子　七貫なんて、そんな……。だって、どうしてそれがおわかりになるの？　かかえておやりになるの？、

五郎　かかえてやるんです。寝台から静臥椅子にうつす時に。……軽い。……まるで真綿でもかかえているように軽い。……肉がまるでなくなっちゃっているんだ。そのたんびに、僕はズキーンとするんですよ。ズキーンとする。……これが以前ズッシリと重かった女です。……おんな。……そうだ、彼女はもう女ではないんです。それでいて、彼女はやっぱり女ですよ。妙な気がする。彼女の身體の事は一切合切、全部、僕は知っている。それでいて、なんか、とても妙な気がするんです。

京子　お気の毒ねえ。（ホントに同情しているのである）

五郎　いや、そんな意味でいっているんじゃないんです。そんな殊勝らしい気持でいってるんじゃない！……どうか、かんべんして下さい。

京子　なにをおっしゃっているのか、わからないわ。御気分が悪いんじゃなくって？（心から心配そうだ。此の女は、五郎と二人きりになると、急に女らしく受動的に素直になる。従って又、利男その他を相手にしていた時の高飛車の輝きも失ってしまって、極めて平凡な女になってしまうのである）

五郎　なあに、なんでもありませんよ、少しクラクラするだけです。

京子　でも、なんですか、もっと休養なさる様にしないといけないわ。あなたまで身體を悪くなさりでもしたら、美緒子さんだって結局――。

五郎　そんな事はいわないで下さい。美緒の事なんかいわないで下さい。あれは良い奴です。あんな良い奴はありません。しかし、貪慾です。恐しく貪慾です。なにもかも、それこそ何もかも取り上げないと承知しないのです。あいつは死にかかっています。死にかかっているくせに、なにもかも容赦しない。全部、それこそ、自分の周囲の人間の呼吸している空気まで、自分のものにしないと承知しないんだ。こっちが息苦しくなって、息がつけなくっても、彼女は、まだ取ろうとする。僕

は、自分が彼奴を大事に思っているか憎んでいるか、わからない時がある。……いや、美緒じゃない、美緒を憎むというよりも、彼奴の持っている生命です。生命というものの貪慾さです。生命の本能です。執念深い……そいつは恐ろしく執念深い。愛情だとか、愛だとか、そんなものでは、もう間に合わないんだ。そんな甘っちょろい物なんか吹き飛んでしまう。なんか、もっと別な、もっと物凄いもんです。……僕あ、時によると美緒を一思いに殺してやろうかと思うことがあるんですよ。

京子　まあ、キビの悪い。何をおっしゃるの？、そんな――。

五郎　（不意にニヤニヤして）キビが悪いですか？、ハハ、そうなんですよ。でも、人間は一刻一刻に死んでいるんですよ。少しづつ、一刻一刻に死につつあるんです。自分でも知らない間に、少しづつ死につつあるんです。この地面は曽て死んだ人間の死骸で充満しているんです。いや、地面それ自體がソックリ曽て生きていたものの死骸なんだ。そうでしょう？、そうなんですよ。人間の身體だって、毎日々々死んで行く細胞の墓場です。新しい細胞は、墓場の上にしか生れて来ないんです。……戦争が有っています。戦争が有っています。戦争……それがどんなものだか、あなた解りますか？、解りますか？、……赤井に子供が生れようとしていますよ。子供？、……それが何だか解りますか？、同じ事なんですよ。同じ事なんだ。赤井は向うで倒れるかも知れません。多分、どうもそんな気がします。そんな気がしていけない。ええい畜生！。彼奴も死ぬ！。……その後で子供が生れる。彼奴の子供が生れる。いくら考えても、どんな譯があるのか解らん。しかし、生れる。……あなたの、身體だって同じだ。美しいですよ。僕は畫描きだから美しいものは見える。美しい。あなたの中で始終何か死んでいるものがあるからです。同じだ。美緒もそうです。美緒も同じだ。ええい、畜生！ち、畜生！（いい放って片手を振って相手にフラフラッとして二三歩ヒヨロける。少し目まいがするらしい）……ウム。

京子　（相手の喋っているのを、びっくりして口を少し開けて見詰め続けていたが、五郎が倒れそう

なので、思わず寄って行って、その腕を掴む）あぶないわ、ホントにどうなすったんですの？、
五郎、なんです？（と却って変な顔をして京子の顔を見る）
京子 もっと五郎さんもお身體を大切になさらなきゃ駄目だわ。
五郎 身體？、……（不意にまるで小さい子供の様に無邪気にニコニコして相手の肩や胸を見ている）……でも、なんでそんな事をいうんです？、
京子 だって――。
五郎 なんで、そんな事を言うんです？、
京子 だって――五郎さん、かなり身體をこわしていらっしゃるわ。
五郎、そうですか。……身體……肉體……。京子さん、あなた、僕を好きですか？、
京子 ……（ドキンとして相手を見る）
五郎、え、僕を好きですか？、 嫌いですか？、
京子 そんな、そんな事……なんでそんな事おっしゃるの？、
五郎、好きですかと聞いているんだ！（出しぬけに今迄の子供らしい表情を失って、右手で京子の肩を掴む）
京子 ……（おびえ切った顔をして、ブルブル震えている。急に此の女が無力に小さなものに、同時に何か柔かい女になった様に見える）……痛い！。痛いわ、そんなに掴んじゃ……。
五郎、……。
京子 （シクシク泣き出す。痛いためでも悲しいためでもないらしい）……。
五郎、……ふっ！（相手の肩を掴んでいた手を離す）
京子 （立って居れなくなってベタベタと坐って涙を拭く）
五郎はそうして暫く京子の姿を見ていたが、やがて京子から眼を離して次第に怒ったような顔になり、ジッと立っている。
京子の涙は、何か譯のわからない甘いものである。静かに泣きやんで、砂の上を見ている。
向。
比企 やあ、久我君も来ていたね……（といいながら上手からやって来る。海から上って間がないと見えて、水着が濡れている）……おお寒いや。も

う駄目だね、海水浴も。……京子、何をしている
んだ。そんな所に坐って？、
京子　（ボンヤリしている）……ええ。
比企　どうしたんだい？、泳いで来いよ。あがっ
て来ると寒いけど、水の中に居りゃ丁度良いあん
ばいだぜ。久我君もどうだい？、
五郎　僕は大して泳げないから。
比企　なんだか、青いなあ顔が、少し寝るんだなあ。
五郎、ありがとう。……（まだ少し目まいがするら
しい）
利男の声　（遠くから）京子さあーん！　京子さあ
ーん！。ボートに乗りませんかあ！　京子さん、
ボートに乗りませんかあ！。
京子　あ、利男さんよ！。（と今迄鎖で縛られて
いたのを、急に解き離されて生き返ったようにな
って跳ね起きて、いきなり声の方へ向って、ター
ッと駆け出して行ってしまう）
比企　……誰だい？、
五郎　美緒の弟が来ているんですよ。
比企　ああ、利男君とかいった？、そう……おお
寒いや。……しかし本當に君はどうしたの？、
五郎、ううん、チョット疲れているだけなんだ。大
した事はないんですよ。（頭を振っている）
比企　大変だなあ、君も。
五郎、なあに。……で、どうなんでしょう。美緒の
具合は？、
比企　先刻いった通りですよ。昨日と大して変りは
ない。
五郎、正直に言って下さい。僕あ本當のことが聞き
たいんだ。なんだか彼女の調子が一病気の心や
ないんだ。感情の調子が、近頃益々変な風になっ
て来たんで、気にかかっていけないんですよ、気
持が段々澄み通って来てしまって、なんというか、
現実離れがしたみたいになっている。出しぬけに
神様は有るかなんて訊くんですよ。そいから自分
の周囲の人間に對して、なにかムヤミと温い事を
いったりしたりする様になった。それが自分はも
う別の世界にいるものと決めて、そこから未だ生
きている僕等を見て親切にしているような感じな
んだ……。
比企　そうかね。でもそれはあの人の本来の性質じ
ゃないのかねえ。いずれにしても、そいつあ僕の

随分じゃない。僕にゃ身體の事しか判らんな。……そう、身體の方はまあ脱落症状というかな。つまり一種の虚脱した様な状態だね。

五郎、すると、どういうんですか？、　良いんですか悪いんですか？、

比企、そうだな、……一つの大きな発作だけを単位にして考えると、それが一應おさまった状態なんだから、まあ良いともいえるけれど……病気全體のの経過としては、あまり良いともいえんね。発熱が殆んどない……ないのは結構だが、見方に依ってはそれが却ってよくないともいえるんだ。そこん所は、もっと専向的に説明しないとホントは解らないんだが、早くいうと、あれだけの患者に発熱が伴うのは実は當然のことなんで……つまり、それが身體が病菌と戦っている證據なんだな、……それがない……つまり一種の脱落症状なんだ。

五郎、わかりました。……

比企　熱を出してくれりゃ、まだいいんだけどね。……（話の間も手拭いで水着の上から身體を拭いていたが、この時拭き終えて砂の上に置いてあった浴衣を羽織る）……君も医学の本を随分読んだらしいし、それに、二年以来あれだけの病人に附きっきりで看病しているんだから、この病気に関しては何でもよく知っているらしいから、隠したってはじまらん。……やっぱり、かなり注意している必要があるだろうなあ。

五郎　……ありがとう。どうでしょう、今の状態を切り抜けるために、病院に入れるとかサナトリウムに入れるというのは？、

比企　さあ、よした方がいいでしょう。

五郎　どうしてなんですか？、

比企　いや、金がかかって大変だ。設備のととのったところでは、かなり取るからね。考えて見ると結核なんて病気は立派な社会病で、社会全體に責任が有るんだし、しかもそれに依って本當に苦しめられているのは、勤労者に多いんだから、国家なり社会なりが、もっと安価に入院できるサナトリウムを、もっとウンと建てるべきなんだ。しかし差し當りの現実問題としては、仕方がないんだな。……君んとこ、金はないんだろう？、失敬だが……。

五郎　ない。しかし拵えますよ。どんな事をしたっ

て——。
比企　いや、そんな無理はしない方が良い。病院かサナトリウムに入れて必ず良くなるに決っていればそれも良いかも知れないが、残念ながら今の医学ではそこまでは断言出来ないしね。仮りに治るとしてもだ、それが治った頃には又別の形でやられるよ。君が倒れるとか、奥さんが又別の病気にやられないものでもない。君にいう必要もあるまいが、結核というのは大概の人は実は持っている。それが病気として現れるか否かの違いだ。病気として現われるというのは、狭くはその当人のそれまでの生活の無理、廣い意味ではその家族全體の生活の無理なんだからな。……それを治すためにもう一度無理をするのはよした方がいい。もっとも世の中に全く無理のない人間生活なんてないわけだけど、それも程度問題だなあ。君ん所では、現在でも困っているんだろう？
五郎　……困っています。僕あ実あズッと二度しか飯を食っていない。……でも僕あ美緒を　なんとかして——そりゃあなたのいう理窟は判るし、それが本當だと思うけど、僕は、とにかく美緒を、どんな事があっても、これっきりにしたくない！　たまらん！
比企　わかるよ。君としては、そうだろう。……しかし、今のままで行っても、駄目と決ったわけじゃないし第一僕のいうのは、金の問題も金の問題だけど、それよりも、現在、僕の見る所では、君がこうして附いて実行している奥さんの療養生活は、全體としてどんな病院にもサナトリウムにも劣っていないからなんだ。
五郎　しかし、それがなんにもならないじゃありませんか。……僕あ、彼奴を取られたら困るんだ！　僕あどうしていいか解らなくなる！　死なしたくないんだ！　なんとか方法はないんですか？　なんとか、なんとかして——。
比企　……君がそんなにイライラしちゃいかんなあ。……君は家で奥さんの前にいる時にはあんなに落着いているくせに、此處へ出て来ると、どうしてそんなに調子が違っちまうのかね？　此の前来た時にも気がついたんだが。
五郎　そんな事あどうでもいいんだ。ホントに頼むから、なんとか、なんとかして——。

比企　困るなあ。……君も、奥さんが病気になって以来、基礎医学から勉強しはじめた位で、これで医学的に有効な方法は全部採り盡して来ているんだろう。つまり科学的にはベストを盡して来ているんだ。それは僕が保證してあげてよろしい。治るものなら、これで治るんだよ。……駄目なものなら、もうこれで仕方がないんだな。

五郎　（ビクッと、小さく飛上るような動作）……。あなたには、そんな事がいえるんだ！

比企　なんだよ？……そりゃ、僕は医者だから、科学の命ずる事をいっているまでなんだ。……そんな風にいうのは君らしくないよ。

五郎　科学が命ずるといったって、では科学が本當はどんな事を命じているんですか、全體、ではあなたは科学を信じているのか。

比企　ハハ、そんな事聞いてどうするの？　そりゃ信じているともいえるし、信じていないともいえるよ。でも科学のプロバビリティだけは――というよりも科学というものが実はプロバビリティを總括したものだが――そいつだけは信じているよ、でなきゃ医者なんかやって行けるもんじゃないからね。だから、変な話だけど、医者というものは病気を治したり出来るもんじゃないと思っている。要するにそのプロバビリティに基いて患者に對して忠告をしてあげる役目だけだな。

五郎　じゃ、そのプロバビリティを信じられなくなった者はどうすればいいんです？　又はそのプロバビリティから除外されたり、はみ出しちまった人間はどうするんです？

比企　もういいじゃないか。……どうすればいいといったって、そんな、そりゃ何もプロバビリティのせいじゃないだろう。

五郎　そうでしょうか？　僕は時々、そんなプロバビリティが段々積み重ねられて行けば行くほど、そのプロバビリティのために取り殺されて行く病人が益々多くなって行ってるんじゃないかといった様な気がするんだ。外科だけは少し違う。僕のいってるのは内科の事です。

比企　それも程度問題さ。内科だって或る程度まで実證的なもんだからね。医学が発達するにつれて病人が多くなるとか、死ぬ病人が多くなるとかいうのは偏見だ。假りに一部分にそんな現象があっ

ても、現在は科学の発達の点ではまだ過渡期だから、そりゃ仕方がないだろう。

五郎　いつになったら、過渡期でなくなるんです?、

比企　いつまで経っても或る意味では過渡期さ。

五郎　過渡期だからですまして居れる者は、それでいいんだ。それでは、どうしても、どうしても諦めきれない者――つまり自分です――そいつはいったいどうすればいいんです?、　何に頼ればいいんです?、

比企　そりゃ僕も知らん。わからん。

五郎　わからん?、

比企　君は、もしかすると医学というものが、人間の生命の全部に就て責任が有るように誤解しているんじゃないかな?、

五郎　そうかも知れない。しかし、そんな誤解を植え付けて来たのも医学です。いや僕あ僕一個の事をいってるんじゃない。一般社会の事をいっているんだ。社会にそう信じ込ませたのは医学だ。

比企　違うね。社会――つまり人間の性質にそんな妄信性が本来有るんだ。科学に責任はない。

五郎　あなたは抽象された科学を考えている。ところが、そんな抽象された科学なんか世の中に存在しない。僕が医学といっているのは医者といい換えてもいいんだ。

比企　医者は、そりゃ、自分が必ず病気は治せる様な顔をしているよ。営業だからな。信用を作りあげて置く必要がある。……しかし、もうこんな話は止そう。なんだか馬鹿に寒くなって来た。君のいっているのは、哲学か宗教の範囲だよ。僕あ科学者だからな。よく解らんのだ。……（怒ったように自分を睨みつづけている相手の眼を避けて）全體君は、人間というものは結局一人残らず必ず死ぬ事に決っているのを忘れているんじゃあるまいね?、

五郎　……て、（と、はじめ何といわれたか理解出来なかったらしく相手を見詰めていたが、突然にその意味を掴むと喉の奥でクッ!と変な音をさせ、真青にキョトキョト四辺を見廻した末に、眼を据えて空を見詰めて低く唸る）……うう!

比企　もう止そう、……どうしたんだい?、

五郎　（片手で両眼を掻きむしるように撫でる）……いや。うむ、……比企さん、……僕あ、美術を助け

たいんだ。美緒ですよ！　美緒ですよ！　美緒だけは合死なしたくないんだ！

比企　……。

五郎　僕のいう事が気に障ったらかんべんして下さい。あやまる。あいつに死なれたら、僕あ全體どうすればいいんだ。僕あ、僕あ此の際、少しでも効果の有る方法なら、どんなものでも、たとえどんなものでもやって見せる。なんでもいい。彼奴を此の世につなぎとめて置くためになら、僕あどんな事でもする！　たとえ、どんな事でも！。どんなインチキでも恥知らずな事でも。……漢法をすすめられているんだけど、どうなんでしょう？

比企　そう、漢法も場合に依って良いけど、結局システムこそ違え基礎的には同じものなんだからな。それに漢法には民間の素人療法や迷信といった風のものが大部入りこんでいるからねえ。

五郎　……素人療法だって迷信だって體験的に効果があれば、それでいいんじゃないでしょうか？

比企　その體驗というのが実は非常に危険なんだ。贊成出来ないな。

五郎　牛の生血やスッポンの生血が良いといってくれる者が有るんだけど――。

比企　消火器を害して食慾を失わせるだけだろう。迷っちゃいかんな。第一君は奥さんをよくしたい一心で、そんな者をいっているけど、実は君はまったく科学的なんだ。病気に就て科学以外の非合理的な考え方は結局出来る人間じゃないよ君は。その點僕は安心しきっている。迷っちゃ、いかん。

五郎　……輸血をもう一度大量にやって見たら？

比企　今は良くあるまい。悪くするとひどい轉機を採る場合がある。

五郎　葡萄糖を打ったら？

比企　よした方がいい。腎臓を疲らせるのは全體として不利だ。

五郎　……（不意に叫ぶ）じゃ、どうしたらいいんだ！　それじゃ、全體どうしたらいいんだ！

比企　……なんだい、どうしたんだい急に？……だから現状のままベストを盡して――。

五郎　ベストを盡すという事は、なんにもしてやらないという事だ。そうでしょう？　そうなんだ！　そんな風にというよりも、もう医学は全く無力だといったらどうなんです？（憎悪の籠った顔で

ニヤりと笑って）全體、あんたは昔からそうなんだ。口でこそ社会科学がどうのこうのといっていたが、実はそれも例のプロバリテイだったんだ。確信も信念もなんにも有りやしない。ただなんとなく流行に乗って新興医学者らしい顔をしたかっただけだ！

比企　君は何をいう積りだ？（次第に怒り出している）

五郎、（自分が何をいっているか、筋道がシドロモドロになってしまって）そうなんだ。だから、今でも、変な金主を見つけて診療所なんかやって儲けている現在になっても、ソックリ以前通りに社会医学だとかなんとか、要するに自分の利益に関係のない範囲のゴタクを並べているんだ！　それが全體、なんだ！

比企　……久我君、君あそれを本気でいっているの？（此の男として一番こたえる所に触られたと見えて、言葉はおだやかだけれど真に怒っている）

五郎　本気？……いや（フッと我れに返って）いや今のは僕のいい過ぎだから、かんべんして下さい。いい過ぎだ。（みじめな姿である）

比企（青い顔でニヤりとして）君が僕の事をそんな風に思っているとは知らなかったよ。

五郎、いや、僕が悪かった。いろんな事で頭がこんぐらかって、悪くしているんだ。かんべんして下さい。失言だ。あやまる。あんたに今見離されたら美緒は――。どうか許して下さい。（砂の上に坐って、手を突いて詫びる）

比企（その姿をジッと見おろして、怒りのためにブルブル顫えながら、しかし口調は静かに）……いや、イデオローグとしては、僕は君のいう通りの人間かもわからないんだ。いいよ。しかし科学者としての良心だけは持っているつもりだ。君は先刻本當の事を知らせて呉れといったから僕も正直にいっちまう。もっとも、これは科學者としての僕だけの觀察だから、それを信じようと信じまいと君の自由だ。つまりプロバブルな事だというに過ぎないからね。それから、これは僕が君に對して悪意を持っている為でもない。君の奥さんに就て僕が診断を下すのも多分これが最後だろうと思うから、医者としての責任からも、後で君にうらまれないためにも、此の際ハッキリいっとく必

要があるからだ。……君の奥さんはね、僕の所に一番最初に連れて来られた時に既にかなり悪化していたんだ。僕は黙っていたが、実は半歳もたてば良い方だと思っていた。……僕は正直な事をいっているんだよ。……それを、こうして既に二年ちかく、とにかく、なにして来たのは、やっぱり君の手当の仕方がよかったからだろうと思う。それは大した事だ。医者として僕はそれを認めるよ。……でも、もう多分、駄目だ。医學的には、もう殆んど……というよりも九十九パーセント、いや百パーセント見込みはない。患者は平静なようだが、もう多分半月、永くて廿日間……。もし腸に出血があればこの四五日中にも或いは――。何か聞いて置きたい事があれば今の中に聞いとくんだな。会はせなければならん人にも出来るだけ早く――。……僕のいう事は、これだけだ。

五郎、……（坐ったまま石にでもなった様に動かない）

比企　今後も僕に出来る事があったら、医者として、いくらでも助力するから、そういってくれたまえ。……じゃ僕は寒いから一寸宿に帰るよ。なんなら君も後でやって来ないか。……（スタスタと歩み去って行く）

後では五郎が石の様に坐ったまま。

永い間。……

白い街道を上手からフラリフラリと歩いて来る変な男がある。汚れた和服を着たボンヤリした四十過ぎの男で、酒に酔っているらしいが、陽気な所は全然なくて、寝呆けたような白い顔をしている。片手に二合ビンを下げている。それが何處へ向って行くという譯でもなくブラリブラリとユッタリ歩く）

五郎、……比企さん、俺が悪かった。比企さん！――（立上って無意識に比企の後を追いかけて行きそうにしたトタンに丁度男の姿が眼に入る。フット眼を釘付けにされたようにその男を見詰めはじめる。……男は街道の途中まで来て、そこでボンヤリ立停っていたが、再び何と思ったのか元来た方へフラリフラリと歩み出し、上手へ消える。その間五郎はジッとそればかり見守っていたが、不意に喘ぐような声で、ケワーともゲッとも聞える叫声をあげる）……

間。……静かである。

やがて沖の方から、京子がボートの上で唄うのであろうTorna A Suriento の歌声が流れて来る。それをじっと聞いている五郎の殆んど混乱の極に達した顔。

間。……五郎の身體がフラリフラリと搖れる
五郎、……美緒。……美緒、……助けてくれ。……

（うつぶせに砂丘に倒れてしまう）

間。

赤井が家の方向から歩いて来る。シャツに軍袴に下駄を突っかけた姿。酔いをさましてたがた五郎を捜しに来たらしい。何か考えながら濱を歩き、砂丘の五郎を見出す
赤井、……こんな所にいるのか。久我……久我……おい久我！　なんだ寝込んでいるのか。（ジッと見おろしていたが、失神して倒れている五郎の事を、疲れ切って眠っているものと思い、起すのはよして自分もその側に腰をおろす）……。

沖からの唄声。

赤井はその唄声の方をチョット伸び上って眺めるが、直ぐよして何か考えながら、ジッと海の方を見ている。出征を前にして、いろいろの感慨が胸中を往来しているらしい。

永い間。……

5、家で

五六日後の明るい美しい午後。

寝台の上で絶対安静を守っている美緒。

その枕元に附き添って酸素吸入の具合等を見てやりながら、ポツリポツリと話している小母さん。美緒の病状は更に重態になったらしく、衰弱のためもう殆んど声が出ず、此の場で彼女が口にする言葉も数語に過ぎない程であるが、その表情は以前より更に明るく落着いている。小母さんもそれに調子を合せているが、しかし永らく看病して来た病人が目下絶望状態であることは知っているので、ノンキな事を喋りながらも、しんは気を使っている。

吸入器のシユーシユーという響。

小母　……（ニコニコして）わてには、子供はあらしまへんやろ。そらあ自分の子供が育ったらええな

あと思う事もおます。……でもな、そんなに寂しいと思たりはしまへんのどす。なんでかというとな、よそさんのお家で赤さんが生れますやろ？、あれは、みーんな、亡くならはったお人の生れ代りやからです。……こん事わてがいうと、舊弊やいうて、みんな笑はるけどな。……

美緒　……（クスクス笑っている）

小母　ハハハハ。たんとお笑いやす！。笑われてもかましめへん！……生れて来る赤さんは、前に生きていた人の生れ代りどす！……それはな、わてのお母はんがチャーンと教えはったから間違いおまへん。……そう、わてにだって、お母はんは居やはりましたのどすわ。変でっか？……そうもう、なんしろ古い話やけどなハハハハ。……とにかく、お母はんは、わての為にならん事を、教える筈ありまへん！。いやはりました。赤さんはわてらの生れ代りどす！……そんで、わては、自分の子供がのうてもチットも寂しい事あらへんのどす。よそさんのお家でドンドンドンドン赤さんが生れはると、わてらの命も、ドンドンドンドン伸びるのどす。……わてらは、いつなんどき成佛してもええのどす。……赤井の兵隊さんに赤さんが生れはる！、わては、うれしうてなりまへん！

美緒　……（いたずらそうな顔で、小母さんとそれから自分を指して、それは小母さんの生れ代りか自分の生れ代りかと訊く）

小母　そう、誰の生れ代りか　わてらには解りまへん。生きている内に、ええ事したもんは、みーんな生れ代ります。……今、戦地へ行かはって、討ち死になさっている兵隊さんがギョーサン居やはりますがな。それもみーんな生れ代らはります。お国の為に御苦労なさって戦死なさるのどす、キット、どこぞで一等かわゆらしい赤さんが生れはりますがな！（いい方は少し滑稽味を帯びているが、彼女は自分のいっている事を文字通り確信しているのである）

美緒　……（何度もうなずく）

小母　そうどす！。わては學がないよって、理窟はわかりまへん。でも、いくら笑わはっても、そうどす！。わては、佛様や神様がほんまに、居やはるか、居やはらんもんか、わかりまへん。信心なんど、した事おまへん。……んでも、昔、わての

のお母はんが居やはった事は、チャーンとわてが知ってますがな！。そのわてのお母はんが、わてを大事に大事にしてくれはった事や、わてに教えてくれはった事は、そないに不確かな事ではおまへん！。チャーンと確かな、たとえ世の中がデンぐり返っても、間違いのない事どす。大丈夫、金のワキザシや！……そらそら、又笑いはる！。たーんと馬鹿におしなれ、構いへん！。んでも今に百年もたったらな、わても奥さんも生れ代って来ますさかいな。そん時には、今わてはチャーンとこうして奥さんを可愛がって看病してあげたのどすよって、こんど生れ代って来たら、わての方が奥さんにターンと可愛がって貰いまっせ！。ようおすか？、忘れたらあきまへんえ！。お前みたよなツンボーの赤ん坊なんど知らんいうたらあきまへんえ！。……ハッハハハハ、ハハ。

美緒　……（声を出さずに笑いながら、片手を出して小母さんの頭を撫でてやる）

小母　泣いたらあきまへん！。ええな？、ハハハ、さ、お薬どす。……（非常に注意深く、馴れた手附きで水薬を飲ませる。おとなしくそれを飲む美緒）……ああ、ええお子や、よく飲みはった。近頃ホンマにおとなしう飲みはるで、うれしうてならん。あと、口直しにリンゴの汁でもあがりまっか？、……（美緒かぶりを振る）そうだっか。……（美緒の額に手を當てて熱を計る）熱もだいぶ下りましたえ。……ホンマになあ、久しぶりに熱をお出しにならはったので、四五日前にはビックリしました。ハハハ、珍らしいさけなあ。……あれは赤井の兵隊さん達が来やはって直ぐ次の日やったから、あれからヒイ、フウ、ミイ、ヨ、イツ（と指を折って）今日で六日目どすな。……もう大丈夫どす！。

美緒、……（うなづいて見せる）

小母　……赤井はんの兵隊さんはもう出征しやはったかいな！。どうぞ、御無事で行って来やはるように。……ホンマにええ方どすえなあ。奥さんもサックリとしたええ方どす。この間も、わてが御飯の支度でマゴマゴして居りましたらな、あの奥さん黙あって台所に下りて来やはって、ドンドン加勢してくれはります。恵子はんなどとは、えらい違いどす！。実のお妹はんでいても、あんな一

（いい過ぎた事に気附いて）いえ、それはな惠子はんは惠子はんで、やっぱりそれぞれ流儀がお有りどすよってー。

美緒　……（微笑して　いってもかまわないという意味の手真似）

小母　……そうどすか？……いえな……いえ、わてはあんな情のきついお方、実は、きらいどす。たまにお見えはっても、キッと庭の方で、スパスパスパスパへと煙草をふかす真似）こうどす！ハハハ。いくら病気が嫌いといやはっても、たった一人つきりの実の姉はんでおまへんか！きらいどす。わては薔薇人どすよって、あんた方は蟲が好きまへん。あれよりも、比企先生のお妹さんの方がまだましや。テキパキしてなはる！はあ、そうですわ！はあ、わては海岸に行ってよ、ピーン、バタバタッ！（と跳ね上る真似）こうどす！な！ハッハハハ、……比企先生も、東京に帰らはって、もう四日になりますなあ、比企先生は、奥さんの具合が良うおなりはったので安心してお帰りたのどすわ。

美緒　……。

小母　……五郎はん、お戻り、おそおすな。今日は描いてしまはるつもりでっしゃろ。寫生というもんは、お骨の折れるもんだすなあ、今日で三日や。……でも、よろしおしたなあ。五郎はん油絵描きはるようになって。

美緒　……（何度もうなずく）

小母　五郎はんも、奥さんの病気が良うなったので安心して寫生に行かはるようになったのどすけど。

美緒　……（微笑。指で自分を指して見せる）……いえ、私がね……もう間もなく……いけないからなの。

小母　（美緒の声が低いので聞えず、その仕草だけを受取って）そうどす、奥さんに見せようと思うて描きに行かはっているのどすえ、チャーンと知っていますがな。ええなあ。お嫁はんのいわはる事なら、どないな事でも五郎はん、やってくれはる。見ていてもケナルウなりまっせ。ホンマに。首ったけや。ハハハハ。そうどすえ！

美緒　……（弱々しい笑い）……私が……居なくなったら……五郎……はどうするんでしょう。それだけが……私……心配なの。……どうぞ、頼むわ、

小母さん……。

小母　（相手の唇の動きをマジマジと見詰めながら）そうどす！．奥さんのいはる事なら、五郎はん、どないな事でも、たとえ火の中でも行かはりまっせ！　おお、おお、シンドイ話や！。（とまだ自分流に聞き誤っている。そんな風に彼女に誤って聞かれる程、美緒の表情は明るく、その言葉の持っている意味とは全く反對のものである）

美緒　……頼むわ……小母さん……私が……居なくなったら……五郎のこと……（小母さんに向って両手を合せる）

小母　（まだまちがって受取っている）ハッハハハ、そうどす！　拝みなはれ、拝みなはれ、あんな良いお婿さんは三千世界捜しても居やはらへん！。

美緒　いえ、あのね……（とまだ何かいおうとするが、数語をいったためにガッカリしたのと、自分の声ではどんなに小母さんの耳の傍でいっても、到底きこえそうにないために、話すのをよしてしまい、涙ぐんで、うなずいて見せる）……（しかし又、フト思い付いて、小母さんの片手を取ってその掌の平に指で假名を書きはじめる）……。

小母　（掌を見ながら）わ……た……し。わたしどすか？……わ……し……や……わ……せ……よ。わしやわせよ、とはなんどす？……ああ、わたしは、しやわせよ、どすかいな？、そうどすとも！。そうどす！。

美緒　……だから、もう……いつ死んでも……いいの。……だけど、その後……五郎は……どうなるの。

小母　（やっぱり通じない。）そうどす！。そうどす！。奥さんは仕合せや！。又、奥さんみたいなお嫁さん持って五郎はんも仕合せや！。しやあからな、しやあから、早う病気良うならはって、今にピンシャンして、今に、わての事、たった一度でいいさけ、東京歌舞伎のええとこ、見せに連れて行ってくれなはれや！。な！。

美緒　……（ガッカリして、微笑して小母さんを見守っているだけ）

小母　なあに、いんまに、もう間もなく、秋になりまっせ、そしたら涼しうなって、奥さん、直ぐに良くならはります。直ぐにもう秋どす！。

美緒　……（何かいうのは諦らめて、片手を出して

小母さんの頭を撫でてやる）……。

小母　（自分も美緒の左手を撫でさすりながら）……そしたら、ムクムク太らはる！　うまい物、五郎はんにタント貰って貰はって、うーんと食べて、キレーにならはって、な！

間。

五郎が下手から庭を廻って戻って来る。相変らず憔悴し切った姿だが、顔の表情には、今までとは更に違った思い決した様な所がある。看病の隙に僅かな時間を割いて、近くに絵を描きに行ったと見え、左手にスケッチ箱とイーゼルを下げ、右手に七八分通り描き上っている三十號のカンバスを下げている。ひどく疲れているらしい。スケッチ箱とイーゼルを湯殿の廊下に置いてから、美緒に自分の疲れたいる様子を見せまい為であろう。暫らくそこに立ったまま片手で両眼を蔽うている。音を聞きつけて、病室の美緒が眼をそちらへ向ける。

小母　（美緒の視線を追って）……ああ、五郎はん、戻らはった！　そらそら奥さん……（立って五郎の方へ行く）お帰りやす。

五郎　……（黙って小母さんを見て手真似で、美緒は変りないかと訊ねる）

小母　……（これも手真似で変りないと答えてから）……まあま、今日はえろう描けはった。絵具がコテコテや！

五郎　（小母さんの耳元へ）小母さん、少しやすんで下さい。いつとき僕が見ますから……。（カンバスだけを下げて病室の方へ）

小母　へいへい。それじゃ、ザーッと洗濯物を済ませてから、やすまして貰います。（廊下から庭へ下りて、裏口の方へ消える）

五郎　（カンバスを裏返しに柱にたてかけてから）……どうだい？……（美緒の額に掌を当てて見る）うむ。……又、小母さんと喋っていたんだろうな？

美緒　……（かぶりを振る。それからカンバスを指す）

五郎　まだ描き上ってとらん。

美緒　……見せて……。

五郎　今日又、スッカリ塗り直しちゃった。メチエが弱い。……もう油絵具なんかをどんなに盛上げて見ても俺達の描きたいものにピタッとしないや。

美し過ぎる。弱いんだ。コンクリートの粉を塗ったり、牛の生皮を叩きつけたりしたくなるんだ。絵具は弱い。

美緒　……見たいの……。

五郎、……（美緒をさぐる様にジッと見守っていたが、やがてカンバスを表に向けて楔に立てかける）……じゃ見ろ。

美緒　……（その畫の方へ首をグッと持上げるようにする）

五郎、そんな事しちゃいかん。……（美緒の首の所に片手を當てがって支えてやる）

美緒　……（荒い調子で描かれた風景にピタリと眼を吸い付けられ黙って見詰める）

間。……五郎も自分の畫を見ている

美緒　……ああ、綺麗だ。（自分を忘れたような声を出す）

五郎　……もういいだろう。疲れる。

美緒　……いや、もっと。……ああ！（まだ見詰めている）

五郎、もういいよ。疲れるから。（美緒の頭をそっと枕の上に置いてやって）……なんだ、泣くやつがあるか！

美緒　……久し振りよ。……あんたの畫を見るの……

五郎、ハハ、そうそう――（と涙を拭いてやりながら）……なんでもいいから、もう口を利くのは、よしなよ。

美緒、……ありがとう……。

五郎、よせといったらよせ。……（吸入器の口を直してやる）これから、いくらでも描いてやる。……薬は飲んだのか？（美緒うなづく）……少し顔が赤いね？……気分は悪くないのか？……そうか。比企さんの処方はやっぱり一番効くようだな。……比企さんと言えば、いや、どうも、俺あ醜態を演じちゃって……。頭を悪くしてるよ。……とうとう怒らしちゃった。あの立派な人に喰ってかかるという法はないんだ。醜態だ。……いや、直ぐに詫り状は出しといたがね。怒っちゃいないから、今後ももし必要があったら、いくらでもそういってよこしてくれといって来た。……俺あ、恥かしくなってなあ。……まあいいさ。俺という男は、何処へ行っても結局赤っ恥を掻くように出来ているんだなあ。……どうも仕方がないよ。ハ

ハハハ、……まだチットも人間が出来ていない。よくよく駄目だ。……三十面をさげて青過ぎらあ。……（美緒が頭を横に振って、そんな事はないという。というよりも、そんな風に自分を否定してはいけないという意味をこめて）なんだって？、いや、そうなんだ。……第一、こんな事じゃ、赤井にだって済まねえ。……第一、こんな事で赤井の留守を、伊佐子さんや生れて来る赤んぼなんぞの事をチャンと守ってやって行けるもんか。久我五郎はオッチョコチョイの青二才だよ。……一言にいうと、やっぱり安價なるセンチメンタリストなんだな。尾崎の奴あ、さすがに人を見る眼が肥えていやがる。ハハハ、……（いい方はわざと少し滑稽化しているが、自分では本當に自分をその様に反省しているのである）……どうだ、少し又、萬葉を読んでやろうか？、いらんか？、あとで？、そうか。ハハハハハ。俺の萬葉の講義は、まるっきり自己流だからな。ハハ、でもあれでいいんだよ。馬鹿にしちゃいかん！。　自己流でもなんでも、萬葉集は俺みたいにして読むのが一番本當なんだよ。……日本人でさえあれば、どんな無學な奴が、どんな読み方をしても結局わかるよ。……ホントの古典というものは、みんなそうだよ。

美緒　……あなた……怒らない？、

五郎　なんだい？、怒る？、なにを？、

美緒　……怒らないと……、約束して。

五郎　なんの事だか、わかりゃしないじゃないか。……よし、じゃ約束する。怒りゃしない。なんだよ？、

美緒　……（枕の下から一通の手紙を出して渡す。封が切ってある）

五郎　なんだ？、……毛利から来た手紙じゃないか……。お前読んじまったな？、……そうか。いや怒りゃしないよ。……（手紙の内容を出して、黙読。読んで行く内に、顔が変に歪んで来る。悪い手紙らしい。読み終って黙っているが、腹の底からこみ上げて来るものを自ら押えている）……ふん……そうか。……それでいいじゃないか。（美緒の眼を見て）それが、どうしたい？、

美緒　……毛利さんも……あんまり……ひどいわ。

五郎　俺、怒っちゃ、いないだろ？、いいよ、それもよしと。如何にも毛利らしい書き方じゃないか。

まわりくどい。……結局、簡単にいえば、こちらの好意を無にするようなら、好文堂の仕事もことわるからというんじゃないか。……こないだの尾崎がやって来てすすめた事をことわったんで、そんな事ならという譯だろう、いいさ。仕事は、又他で捜すよ。……妙な譲をするのはよせ。

美緒　……ひどいわ、毛利さん。……だって……あの人、やっと……畫らしい物が……描けるようになったの……あなたの……おかげよ。……どれだけ……あなたには……世話になって……。

五郎　いいよ、いいよ。毛利が畫が描けるようになれば、結構じゃないか。それがどうしたい?……これが世間なんだ。表裏反復、いずくんぞ常あらんやだ。……面白いと思って見ていりゃいい、なあに、子供の絵本はほかにもあるし、それも駄目なら似顔畫描きにでも、紙芝居にでも、豆腐屋にでもなんにでもなる。……クヨクヨするな。初めっから世間の前で赤っ恥を掻く気でいりゃ、なんでもやれらあ。どうせ、出来そくないの人間だ。恥も外聞も構わず、どうぞなんかやらして下さいと土下座して頼めば、なんか有るよ。……ハハ、お前知ってるか?、南北という人の書いた「累《かさね》」という芝居の中にね、伊右衛門という悪党が出て来るんだよ。いいかい?、そいつがなあ、こういうんだ「首が飛んでも死ぬものか!」

美緒　……いえ、好文堂の事は……仕方がないとしても……そん事で……毛利さん達と……仲が悪くなっていては……あなたが……今後……畫の仕事の上で……途がふさがる。……それが……私心配……。

五郎　ハッハハハ、何をいうか!俺あ畫を描いているんだぜ。カンバスでタイコを叩いているんじゃねえんだ。糞でも喰え。……な、これが俺の畫だ。これは、畫だろう?、そうだろう?、……なら、それでいいんだ。

美緒　……でも。

五郎　もういうな。お前もその気になりゃいいんだよ。……（わざと芝居のセリフじみてくいうが毒々しい位の真実をこめて）首が飛んでも、死ぬものけえ!……ハハ。第一、俺の友達にゃ、赤井だとか須崎だとか藤戸などという素晴らしい奴等がチャンと居てくれるよ。大したもんよ。……へと

と努めて美緒の考えを他へ転じようとして）ところで赤井は、もう行ったかな？、……そうだ、こないだ赤井が来た日の夜からお前熱を出したな？、……あれ、どういうんだい？、病気はチットも変って来ないのに、なんで、あんなに出しぬけに熱を出す？、え？……第一、なんであんなにイライラしたの？、あれで熱が出たんだよ。どうしてあんなにイライラしたい？、

美緒　……だって……散歩に行けというのに、……あなた……行かないから……。

五郎　だってお前、それだけの為に、あんなにジレる事あないじゃないか。そりゃ、伊佐子さんと赤井が二人きりでユックリ出来るのは、あれが最後だったかもわからないけれど、俺だって赤井と話すのは最後かも知れない。一分間でも一緒に居たいやね。それをお前に無理に追い出そうとするんだ。

美緒　……だって、夫婦よ。……それで……。

五郎　そりゃ解ってるよ。だからさ──。

美緒　あなたには……わからない……私は……赤井さん達……ホントの二人っきりにして……ゆっくり、……させたかった……のよ。

五郎、だからさ、だから俺あ──（といいながら美緒の顔を見詰めていたが、急に何かを悟ってポカンと口を開ける）……。するとと、……すると、なにか？、お前は──？、

美緒　……（パット赤くなって、両掌で顔を蔽う）

五郎、……ふむ。……そうか、そんな事をお前……そうか。（美緒のいっているのがセキジュアルな事であった事を理解するや、急に：はじめドギマギするが、次第に、赤井達のためにそこ迄考えていた此の病人が可哀そうな様な、いじらしい様な不思議な様な気がして来、いつまでもいつまでも見守っている）……そうか。

美緒　……はずかしい……わ。（まだ顔を蔽っている）

五郎、……いや、いいんだ。はずかしい事なんかないよ。その調子だよ。その調子だ。それでいいんだ。な！（美緒の頭を静かに抱いて、その顔を蔽うている掌の甲で上から接吻する）……な！。

美緒、お前は良い女だ。……なるほど、赤井達はあれっきりで、会えないかもわからんのだ。……

美鮨、お前は本當に良い女だ。
美鮨　……いや……だわ。……あっちい……行って。
五郎　アッハハハ、ハハハハ、はずかしがらなくっていいよ。ハハ、そいで、赤井達はお前がそんな事まで考えていたという事は未だに気が附かずにいるだろう。すばらしいじゃないか。いいんだよ。セックスの種を考えるのが、変な事があるもんか！。今のお前がそこまで考えられるのは大した事だよ。その調子だ！。いや、行くよ行くよ、なあんだ、行くよ。（心から嬉しそうである。口笛を吹かんばかりにして、カンバスを取り上げ、障子を閉めてから湯殿の方へ行く。笑いながら、湯殿の戸をガタピシ開ける）
小母さんの声（裏口の蔭から）ワッ！　アレ、アレッ！
五郎　……（その声でハッと何事かに気附き、カンバスを縁側に置いたまま庭に下りて、裏口の方へ走って行く。……間。裏口の蔭で五郎と小母さんが何かガタガタしている物音。小母さんのアッ！　アッ！　という声が切れ切れに洩れて来る。……やがて五郎が汗を流しながら大型のビスケットの空罐を抱え、便所の角の所に現れる）……開けて見たりするからいけないんですよ！
小母　（真青におびえた顔でついて来て、眼を据えて空罐ばかり見ている）……なにや知らん思うてヒョッと開けたら、ホンマにわては！　なんと、まあ！　……そいじゃ写生しいに出かける時に、その罐持って行かはるの、なんでかいなと思っていたら……。
五郎　（空罐のフタをグイグイとしめながらうなずく）……。
小母　ほんで、それ、どうしやはるのどす？、……キビの悪い！。チラッと見たばかりでわてはゾーッとして、ゾッとして、ホンマに！　それ、どうしやはる？、畫に描きはるのどすか！
五郎　（美鮨に聞えるから黙ってと手真似）……（低い声で、手真似をして）食うんです。黒焼にして。
小母　（これも低い声で）へっ？、あんたはんが？、それを――？、
五郎　……（黙って黙ってと手真似。それから、いや自分ではない、美鮨に食べさせるんだと、病室の方を指して手真似）
小母　（声をひそめて）……そりゃ、わては、前か

らすすめてきましたけど、五郎はん、そないな事いけんいうて反對していなはったのに、急にスーッ、
五郎　……（フタをねじ込みながら、黙って黙ってと手真似。その拍子に、もともと持ち勝手の悪い空罐が手からすべり落ちて、横に倒れてフタが開きその中から一匹の蛇が飛出して縁の下へサッと這い逃げようとする）……畜生……！（と口の中でいって、いきなり掴みかかって、蛇を地面に叩きつける。あがっているので、なかなかうまく行かず、一二度手元が狂って縁側の上のカンバスの生がわきの畫面に叩き附けられた蛇がピシリバタリと鈍い音を立てて、油絵具だらけになる。それを又引掴んで、散々骨を折って、ねじ込むようにして空罐に入れる）
小母　（飛び退いて、息を呑んで五郎の悪戦苦鬪を見守っていたが、うまく罐にとじ込められたので稍々ホッとして、額の油汗を拭いている）へえ！
五郎　……（罐のフタを押え、歯を喰いしばって肩で息をしている）
小母　……（その五郎を見ている内に急に泣き出す。声が出ると病人に聞えそうなので、手で口を押えながら慟哭）
五郎　……（便所の手洗場の下に轉がっているかなり大きな石を、フタの上に載せて、罐を縁の下に押入れる。やっとホッとし、小母さんを顧みて、しばらくボンヤリ立っている。小母さんは、まだ泣いている）
美緒　（病室の障子の中から、低い低い声）……どうしたの？……あなた……どうしたの？
五郎　（その声で我れに返って）おい。……（メチャメチャになったカンバスをポイと湯殿の中に投げ込んで置いて病室の前へ歩いて行き、そこの藤棚の柱に両手のよごれをこすり附け、手の匂いをかいだりしながら、縁にあがる。障子を開けて）……なんだ？
美緒　……どうしたの？……今の音？
五郎　……なんでもない。猫が台所に飛び込んだ。ハハ。
短い間
美緒　……なんか……読んで……。
五郎　そうか、よし。萬葉をやろう。俺の解釈を馬鹿にするときかんぞ。あれでいいんだからな。……

〈奥の床の間に置いてある萬葉集を持って来て、椅子にかける〉ええと……〈といって書物の頁を繰りながら、その手の匂いを時々かいでいる。なまぐさい蛇の匂いがこびりついているのである〉よしかく、〈そんな匂いも、それから一切の感情を吹き飛ばすように、開いた所をいきなり朗読し初める。自己流のブッキラ棒な節を附け、声だけは朗々と高い〉隠口《こもりく》の泊瀬《はつせ》の國に、さよばひに吾が来れば、たな隠《くも》り雪は降り来ぬ、野《ぬ》つ鳥、雉《きぎす》はとよむ、家つ鳥、鶏《かけ》も鳴く。夜は明けこの夜は明けぬ、入りて吾が寝む、この戸開かせ……いいなあ！ 入りて吾が寝むこの戸開かせというんだ。……泊瀬という所に住んでいる恋人の家へ、夜通し歩いて自分はやって来た。……今の夜這いというのとは少し違うだろうな。つまり恋人の所へ泊りに来る者だ。すると、やっぱり似たようなもんか。

美緒 ……〈クスクス笑っている〉

五郎、ところが丁度恋人の家の前までやって来たら、雪だか雨だかパラパラ降って来はじめた。きぎすというのは雉《きじ》だ。鶏《かひ》というのはにわとり。パラパラ降って来て、野山では雉が鳴き、家ではにわとりが鳴き出した。もうはやウッスラと夜が白んで来た。早く戸を開けてくれ、入って寝るからというんだ。女は勿論家の中にいて、眠りもやらで待っていたんだね。……〈朗読〉隠口《こもり》の泊瀬《はつせ》の國に、さよばひに吾が来れば、たなぐもり雪は降り来ぬ、さぐもり雨は降り来ぬ、野《ぬ》つ鳥雉《きぎす》はとよむ、家つ鳥鶏《かい》も鳴く、さ夜は明けこの夜は明けぬ、入りて吾が寝むこの戸開かせ。反歌。隠口の泊瀬《はつせ》小國《をぐに》に妻しあれば、石は履めども、なほぞ来にける。隠口の泊瀬小國に妻しあれば、石は履めども、なほぞ来にける。……わかるかい〳〵、ね、実に単純に歌い放してあるじゃないか。現世主義だ！ 現実主義とか何とか理窟ばった、ヒナヒナしたもんじゃない。俺達の祖先の単純で強い肉體と精神が自然に要求するままのものだ。うまくいい廻して美しい歌を作ろうなんぞという量見は微塵もない。唯、此の男は女に逢いたいんだ。夜通し歩いて歩いて、その家にやっと着いた。早く開けよというんだ。それだけだ。それだけだから、美しいんだよ。……畫でいえばルネッサンス、いやルネッサ

ンスのデリカシーなんぞ、あんな弱いものはない。ボチセリのヴィーナスは美しい。けど、あんなもの、しようがあるもんか。ギリシヤだよ。ギリシヤだ。……また神々が肉體を持っているんだ。人間が神々の単純さを持っているんだ。……生きるという事が最高の悦びなんだ。悲しみさえも、生きる事の豊かさの中では、よろこびであった時代だ……生きている此の現在こそ唯一の貴といものだ。死んじまえば、真暗になって一切はなくなる。来世なんぞ有りはしない。つまらん屁理窟をいったり神學を発明したりしている暇はない。そんな物は要らん。それほど此の現在生きている世界は生き甲斐のある、生きても生きても足りない程豊かな、もったいない程のすばらしい所だ。そうじゃないか！　どうだ、すばえじゃないか。こんな連中の血が俺達の身體の中にも流れているんだよ。いいかい？　俺達はこんな奴等の子孫だよ。チット考えろ。……美緒、お前はいつか、神様は有るかなんていっていたな？、フン！　そんなもの有るもんかい！　慾張るな。人間死んじまえば、それっきりだ。それでいいんだ。全部真暗になるんだ。そこには誰も居やしない。真暗な淵だ。誰かを愛そうと思っても、そんな者は居ない。ベター面に暗いだけだ。ただ一面に靈魂……かな？、とにかく霧の様な、なんかボヤーッとした雰囲気が立ちこめているだけで、そん中から誰か好きな人間を捜そうと思っても見付かりやしないよ。入りて吾《あ》が寝む、此の戸開かせなんて事はなくなる。人間、死んだらおしまいだ。生きている事が一切だ。生きている事を大事にしなきゃいかん。生きている事がアルファでオメガだ。神なんか居ないよ！　居るもんか！　神様なんてものはな、生きている此の世を粗末にした人間の考える事だ。この現在を無駄に半チクに生きてもいい口実にしようと思って誰かが考え出したもんだ。現在生きて生きて生き抜いた者には神なんか要らない。第一、神さまなんて居やしないよ。その證據には……その證據には、神様が居て、そいで神様が人間を創ったもんなら、そんなら、その人間を倒す結核菌は誰が創ったんだ？、結核菌の方には結核菌だけの神様が居るわけか？、馬鹿にするな！　（はじめはそれ程でもなかったが、喋っている中に本気

気になって手をブルブル顫わせている）

美緒　……そんな……私に……怒ったって……。

五郎　（我れに返って）……要するにな、俺のいいたいのは、萬葉人達の生活がこんなにすばらしかったのは、生きる事を積極的に直接的に愛していたからだよ。自分の肉體が、うれしくってうれしくって仕方がなかったのだ。逆にいうと、来世だとか死んだ後の神様だとか、そんなものを信じていなかったからこそ、奴さん達は今現に生きている此の世を大事に大事に、それこそ自分達に与えられた唯一無二の絶対なものとして生き抜いた。死んだらそれっきりだと思うからこそ此の世は楽しく、悲しく、せつない位のもったいない場所なんだよ。死ねば又来世が有ったり、変てこな顔をした神様がいてくれたりすると思ったら、此の世はなんの事もない手習い草紙みたいなもんだ。いいくら加減に書きつぶして置けばいいという気にもなるんだ。神だとか来世だとかを考え出したのは、小さく弱くなった近代の人間のいはば病気だよ。そんな事を考えて置かないと此の世に生きる事の強烈さに耐え切れなくなっちゃったんだ。病気だ。俺達はみんな病気になっている。誰も彼もみんな病人だ。……わかるかい？……そして、この病気を治してくれるのは、昔の、俺達の先祖が生きていた通りに生きて見る以外にないよ。自分の肉體でもって動物のように生きる以外にない。動物といって悪けりゃ、一人々々が神になるんだ。……今、戦争に行っている兵隊達が、それだよ。動物でもあれば神々でもある。日本の神々が戦っているんだ。戦争をするという事は、最も強烈に生きるという事だよ。そうじゃないか。理窟もヘチマも、宗教もイデオロギーも、すべてを絶した所で、火の様になって生きている！　それが戦争だ。いいか？……俺達は萬葉人達の子孫だ。入りて吾が寝む此の戸開かせだ。早く開けろ。それでいいんだ。お前が、赤井と伊佐子さんを一緒に寝させたがった。それでいいんだ。それでイライラして熱を出した。それもいい。俺あうれしいよ。その調子なんだ。……俺達あ、美しい、楽しい。かけがえのない肉體を持っているんだ。ゆずるな。石にかじり付いても、赤っ恥を掻いても、どんなに苦しくっても、かまう事あない。真暗な、なん

にもない世界に自分の身體をゆすってたまるか！
美緒　……読んで……また……。
五郎　よしよし、……どうも講義の方が長くなっちまわあ。ハハ。疲れはしないか？……じゃ読むよ（と書物をめくって）チェッ、まだ臭い……（と指の蛇の匂いをかいでいる）
美緒　……どうしたの？、
五郎　なんでもない。（朗読）大伴旅人。あな醜《みに》く、さかしらをすと酒のまぬ、人をよく見ば猿にかも似む。……これは前にも一度読んだね。ああ見苦しい事じゃ。悧巧がった事をする人と酒を飲まない人をよくよく見たら猿にでも似てるらしい。猿にかも似む。全くだ、猿め！（朗読）同じく。妹《いも》と来し敏馬《みぬめ》の崎へかへるさに、ひとりし見れば涙ぐましも。妻と一緒に来た事のある敏馬《みぬめ》の崎を帰り途に一人で通って見ると、涙ぐましい……（朗読）同じく。この世にし、楽しくあらば、来ん生《よ》には、蟲にも、鳥にも吾れはなりなむ。そう、これだこれだ！此の世さえ楽しかった来世には、たとえどんな動物になったってそんな事あ構わん。これだよ！この世楽しくあらば来ん生《よ》には、蟲にも鳥にも吾れはなりなむ！
　そこへ小母さんが台所の方から出て来る
小母　……あの、五郎はん。（居間から手まねく）
五郎　……なんです？、
小母　ちよいと——。
五郎　え？、（立って居間の方へ行く）なんです？、
小母　（台所の外に誰か来ていることを手真似でして見せて）奥さんの生徒はん達、見えはって——。
五郎　え、生徒？、　託児所の子達ですか？、へえ、何人位？、
小母　三人どす。先に御見舞いに来やはったのと違います。直ぐに通して奥さんコーフンなすったらいけん思うたもんどすさかい——。
五郎　そうですか。……（と萬葉集を片手に持ったまま台所口へ消える）
小母　……（病室に美緒を見に行く）奥さん、いかがどす？、
美緒　……（うなづいて見せる）
小母　……（美緒の額に手を當てたり、吸入器の加減を直したりしながら）また五郎はん、書物読んで呉れはっているのどすか。……なんぞお飲みにな

りまつかて、
美緒 ……（かぶりを横に振る）
小母 どすかいな。んでも、なるべく、なんぞ飲むか食べるようになさらんといけまへんぜ。
そこへ五郎が戻って来る
五郎 ……美緒。あのなあ、……託児所の子達が見舞に来てくれた。お前の手がけた子で補習科を出たのが二人と、現在あすこにいる子が一人だ。みんなの代表みたいな意味で来たというんだがね。……どうする？別に会わなくってもいいだろ？
美緒 ……（かぶりを振る）
五郎 だって、又お前、気が立っていかんぞ？俺がよくそういっとくから、な？スッカリ良くなれば、いくらでも会えるんだ。
美緒 ……うん……会うの……。
五郎 仕様がねえなあ。……そいじゃ、ほんのチヨットだぜ。いいかい？、いいな？（美緒コックりをする）……じゃ庭にまわすからね。絶対に口を利いちゃ駄目だよ。いいな？（美緒コックリ）約束したよ。ホンの一分間だよ。じゃ……（と庭に下りて裏口の方へ消える）
小母 ……生徒さん達、来やはった。奥さん、ええなあ！
美緒 ……（何度もうなづく）
小母 みいんな、元気の良さそうな、可愛いいお子どすえ。
五郎が三人の子供を連れて裏口の方から庭へ出て来る。上手に立停って、低い声で、三人に向って何かしきりに注意している。病人が重態だから、会うのはホンのチヨットにして呉れ、話もなるべくしてくれるなと頼んでいるのである。三人は、子供らしい緊張した顔で、うなづきながら聞いている。一人は質素な和服を着た十六七の少女、一人はカーキー色の國民服を着た十五六の少年。この二人ともまだ小さいのに関らず、既にどこかの職場に働きに出ているらしく、その年頃の中学生や女学生にはない所の強い着実さといったものが身に附いている。もう一人は十一二位の洋服の少女。五郎、注意し終って三人を導いて病室の前の縁側の所へ連れて来る。それを焼け付く様な視線で見迎えている美緒。三人の子供も、五郎の傍に横に一列に並んで、

きまり悪そうにお辞儀をしたまま寝台の上の美緒をなつかしそうにジーッと見ている。
そのままで永い間

男の子　……（口を利いたものか、どうしたものかと五郎の顔と美緒とを見較べていた末に）美緒先生、……御病気どうですか？……あのう、僕達、……みんなを代表して……。

美緒　……（三人から目を離さず、しきりとコックリをして見せる。うれしそうに涙ぐんでいる）

少女一　……もっと、しょっちゅう、皆来たがっているんですけれど……大概もうみんな働らきに行っているもんですから、それで暇がないもんですから……。みんな、先生の事心配しています。……こないだも、同窓会があって、五十人集って来て、そいで、美緒先生の事、みんなで話して、そいでそんな時に正木さん（と少年を指して）と私と、そいから君枝ちゃん（と少女二を指して）と、……この子は先生知らないでしょうけど、今の所で女の組の組長している藤堂君枝ちゃんです、……こんだけが代表でお見舞いに来ることに決ったんですの。……ほかの人もみんな来たがったんですけどみんな忙しいもんだから……。

美緒　……（コックリをしている）

少女二　私は先生には教わらなかったけど、でも先生のことよく知っています。

少女一、あらあ、だって、どうして知ってるの？、

少女二、だって、遊戯室のオルガンの上に、先生の写真が懸けてあるじゃないの。あれで知っているんだわ。ほかの先生や卒業した人がそういうのよ。これは、この託児所こさえた美緒先生だって。だからあたし達もみんな、美緒先生美緒先生というんです。

少女一、そうなんです。久我先生という者は一人も居ないんですよ。みんな私達の真似して美緒先生といっています。

少年　みんな元気で、大概働いていますよ。僕は寺島の方の明石鐵工所に行ってます。まだ見習なんですけど、夜学の工芸学校に通っているから、再来年の四月になれば技手の資格が取れるんです。この仙ちゃん（と少女一を指して）は、松屋の食料品部につとめながら、洋裁習っています。そいから、唱歌がチットも歌えなかった時ちゃんね、

あの子は、こないだ新京の何とかいうデパートに行きました。そいから、食堂でよくオシッコを垂れちやつて先生に拭いて貰つていた哲ちやんて子ね、あれは、こないだ病気だつたんだけど、もう良くなつて、お父つあんの後をついで左官屋さんになつて、腕がよくなつたら支那へ渡るんだといつてました。

少女一　そいからね、先生、あの、よく人の物を黙つて盗んでいた竹内ミチさんね、卒業してから學校の方も五年でよしちやつて、暫く見えないと思つていたら、こないだ、齊藤のツネちやんが道で逢つたら、ズッと大阪の方に奉公に行つてて、とても立派なナリをして、はあそうだすなんていうんですつて。先生の事を話してやつたら、とても心配していたんですつて。

五郎　ハハヽ、みんな元気でやつているんだね。いいな、みんなこれからだ。（三人に目顔で、もうそれ位にしてくれと知らせる）

少年　（モジモジしながら）美緒先生、早くよくなつて、又戻つて来て下さい。みんな待つています。

美緒　……（コックリ。涙を流している）

少女一　先生お大事にね。私達の事心配しないでねじやこれで失禮します。

五郎　どうもありがとう。遠い所をわざわざやつて来てくれたのに、なんにもなくてホントに済まなかつた。みんなによろしくいつてね。ありがとう。

少女二　あのう、これ（と懐中から紙包みを出して縁側に置く）みんなで出し合つたんです。なんか食べる物買つて行つた方がいいという人もあつたけど、美緒先生何がいいかわからんからこのままの方がいいつて……。みんなで八圓五十錢しかなかつたけど――。

少年　（あわてて）馬鹿だな君枝ちやん！　そんな！

少女二　だつてさ。……そいでね、そいじや半パだから変だといつてたら、先生達が三人で五十錢おつ出して呉れたんで……。十圓になったので十圓きや入つてないんです。どうか――。

五郎　困るなあ、君達にそんな事させちや。どうする美緒？、いただくか？、（美緒コックリ）……じや、なにもいわないで頂戴します。ありがとう。みんなにもありがとうといつてね。

少年　では、これで……。早くよくなつて下さい美

緒先生、いいですか。
五郎、ありがとう。キットよくなるよ・キットよくなる。……ホントに済まなかった。
　三人、キチンとお辞儀をしてから、立去りかける。それを見て美緒が片手をあげる
五郎　どうしたい？（三人の子も立停って振向く）
美緒　……（低い低い、かすれた声で一生懸命の力を集めて）あのね、……みんなに……いって……頂戴……私……あなた方……の事、……ホントに……好きだった。……みんな……みんな……自分のこと……よりもみんなだ……愛して……いたって、……そう……いってね。……みんな……元気で……私の……分まで……元気で……やって……頂戴って……そういって……ね。
五郎　もういい、馬鹿！・疲れる！
　三人の子の中で少女二がいきなりワーッと泣き出す。少年があわてて、泣くなという意味で、少女二をこづきまわす。少女一もポロポロ泣き出した。五郎があわてて三人を押すようにして庭を歩き、裏口の方へ連れ出して行く。
　少年はまだ少女二をこづいているが、庭のはずれで自分まで泣き出した。……三人と五郎消え去る。後では、これも涙ぐんだ小母さんが、何もいえず、ハンカチで美緒の頬の涙を拭いてやっている。昂奮をしずめてやろうとして美緒の手で撫でてやる。五郎が玄関から戻って来る）
五郎　……（容態にさわりはしなかったかと、ジーッと美緒を見詰めながら、努めて落着いた調子で）馬鹿だよ。……だから、いわない事じゃないんだ……それに愛していたなんて、キザだ。わかり切っている、そんな事。……第一、いたというのは全體、なんだよ？いたとは過去のことだぞ。阿呆！
小母、少し水で冷しなはるかい、
美緒　……いいの……なんとも……ない。
五郎、いや……小母さん、水汲んで来て下さい。（小母心得て台所へ去る）……苦しくはないか？（脈を取る）……。
美緒　……平気よ、……ああ、……嬉しかった。……
五郎　平脈だ。……でも喋るなといってあるのに、馬鹿だ。……でも良い子ばかりだな。……シャクり上げながら駅の方へ行った。悲しいよりも、久

し振りにお前を見て、うれしいんだよ。……あんな子達を何十人となく、お前は育てたんだ。ああしてグングン大きくなる。……すばらしいじゃないか。やがて、大人になり、みんな働いて、その内に子供を生む。……明るいよ。クヨクヨする事あ要らん。

美緒　……萬葉……また……読んで……。

五郎　疲れているから、後にしよう。……少し眠つたらいい。

美緒　……いいの……読んで……。

五郎　そうか、……じゃ、眠くなったら、聞きながら寝ちまえ。（本を取り上げて開ける）……ええと、（朗読）人麻呂《ひとまろ》。ぬばたまの黒髪山の山菅に、小雨降りしき、しくしく思ほゆ。ぬばたまのは枕言葉。菅の草に小雨がシトシト降っているのを見ていると、恋人の事がしみじみ想われるというんだ。ぬばたまの黒髪山の山菅に、小雨降りしき、しくしく思ほゆ。……同じく。大野《おおぬら》に小雨降りしく木のもとに、時々より来《こ》、吾が思ふ人、いいな！　野原に小雨がショボショボ降っている、その木の下に自分は今立ってお前の事を考えているが、時々はお前も此處にやって来ないか。大野《おおぬら》に小雨降りしく木のもとに、時々より来《こ》、吾《あ》が思ふ人。……どうした？、どうかしたのか？、おい！、おい！、おい、美緒！。（声が次第に高くなる）

美緒　……（昏睡状態に陥ちている）

五郎　おい、美緒！、こら！。（いっぺんに真青になって患者の脈を計る。ハッとして、美緒の頬に手をやって、ゆすぶる）……おい！、美緒！、美緒！

小母　（洗面器に水を汲んで台所から持って来たが、五郎の様子にビックリして）どうしやはりました？、

五郎　（小母さんの肩を掴んで、その耳元に口を寄せて）小母さん！、走って医者を呼んで来て下さい！、カンフルの用意！……カンフル！、カンフルです！、とにかく、その用意をして来てくれ！そういって！、早く！、早く！

小母　へ？、……へえっ！（と、いきなり洗面器を下へ置いて玄関から走り出して去る）

五郎　美緒！、美緒っ！。

美緒　……（ボンヤリと眼を開けてニッコリして）も

つと、……読んで……。

五郎、しっかりしろ！馬鹿！。なんだ、これ位の事が、なんだ。馬鹿野郎！。俺を見ろ！。俺の顔を見ろ！。

美緒、……なあに？……もっと……読んで……。

五郎、いいよ・いいよ、もういいよ！。馬鹿！。俺を見て居ろ！。こら！。

美緒 ……眠い。……読んで……くれないと…眠い！。

五郎、よし、じゃ読んでやる！。だからチャンと聞いて、目を開けてろ！。いいか！。眠っちまうと、承知しないぞ！。俺を見てろ！。（右手では美緒の脈を取りながら、左手で本をデタラメに開いて、ブルブル顫えるような声で朗読）いつしかと待つ吾が宿に、百枝《ももえ》刺《さ》し生ふる橘、玉に貫く五月を近み、あへぬがに花さきにけり、毎朝《あさにけ》に出で見る毎に、気緒《いきのを》に吾が思《も》ふ妹に、まそ鏡《かがみ》清き月夜に、ただ一目見せむまでには、……美緒！。おい！。いいか！。聞いてるか？。わかるか？。

美緒 ……（朦朧とした状態のまま、かすかにうなづく）

五郎、（殆んど叫ぶような声になっている）眠るな！。眠っちゃいかん！。馬鹿！。聞くんだ！。大伴家持《やかもち》だ。畜生っ！。ただ一目見せむまでには、散りこすな努《ゆめ》と言ひつつ、幾許《ここだく》も吾が守《も》るものを慨《うれた》きや醜《しこ》ほととぎす、暁の心悲《うらがな》しきに、追へど追へど尚ほし来鳴きて、徒《いたづら》に地に散らせれば、術《すべ》をなみ攀《よ》ぢて手折りて、見ませ吾姉子《あぎもこ》。反歌。……美緒！。畜生！。美緒！。

美緒 ……（昏睡と覚醒の間を往ったり来たりしているらしい）

五郎 （脈を見ていた手で美緒の頬を叩くような事をしながら、緊張しきった顔で、わめく様な声を出す）美緒っ！馬鹿野郎！。眠っちゃいかん！眠るなといったら！。反歌！。いいかっ！。十五夜《もち》降《くだ》ち清き月《つく》夜《よ》に吾妹子に、見せむと思《も》ひし宿の橘。同じく妹《いも》が見て後も鳴かなむほととぎす、花橘を地に散らしつ。……俺を見ろ！。俺を見ろ、畜生！。おい！。おい！。おい俺を見ろ！。妹が見て後も鳴かなむ、……。

朗読の声は狂ったような大声になっている。

戸外は少し傾いた初秋の午後の陽射しが、カッと明るい。

病中手記

一月二十四日

静かな夕かたの深い味わいが、しみじみとわかるようになったのは、病気にたおれて、寝たきりになってからだと言える。

室内はすでにいくらか暗くなって来ている。窓に見える空は、まだ明るい。からだはあちこちと苦しいが、耐えきれぬというほどではない。心もちはシーンと、けんそんな寛容になっている。沈んではいるが、暗くはない。

そこへ遠くで子供が呼ぶ声がして、トーフやのラッパの音。――ひとつの祝福と言ってよいかもしれぬ。

一月二十七日　ひる

自我の実存の孤絶を、いつでも実感としてつかみとってさえいれば、他を「理解」しようとして常に感ずる焦燥や絶望や苦悩などを味わわずにすむだろう。われわれは他の者を「理解」し得るものではないし、かつまた「理解」しないでもさしつかえないのではないだろうか。理解したと思ったり、又は理解しないではいけないと思ったりするのは、われわれの性格の弱さのためではなくて、その弱さのためではないのか。

犬がニワトリを見ているように見ていればよい。それ以上のなにができよう？　いや、反対に、それこそ重要な「理解」ではないだろうか？　ホントウのヒューマニズムはそこからはじまる。そこ以外のところからはじめようとするから、いろいろゴタゴタが起きるのではないのか。

あまりに、すべての事を「理解」しようとするために――ただそれだけのために、自分の目の中が熱してしまって、真の理解が得られない。

われわれは既に、このままでわれわれにとって充分にたりるほどには、すべての人と物を理解しているのではないだろうか？

一月二十八日

志賀直哉の、最近発表した昔の日記の中に「自分は万人にすぐれた者だとのハッキリした自覚を持つ

ている」というくだりがある由。

そういう自覚を持ったという事は、それほど珍らしいことでも、えらい事でもあるまい。自分などにも十五六才の頃からそういう自覚が時にある。ただ他人に言わないだけである。

ところが志賀は今にして己の日記をそのまま全集にのせている。このことが、えらいとも言えるし、そして少しばかり異様でもある。

当の志賀は「日記をそのまま発表しようと思ったのだから、その一部をけずったりするのは正直でないから、良かれ悪しかれ、そのままで」と思ったに過ぎまい。そして自分のそのような考えの、センスの上での異様さを感じないのだろう。

えらいと言うことは多少ともグロテスクだという事を意味するのかもしれない。

一月二十九日　夕方

病気でたおれて以来一カ月、あちこち苦しい安静をつづけて来たが、今さらながらおどろく事は、こんな思いをしながら――中には、もっとひどい思いをしながら、この種の病気で寝ている人々が全国にたしか十万人を越えているという事実である。自分などは、これまで心もちが傲慢にすぎたのだ。

一般に、いつも健康だという事は傲慢であるという事かもしれない。

一月三十日　夕方

緒方竹虎が急死した。六十七才の由。立派な人だったらしいのに惜しい。日野草城という俳人が死去。五十四才。十年肺患の末の由、今の自分と同じ年だ自分はこれから十年肺患」という事になる。かと思うと二十二才のピンポンの世界選手が「胃弱で病臥中、心臓マヒで急死」している。

実にいろいろだ。これらの事がらの間に一貫した何かが在るのか？、又は一貫した考えをこれらの事がらの上に樹立し得るのか？、

一月三十一日　午後

ひるからベッドに移る。

ゼミより関口、中西、上村、西巽来てくれ、ギクと五人で苦心して一時間位を要した。先日買った（五万八千円位）エンプレスの自在安臥という病人用ベッドだが、すこし背が高すぎる。馴れればよいのかもしれぬ。とにかくスプリングは強いし、全体に良いベッドではあるようだ。この上で当分、スナヲに寝なければならぬ。

先日からの待望の事ゆえ、ヤレヤレの思い。

二月一日　夕方

これもまた一つの生活だ。と言うよりも、これが現在の、当分の間の、自分の生活である。それをしっかりと掴まなければならぬ。

この病気を早く治して、そしてその上で生活を取りもどさなければならぬなどと考えていたのでは、とうていこれに耐えきれない。同時に、こうしていても持つことのできる生活の実体までも失ってしまうだろう。

寝たきりの、この状態が、自分の生活だと思えるように早くならなくては。

二月十五日　夕方、

病人も病気が危機にある間はやむをえぬが、一応おちついて慢性の経過をたどるようになってからは毎日なにかホンのすこしづつでも生み出す仕事をしなくてはならぬことに気附いた。ただその質量増加の度合いを非常に忍耐づよく徐々にしなくてはなるまい。その忍耐が、自分にはむずかしそうだ。

あとがき

「浮標」

昭和15年、著者三十八才

はじめ「焰」と題して書き出され、後に改題。文学界6・7号に発表。11月劇曲集「浮標」に収録、桜井書店から刊行された。

初演（15年3月）築地小劇場

演出　八田元夫

出演者　丸山定夫

本庄克二

日高ゆりえ

岸輝子

薄田研二

「病中手記」①

昭和三十年十二月、喀血して倒れて後、病臥中の手記。原本は、小さなスケッチブックに鉛筆で書きつけられてある。

昭和三十七年十二月三日印刷
昭和三十七年十二月六日発行

限定版
225部
その内の
第194番

◎三好家に無断で上演上映、放送、出版、複製をすることはかたく禁じます。

三好十郎著作集
第二十五巻
（非売品）

著作者　三好十郎
監修者　三好きく江
発行者　三好十郎著作刊行会
代表者　大武正人
東京都大田区北千束町七七四番地
電話　東京（七二七）二三八五番
振替　東京五一七五二

印刷者　株式会社　タイト印刷
東京都中央区八重洲四ノ五梅田ビル内

第二十五回配本

三好十郎著作集

第二十六巻

三好十郎著作集　第二十六巻

監修　三好きく江

編集　大武正人
秋元松代
高橋昇之助
石崎一正

生きてゐる狩野

一幕
第一場　狩野神社前
第二場　狩野家の中
一幕
第三場　花田家の奥座敷
一幕
第四場　狩野家の中
第五場　狩野神社前

時……五六年前の春
所……信州から東北へかけての一僻村
人
狩野禎介……田舎医師　五十八才
　禎一……その長男　医学士
　綾子……禎一の妹
辰　造……狩野家の下男　六十四才
狩野久之進……神官。禎介の遠縁の親戚
耕　太……もと農夫の廃人
花田小五郎……大地主兼製糸工場主
金　輪……弁護士、花田の支配人
神　山……地主にして村長
神山大一……その息子、綾子の夫

菅　谷……地主
小　林……土地家屋ブローカー
お　常……貧農の妻、綾子の幼な友達
お　袖……老農婦、禎介の幼な友達
松五郎……小作人
治　作……同
富　三……同
七　蔵……同、お常の夫
さ　だ……製糸女工
み　ち……同
か　ね……
き　く……
勘治郎……出征する青年
弥　平……その伯父、老農
お　高……勘治郎の許婚
勘治郎の親戚二三
兵　五……老農
み　ち……製糸女工
房　坊……農家の子
花田家の下男
〃　女中
小学校生徒達

その他

１　狩野神社のあたり

春浅い山村の村はづれ、風のない陽ざしの柔かい朝。

白い街道が延びてゐる。街道に面して祠堂が一つ、小さい杜に囲まれてゐる。ささやかな社ながら非常に旧く四辺は物さびて由緒ありげに見える。塗りのはげた朱の鳥居、古い手洗ひ鉢、「武運長久」「皇軍必勝」等と大書された旗など、社の裏の上手奥から下手へ耕地。近く迫って見える山々。近くに乗合バスの停留所があるらしく上手から稀れにバスの発着の音が聞えて来る。道路から狩野社へあがる五六段の石段の上に、汚いなりで腕組みをしてボンヤリ突立って耕地の方をいつまでも眺めてゐる耕太。

小鳥が囀り、遠くから流れて来る進軍ラッパの響。

そのままで長い間。

製糸女工のみちとさだが元気な足どりで来る。耕太の姿をみつけ顔見合せてクスッと笑ふ。

みち　……耕ちゃんお早う、え、天気だやのう。
耕太　……
さだ　耕ちゃん、あんた毎日〳〵そうしとって何かえ、こんでも来るのを待ってんのかい？、
耕太　……
みち　そうしてゐるとへえ、狩野さまが御利益で素敵なお嫁さんでも世話して下さるかね？、さうだべ、耕ちゃん？、
耕太　（尻ごみをしながら）……しらねえ、俺あお嫁なんかいらね、
　みちとさだ声を合せて笑ふ。
さだ　アッハハハ、いらねえかいて、ハハ……、
（フト神社にある真新しい幟の一本をみつけて）
あれえ、みちちゃん、みちちゃん、あれ、新田《しんでん》の勘治郎さがやねえけ？、
みち　へえ？、どれ〳〵（近眼らしく、幟の傍へ近よって）祝出征門馬勘治郎君、新田有志一同――ほんまに！
さだ　だったら先刻《さっき》竹次が新田から今日一人出征する人があるちゅふてたの、勘治郎の勘治郎さだな。
みち　さうゆやお高ちゃんも昨日っから工場休んどる。
さだ　勘治郎さが出征するとお高ちゃんもこれから大変だ。
みち　そうだ、おやチョッとおら達もお詣りして行くべ。お高ちゃんの為に勘治郎さの武運長久をお願ひずべえよ。
さだ　うん。（二人手洗ひ鉢で手を清める）
祠堂に向って手を合せて拝む。
下手から洋服に白い診察着姿の村医狩野禎介が、薬や診察器具やが一杯につまった腹のふくれた大きな古い手さげ鞄を自転車のうしろにしばりつけ、その自転車を曳き乍らやって来る。善良そのものと言った上品な人柄お詣りしてゐる娘たちの姿を遠くから見つけて歩き乍ら大きな声をかける。
禎介　いよう、みちとさだおやないか。
みち
さだ　あれ、先生（と叮寧に挨拶する）
耕太　……（彼も禎介に叮寧に挨拶する）
禎介　（近づきながら）どうだ耕ちゃん、気分はええかな？、
耕太　へえ。
禎介　ハハハ（娘たちに）朝早くからお詣りしてくれて感心だのう。よい婿さん授かりますやうにと

お願ひでもかけたんかなァ、

みち
さだ　あらあ、先生さ、……

禎介　これ〳〵逃げんでもえゝぢゃろ。こうしてつくづくみるとお前らもいつの間にかえゝ娘っ振りになったの。どうぢゃ、儂が一つえゝ婿さんをせ話してやろか、ァ、

さだ　しらん！

禎介　はははは。

みち　先生さ、新田の勘治郎さが今日出征するんです。そいでわし達お詣りしとったんです。

禎介　勘治郎君も出征するのか、……（スッと寂しい顔になる）——さうか、そりゃあま、お目出度い事だ。（祝出征の旗を見てゐる）……

みち　先生さ、それぢゃわし達、会社の方、もうそろ〳〵時間だで——

禎介　……もう遅番の出る時間だの、それぢゃ誠にすまんが事務所へよってな、玉田君に日曜からの健康診断の事でチヨックラ打合せときたい事があるから、後であがるからと云つといてくれんかい？、

みち　はい。

さだ　あれ、もう春の健康診断かしらね、やだな！

禎介　何ぢゃ、さだは健康診断厭かなァ、

さだ　……でもさ、……裸にならんといけんのぢゃけに——

禎介　はははは、なにが恥かしいァ、診るのは儂ぢゃ。お前らの体なんぞといふもんは、わしなら何処から何処まで知ってるぞ　オギャアと生れて以来の馴染みぢゃからな、はははは。

さだ　……だって、……先生さだって、……男ぢゃ。

禎介　そりゃ男ぢゃ、しらがあたまの素敵な好男子ぢゃハッハハハハ、はっはっはっは！

耕太　（先生と一緒に急に笑ふ）ハッハハハハハハ。

さだ　意地わる！　耕ちゃんの馬鹿！。（逃げる様に去る）

みち　あれ、さだちゃん待ってよ！　さだちゃ（禎介に頭を下げると、さだの後を追って駈け去る）

禎介　はははは（自転車を路上に立て、神社の石段を昇って行きながら）耕ちゃん御飯などどうしとるな？　納屋のお婆さんはよく面倒みてくれるかえ？、

耕太　へえ、……飯はよう食はしてくれます。

禎介　さうか、それやいゝなあ。

耕太　……でも近頃、この辺の鳥がうるさくてね、先生、早く何とかしねえと、俺の脚気が段々ひどくなりやす。

禎介　鳥がかいな、……ウムムだが儂の見るとこぢや、お前の脚気は別にひどくなっとりやせんのぢやから、まあ、そんな気にしなくともよろしい。

耕太　はあさうでご座えますか（ペコリと頭を下げ再び耕地の方を向いて何事もなかった様に佇む）

禎介　（相手を憐み深く眺めてゐたが、やがて祠堂の前をあちこちして手入れをする。彼にとって此の社は村社であると同時に、遠い先祖にあたるのである。手洗ひ鉢を覗き込んで）ふむ、大分古くなつたな、こりや水を取りかへんといかん。（その上に釣られてゐた汚れた手拭を外ずし、自分のポケットの真新しいのと取りかへる。そして静かに拝礼をする）

禎介自転車を曳いて歩きかける。

そこへ、禎介とは遠縁に当る隣村の郷社の神官である狩野久之進が、神官らしい装に意足駄でセカセカと上手からやつて来る。人の良い、そそつかしい中老人である。

久之進　や、禎介さん、これから出かけるかね？

禎介　お、、久之進さんか、いつも御精が出るな・

久之進　あんたも早くから、相変らず忙がしさうだの、時に此の間からモメてゐる地かたの者たちの上納米の一件はどうなつたんかね？、儂の村でも花田さんとこの田作ってゐる連中が大分ゐるで方々でさわいどる。

禎介　……出来るだけは儂も色々とやってみとるんだが、どうも思はしくないんでの。……まったく、此のままで行つたらどんなことになるか知れやせんからな、あの耕太があんな風になつたのも、五年前の小作争議で地主に田は取りあげられる、一人息子の友市はその騒ぎの最中に急病で死ぬ——それがもとなんだからのう。

久之進　さうぢや、さうぢやよ。（短い間）……さて、先づお詣りをしてと。（神前に至りかしわ手を打つて礼拝する）

ラッパの音再び遠く。

久之進　（路の方へ出て来ながら）ところで、此の五日のこちらのお祭りの事だがな——

禎介　いやいや、その事なら心配せんといて欲しい。

久之進　なぜのう、

禎介　……うむ……あんたのお勤めしとる春日《かすが》さまならとも角つと、社の方を眺めて）此処は村社とは言ひ條、わしの御先祖なのだから、どうも儂の口から大きい祭をなんぞと言ひ出せたもんぞはなし、しかもこうした非常時にどうも。

久之進　何を言ひなさる、非常時だからこそ、神事は一層大切に立派にせにやならんのぢや、なるほど此のお社の神様はあんたの御先祖ぢや。そして儂にも御先祖に当る。さう言ふ事だけで云へばなるほど、二百五十年祭と言ふもんは狩野一族の私事かもしれん。しかしな、禎さん、あんたも御承知の様にわれわれの御先祖様は建武年間に此の土地に土着されて以来、代々の御当主が身を持つて此の村を開かれたのぢや、してみれば、此のお社の二百五十年祭を村として立派にやるといふことは当然な義務ぢやと儂は思ふ。村長さん達とも相談して、ひとつ盛大にやりたいな。

禎介　そりや誠に有難い事だと思ふけんど、しかし……なあ、久之進さん、伜のこともあるし、此のたびは御遠慮したい、儂あどうも……

久之進　そりやお話が別ぢや、あんたの気持は儂にもよく判るが、禎一さんの事は禎一さんの事、祭は祭、こりやまったく別問題ぢやで、たとへ禎一さんはどうあらうと、あんたの事は村の連中が誰も彼もよくしつとる。

禎介　しかし……

久之進　しかしもクソもありやせん。まあ儂の思ふやうにさせときなされ、儂は……（と言ひかけて、前方を眺め）お、誰か出征する人があるかの？

禎介　（一緒にのび上つて前方を見る）お、もう出発か（暫くじつと佇んで見てゐたが、ふと何かに気付くと、たちまちソワソワと落着きを失つてしまふ。自転車に手をかけて）ぢや久之進さん、儂は急ぐから……（ソソクサ行きかける）

久之進　さうかな、ぢやこの話は又いづれ又わしがあがるべえ。

と、村の青年門馬勘治郎が青年団服に赤だすき、伯父の弥平、許婚のお高、その他親類の者三三と一緒に出て来る。

勘治郎　（立ち去りかけた禎介をみつけて）あ、先生つ　狩野先生。

禎介　……勘治郎君、愈々御出征だの、お目出度う……

勘治郎　有難うございます。
禎介　しっかりやって来て下さいよ、あとの事はわしら残ったものが及ばず乍らやるで、
勘治郎　はっ、
久之進　ひとつ、たのみますぞ！
勘治郎　はっ。（敬礼する）
久之進　はははは、よろしい、そのイキぢや
禎介　では、わしはこれで……（とコソコソ去りかける）
勘治郎　あ、先生ちょっと―これでもうお会ひ出来ない思ひますので、狩野さまへお詣りすますで、御迷惑でもちょっと……
禎介　そりやあどうも……わざく此処へお詣りに来ておくれなすったんか。
勘治郎　狩野さまは自分の氏神様でありますから。
禎介　どうも有難う。
勘治郎　（お高と一緒に神社に参拝する）
弥平　どうも先生さ、いつもいつも御厄介ばかりかけまして、又今度は勘の野郎の留守中色々とお世話になる事でござえませう。儂等親類の者の意気地ねえばっかりにいつも申訳けありましねえこんで……
禎介　いや、そんな事は……（と妙にソワソワしてゐる）
弥平　時に先生さ、例の花田さの上納米の件は、その後へえ、どねえな具合になりましたでご座えませうか。何分にも小方のもんの大半は上納米まで食ひ込んどる様な有様で、へえ、こんぢやもうどうにもこうにもあがきがつきませんこんで……
禎介　うむ、うむ、まあ儂も出来るだけの事はしとるが……（受け答へはしてゐるが、心は其処にない）
勘治郎　（お高と共に参拝をすませ、禎介の前に戻って来て、改めて挙手の礼をして）あとの事は何分宜敷くお頼ひいたします。病身の老人と子供ばかりですから、此の上も亦先生のお世話になる事と思ひますが、お頼ひいたします。
禎介　よしく、そんな事言はんでもよいよ、君は何も心配せず御国のために働いてくれ
勘治郎　はっ、老人たちのことで薬代だってどうかと思ひますが……
弥平　何を言っとるんぢや今更、そんな事を言ふと眦のうわぬりぢやぞ勘治郎。おぬしん所はもう十五年以上も薬代は愚か何一つ先生さのとこへ持っ

てった事はねえぢゃねえかよ。

勘治郎　（頭をかいて）いや、どうもすみません。

お高　あら、さう言ふお父うだって先生さのとこへお礼もってったこんなどねえクセ――

弥平　此奴め、もう亭主の味方をしくさりやがって。

（一同笑ふ）

禎介　それぢゃこれで失敬する。勘治郎君、体を大切に行って来給へ。（去りかける）

勘治郎　さうですか。先生、それではお達者で、それから……それから禎一さんにくれぐれもよろしく。

禎介　（打たれたやうに、はっと顔をあげる）

勘治郎　（最後の敬礼をし、急ぎ足で戻って行く）

弥平たちもそれぞれ禎介に挨拶して勘治郎のあとに従ひ去る。久之進も一緒に立去る。

ヂッとそれを見送っている禎介。

バスの近づく音。

「門馬勘治郎君万才」と呼ぶ人々の声。そしてバスの遠ざかってゆく音。

暫く間をおいて、そのバスの発着所の方から、あまり大きくない風呂敷包みを一つ持ち、普だん着の上に外出用の羽織を着た綾子が只一人、人目をはばかる様にやって来る。美しい内気らしい女で、心に何か憂苦のあるらしい姿である。

綾子　（父の姿に気付いて）あ、お父様

禎介　（はじめてわれにかへる　眼の前に立ってゐる娘の姿に吃驚する）お！　綾子ぢゃないか、どうしたんだ今頃――

綾子　大一からお父様に何か御用があるとかで、手紙を持って参りましたの。

禎介　さうか、それにしてもこんなに早くどうしたのかな？

綾子　……（首を垂れる）

禎介　どうした？　顔色が冴えないが、どこぞ悪いのか？

綾子　いいえ。

禎介　神山ぢゃ皆さんお変りないか。

綾子　ええ。

禎介　今のバスだったらお前、新田の勘治郎に会ったゞらう？

綾子　ええ、ちょっと御挨拶しましたわ。

禎介　勘治郎が禎一とは小学校時代からの友だちだし、わしもあれは昔から面倒みとったし、送って

やりたいのは山々だやったが、禎一の事があるしな、あれもチヤンとしとれば今頃は同じやうに御奉公が出来とるかもしれんと思ふと——わしは余計きまりが悪くて、顔が上げられなんだ……

綾子　そんな事、お父様……

禎介　いや。今日はもう何も言はんでくれ。お詣りでもして先へ行ってゐなさい。わしはちよっと一軒寄ってすぐ帰るから、さうしてゆっくり大一君の手紙を拝見しやう。

綾子　はい（沈んだ様子で、神社のなかへ入って行く）

禎介　（二三歩行きかけるが、娘の様子が気にかかり、そのまま佇んでゐる）

綾子　（神社に拝礼してゐたが、そのままの姿で眉が顫える）

禎介　……綾子！

綾子　（泪を拭く）

禎介　どうかしたのか？、泣いたりして？、

綾子　何でもない……何でもないんです。

禎介　何かわけがあるのなら、遠慮なく話しなさいよ。神山の者になったといっても、お前はやっぱり儂の娘ぢや。

綾子　（うなづく）……でも、お帰りになってから……

禎介　さうか、ではすぐ家へ行きなさい。疲れてゐるなら、辰造がゐるからさう言って床をしいて貰って、暫く寝みなさい。

綾子　はい。

禎介　それぢや家へ帰ってアスピリンでも呑んでみるか。

綾子　（うなづく）

禎介　（娘の様子を、注意深くじっと眺め、湧き上って来る憂慮を押さへて、しづかに自転車を曳いて歩き出す）

遠く遠く万才の声と、高いラッパの音。

2　狩野家の中

数日後の薄曇りの午後。
庭先きから見た狩野家の内部。
下手より上手へ六畳ばかりの玄関兼患者待合室、八畳ほどの診察室、次ぎにカーテンの仕切りをへだてて十二畳ほどの座敷の順に並んでゐる。座敷の奥は床の間と奥座敷に通ずる

壁紙、診察室の前から客間を通つて上手奥へと廻り廊下。建物全体がドッシリと古寂びてゐるし、庭も古木や庭石など年代を経て苔蒸き、如何にも旧家の末らしい。客間の縁側にちかく、派手な洋服姿のブローカー小林（三十六七才）が、手下げ鞄から取り出した書類をめくつて見てゐる。

庭には此の家に先代から仕へてゐる老僕の辰造（六十二三才）がムッとした顔つきで花鋏を手にして、桜の古木の手入れをしてゐる。

小林　（書類から眼を離し、所在なさそうに四辺を見廻してゐた躰）流石に昔の普請だな。これだけの古さでゐながらまだガタリともしてゐない。

辰造　……

小林　お話にや聞いてたが、こうしてお訪ねして見ると、なるほどよく判るねえ……さうさう、実は今日此方へ伺ふのに、ちよいと間誤っちまつてね、バスの停留所で道を聞いたら　あ、地蔵先生のお家なら御案内すべえつて若い衆が此処の前まで一緒に来てくれたけど、狩野先生にやそんな仇名があるんですかね？

辰造　（めんどくさそうに）……みんなさう言つてるだ。

小林　へーえ、それにしても地蔵と言ふなあ変な仇名だねえ。

辰造　地蔵ぢやねえ、地頭だ、此の狩野の家てえものは、村はじまって以来の古い家柄で、遠い昔は此の辺一帯の地頭を勤めてゐたい　それが地蔵さんになっちまった……近頃の村の奴等あ、どいつもこいつも慌わてもんだ！

小林　なあるほどねえ、地頭さん　地蔵さんか、雁んだ地口だね、ハハハハ。

辰造　……

小林　（奥間の方をチラッと見て）綾子さんって言ふんだったけね此処のお嬢さん――いや神山さんの若奥さん、御主人の神山さんの息子さん、今度県会議員の選挙に打って出てゐるんだから、今忙しい真最中だらうに……先刻の様子ぢやずうっと此処に来てゐられる様だけど、なんですかね、すると神山さん所から戻って来たと云ふ風なー

―

辰造　……（ヂロリと相手を睨む）

小林　……（相手の見幕に話題をかへる）あの嬢《むすめ》さんの上に、たしか兄さんがあった筈だったね、

大へんな赤だったさうだけど、まだ東京の刑務所
に——
辰造（とうとう怒り出す）や、やめて貰ほう！
お嬢さんがどうの若旦那がどうのと、お前さん一体《いってえ》
そんな事聞いてどうするだい？
小林　いや、どうするって別に……
辰造　あんまりよそん家《ち》のことには立入らねえ方が
よかっぺ——（上手に入る）
小林　……
　白けてしまふ——
間。
　辰造の使う鋏の音、と、奥座敷から綾子が二
三の古文書と巻軸を持って出て来る。
綾子　どうもお待たせ致しました。やっと見つけて
参りましたわ。
　と、それらを小林の前に置く。
小林　どうも恐入ります（古文書をパラパラと見て
から巻軸を拡げてみる）ほう……こりゃあ大し
たもんですなあ——なるほど……フーム、なん
ですか、御宅は此の、つまり南北朝時代からの御
家柄ですなあ……（辰造現われる）私なんぞに
や歴史の事はよくわかりませんが、南北朝と言ふ
とたしか楠正成、新田義貞と言った、あすこいら
ですな。
辰造（木の手入れを仕乍ら、時々反感のこもった
眼つきで、二人の方を眺める）
小林　いや、実は鈴木さんが此のお宅を熱望なすっ
てるのも一つはお家柄の古いのに惚れ込んだか
らなんでしてね。
辰造（明らかに聞える大きな舌打ちをして、不満
気な様子で診察室へとり、片付けをはじめる）
小林　鈴木さんもあゝして金融業の方でひとが成功
して見ると家柄に箔を附けたいのですな、ハハハ
ハ
綾子　……（寂しそうに微笑してゐる）
小林（腕時計を見て）さあ、まだチョットお帰り
がないようですから、今日はこれで失礼しませう
かな。
綾子　本当に相すみません。実は花田さんの工場の
身体検査に行ってゐまして——
小林　花田製糸工場ですか、そりゃあお忙しい事です
なあ。
綾子　でも今日が最終日で早く帰って来ると申して
出掛けましたんですけど、もう間もなく——

小林　いや実は私もまだ他に少々用事がありますずんで、先に角此の書類を先生に一応眼を通しといていただく様御伝言下さいませんか。鈴木の方では出来るだけ早く話を決めたいと言ってるますずんで、御存知の様に県会の補欠選があとひと月に迫って来てるんで、是非それまでに――

綾子　はあ。

小林　さうく選挙と言へば、御主人も今度は立候補なすってゐますな？

綾子　はて、……はあ（うつむいてしまふ）

小林　御承知でせうが、今度の選挙は仲々競走が激烈で、まち方ぢやあもう大変な騒ぎですよ。先に角名乗りをあげた人数が、もう定員の七八倍と言ふんですからね。みんな血みどろの戦争ですよ。鈴木も立つとか黒幕になるとか言ってますが、神山さんも初めてでは大変でせうなあ。

綾子　……（座に居たたまれない位に面を伏せてゐる）

辰造　（以上の会話の間、イライラとし、眼を怒らせ、何度か客間へ飛込んで行こうとする）

その時表の扉が極めて遠慮ぶかく開き近所の百姓女お常（二十七八才）がおづおづと入って来る。

お常　（叮寧にお辞儀をし）ごめんなんし、……あの……ごめんなんし……

辰造　（びっくりする程大きな声で）誰ぢや！

お常　（ビクッとして）……新田のお常でご座えます。

辰造　（玄関へ出て行って）……お常坊か、先生はゐなさらねえ。今日は駄目だから帰えんな。

お常　……へえ、でも、いつごろお戻んなさりますで？

辰造　わかんねえ。

お常　……（うなだれる）

辰造　（お常の様子が少々哀れになり、前よりは穏やかな口調で）大体お前とこは此の四五年つうもの診察代、薬代はおろか七蔵が一昨年《おとし》の春先生から借りた金さへ一文も持って来ねえでねえか、此の家だって何も道楽で稼業してんぢやねえ。

お常　……（もぢもぢしてゐる）

辰造　どうしただ、俺は帰れって言ってるだ！（と又声が大きくなる）

お常　（益々小さい声で）……今度診て頂いた分はきっとお払ひしますで……お父うにそいって

きっと払ひますだから……
辰造　帰ってるって、茂助父っあんとこへか？、いけねえいけねえ茂助父っあん所なんざ七蔵ん家よりもっと暮しが楽でねえぢやねえか、いいから帰ってくれ。
綾子（辰造の声におどろいて、玄関へ出て来る）どうしたの爺や、（とお常を見て）まあ、お常ちやん。
お常　あれ、綾子さんでねえか――（二人、なっかしさうに顔を見合せる）お久しう……
綾子　本当に！　でもよく来てくれたわね、さ、遠慮しないでお上りなさいな。
お常（もぢもぢしてゐる）
綾子　いやだわ、そんな――昔の様になりませうよ、さあ上ってよ。
お常　へえ。（叮嚀に頭を下げておづおづと上って来る）
辰造（それを留める様に）綾子さと話する分にや我らしてもかまはねえが、診察は駄目だぞ、え、か！
綾子　診察？、お常ちゃん、あんた何処が悪いの？
お常　へえ、何でやら胸や腹からえらう苦しうて、……そいで……
綾子　そりや困るわねえ。もう直ぐお父さん帰って来るから待ってるにっしやい。何ならあたし、ちよっと脈だけでも計って、あげようか？、
お常　へえ、有難うござえます（二人室へ入る）
辰造（いまいましさうに見送り、何かブツクサ言ひ乍ら玄関の掃除を始める。奥の客間の小林は、お常が来た時分から帰り仕度を始めてゐたが、その時立って玄関の方へ行きながら）
小林　ぢやお嬢さん、先生がお帰りになったらどうぞ宜敷く、いづれ改めてまへりますから――
綾子（来て）本当に申訳けございませんでした。
小林　ではこれを（と書類をわたして）どうぞ――
綾子　はあ……あの、それから……前にも父がお願ひ致しましたさうですけれど、此処の家、お譲り致しましたあとも、ずっと住まはせて頂きたい、それだけが父の条件だとか申して居りましたが、その点をどうぞ、鈴木さんの方へよろしく……
小林　はあ、そりやあもう、そのお約束が出来ましたからこそ、今度のお話も進みましたんで、鈴木のかたとしましても由緒ある狩野先生一家に引続い

てゐて頂くと言ふのは、むしろ望んで居ります所
で――どうぞ御心配なく。
綾子　どうも色々と御厄介をかけまして、
小林　いや、僕もこれが商賣でしてな、はははは、
では御免下さい。
綾子　何のお構いも致しませんで、……
二人、玄関へ行き　小林は帰る。
辰造　（見送ってゐたが）……チョッ！
綾子　まあ爺やったら！
辰造　今日はまた碌な奴が来くさらねえ。（表戸を
しめてしまふ）
綾子　（診察室へ）どうもお待遠さま。
お常　……（黙って頭を下げる）
綾子　いやねえお常ちゃん、そんな他人行儀は止め
ませうよ。此方へおかけなさいな。（と向ひ合つ
て座って）本当に何年になるかしら、あんたと一
緒に学校へ行った頃のこと、あたし、いつまでた
っても忘れられないわ。
お常　ほんに！　あん時分は良かっただなあ。（昔
を思い浮べてしみじみとした口調である）あんた
が街の女学校の寄宿舎さ行くとき、何でやら俺《おら》も
うこれっきり合へん様な気がしてなあ、あれから
二三日つうもん、泣いてばかりゐた。
綾子　まあ！（素直な感激のいろ、相手をじっと瞠
めてゐるうちに相手の衰へてゐるさまに胸を打た
れるが、さりげなく）お常ちゃん、少し痩せた様
ねえ――
お常　へえ、どうした事だか、体がだるうてねえ――
綾子　どれ、ちよっと――（脈をみる）御飯は食べ
られる？
お常　へえ、此の頃あんまり腹がへらねえ様で――
綾子　さう。肩がこったり、寝てゐて汗をかいたり
しないこと？
お常　汗は時々かきますだ、肩のこりはもう七蔵ん
家《ち》へ行ってからずっとの事だで。
綾子　さう、……体が悪いのに畑仕事ぢや大変ねえ。
お常　（言ひにくさうに）それが、へえ、俺《おら》いま実《さ》
家《と》へ帰ってるだで……
綾子　さう。……すると体がよくなるまでお父う
さんとこで養生するわけね。
お常　（首垂れてしまふ。そのまま低い声で）それ
が、……それが、……俺《おら》もう、戻れねえ事になる
らしいだで、……
綾子　まあ――何故？……どうしてなの？

お常　俺《おら》　斯んな体になってしもふたで、……思ふ様に田んぼ仕事も出来ましねえ、七蔵はさうでもねえだけんど、お舅さまや嫂さんがなあ、……

綾子　（無言で深くうなづく）

お常　俺《おら》、病気なんざどうなってもと思って、出来るだけの事はしましたが……とうとう、七蔵が……実家《さと》へ帰れって言ひますだで、……

綾子　（聞いてゐるうちに、泣けて来てゐたのが堪らなくなって、袖で顔をかくし、烈しく泣く）

お常　……（はじめのうちは自分に同情して泣いてくれるのだと思ってゐたが、綾子の泣きやうが少しひど過ぎるので、反対にお常が心配になる）

綾子さ――綾子さ――

辰造　（綾子の泣き声を聞いて顔を出す。彼にはその悲しみの原因がよく判ってゐるのだ。今までに見られなかった優しい口調で）綾子さ――泣いたらいけねえ。

綾子　（その場にゐたたまれなくなる）お常ちゃん御免なさいね、……（と顔をおほったまま奥座敷へ走るやうに去る）

お常　……（オロオロして心配さうに見送る）……どうなさったたね、綾子さ？、

辰造　何んでもねえだ。もうお前帰れよ。

お常　俺《おら》が何か悪い事でも言ふて、……？、

辰造　んぢやねえ、お前になんぞ関りのある話ぢやねえ。

お常　でも……何やら俺《おら》あ心配だ。どうしたらよかべ、辰造の小父さ？、

辰造　それほど言ふなら、他でもねえお前《めえ》の事だ。訳さ聞かせるけんど――誰にも言ふぢやねえだぞ。

お常　（うなづく）

辰造　お嬢さはな、実は神山さから戻されて来てなさる。……それでお前《めえ》の今の話がのう、……

お常　ま、何て事だ！　綾子さみてえな良いおんな、どうしてそんな、……

辰造　……うむ、チョット訳が有ってな……

お常　だって変でねえか、もともと綾子さに就いちやあ　神山の若旦那の方で見込んでからに、無理矢理みてえに嫁御に貰ふた仲で、……（と言ひかけて、はっと気がつき）ぢや、矢っ張り若旦那さの事で、……？、（今度は涙があふれてくる）そ、そんな事ってあるもんぢやねえだよ。そいぢやあんまり綾子さがお可哀さうだ――

辰造　ひでえ仕打ちだと思っても、禎一さの事が有

るから先生もみすみす神山に対しても強くは言へねえだ。

お常　若旦那さはまだ刑務所かね？、

辰造　うむ。

お常　あんな気質のやさしい方が、どうして又ねえ。

辰造　先生は可哀さうだ。あれからってもんは、すつかり元気をなくしてしもふて、村の学務委員や銃後奉公会の幹事や、名誉職はみんなやめてしまふ、只、恥かしい、恥かしいの言ひ暮しだ。夜中なんぞに、時々一人で泣いておいでる事もあらあ……（涙を拭く）

お常　……

……間。

表に人の来る気配。

辰造　くそ！　又誰か来やがった！（立って行き表戸を押へる。外から戸を叩く音）駄目じや駄目じや、今日はもう診察はお終ひだ。

表の声　こらこら！

辰造　又来てくれ！

がらりと戸が開けられ入って来たのは禎介。

禎介　儂だ！　こん野郎、今時分から寝ぼけくさつて。

辰造　なんだ先生か。

禎介　（笑って）やれやれ、身体検査と言ふ奴はひどく疲れるわい、辰、お茶一杯たのむ。

辰造　へい。（奥へ去る）

お常　（出て来て挨拶する）お帰んなせえ。

禎介　おゝ、お常坊　どうかしたんか？、

お常　へえ……少し体が悪うく……それで……

禎介　よしよし　此方へ来てごらん。

診察室へ連れて行く。辰造お茶を持ってくる。先生はそれを呑んでからお常を診察しはじめる。

辰造は器械をとりかたづけてゐる。

禎介　……フム……にを開けてごらん……フム……そいで、何時ごろから斯んな具合になったんたな？

お常　三月ばかり前から——

禎介　どうして今まで放っといたんぢや、何故もつと早く来ねえ？、

お常　……へえ。

禎介　まあ風邪をこじらした様なもんぢやから、少少楽をしてうまいもんをたんと食はせてもらふんぢやな、うまいもんと言っても仲々無理だろうが

まあ明日にでも儂が七蔵に会ってよく話しといてやらう。

お常　（モジモジと）それが、、、、俺《おら》今、実家《さと》に帰って居りますで、、、、

禎介　茂助お父うん所へか？

お常　へえ。

禎介　どうしてだな？

お常　つい、戻されて来やして、、、、

禎介　そりやあいかん　そりや、いかん――七蔵がそんなことさせるなんて、そりやあいかん、よし、儂が明日にもきつと何とか話をつけてやる。

お常　有難う御座えます――

禎介　ちや　後で茂助父っさに薬を取りに来るやうに、そ言ってな、チヨット話したい事もあるで。

お常　へえ、何から何まで、済みましねえ　お薬代は茂助お父うがきつと、、、、

禎介　そんな事はどうでもえゝよ。それよりアンコロの一つも余計食ふ気になれ。

お常　へえ。（叮寧に挨拶し、帰つて行く）

禎介　（暗然として見送ってゐたがやれやれへ診察着を脱ぎ乍ら居間の方へ）辰　今日は鈴木さんの方から人が見える筈だったが――？、

辰造　先刻来てゐたが、又来るちうて帰ったでがす。

禎介　そうか。（一人で着物を着かへる）

辰造　先生、あんたどうしても此の家屋敷売りなさるかね？、

禎介　又それを言ふ。もう言ふな。誰かこいだけの家を売りたくて居る奴がある。ちやが、銀行の方も花田さんの方も、これ以上捨てとくわけに行かんしな、オ一もう薬屋なんぞも、薬品を届けて来よらんし、このままぢや、どうにもならん。

辰造　そのどうにもならねえやうにしたのは誰でがす？、そりや貧乏な連中は可哀さうにやちげえねえが、んだからと言って、此方がこんなになるまでどうかうするがものはねえだ。お前さま御先祖様に申訳けねえと思はねえか？、

禎介　（困って）判った、判った、もう、そう言ふな。全体この村あ貧乏人が多過ぎるんだ。どう言ふわけだかわかんねえが、まあしかし儂が及ばずながらしてやつとつたからこそ村の者も多少は助かって居るんぢや。まあ儂ん所が困ったと言っても、まさか餓え死もしやすまい。いよいよとなりや村の者もうっちやっときやせんだろさ。

辰造　そら、その調子だ。地蔵さんだ、石の地蔵さんだ。唯ニコニコしてゐるばっかりで、うぬが鼻の先の蝿も追えねえ　その証拠にゃ綾子さんの事だって、たとへどんな事情があつたにしろ、只の手紙一本で返して寄越すなんて、そんな——
禎介　なあに、神山の方だって考へとらう、選挙に都合が悪いので、まあ一時あれを此方であづかっとるやうなわけだ。神山だつて、まさかそんな非道な事もすまい。
辰造　それならさうで、神山さんからもっとちゃんとした挨拶が有る筈だ！
禎介　今は選挙で忙がしいのさ。その内には何とか言ってくべよ。
辰造　そんなダラシのねえ事を言っとるからよってたかって好い様にされちまふだ。
禎介　まあまあ、いいて！
　其処へ小作人の松五郎、富三、治作たちがやつて来る。
小作人たち　御免……御免なんし……
辰造　誰だあ？
松五郎　へえ、松五郎と富三と治作でがす、先生さ、おいでで御座えませうか？
禎介　あ、ゐるぞ、おあがり。
松五郎　へえ、ごめんなすって……
　三人座敷へ上って来る。
　辰造はそれを又来やがったと言ふ顔つきで白眼て見てゐる。
禎介　どうだみんな、上納米の話は、その後なんとか運んどるかな？
松五郎　え、わしら三人がへえ、小方の者の世話人みてえなもんにされちまひやして、そいで、毎日のやうに花田さんちに日参してお願ひしてゐやすが、どうも、うまく行かねえで、第一、花田の大旦那あ、わしらぢや逢っても下さらねえんで……そいで、まあ、毎度の事ですが、又先生さのお力を借りにあがったやうなわけでがして——
禎介　困ったなあ……それに就いちゃ出征した新田の勘治郎たちからも、よく頼まれた事で、僕も及ばず乍ら出来るだけの事はしとるんじゃが、花田さんの方の事情も色々と聞いてみると、無理のない話だと思ふ点もあるしな、今迄待って貰ってゐたあげく二割まけろは少し虫が良過ぎはせんかの？、お前等も、そこはよく思案して、何とか歩みよる気にならんといかんな。

松五郎　へえ、そりやもう、、、、重々御尤もで――よんどころなさや一割でもまけて貰へば、助かりやす。
禎介　花田さんの方には、一両日の中に儂が一度出かけて見よう。
松五郎　へえ、どうぞ一つ――（頭を下げる）
禎介　何やかやでもう半歳ちかくも待つとるんだから、花田の方でも催促する訳ださ、製糸の方もそんなに楽を言ふわけにもいかんらしいの、時勢が時勢だや！　まあ出来るだけ穏便にせえといけん。
松五郎たち（うなづく）
　お袖婆さんが、杖をつきつきやつて来る。
お袖（玄関口で大声）先生さゐなさるだかねヽ、先生さヽ、
禎介　おーい、ゐるぞ、ははは千客万来だやの―
お袖　ヤレヤレ、ちよつくらよらしてもらいますだ。
（敷台に腰かける）御免なんしよ。
禎介　お袖婆さんか、どうしたいヽ、
お袖　年のせいかしんねえけんど、どうも夜になると眼がボンヤリしてなんねえだ。儂やジンゾーが悪いだげな。どうもそんせいだらうと思つとるだが、とにかく一度先生さに見て貰うてな。
禎介　ははは、よしよし、だや此方へ来なさい。
（診察室の方へ）
お袖（松五郎たちに気付いて）いよう、裏戸の松兄いたちだやねえけ――相変らず先生さを困らしとるだなヽ、
松五郎（苦笑）お婆、いつも元気でいいな。
禎介　帯といて、かけな。（禎介直ぐに診察をはじめてゐる）
お袖　お、よっ。クヨクヨしたつて始まらねえ。花田さで上納米を二割とか三割とかまけて呉れたつて焼け石に水で同じ事だあな。内の倅に儂は言つてるだ。みんな差し上げろつてな。持つてる物は、みんな差し上げろ。そしたら、もうそれ以上取るわけに行かねえ、ハハハ、さうだろが。
松五郎　お婆に合つちやかなわねえ、でもそれだや俺達だつて、お婆の家だつて生きて行けねえ。
（禎介お袖をベットに寝かす）
お袖（診察されながら）生きて行けねえ者は死ねつて言ふ事さ、こんな風になつたら、やぶれかぶれだよう。まさか死んだ者を、もう一度殺そうとする人はあるめえ、ハハなあ先生！
禎介（お袖を診察する）

お袖　どうでがす先生さ、此の眼の悪いんはジンゾーの為だんべ？

禎介　（吹き出して）婆さん、お前いつもジンゾージンゾーと言ふがジンゾーなんぞちっとも悪くはないと言ふたら。

お袖　そんな筈無え！　儂のジンゾーは二十年来のこんだ。

禎介　眼の悪いのは栄養の関係から来とるんじゃ、まあ鳥目と言ふ様なもんよ。さ、もういいんだ。（お袖ベットから起きる）薬なんぞいらん。鳥を一羽つぶしてな。

お袖　ヘッ！、と、鳥を一羽！、飛んでもねえ、年貢も納められねえで青くなっとるのに、そんな勿《もっ》体《てえ》ねえ！　そんな事をするくれえなら、儂や孫が欲しがっとるゴム靴でも買うてやりますさ！。

禎介　そうかそうか、そいちゃなんだ、鰻のキモ――といっても、此奴も難かしかろう、、、さうだ、婆さん、田にしならええだろう、田にし捜してな、ウント食ひなさい。

お袖　へえ田にしでがすか、田にしはらようがすべ！　ありゃ孫でもちょくら行って取って来ますでな。

禎介　うむ。（笑ってうなづく）

お袖　（話が済んだので、改めて室内を見廻しから）なあ先生さ、あんたと斯うして差向ひで坐れるちうのは、何十年振りのこんだべえなあ。

禎介　えゝ、

お袖　儂は今だに覚えとりますだよ。ありゃ儂が十八の時だで、もう五十年ちかくも昔の事だ。先生さかまだ街の学校さ行ってられる頃で毎年夏のお休みでねえと此処へ戻らっしゃらねえ、そんな時ゃいつも決って村の盆踊りが始まりかけてゐて、先生も仲間になりなすっただ　そらよ、村野様の前の広場でさ――

禎介　やあ、古い事話し出したぞ、ハハハ。

お袖　（大きな声で）それがよ、忘れもしねえ儂が十八の盆踊りの三日目の晩の事だ。その年も先生さは夏休みだちゅうて此処へ帰って見えてて盆踊りに来なさっただが　何とそれが、儂と並んで踊らっしゃったぢゃねえか、わしゃもう何が何やら判らんで、只もう夢中で踊っらまっただが、一囃子すむと先生さは、お袖さん疲れたでせう、少し向ふ行って休みませうかって、儂をお宮の脇の石燈篭ん所さ運れてって休ませてくれただ。どうで

す食べんですかって、あんた儂に鉄砲玉三つ呉れただけんど、あん時の鉄砲玉の、そのうまかったことと言ったら— 忘れられねえさ！

禎介　（テレてゐる）そ、そんな事があったかよ。

お袖　あったの何のってお前さ。二人で差向ひで鉄砲玉食ったぢやねえかよ。その鉄砲玉が口ん中にある内に又直ぐ次の囃子が始まったで、あんたはさ行きませうって走っちまっただが、儂はあん時ぐらひ囃子方の野郎めらが憎らしかった事はねえだよ、はははははは、そいから又あんたと一緒に踊りだ。斯う、ずらっと手をあげてな。囃子の太鼓と笛に合はせて、ピッピ、ピヒヤララ—（と囃子をやり乍ら手ぶりで踊り出す）

禎介　こらどうも！（飽気にとられてゐる、辰造は苦い顔をして見てゐる）

松五郎たち　（真面目な話で来たのにお袖のお喋りで毒気を抜かれた形でポカンと見てゐる。其処へ花田家の下男が玄関へ）

下男　御免下さい、……御免下さい。

辰造　誰だい。（玄関へ出る）

下男　へえ、花田ん家《ち》の者でがすが、ちょっくら先生さに—

辰造　ちょっと待って下せえ。（診察室へ）先生、花田さのお使ひが見えましただ。

禎介　ああ、そうか。（玄関に出て行く）

下男　（挨拶して）先生さ、うちの旦那がまことに御苦労さんで御座えますが、ちょっくら今夜おいてと頼えてえと申しますんで、……

禎介　ほうさうですか、どんな御用事かの？

下男　さあ儂にや判りましねえけんど— ほかに金蹄さんと、それから神山の大旦那さもう見えとります。

禎介　……（チヨット考へてゐたが、明るい顔つきになり）さうか、神山さんも見えとるのか、ぢや早速お伺ひするで、御苦労だったの。

下男　へえ、ぢや、どうか—（挨拶して帰る）

禎介　辰、辰、綾子に飯の仕度をする様に言ってくれ。

辰造　（うなづいて奥の居間に去る）

松五郎　（仲間と帰り仕度で出て来て）そいぢや先生さ、よろしく一つお願ひ致しますだ。

禎介　よしよし、丁度いい都合だで、儂からようくお頼みして見るから。お前等も先刻言った様に万事穏便にな。

治作　へえ、どうか一つ、まあ——
富三　どうもお邪魔いたしやして、どうぞよろしく。
お袖　（その後に続いて）さて、ワシもそろそろ神楽をあげべえかな、先生さ、どうも有難うがした。そいぢやせいぜい田にしを食ふ様にしますだ。
禎介　又暇が出来たら遊びにおいで、ゆっくり昔ばなしでもしやうて。
お袖　へえ、そいぢや、ま、ごめんなんし。
　　四人がそれぞれに辞儀をして帰り去る。
禎介　（ひとり、明るい顔つきで、その辺を片づける）
辰造　（奥から出て来る）……先生さ、あんたにもまったく困ったもんだ。
禎介　なんでぢやね？
辰造　先刻あれほど言っといたに、せうこりもなくまた桜五郎らのお先棒かつぐだ！今夜花田さ行っても、そんな話しちやあなりましねえぞ。
禎介　馬鹿を言ひなさい。お前だって根が百姓だ。あれたちがどんなに苦しんどるか、お前にだって察しのつかん事はない筈だ！　別に争議のどうのと不穏なことを言つとるんでもなし、あれたちとすりやまこと無理のない話ぢや。
辰造　儂の言ふのはそんな事ぢやねえ。みすみすあんたが又、つまらねえハメに落ちるから言ふだ。
禎介　何がつまらんハメだ　小作人たちにも花田にも双方のためを思ってすることが何でつまらん！馬鹿も休み休み言ひなさい！
辰造　チエッ、判らねえなあ。こら、禎ちゃんよ！お前はな、いつもそのでんで自分の体を削り取るだ！それを、それを、此の儂が黙って見て居れるかっ——
禎介　生意気な事を言ふなっ！　き、貴様なんぞに何がわかるもんか！
辰造　わかるとも、大判りだや、お前の手ならな。子供の時からおぶって歩いたり馬になったりして、何から何まで知らん事はないんじやぞ、真似はよせと言ふに、判らねえのか！
禎介　き、貴様っ、何を言ふか、馬鹿野郎！　貴様こそひねくれて物を見とるんぢやないか、村の者のためによかれと思ってすることが何が悪い！馬鹿爺が！
辰造　何た、こ、こん野郎め！　斯んだけ言ってやってもまだ判らねえだか！　ど阿呆！
禎介　何っ、き、貴様っ！

まるで子供の喧嘩の様に、二人が今にも掴み合ひをはじめ様とした時に、奥座敷から綾子が顔を出す。

綾子　ま、どうなさつたの！　お父さんも爺やも、そんな顔して――ほほほほ（ふき出す）

辰造　（ブッとして次の室へ行つてしまふ）

禎介　（チョットてれて）野郎め、、、、ええとどうした、飯の仕度は出来たんかな、すぐ花田ん家へ出掛けるから。

綾子　花田さんのお宅？

禎介　うむ、神山の親父さんも来とるさうだし、多分お前の話ぢやあるまいかと思ふ。

綾子　（父と共に何やら明るい気がしてくる）さうですか、直ぐお仕度しますわ。（いそいそと奥へ去る）

辰造　（次の室から襖をガタガタ突きながら大声で）儂は反対ぢや反対ぢやぞ！　禎ちやんの阿呆め！

禎介　（その方へ歩みより乍ら優しい声で）辰、さう言ふな、な。儂もお前もこの村に生れて、こうして仲良く一緒に老ひぼれて来ただ。村のもんが困つとるのに、見過して知らん顔して居れるかな、な、そこを考へろ、辰よ！

辰造　俺はいやぢや、阿呆！　そねえな、俺あいやぢや！　いやぢや！

その声は、次才につぶやく様に低くなる。

3　花田家の奥座敷

背、

広く豪華な室である。正面奥の障子の外が広い中庭になつてゐて、奥上手にある廊下は母屋に通じる。座敷の中央に大きな桐火鉢。火鉢の脇に碁盤を据え、主人の花田小五郎（四十八才）と村長神山大助（五十八九才）が碁を打つてゐる。少し離れて同村の地主菅谷（五十四五才）が、煙草を吸ひ乍ら、見るともなくそれを眺めてゐる。茶菓が出ている。

花田　（碁盤を覗き込み）どうも、下つたんは、まずかつた。そこは死んだらしい。

神山　いや、まだまだ。

菅谷　（神山に）お宅の大一さんの選挙の方は、どんな具合でがすかな、

神山　いや、どうも儂の倅のことは何も知らんのですが、突つ張り初めてのこんであるし、至らん者

でがすから、仲々苦戦の様でがす。
花田　今、街の方かなア、
神山　それが此の間から十日ばかりの予定で満洲へ行きよりましてな。
菅谷　ほう満洲へア、
花田　視察かなア、
神山　へえ、あいつは以前からこの、どうしても日本内地の農業て奴は今のまんまぢや行き詰りから出られんので、ドンドン満洲あたりへ移民をせにやいかんてな事を言ひよりましてな。
菅谷　しかし、さて、此処いらからも満洲移民をするとしても、今時行くと言やあ、どうせ食ひつめ者ばかりだらうが、そんな連中で借金を背負つとらん者はをらないし、それをどんな風につけて行くんでがせうかねえ、そつたら事は知らねえつう調子で、ウッチヤラかして行かれちや、儂らの方が堪らねえからのう。またそれがどうにかなつたとしても、内地だつて後々百姓が減つちや困るだから。
神山　しかし菅谷さん。その点は政府でも考へて補助金が貰へるやうになつとることだし、此の村なんぞ詰るところは耕作する田畠が少なすぎやすからかえつてようがせう。
花田　うむ、そりやたしかにそうも言へるけんど、しかし又小作人の一軒あたりの田地が、今の二倍も三倍も当てがはれるつう事になると、田地に就いての競走が少なくなるてえ訳だで、小作の腰が強くなつて、どうも、これも困りもんぢや。
菅谷　さうでがす。儂やそれを心配しとるんで。
神山　しかし、それにしたつて、今の様に地主も小作も双方苦しみ疲いてくるよりや、まだしもマシでがせう。現に今、上納米を此方のお宅や菅谷さんの所へ納めてるない連中の家なんぞといふもんは、儂が言ふと何でがすが眼も当てられん様な状態になつとるんですからなあ。
菅谷　どうも儂とこなぞ三四軒くものはさきおとゝし頃からの小作が未納になつとるんぢやから、満洲移民も移民でがすが、さういふ事よりも、早く何とか此の処置をせん事にやあ、もう儂らは堪りませんはわ、ねえ、花田さん、、、いや、お宅なさは儂らとこと違つて、上納米なぞアテになさらんでも結構ちやんとやつとられるでがせうが――
花田　どうしてどうしく、金輪君なんども、去年の暮から家の事に就いちやあ蒼くなつてやつて呉れ

とるんでがすが、最近は工場の方も採算がとれて居らんので、此の分で行くと賃金も危ない様な始末ですわ――実はそんな事で今夜斯うしてあんた方にも御足労願ったわけだ。

菅谷　そりや已らも色々と……へえ、ところで花田さん、何だそうでがすね。お宅の方の子方の者の中で今度の運動の世話役みてえな事をやって、先頭に立っとる連中の松五郎、富三、宗次なんてえ手合が、狩野先生とこへチョクチョク出入りしちやあ、先生に口ききを頼んどる様子でがすな。

神山　さうでがす。いや実は、わしもそれではホトホト困っとる有様で――何しろ伜の嫁の事がありますでなあ、どうも……もっとも御存知のあの狩野先生だで、どう間違っても、事を荒立てたりなさる筈はねえんでがすが、兎に角まあ、あの通りの人望家だで、狩野さんに出られると、どうもチョット口がききにくくなりやすからなあ。

花田　しかしまあ、四五年前の争議ん時みたいに街の方から呆餅の連中なんかが押かけて来て、ガシャガシャ掻き廻されるよりやましでがすよ。

　女中が大きな土瓶を持ち、茶を入れかへ方々来客の知らせに来る。

女中　（皆に茶を注ぎ終つて）旦那様、新田の精蔵さと山の小八さが台所の方へ見えましただが……

花田　あ、そうか。（チョット考へて）まあ酒でもつけてやって待たしとけ。

女中　はい。（去る）

花田　いやな、精蔵らは松五郎たちの様に二割もまけて呉れなんぞとは言はんで、まあせめて一割位減してくれりや何時でも喜んで納めると、向ふから言って来たんでな。まあ色々と話も聞かうと思ひやして、今夜呼んだ様なわけでがすよ。

菅谷　そりや大変に結構な事で、そんな連中にひとつ、未納の家を説き廻ってもらふて、話をつける事にしたらどうでがせう。早速此処へ呼んで会って見様ぢやがせんか――

花田　まあ兎に角金輪が来てからにしませう。精蔵や小八はまあ小作人たちにすりや裏切った者でがすから、下手あして、あれらが憎まれて、それが自然とわしらの方にも悪く響いて来る様ぢや困りもんでがすからな。

神山　さういや金輪さんは、馬鹿におそうがすな。

花田　ありや今、工場の方へ行っとるで、間もなく来るでがせう。工場といやあ、あそこも赤字赤字

で、此のまま放っときゃどう言ふ事になるか判ら仕儀で、何とか操業座綿でもせんけりゃならなくなっとりますよ。

菅谷　なある……

　碁は神山の負けらしい。

神山　や、どうも今夜は到頭仇をとられやした。

花田　ハハハ、初めは形勢悪かったが。

　下男（前出）が、狩野先生を案内して来る。

下男　旦那様、狩野先生がお見えになりやした。

禎介　（和服で入って来る）今晩は、わざわざお使ひで――（三人に目礼）

花田　いやどうも、お呼び立てを致しやして、今日はお疲れでがせう――

禎介　（神山に）御無沙汰しとりますが、皆さんお変り無うお暮しでがすか？

神山　（バツが悪そうに）どうも、一度上らにゃあいけんと思っとるんですが、家がごたついとるものでして、実は倅も一週間ほど前から満洲へ行っとりますし、儂ら老人が立入ってもどうかと思ひやすんで、いづれ倅が帰りやしたら、一度お伺ひ致させて……

禎介　大一さんが満洲へ……そりゃちっとも存じませんで……あれも家へ戻って来てから、まあ何も言はずに炊事なんぞ手伝っとりますが、まあ選挙が済んだら儂が連れて上りたいと思っとりました。何しろ小さい時分に母親に死なれて男手一つで育ちましたんで、色々と行き届かん所もある事でせうが、そこはどうか一つ。へと何度も頭を下げる。

神山　いや、そんなに言はれると――（困ってゐる）

花田　時にお宅の地所家屋は、今度街の鈴木さんにお譲り渡しになるとか――で、

禎介　いやあお恥しい次第で、此方さんからの拝借の方も、それっぱなしになっとりますし、実は街の銀行の方もヤイヤイ言って居るんでがして――まあ、はっきり決まりがつきましたら、お宅の方にも何とかチャンとしたいと思っとりますが――

花田　儂とこなんざどうでも宜敷いが、あれだけの古いお邸と土地を、何しても惜しいもんでがすなあ。どうも先生、ちっとあんたのやり方が放慢すぎやしたて、先生に助けて貰いた家が村にゃ山ほどあるだで、そりゃ村にとっちゃ有難えわけだが、さういふ事で、代々の土地屋敷までお手放しなさるてえ訳になると、こりゃ先生、御先祖に対

しても相済まねえ仕儀ぢやがせんか。

禎介　どうもまつたく儂が駄目なんで、ま、斯んな事になつたんも自業自得でがす。……さういふ口の下から、直ぐこんな事を言つて、申訳けないんぢやが　実は先刻も、松五郎や富三たちが家へやつて来ましてな、是非一つ花田さんにお願ひしてくれと泣かんばかりに言つとるもんですが、全体こんな事に儂が嘴を入れる所は無いかも知れんのですが、そこを一つどうか、花田さん、お考へになつてやつては下さらんか？……此のままぢや、まつたく双方の不為です。儂の娘の小学校時代の友達で御当家の子方の者の所へ嫁になつとる者が居やすが、此の家なぞも聞いて見るとひどい有様で、飯米を食ひ込んだまつとる上に此の嫁が過労から胸をやられましてな。それと知らずに今日儂のとこへ来ましたが、みすみす養生さへすれば何とかなると思ふものも、黙つて見過しにせにやならん様なことで、内の中あもめますわ。あつちもこつちもガタピシやる　一事が万事そんな風で、ひどえ事になつてる家が五軒や六軒ぢやありませんで、まあ此の際御無理でせうが、花田さん――

花田　いや御もつともで――わしも色々と考へとるでがすから

禎介　（喜んで）いや、さう言つて下さりや、まつたく有難い――今度の小作たちのお願ひは、四五年前のあんな風な運動とちがひ、もうぬきさしならんとこから来てるんぢやで、うつちやつて置くと一家離散したり、餓死したりするのが出て来んとも限らんのですから、……

花田　ようがす、一つ考へやせう。

菅谷
神山　（これもうなづいてゐる）

金輪弁護士（四十七位）が入つて来る。キチンと隙なく洋服を着、金ぶちの眼鏡をかけ左手に大きくふくらんだ鞄を抱いてゐる。

金輪　どうも皆さん、お待たせ致しました。――狩野先生も、どうもワザワザ恐入ります、……（神山、菅谷たち挨拶する）

禎介　さぞお疲れぢやつたろう。で、御用と言ふのは、どんな？、

金輪　実は、……その、……健康診断の事に就いてなのですが――（と鞄をあけ二三の書類とカードを出し）実は町長とも話したのですが、ちよつと先生に御相談せんと、何とも決らん問題がありま

して……今夜おいでを願ったのは、実は……
（と言ひにくさうにしてゐる）
菅谷　（それを察して）神山さん、どうでがす。好い晩だで一つお庭でも散歩して来やしようか。
神山　結構でがすな、参りやせう。
金輪　どうもこりやあ。
菅谷　いやなに――
花田　相済まん事で、直ぐ話はすみますでがすから。
菅谷たち去る。
短い間。
金輪　（先生に書類を示して）―実は監長の話では、此の女工の方の磯貝光子、津田フミ、久保安江、浅井ヒロ、此処いらなんですが、随分体を悪くしてる様で、仕事に差支へるらしいんですが、先生の御診断では別にその様でもないので（言ひ淀む）
禎介　（カードをとり）左様ですか。わしはよく診たつもりなんですがの、……まあそれぞれ脚気の気味だつたり、胃をチョット悪くしとつたりはしてゐましたが、儂の見たところぢやあ……
金輪　いや、さういふお話ぢや御座いませんので、先生はあれだけ叮寧に見て下さつたんで、御診断に誤りがある筈はなし、その点誤解なすつて下さつては困るんですが、実は……どうも工場の方も近頃経営が仲々困難になっとりまして、もう少し合理的にやらんと、どうも食ひ込みばかりなので、近々実は人へらしをせんといかんと花田さんとも話合ひました結果、多少体に故障のある女工なんぞは、いま村方でも手不足の状態ですから、それぞれ帰村して農事の手伝ひでもやってもらふといふ事が両為だらうと、まあ――
禎介　左様ですか、しかし今ゐる娘たちは、さしあたり工場で働いとっても、すぐどうかうといふ風にならん体だと儂は思っとるのですが、仰言る通り村方では今田畑をやる男手が不足しとりますが、そんな理由があれば退監させてもいいし、また俄に病気になつたとしても健康保険もある事だし。
金輪　ま、さう仰言ればさうなんですがまあ何人かを退監させると言ふことになれば、規定通りの退監手当から積立金などを一度に支払はにやならん訳になるのですが、これが相当の額に上るし、其の上此の家も又小作人との間に御承知の様な事件も起きとりますし、何とも融通が附かんので、工場の人べらしの方は、一時休監といふ様な事で、

まあ、皆んなに納得して貰はうと思ってゐるので
すが――
禎介　休耘といふと――　すると間もなく復耘させる
といふ事に――
金輪　行く行くは、いづれさうしたいとは思ってゐ
ます。
禎介　お話は判りました。しかし、そりや儂の領分
ではないので、どうも――
花田　やあ先生、儂とこも、手一杯でまったく困っ
とる始末で、どうか一つ助けて下さい。
禎介　……さういふ事を儂に言はれても困ります。
儂は医者として、人様の大事な娘御にさういふ事
でケチをつけるわけには参らんのです。（金輪、
持ってゐるカードを放り出す。花田、金輪を見る）
それでお気に入らんけりや、どうも仕方がありま
せんのぢや。
花田　まあ、狩野さん、そう無下に仰言らんでも――
――
禎介　さういふ事なら、他にも医者がある事だし、
いや、儂は失礼しませう。
座が白ける。
長い間。
禎介　それぢや、儂はこれで――（と立ちかける）
金輪　左様ですか、致し方ありませんな……
狩野先生お話は別ですが、今、村のあっちこっち
で騒いでゐる小作料減免の話から、一つ手を引い
て頂けませんか。
禎介　（坐り直して）お、その事ですぢや、（花田
に）どうも儂が言ふのは筋違ひぢやが先刻も申上
げた様に小作人たちは、どうもひどい有様なんで
二割と言ふのはどうかと思ふが、たとへいくらか
でも考へて下さらんと――
花田　（ムッと脇を向く）
金輪　先生、あなたにお言葉を返しちやあ失礼だが、
どうも小作人の事ばかり仰言ってゐられますな、
成程小作人たちも同情すべきでせうが、当方をは
じめ、先刻見えていた菅谷さん神山さん、現在多
少土地を持ってゐる此処らの地主は、小作人同様
に苦しいんです。私も此の問題についちや、死に
もの狂ひでやっとりますが、租税その他の点で苦
しくって、右から左に納めんけりやならんし、あ
なたのお気持は判るのですが、それぢやちっと片
手落ちぢやありませんかね。
禎介　そりや儂とて皆さんの苦しいのは、よく判っ

とる心算です。しかし田地を持つとる人間は、苦しいと言つても斯うして此処で碁も打てる。子方のひどいのになると、病人さへ飯が食えんでゐる有様なんじやから――しかも斯ういふ事変中だからといつて、何とかおだやかに済ませて頂ければと言つとるのです。その点をどうか考へてやつて下さい。

花田　いや全く、事変中だといふので当方も今迄随分遠慮して、小作料の取立てなどもあまりせんかつたです。現に村の出征遺家族の小作料は、或る家では滞納を許し、或る家では二割三割とまけてやつとります。さういふ事はあんたも知つとつて下さらんけりやあ。

禎介　よく判つとります。出征遺家族の件は甚だ有難い事と思ひます。しかし、困つとるのは出征遺家族ばかりぢやないのです。出征者を出してゐるやうとゐまいと広い意味での銃後の農家の事ぢや、どうか一つさういふ家々にも此の際助けてやつては下さらんか、お願いします。

金輪　兎に角先生は斯うお話から手を退いて下さい。小作人と地主の関係は昔とちがつて、これは、はつきりした契約なんだから、その契約した小作料をいつまでも納めんといふ事だつたら、結局、契約不履行といふので、契約解除の手段をとる以外に方法はないのです。此の問題をいつまでも斯んな風にずるずるしてゐては共倒れになるばかりなので、此処らで最後的な態度をまとめて、断乎たる手段をとる為に、今夜実は萱谷さん達にも来て頂いた訳ですがね。小作人の側からも実は両人か呼んであります。

禎介　（顔色が変る）小作人といふて、そりやどういふ連中が出とるのですか？

金輪　さういふお話は、此処で私が申上げる限りぢやないでせう。

禎介　（ムカッとして）儂が斯ういふ口をきくのは、村の全体として私が穏かにしたいばかりで、役でもない事をしとるのです。それを、そんな風な、弱い子方の者の切崩しといつた様な仕儀をされたのでは、甚だ心外でがす――事変中だから穏かにとあんた達は言つとき乍ら、一方ではそんな事をなされるのは、あんた達こそ事を荒立てやうとしとるんぢやないか。それぢやいつまでたつても村にや明るい日が照りやせん。いや明るい日どころか、村の小作人たちや明日にもみんなとんでし

まひますぢやろ……お互ひ多少の犠牲は忍んでも——

金輪　さう言ふ理窟は沢山です。まるであなたの言ふのは、ひと頃の農民組合の指導者が言っとった事にそっくりだ、何ですか、矢っ張りそりや、息子さんあたりの理窟ぢやありませんかねえ、

禎介　禎一……禎一がどうしたとあんたは仰言るんぢやア、そりや禎一みたいな息子を持つたのを儂や、何と言って村の人達に詫びて好いか判らんと思つとります。しかし此の事に就いては、儂は只村の小方の者たちが困っとるのを見るに見兼ねて言ふとるのです。

金輪　先生ん所の御先祖は南朝の忠臣で、ああして村社にまでまつられてる訳なのに、息子さんみたいな人が生れる、そのお父さんのあなたがまたそんな事を仰言ってゐる——狩野先生、小作の者の事はともかく、少々お考へになつたら如何でせうなあ。

禎介　（蒼白になり、ジッと俯向いてしまふ）

座は再び白ける。

間。

花田　（その空気に耐へ切出來）[illegible]、先生、ここのところを一つ——なあて、

禎介　（座に居耐へない。花田の言葉の耳に入らぬらしく）ぢや儂はこれで失礼します——どうか御免を（力なく立上って、行きかける）

金輪　（追ひかける様に立つて）狩野先生。

禎介　（無言で振りかへる）

金輪　製紙工場の方の嘱託医は、ぢや、止むを止ませんから街の杉山先生にお願ひ致すことにしますから、どうぞその様に御承知を願ひたいと存じますか……

禎介　（相手の顔を暫くじっと見てゐたが）……左様ですか、承知致しました——では御免を（去る）

花田　（火鉢の傍に、じつと首垂れて動かない）

間。

花田　金輪君、あすこまでやる必要があるのかねえ、狩野さんに罪はないんだから……

金輪　私も気の毒だとは思ひます。しかし、当家の財産の整理をキチッとやつて、立直しをするためには、何処かに多少の犠牲は出るわけで、此際のこの程度のことは仕方ありますまい。でなければ御当家の支配人として私も責任がとれないのです。

花田　……

金輪　……では菅谷さんや神山さんに来ていただきませうか

4　狩野家の中
（2と同じ）

約十日後の黄昏。
洋服に診察着姿の禎介が、診察室の椅子にかけ、傍の卓に凭りかかって頭を抱へて考へ込んでゐる。
そのままで長い間。
時を刻む古風な柱時計が、コットン　コットンと、時を刻む。
やがて、上手の廻り廊下づたひに辰造。

辰造　先生、先生――（と座敷に入って診察室の方を見て）あ、あ、また無料《ただ》の病人を見に行きなさった……一寸油断をすると直ぐにこれだ。（ブックサ言ひながら、廊下を玄関の方に行き、新聞紙なぞを片付ける。

禎介　うむ……（低くうなる）

辰造　（診察室を覗き込む）何だゐなさるでねえか。

禎夫　（物憂げに）何か用かの？

辰造　こんな暗えとこで何をなすってるだね？

禎介　うむ、ごいや――

辰三　飯の仕度が出来やしたけんど――

禎介　おお、もうそんな時間か―――　綾子はまだ帰らんのか？

辰造　まだでがす。――先生、また考へてただね？もう好うがす　あんな訳の判んねえ神山んちなんかへ、こっちから頼んでまで綾子さを帰すことなんどいらねえ。県会議員、県会議員と、県会議員がそんなに有難えんかい！

禎介　それがのう……そんな風にばかりは言へんでなあ。儂はもう諦めとるが、あれの顔を見ると、近頃だんだん痩せて来とるでなあ。儂あ死んだおすがに何やら済まん様な気がしてなあ。

辰造　奥様が生きて御座らしても、俺と同じ様に思はしったに違えねえ。神山の若旦那なんどみてえな、薄情な亭主なら、今ん内に離縁なすっといた方が、却って幸せだ。

禎介　お前にかかっちゃ叶はんわ　はははは。
（と佗しく笑ふ）

辰造　笑ひごっちゃねえ　こんな事になるのもお前

様が全体、あんまり気がよくって、、、、（電灯がポカッと各室に点く、狩野先生の草の様に血の気を失った顔が辰造の眼に入る。辰造、言葉を切って、それを見つめる。

——間。

辰造　（心配さうに）先生、お前様どうかしなすったかね？、

禎介　いや——どうしてだや？、

辰造　顔の色が真ッ青だ。

禎介　ちっと頭が重い様だが、別に大した事ぢゃあない。心配せんでもいいよ。

辰造　（マヂマヂと、相手を見ながら）、、、、また何ぢゃねえかね　禎一さの事かねえ、

禎介　あいつの事など、幾ら考へても仕方がない。此の間っから色々と此の家のことなんぞをなあ！——まあ登記変へも無事に済んだ。花田さんや銀行に仕拂いを済ましたら儂の手にゃ幾らも残らなかった。ハハハ、、、、、、何百年か続いて来た此の家を、斯うして、儂の代になってから人手に渡す——不甲斐ないと思ふてな。

辰造　不甲斐のうがす、まったく不甲斐のうがす。俺あはあ、いっそ先生が好き勝手な事をした揚句こんな事になったんだったら：まだしも諦らめが付きやす。只もう村のため人のためばっかり考へて斯ういふ事になってしもうた。全体、人間生きて行くためには、他人なぞ押し退けて、ズルく立廻ってやって行かなきゃあ負けだ。良いの悪いのと言って見たって、負けてしまやあ　おしめえだ。

禎介　また始めた。お前はそんな事をいふとるが、お前だって腹の中からさう思っとりゃせんのだ。

辰造　いいや思ふとる。兎に角俺たちがどう思ほうと、世の中はそんな風に出来とるんだ。それをお前さまは知らねえ、昔っから、小せえ時っからお前様はそれを知らねえ。

禎介　そりゃあさうかも知れんが、なあ辰、世の中が幾ら世智辛くなったとて、正直な心で善い事をやっていって、世の中が渡って行けない筈がないぢゃないか。

辰造　へん、その調子で、次から次とお前様は、此方からよくしてやった人にドデン返しを打たれちやあ、ひでえ目に会ふだよ。いいかね先生、現にこの間ぢゅうから、お前様がさんざ口を利いてやってる子方の者の中で、花田の旦那のとこにコ

ツソリ泣きを入れた、新田の小八や精造は、ちゃあんと一割まけて貰って小作料を納めたといふ話だぞ。

禎介　（吃驚して）そ、そ、そんな莫迦な事があるか、それぢやあまるで小八や精造は裏切りと同然ぢやないか。そんな莫迦な！

辰造　俺がぢかに聞いて来た事だから間違ひはねえ！

禎介　さうか、あれだけ儂に積みに来た小八や精造が、抜け駈けをして寝返りを打ったのか——（呆然と）い、や、たとへ世間はどうあらうと、此の狩野は不正をしてトクをしやうとは思はん。人はどうでもえゝ。儂は人に対して不正をしたり利に走って診断を胡摩化したり　人を裏切ったりする事は絶対に出来ん。例へ家倉を無くさうと、子供をなくさうと、勤め口をなくさうと、曲った事は出来んのだ。これが狩野家の家法だ！

辰造　へん、そんな事言ってお前様は、そっくり返ってござらっしゃれ。お前様がそんな風だとその内に狩野家の血統も絶えるだよ。

禎介　莫迦を言ふか！　狩野家の家憲を守って、そのために血統が絶えるのなら、絶えてもいいのぢや。

辰造　お前様は子供の時と同じ様に阿呆よ。今に御先祖の狩野様代々の神様の罰が当るから、見てござらっし！

禎介　此の爺め、何を貴様！

言いつのってゐる所へ玄関から久之進が、ノコノコ上って来る。

久之進　いやあ、又やり合ってゐるな。はははははは。

辰造　御座らっしゃいまし、いやあ先生が、あんまり訳のわからん事を言ふもんでがすからな。

禎介　何！　貴様こそなんだ。そんな毒口をきく様なら、此の家から、出て行け。

辰造　へいへい。お前様がもう少し利巧になったら、何時でも出て行きますべえ。、もうむきになって口喧嘩をする気は無くし、ニヤニヤしながら、口こごとを言ひながら奥へ引込んで行く。

禎介　（その後姿へ舌打ちをして）もうろくめ！　狩野家には御先祖以来そんな薄汚い根性を持った人間はゐないのだぞ。

久之進　まあまあ。いやな、実はその御先祖の事ぢやが、狩野様の大祭の事は、全体あんたどうする

気かね？、

禎介　その事なら、何度も言ふとる様に、禎一の事もあるし、取やめにして貰いたい。

此の話の間に、辰造がそれまでに仕度の出来てるたちやぶ台、食器類、おはちなどを、何度も座敷に運んで来る。

久之進　あんたは直ぐそれを言ふが、禎一にしてもぬすつとや騙りをした訳ぢやあるまいし、……

禎介　小作の方のことも儂にやあどうすれば良いか判らんのだ。……儂あいつそ、此の村を引拂つて、どつかへ行きたいと思ふ。（久之進がそれに対して何か言はうとするのに押かぶせて）が、儂がゐないと、此の村には医者がなくなるしな。村の者がすぐに、困る。

久之進　さうさ、そんな事を考へちやいかん、つまり言つて見れば末世ぢやや。

恰度其処へ綾子が、開いてゐる襖のところから入つて来る。

禎介　……（綾子の顔から、何かを探し出さうとする様な眼付きで）今帰つたのかね、

綾子　おそくなりまして。（久之進に）小父さんいらつしやいまし。

久之進　いやあ、お邪魔しとります。町の方かな？町の狩野さんぢやあ、皆さんお達者だつたかな？

綾子　いえ、今日はお寄りしなかつたんですの。

禎介　それで川西薬局の方は？、

綾子　一応話はして参りました。でも主人の言ふには、自分の店でも東京の問屋筋に借りが溜つて、大分手詰りになつてゐるので、狩野さんの方からも少し入れて貰はないと、さうさう続きませんから、あなたから、よくさう言つといて下さいと言ふ挨拶でございました。口振りではもう、断り度い様な具合でしたわ。

禎介　さうか。――まあいい、それでグリセリンは？、

綾子　呉れないんですの　いえ、本当に無いんですつて

禎介　……ふん、インチオールは？、

綾子　一壜もらつて来ました。

禎介　繃帯は直ぐ送つてくれると言つてたかい？、

綾子　繃帯も無いんですつて、なんでも大方戦地へ行くのと、それから木綿の欠乏で、県立病院あたりでも困つてゐるさうです。

禎介　繃帯もない、グリセリンも無い、何もないか

にもない。それで病人や怪我人を直せといふんだ、はははは。久之進さん。末世といふのは本当らしいの。

久之進　いや、かう言ふ時には騒がないで、そつとしてゐる事ぢや。あせつたらいかん。禎介さんは少し一本気にイライラしすぎるよ。はははは。神ならばゆらゆらゆらゆらと居り給へ――といふ事をあんた知つとるかなア、

禎介　ゆらゆらゆらとか、ぢやが儂は神ではないからな。

久之進　はははは、でも狩野様の末裔なら、まあ神様みたいなもんぢやろが、ははは。――さうさう、神山の大一君が満洲から戻つて来たらしいな、四五日前に町でちよつと見掛けたが、此処へも来たんだろ？、

綾子　はあ――いいえ。

久之進　来ない？、そりやあまた――。

禎介　どうもなあ、その事では儂も弱つとるよ。

辰造　（話の間に再び座敷に現はれて、ちやぶ台の側で、飯をよそつたりしてゐたが）皆さん、さ、飯を食つて下せえ。

久之進　あ、さうか、こりやいかん。（立上る）

辰造　久之進さまも、どうか食べてつて下せえ。

綾子　ほんとにおぢさん、なんにもありませんが。

久之進　いや、有難いが、儂はこれから廻らなけやならない所があつてな、御馳走は此の次迄お預けしやせう。（と此の少しそそかしい神主は、スタスタと玄関の方へ行きながら）ぢやあ兎に角、あんたがそれほど気が進まんものなら、狩野様の大祭は儂の手だけでもやる様にするが、でも来月十五日の当日には、足を運ぶだけでも運んでくんば、いや、どうせ、大した事は出来まいが兎に角一応お祭りをせにやあ儂あ気が済まんからの、ぢやあいづれその日に。

禎介　どうも済まんことで御座した。

久之進　（既に下駄を履いて）おやかましうがした。（立去る）

禎介と綾子と辰造が、それぞれ座敷のちやぶ台の周囲に坐る。

辰造は汁をよそつたりする。

禎介　（瞑目して膳に向つて手を合せる。綾子も辰造もこれが習慣になつてゐるとみえて、同じ様に手を合せる）狩野様、いただきます。

椀をとつて食ひ始める。

池の二人も同様。
佗しい食事である。
間。
診察室の柱時計が錆びついた様な音でゆつくり七時を打つ。

禎介　……（しばらく無言で食べてゐたが、ついと言出す）満洲からもう帰つてゐると言ふが――綾子、お前町で今日大一君に会つたのぢやあるまいな？

綾子　いいえ――どうしてなんですの？

禎介　いや、どうしてといふ事もないが……

綾子　……私は神山の事はもう諦めてゐます。

禎介　儂はそんな事を言つとるんぢやないよ――友あだ。大一君は気性のシャンとした男だ。

綾子　……（茶碗を持つたまま暫くじつとしていたが、やがて茶碗と箸をちやぶ台の上にトンと置いて）――お父さん

禎介　（綾子の様子が変つてゐるので、これも箸を止めて）――何だ？

綾子　――兄さんに会つて下さい。

禎介　何？

綾子　兄さんに会つてやつて下さい。

禎介　にい――禎一がどうしたのだ？

綾子　兄さんが、帰つて来て、離れにゐるんです。さきほど私と一緒に帰つて来て、離れにゐるんですの。

辰造　なに！　禎一さが――（と、綾子の顔を見守つてゐたが、つと立上つて奥へ）

禎介　辰、どこへ行く？

辰造　連れに行きやす、自分の家さ帰つて来て、なんで遠慮はさることありますべ。（言いすてて奥へ消える）

禎介　こら！　辰！　（呼びかけて――が無駄なので、黙つてしまひ、娘を見詰めてゐる）――全体どうしたのだ？

綾子　先月の末に許されて外に出て、お友達の家に厄介になつてゐたんですつて。四五日前に、手紙が来たんです。――つい私が読んでしまひました。――とにかく一度帰つて来たいと――お父さんに言ふと又、なんですから……

禎介　――お前、それで、町まで迎へに行つて来たんだな？

綾子　済みません。――でも私は、どんなに叱られても構いませんから

禎介　お前は、儂があれの事をどう思つてゐるか知

ってゐる筈だ。

綾子　――兄さんは、身体も随分弱ってゐるやうです。お願ひです。黙って逢ってやって下すって――その上で、、、、、

禎介　逢ひたく無い！　逢ふ必要がない！　あんな奴は――

言ってゐる間に、辰造から押し出されるやうにして、禎一が奥から入って来る。憔悴しきってゐる。

しかし、悪びれた所はない、素直な態度である。

父親の顔が直ぐには見られない。坐って何にも言へず、父に向って丁寧に目礼をする。

辰造は、此処からは見えない奥の室から此の場の様子、うかがってゐるらしい。親子三人が、暫くの間、言ふべき言葉を知らず黙坐してゐる。

――間。

禎介　（そっぽを向いたまま、努めて自身を鎮めやうとしながら）、、、、お前、何しに此処へ来た？

禎一　、、、、、、、、（その父の顔を見、それから妹の顔を見て黙ってうなだれる）

綾子　、、、、お父さん、どうか――

禎介　何しにこの村へ帰って来たのだ？、

禎一　、、、、お父さんにお目にかかりたいと思って――

禎介　（押しかぶせて）狩野さんの社の前を通って来たか？、、、、よくお前、あの前が通って来られた。

禎一　――御心配をかけて、済みませんでした。

禎介　（カッと怒りを爆発させて立上る。綾子がハラハラと、止めにかかる）済まないとて、さうか！　済まないか！　本当に済まないと思ったらなぜ死なぬ！　なぜ獄中で舌でも噛み切って死んでしまわぬ！　この、この――

禎一　、、、、、（うなだれて素直に）殴って下さい。

綾子　お父さん！　兄さん身体をこわしてゐらっしやるんですから――

禎一　いいんだよ――死なうと思った事があります――でも、やれませんでした。

禎介　見ろ！　その通りお前は卑怯未錬な男だ。人間自分の信念の為ならば、時と場合に依って、実の親とさへも敵味方とならなきゃならん場合だってある。自分の考へに殉じ、そのために死ぬ気な

らば、よしその考へがどんなに間違ってゐたとしても一点歉諒の余地がある。儂だつてそれ位の事は解るつもりだ。それが男だ。然るにお前はどうだ！　既に日本人としてあるまじき事をしたばかりで無く、一辺自分がかうと思つてやった事に就て身を以て殉じると言ふ事もせずに、さうしてノコノコ戻つて来る。儂は二重に恥かしいぞ。そんな奴が、此の狩野家に生れたのは初めてだぞ！。男では無い、屑ぢや　この綾子にしたって、――お前の為に、どんな目に逢ってゐると思ふて、いいか、綾子はお前の事が元になつて神山の家から戻されて来てゐるのぢやぞ。実の妹までお前はこんな目に逢はしてゐるのだ。

禎一　――（エッと言った様な顔を上げ父を見、それから妹の顔を、問ひただすやうに見詰める）

綾子　――（耐えきれず、畳に突伏してしまふ）

辰造　（袂の蔭から半身を出して）違う！それは違う！　神山さんでは県会に立候補してゐるので、禎一さの妹さを家に置いては選挙のさわりになるべと、一人勝手に考へて綾子さ戻しておこした。

禎一　――（父に）すると、それは一時的の話なんでしょうか、それとも永久の離縁と言ふ事なでせうか、

禎介　知らん！　儂には、それだけの事を先方に尋ねて見る事さえも出来ん。

辰造　あゝに、先方では、一時戻すつもりでゐるかも知んねえが、そんな訳のわからねえ家へ、又綾子さがお帰りになる事は要らん。これっきりでフッツリと離縁なすった方がましだ。俺あ――

禎介　辰、お前は黙ってゐろ――禎一、これがみんなお前のした事だ。

禎一　――さうですか。すみません。――済まないと思います――自分の事はまだ自分でもハッキリしない所があるので、まだ何も言へないんですけど――こうなったら言います――（率直に、自分の言葉を少しも誇張しないで、しかし長い事考へた苦しみの結論だけを語る人の思ひ詰めたやうなかげのある語調でポツリポツリと）――お父さんのおっしゃる通り、僕は卑怯なのかも知れません。とにかく屑です。――実は僕は共産主義者でさえも無かったんです――お父さん、御存じの様に、大学の研究室に残って、僕が取りかかってゐた論文の題目は、結核菌と、各種動物脂肪との関係についてのものでした。実

は論文としては、あと動物実験の統計をグラフに採りさへすれば、完成するばかりになってゐたのです。僕は、まじめに勉強しました。僕はそれをやりながら、お父さんの姿ばかり目に浮べてゐたのです。論文が出来上れば、お父さんがどんなに喜んで下さるだらうと思ったのです。――でもどう言ふんですか、三四年前から僕の裡に生れて来てゐた疑ひが、論文の仕事が進むのと同時に、ますますひどくなつて行くんです。結核菌と脂肪の関係に就て、或は学問的に少しばかりの貢献をする事が出来るかも知れないけど結局それがなんになるだらう。結局僕が博士になれて、そしてそれつきりぢやないか――僕は、始終此の狩野村の事を考へてゐました。此の村に結核患者が非常に多い事は、お父さんも御存知です。それを治すのに脂肪分のある食物を採れと言ひます。又こうこう言った風な脂肪の取り方をさせよと言ひます。なんになるでせうて、脂肪を採らうにもそれだけの資力の無い者が大部分です。この村だけではありません。どこの所でも村でも事情は同じなのです。僕はそれをどう考へればいいのです？、

禎介　そんな事は学生が考へなくてもいいのだ。そんな事を考へても何にもなりやしない。お前なぞの分に過ぎてゐるのだ。

禎一　そうです。僕もそれは知つてゐました。考へてもどうにも仕方が無い、しかし考へないわけにはいかなかつたのです。その事について一応自分の納得のゆくまで、考へて何かの結論を得ておかなければ、一歩も前へ進めない様な気がしました。そしていつの間にか国法を犯す所まで行つてしまつてゐたのです。と言つても僕は論文の仕事を投げやりにしてゐたのではありません。それはそれとして、僕は懸命に努力してゐました。――はじめ友人の紹介で社会学を専攻としてゐる国枝といふ教授の所へ出入りする様になりました。尤もはじめは、思想的な指導を受けるとか何とか言ふ事よりも国枝さんと同じグループの人で重い結核の人がありましてね。それを一度見てやつてくれと頼まれたんです。それがキッカケで何といふ事なく、僕もグループの一人としていろんな話を聞いたり、チヨットした調査を手伝つたりするやうな事になつたんです。医学の社会的な方面への、前に言つた疑ひのせいもありました。然し、もともと僕の本来の性格の為でもあつたのです。僕は小

さい時から、大人になったら、立派な医者になって、世の中の病気で困ってゐる人達を直してやるんだと、それぱっかり考へて育って来た人間です。お父さんからも始終、さう言はれてゐました。死んだお母さんも、お前も大きくなったらお父さんみたいに、世の中のお為になる様な立派な先生になるんだよと言はれ通して来ました ——子供らしい事を言ふ様ですが、お父さんやお母さんから、さう言はれ、そしてその通りに思ひ込んで僕といふ人間は大きくなったのです ——現在でもそれは信じてゐます ——あの時は、何かあせって突走った結果 自分でも知らない間に、とんでももない所にまで行ってゐました。だから検挙された時も それからその後半月位も、僕にはどんな理由で、自分で検挙されたのかわかりませんでした。—— いいえ、僕は今更、自分のした事について、逃げをうたうと思ってこんな事を言ってゐるのではありません、確かに、僕の思想は其時分過激になってゐました。ですから、検挙された理由がはっきりすると、僕は判事の前でそれを認めました。 ——十か月間処刑を受けたのも当然だと思ってゐます。—— あの中で 僕は懸命に考へました、自分といふもの、自分の思想、自分のした事などを、ずうっと全部始めの所まで逆ってひっかりかへしひっくりかへしして反省してみました。そして ——詳しくは言ひません。一言に言ふと 僕の抱いてゐた思想が根本的に間違ってゐた事に気がつきました。それは思想自体として誤ってゐたばかりでなく、僕といふ人間の性格を僕が自ら見誤ってゐた所から来たものであるといふ事にも気がつきました。 ——僕は一人の日本人です。そして、狩野村の人間です ——そしてお父さんの子です。お母さんの子です ——僕は自殺しやうと思ひました。死ぬ事なんか何でもありませんでした。——その頃、毎晩のやうに死んだお母さんの夢を見るんです。お父さんも出て来ました。（石の様になって聞いてゐた綾子が泣き出す。禎介も黙々として言葉を挟まない）繰り返し繰り返し幾晩も同じ夢を見ます。どうしてだかわかりません、眼がさめると涙を出してゐるんです、どうしたんだらうと思ってゐる間に、いつの間にか自殺する気がなくなってゐました ——転向した事を其筋へ申し出る事なんか僕には出来ませんでした。さうすればいくらか早く出して貰へ

る事は知っていましたが、そんな事をしたのでは自分が又もう一度駄目になるやうな気がしたのです。せめて自分の犯した罪のつぐないだけは、決められただけ果さうと思って、それからこっち、僕は規則もよく守るし労務でもよい成績を上げやうと、随分努力しました。さうして、こうして出て来たのです――僕は転向したんぢやありません。――僕は転向したんぢやありません。根こそぎ自分を叩きつぶされた人間です。悪い事をして、その悪い事に気が付いた人間です。その点で僕は人からどんなにやっつけられてもよい人間です。然し僕がそんな思想に、取っつかれた最初の動機については人として、恥しい理由があったとは、僕には思ひ切れません。方法は根本的に誤ってゐました。然し僕の了簡は間違ってゐなかったと思ひます。現在でもそう思ってゐます。――簡単ですけどすっかり言ってしまひました。ありのまま言ったのです。――お父さんにこんな心配をかけたり、僕の事で綾子をそんな目に逢はしたりして、僕は心から済まないと思ってゐましたが、今更お詫びをしやうとは思ひません。詫びて許される事ではないんです。――ただ僕が始めから全く不真面目な気持でやってこんな事になったのではないと言ふ事だけは、どうか信じて下さい――そして、その上で、どうぞお父さんの気のすむやうにどうにでもして下さい。どんな目に会っても僕はいいんです――（プッツリと言葉を切って　然として動かずに居たが、体が弱ってゐるのに余り長く語った為に座に堪へ切れなくなったか、失神した様に上体を畳に伏せる。

綾子　（ハッとして）兄さん！　兄さん！　（寄って行って抱き起さうとする）

禎介　（自身も苦しみながら、石の様に座して聞いてゐたが、長い間鬱屈してゐた怒りと恥はかへって来た息子のこれだけの言葉を、聞いただけでは溶けないのである）――ふん――そんな事は、そんな事はあやしげな思想にかぶれて国民としてあるまじき事をしてつかまって戻って来た転向者なら、誰でも言ふ事だ。――おれはなあ、そんな――。

綾子　お父さん、兄さんが加減が悪いんですから、又あとでいいぢゃありませんか――

禎一　（突っ伏したまま綾子に向って片手を振って見せながら）いいんだ、いいんだ。――ですか

らお父さん僕は転向者ぢやないんです。それ以下なんです。僕は——

禎介　（押しかぶせて）此の国は今、どんな時だと思ふ！　いいか！　国民の一人一人が、自分の持つてゐるそれぞれの能力を出しきつて、それこそ火の様になつて働いても尚、足らん時代だぞ！　此の村からも毎月毎月出征して行く青年がある。お前なんぞも無事で居れば、今頃は召されて兵士になつてゐるか、軍医として従軍してゐる時だ。それをなんだ。考へると儂は、恥しくて身がちぢむ。——せつかく習ひおぼえた学も、その有様では、無駄だ。仮りにお前の初一念が、真面目な気持から出発したものであらうと、こうなれば、もう一切合切がおしまひだ。

禎一　（辛うじて上体を持ち上げて）——さうかも知れません。仕方が無いのです——しかし、僕には医者になる資格はまだ有りますから　なんとかして医者になつて、やれるかやれないか、もう一度やらうと思つてゐます。——ズーツと此の半年以来考へ詰めたあげく、僕は決心してゐるんです。お父さんのおつしやる　その初一念——そいつを僕はまだ捨てやしません。僕が死ななかつたのは、それが諦めきれなかつたためです。僕はもう一度やつて見る気でゐます。

禎介　なに——もう一度やると！　お前が今迄したやうな事を、又もう一度やるんだと！　貴様！　（カツとする）

禎一　違ひます！　そんな、お父さんの言ふのは違ひます。僕は——僕が言つてゐるのは、少しでも人のためになる事を、つまり僕が最初考へてゐた事を少しでもやつて見なければ、このままでは死にきれないと言つてゐるんです。

禎介　（怒りのために息子の言葉を耳に入れず）出て行けつ！　そんな、そんな奴を此の狩野の家には置けない！　こうなつたらお前と儂は敵だ！　貴様、また——

チヨツト前から玄関の方に「御免なさい、今晩は」と訪れる男の声が数回するが、一同は話に気を取られてゐて耳に入らぬ。

綾子　お父さん！　兄さんの言つてゐるのは、さうじや無いんです！　お父さん　そんな——

男の声　ごめん下さい、今晩は。

最初に辰造が此の声を聞きつけ、直ぐに三人も耳にして、一瞬静まつて玄関の方を見る。

辰造が立って行きかける。

男の声　ごめん下さい。

ガラリと玄関の戸が開く。

綾子がその声に聞きおぼえがあるので、ハッとして、辰造を手で制して自分が立って玄関へ。

玄関に立ってゐるのは、綾子の夫の神山太一、堂々とした仕立てのカーキー色の国防服を着た卅四五才の俊敏な顔付をした男である。

綾子　あ――。（と低く言って思はずチッと相手を見詰める）

太一　……（これも綾子を見守ってゐたが、やがてさりげなく）禎一君、帰って来たんだってねえ、

綾子　はあ――いらつしやいまし。（我にかえつて手を突いてお辞儀をする）

太一　元気なやうだね――（靴をぬいであがりながら）もっと早くあがらなくちやいけなかつたんだが、急に思ひ立って満洲に行ったり、帰ってからも目がまはる様に忙しかったもんだから――いや、実は今日僕んとこの運動員が町の停車場の辺で君を見かけたと言ふのでね。つい気になったもんだから、抜け出して来て見た。

綾子　――（うつ向いて）チョット兄に会ひに行つたもんですから。

太一　（座敷の方へ行きながら）今、あんな所でウロウロされると困る人だ。いや、その運動員がさう言ふしね。――（座敷に入って、禎介に）ごぶさた致しました。（辞儀）綾子の事では、もっと早くあがらなくちやと思ってゐたんですが――

禎介　いや、こちらこそ、この間もお父さんにお目にかゝって、チヨットお話しはしたんだが、どうも、その、……儂も弱ってな。

太一　なんですな、お宅も近い内に町の方へ引拂って行かれることになったそうですね？、

禎介　……え？、引拂って？、此処を？、いやあ、売るには売ったが、引拂ふなんて事はない。誰がそんな事言つてました？、

太一　さうですか、いえ町の鈴木さんがチヨットそんな事言ったやうな気がしたけど――おや何かの間違ひでせう。

禎介　ハハ、今日から家賃は払ふ事になっとります。

綾子は座敷に入らず敷居の前、診察室のリノリュームの部分に小さくなって坐ってゐる。

太一　……（禎一に）禎一君、お帰んなさい。—
—大変だったらう、
禎一　いや——色々御心配をかけて済みませんでした。
太一　……ひどく痩せたなあ。
禎一　……今度県会に出るんですってねゝ、
太一　うむ、いや……競走が激しいもんだからうまく行くかどうか、ハハ、政治の方をやって行くには、こゝいらからやって行く他に方法は無いしね。仕方が無いんだ。君なんぞには滑稽に見えるだらうけどね。
禎一　どうして滑稽な事は無いだらう。
太一　いや僕の言ってゐるのは肉、現在の農村と言ふか、大きく社会と言ってもいいや、これ何とか改革しなきゃ、もうどうにもいけない時期に来てゐると思ふんだ。改革の方法や手段、イデオロギーなどは色々あらう。たとへば君の様に考へて破こそぎ破壊した上でと言ふ行き方もあらうし、一応既存の状態に立脚してその上で現実的に革新して行かうと言ふ態度もあらうし——僕などは、まあ後の方なんだが。
禎一　……僕あ別にそんな事考へてはゐないんだ。
太一　（少し突っかかって行く様な調子である。かねて頭の中で禎一の姿を描いて、それに対しつづけて来たものが溜ってゐて、それを何かの形で吐露せずには居れないと言った風である）だって君にしたって、現状をなんとかしなければいけないと思ったからこそ左翼に行ったんだらうゝ、違うかねゝ、
禎一　いや、僕には今何も言へん——それに僕はスッカリ破産した人間だから——
太一　そりゃ君、そんな風に言ふのは卑怯だと思ふんだ。無責任過ぎやしないかな。
禎一　……どうしてゝ……さうだな、僕もこのままでいいとは思って居ない。なんとかしなければいけないとは思ってゐる、しかし目下の所、自分の事をもっと振返って見ないと——
太一　さうかね、だが今此の時期に自分一個の事だけを顧みたりしてゐる者は僕はその敵だと思ふね。（と語調がいきり立ってゐるのは選挙演説の気分が乗り移ってゐる気味もある。禎一は黙り込んでしまふ）
禎一　……満洲に行つて来られたさうだなゝ、
太一　え、あちらは実に大変な事になってゐます

よ。主として開拓団を視察して来たんですけど、実に悲痛と言ふか雄大と言ふか、あゝ言ふ所から何か新らしい歴史が始まるんだと言ふ気がします。僕は今度県会にでも出たら、此の村からもドシドシ移民を送るやうな運動をはじめやうと考へて居ります。

禎介　満洲にはどれ位行って来たの？、

太一　都合五日――いや六日だ。でもそれだけ視察しただけでも解るね。要は見る眼と見方だよ。

禎介　……うむ。そりやいいかも知れんな。大体此の村なんぞ田地が少な過ぎるし、人間が多過ぎるからな。しかし、なあ太一君、移民も結構じやが、現在村で起きてゐる小作料の事件なんぞ、どうしたもんかなア？、儂なんぞも及ばずながら多少世話を焼いたりしてゐるがなかなかうまく行かん。

太一　さう言ふ事なぞも結局、狭い所で沢山の人間が角突き合ひをしてゐるから、いつまで経っても打開出来ないんです。大陸移民を実行すれば、あれもこれも一挙に解決する事が出来ます。

禎介　さあ、しかし、その大陸に移住するにしてからがだな、地主側ももう少し譲り合って小作人側と一体となつた上でなければうまく行かんのぢやないかの？、今の様な有様を、このままソックリ満洲に持ち越してでも行ったら、これは大変ぢやからね。

太一　然し現在の様な状態になつて来ると全体として一つの革新を遂げるためには、その際に或る一部分が犠牲になる事は、やむを得ませんからねえ。言はば今の時代と言ふものが一種の大手術の時代なんですから、既に大手術となればそのために出血が有つたり、痛む個所があつたりするのは仕方無いでせう。自分自身で生存して行くだけの力を持たぬ者が自然に亡びて行くのは、やむを得ません。

禎介　そりやさうかも知れんが、儂の言ふのは現在の此の村の者達があんまり可哀そうでなあ。今度の小作料二割減の事にしても一頃の様な農民組合がどうしたのこうしたのと言つた風の徒党を組んで押して行かうと言ふのでは無いのぢやからな。花田さんや菅谷さんも、もう少し察してくれんと、儂は第三者としての立場から見とんだから公平ぢやらうと思ふ。

禎一　そんな事が起きてゐるんですか？、

禎介　……うむ。儂も実は間に立って困り果てて

ゐるんだや、儂みたいな者でも前に立ってやらんと、口を利いてやらうとする人は無いしな。沖一放って置くと今に何が始るかわからん。

太一　もう手をお引きになったらどうです？、どんなに悪化したとしても、その時は、県の調停課と言ふのが有るんですしね。先生などがそんな事で走り廻って、はたから変な疑惑の目で見られても始まらんと思ふんですけどね。

禎介　、、、？、疑惑、疑惑とは？、

太一　いや、われわれみたいによく知ってゐる者はそんな事あ無いんですけどね　人が言ふんですよ。狩野先生の間では家内中で赤くなったぢやないかなぞとね——

禎介　なに！

太一　たとへデマでも積み重なって行くと、それで世間は動くんですから——つまりそれが現在の世間なんですからこれ又馬鹿には出来ないんですよ。

禎介　なに！　儂の事を赤いと！　それは又、どうした事だ？、儂のこの、どこが、どんな風に——儂は先祖代々永い事永い事住んで来た此の土地の人々が出来るだけ幸福に暮して行けるやう、平和に清らかにやって行けるやうと願ふ以前にどんな事も考へた事は無い、聞き捨てにならん、、、太一君、そんな事を誰が言ってゐた？、

太一　昂奮なすっちゃ困ります。ですから、道聴途説です、問題とするに足りません。しかしそんな噂でもこれが現在問題として一種の力を持って来るやうになれば、現実的な仕事をやって行かうとする者には障害になりますからね。——実は綾子の事に就いても今度の選挙に就て競走者側からデマやら何やらいろんな事を言はれるんで、そいでまあこうしてなにしてゐるんですが——

禎介　、、、

太一　父や母も非常に困ってゐるんです——そこへ以て来て、先生が小作人のために色々奔走なすってゐる事を花田さんなどからチクリチクリと言はれたりすると、父も公職に居る関係上、どうにも弱るし、村政の上でもやりにくい事が起きると言ふもんですからね、、、、小たがた、此処当分の間、綾子はこのまま——

敷居の前では綾子が次第に耳をしさらせて診察室の奥へ行ってゐる姿。

太一（その妹の方へチラッと気を配りながら）—

――太一君、やつぱり綾子のことはなんだろう、僕のためだらう？、

太一　うん、まあ――

禎一　済まないと思ふ。――しかし妹は君も御存知の様にあの通りの女だ。僕なんかと何の関係も無い。――お願ひする。君の方へ戻してやつてくれないだらうか？、……（太一うなだれて返事をせず）――ねえ、頼む。小さい時から君と僕とは仲良しだつた。そのよしみに免じて、聞いてくれ、こうして頼むよ――（太一返事をしない）あやまれとなら、いくらでもあやまる。どうか僕を信じてくれ、僕は今後自分の命を投げ出して、これまでのつぐのひをしようと思つてゐる。だから綾子を――。

太一　つぐのひ？、つぐのひとは何ですか？、

禎一　いや――実は、もう暫く静養して身体が元通りになつたら、満洲奥地から蒙古へかけての学術調査隊に参加して向ふへ渡ることになつてゐる。政府から派遣される調査隊で、まだ危険なために兵隊の護衛があるけど、メンバア自身も武装して行くんだそうだ。僕あ、そいつで死んでもよいと思つてゐる。もし又生きてゐたら、奥地の派遣軍の野戦病院の医員にでもさせて貰ふつもりだ。

禎介　そ、そ、そりや本当か、禎一？、

禎一　本当です。ここにこうして辞令も持つてゐます。中に居る頃から、僕のかゝりの判事が、僕に非常に好意を持つてくれて、派遣隊の須田教授に、スイセンしてくれたんです。丁度、医学の方の責任者が、僕が一年ばかり病理を教はつた博士だつたんで、直ぐによからうと言ふ事になりました。――僕あ嬉しくつて嬉しくつて、この事が決定した時は、身体が弱つてゐたせいもあり、卒倒しちやいましてね。――僕あ今度こそ命がけでやらうと思います。

禎介　な、なんで、それを早く言はぬ！なんでそれを言はぬ！

禎一　（太一に）だから僕あ間も無く此処に居なくなる人間だから、頼むんだよ、ね、綾子の事はよろしく頼む。

太一　……しかしなあ、問題は選挙の事に関係があるし、いづれそれが済み次第よく相談して――。

禎一　――それ程君には政治の事が大事なのかね？、

太一　どう言ふ意味だい？……そりや、こんな事までして打つて出なきやならん政治なんて愚劣さ、しかしその愚劣な所を通り抜けなけりや世の中にや出られんし、世の中に出られなきや　どんな立派な革新思想を持つてゐても、なんにもなりやしない。

禎一　だつて、政治といふのは、何も県や国の事ばかりでは無いだらう。一つの村の中だけの事だつて、一軒の家庭だつて、それが先づ人間的に正しい軌道に乗つて――いや、それらを正しい軌道に乗せる努力と言つたやうなものから、一国の政治も始まるんぢやないのかなあ。

太一　君の言ふのは理想論だよ。僕は現実の問題を言つてゐるんだ。

禎一　……（相手の顔を見守つてゐたが）もしかすると、君は綾子がいやになつたんぢや無いか？……それなら問題は別だ。

太一　……いや、それも多少は有るかも知れん――性格が合はんとでも言ふかね。しかし　今言つてるのは、そんな事ぢや無いよ。

プッツリと口をつぐんでしまふ。

禎一もそれ以上突込んでは云へない。

綾子はチッとして診察室のリノリユームに片手を突いてゐる。

綾子は診察室のリノリユームに片手を突いてチッとしてゐる。先程からのチヤブ台その他を片付けたり太一に茶を出したりしてゐた辰造は、話の間に奥の襖の陰に引込んで此の場の始終を聞いてゐるらしい。

そこへ玄関の戸がガラリと開いて小作人の松五郎と七蔵が入つて来る。

松五郎　先生……狩野先生……先生はござらつしやらんかね？、

禎介　……お、誰だ？、誰かの？、

松五郎　今晩は――先生、えらい事になりました！（禎介立上る。）

禎介　松五郎さんに七蔵でねえか、まあ、あがれ　えらい事になつたと言ふは――？、（七蔵に）お常さんが悪くなつたか？、

七蔵　へえ、お常もいけねえんでがすけど、そんな事より　どうも俺ら――

松五郎　（敷台に腰かける）先生、花田の旦那と菅谷さんの方で、いよいよ小作田の引上げを始めるさうでがす。

禎介　なに？、引上げを？、そ、そんな馬鹿な、そんな無茶を花田さんがする筈が――

松五郎　これ　ちよっくら見て下さえ。（と手に持ってゐた証書を禎介に渡す）いきなり内容証明で契約を解除にするからと言っておこすのは、いくら何でも　あまりひでえ。なんでも花田さんと菅谷さんと、それから神山さんなどとも申し合せて一ぺんに出したらしいて、今わかってゐるのは俺とこの七蔵と新田の方の宗次やなんか四五軒でがすけどね、途中で泣きを入れた小作人達には何の事も無えです。……今、田地取り上げられたら俺達　乾上ってしまふ。――全体どうしたらよかっぺね〳〵、

禎介　（内容証明を読んでゐたが）……ふむ――。お前もか七蔵――（七蔵の手から証書を取って開けて見る）

七蔵　どうしたらええかね　先生？……内ぢやおふくろが、まるで気がふれたみてえに喚き立てやんしてね、お常はお常で、ゆんべから身体の具合は悪し。――

禎介　お常が悪いかて、さうか、なぜ直ぐに儂にさう言って来ねえ？

七蔵　これえだっから先生には、あんだけお世話になって、内ん中とにかく丸く納ったばかりだ、薬代も払って無え、そうそうは　あがれねえ――そこい持って来て田地はこうして取上げられる――俺あどうしていいだか――

　手離しで泣き出す。思ひ詰めた結果の絶望的な号泣である。

禎介　（途方にくれて突立ってゐたが）よし、とんかく儂が直ぐに花田さんへ行って見るから、お前達、おとなしく家へ帰って待ってゐるな。不穏な事を言ったり、したりしりやならんぞ、え、な！そいから七蔵、儂あ往きにお常をチヨット見てやるから、心配するな。

松五郎　いつも済まねえけんど、先生にすがるより他に仕方が無えです。そいぢや、ひとつよろしく頼みます。

　玄関へ降りる。

　七蔵は既に何も云へず平身低頭しながら戸の前へ。

禎介　（去って行く二人の背に）人を寄せたりしたらいかんぞ、……ええなあ？、――（座敷へ戻って来て）辰造、辰造！　チヨクラ靴を出しといて呉れ。あ、そいから診察カバンもな！（と診察着を脱ぐ）……困った事になった。

太一　（始終を黙って見てゐたが）先生、花田へ行くのはおよしになったらどうですか。（辰造玄関へ行く）どうせ内容証明は法律的な手つづきで小作料を納めなければ解除するぞと言った風のおどかし半分の予備通告でせうから、直ぐに小作料を納めれば先方でも折れるでせうしね。そんなに慌てる必要は無いでせう。いづれにしても先生がおいでになっても何にもならんと思ふんです。

禎介（診察室に行く）その直ぐに納められるだけの米や金があれば問題無いさ。しかし、そんな物が今の連中などの家に有ると思ってゐるのかね？、

太一　だって、そりやあ当人たちの責任で、花田さんや菅谷さんの責任では無いですからね。第一、先生先方に行ってどうなさらうと言ふんですって、

禎一　どうと云って　僕が頼んで見る。花田さんはそんなに話のわからん人ぢや無い。

辰造（カバンを持って眼を光らして聞いてゐたが出しぬけに）行っておやりなせえ、先生！　行っておやりなせえ！。（外套を着せる）

禎介　——辰、お前——　お前もさう言ってくれるか——。

太一　先生に出られると、事柄が一層こんぐらかります。先生はなにしろ村の名望家だから、花田でも一がいに無視も出来ないし、かと言って——

禎一　（黙々として聞いていたが）太一君、君、なんでそんなに止めるんだい？、

太一　なんだよ？、

禎一　もしかすると、それも今度の選挙の事に関係が有って宗教の関係か何かで、花田さんあたりと何か黙契でもあるんぢやないの？、

太一　なにっ？、何を失敬な事を言ふんだ！

禎一　まちがってゐたら、許してくれ。なるほど、君の言ふ様に小作は相互契約だ。しかし相互と言っても実質的には片　契約と変りは無いしね。政治経済を専攻した君にこんな事を言ふ必要は無いんだけど——。そんな事はとにかくとしてもだ。此の場合小作人が自分の耕作地に対する執着と言ふか愛着と言ふか、そんなものも無視出来ないと思ふんだよ。

禎介　さうだ！　百姓にとっちや、自分の耕してゐる田地は御先祖様から受けついだ可愛くってならない土地だ。それを、その気持を、分らん人間が百姓の問題に就てかれこれ言ふ資格は無いのぢや！

太一　さうですか。（憤然として立上ってゐる）なや言ひますまい。しかしねえ、そんな余計な出しやばりばかりしなさるために、御自分の居る所もなくなるやうな事の無い様に用心なすった方がいいでせう！　鈴木がさう言ってるましたよ。花田の所の金輪からチヨット話があって、此の家を将野さんに貸しどくのは、まづいから、出て貰ふかとか何とか！。

禎介　なに！　そりゃ、そりゃ約束が違う！

太一　だって所有权は鈴木の手にあるんですからね。――いや、いよいよさうなればお気の毒だから僕あ注意してあげるんです。

禎一　――太一君――君が小作人に就てそんな風に言ふのも、結局　君自身が、地主の長男だからぢゃないかな？

太一　地主の長男がどうしたんだ！　ぢゃ君は何だ？

禎介　（大声を出す）もういい――太一君、あんたあ、もう帰ってくれ！。綾子の事は、まあその内に話が出来たらするとして、もういいから、帰ってくれ！。まあ選挙の事でもせいぜいやって貰はう！。そんな、いい加減な上すべりな了見で、満洲移民がなんだ……（太一が何か抗弁しようとするのに押しかぶせて）あんたなどインチキだ……帰ってくれっ！

憤然とした太一、何か言はうとしたが、思ひつまって足音荒く玄関の方へ。

診察室の前を通る時にヒヨイと綾子を見て、瞬間立ちどまるが、再びドンドン玄関へ行き靴を穿くのもソコソコに表へ立去る。

後では長い間。

禎一　……お父さん。――花田へは行くのは、もうおよしになったらいいでせう。無駄ですよ。

禎介　しかし……さうか。（息子に対してスッカリ感情が溶けてゐるので、素直に言って、ガックリうなだれてしまふ）……又、耕太みてえに、気の狂ふ奴が出る。どうしたらいいかの、禎一？　こんな、こんな事は何とかせにゃならんが、どうしたらいいんだ？　え、禎一？

禎一　……（苦しんでゐる）僕には――わかりません。――僕には今、なんにも言へません。――そんな力が僕には無いのです。

辰造　……鈴木さんで、此の家貸さなくなるといふの、本当でがせうか？

禎介　うむ、……(唸ってゐる)
禎一　お父さん――済みません。
再び気が遠くなった様子で、畳に額を付けてしまふ。
診察室の綾子も打伏して泣いてゐる。
間。
禎介　……(つと我にかえって)お、、さうだ、お常が悪いと言ってゐた。ちよつと行って来る。
辰、カバンを、……(カバンを受取って玄関の方へ行く。足元が少しフラフラしてゐる)
辰造　先生、大丈夫かね?、
禎介　なあに――
この時、綾子がこらえ切れず　ワーッと泣声を出す。
禎介　――(診察室へ戻って来て)どうしたの?、そうか――そんなに悲しいか?、……さうかも知れん、綾子、お前　太一君の所へ戻りたければ、ついて行くがいい。自由にしな。――太一君が悪いと言ふわけでも無い、神山に戻りたければ、ついて行くがいい。儂あ　なんにも言はない――。
悲しい眼付で娘を見てゐる。

綾子はリノリュームの上に突伏してむせび泣きながら　起とうとはしない。禎一は座敷に頭を垂れたまま、辰造も両掌で顔を被ってしまふ。禎介玄関の方に歩き出す。

6　狩野神社前

十五六日後の晴れた午前。場面は才一場と同じだが、あれから一月余を過してゐることとて、社の樹々の新緑が燃えるやうに明るい。今日は此の小社の春の大祭を一両日後に控へて、そのあたり入念に手入れが行き届き、神社にはさほげた幟旗が二本に、ささやかながら清らかな黒白の鯨幕が祠堂を包んでゐる。

石段の上には今日も耕太がボンヤリ突立って田の方を見てゐる。

そこへ憔悴し切った七蔵が上手からキョロキョロしながら小走りに出て来る。

七蔵　……(下手のバスの停留所とおぼしき辺りを伸び上るやうにして見たり、自分の来た方も振返ったりしてゐたが、つと耕太を認めて)やあ相

変らずたなあ、、、、耕ちゃん、お前、狩野先生んとこの婿さんが此処を通るの、気がつかなかったけ？、

耕太　狩野さんか？、、、、、狩野さんなら、これがさうだ。（と背後の祠を指す）

七蔵　いえさ、狩野先生、此処通らなかつたかと聞いてゐるだ？、

耕太　狩野さんなら、此処だ、（又祠堂を指して真顔である）

七蔵　ちえっ、仕様が無えなあ、、、、ぢやもう停留所んとこかな？、（云ひながら小走りに下手に去る）

しばらくして、よそ行の着物に尻からげをして、大きなトランクに手拭を通したのを肩にかついだ辰造が上手から出て来る、いかつい顔付が今日はことさら暗欝に引きゆかんでゐる。のろい足取りで、傍目もふらず横切って行く。

耕太　、、、、やあ　今日はいいあんべえだの。

辰造　、、、、ふん（相手をヂロリと見たきり、社の前を素通りして行きかける）

耕太　狩野様は明がお祭りだよ。

辰造　、、、、（足を止めない）

七蔵　（下手から小走りに出て来ながら）やあ辰造さ、ぢや、やっぱり先生方、今日お立ちだね？、

辰造　、、、、（立停るが、相手を睨んだまま口を開こうとしない）

七蔵　俺あ、先生にやホントにどんだけお世話になつた知れねえ。なんの恩返しも出来ねえ内に、当の先生が此の村あ引払って行ってしまうたあ、全く、なんたら事だべなあ！　せめてお見送りでもしてえと思ってこうして来たんだが、先生方あ、まだかね？、

辰造　、、、、

七蔵　どうかしたかね？、、、、荷物やなんぞ、もう四五日前から町さ積出してあるそうだな？、まだ何か有つたら、俺にも擔がいて貰えてえけど、、、さうだ、辰造さ、それ俺が持つて行くべえ、お前さ、歳だに、重さうだ。

辰造　放っとけ！（振り切るやうにして歩き出す）

七蔵　まあ、さう言はねえでさ、、、、俺なんかチヨットでもしねえぢや気が済まねえ。

辰造　、、、、お前ら、気が済まねえで居られらあ。先生はなあ七十五代も住み附いた此の村を、、、、

七蔵　（そこまで言って不意に口をつぐむ）先生になんの悪い事が有っただ。お一先生がゐて下さらなきや、此の村あ、やって行けやしねえ。（辰造歩き出す）お医者も居なくなって、明日が日からみんな困らあ、でもそんな事よりも先生が居なさらねえと、困るなあ。病人だけでねえ、家と家とのイザコザや村内のいろんな出来事、誰が世話あ焼いて、誰がまとめて呉れる？、、、、え、辰造さ、そりや、お前が腹の立つのももっともだ。そんだけの力さえ有りや。先生のお住みになる家ぐれえ、材木持ち寄って建てるだけど、皆言ひ合ってら。、、、、いかんせん、わしらに甲斐性が無えばっかりに、こうして、、、、（とかき口説きながら、辰造にまつわり付いて上手に消える）

間。

耕太が下手に何を認めたか、そっちばかり見てゐたが　やがて石段を降りてソソソソ行きかける。そこへ下手から禎介（中山帽和服に古い袴　診察用カバンを下げている。禎一（洋服に中形の行李を下げてゐる。前場に於けるよりも血色もよくなり元気そうになってゐる）綾子（質素な外出着に信玄袋を下げている）が出て来る。禎介は前場に於けるやつれた苦汁な所はなく成り、すべてを諦め切ったやうな柔和な顔をしている。禎一と綾子はさすがに村を出て行く今日なので寂しい様子である。

禎介　（ズッと後の方を振返ってニコニコして）やあ、もうこの辺で引取って呉れ、働いてゐるのに手間を欠かしちや済まねえ。折角こっそり出て来たんだ。

禎一　、、、、ホントにどうかもう、、、、。

社の方へ三人が歩き出す。その後方かなり離れて、見送りに来た村の者達が何と返事していいか言葉もなく、悄然たる様子で、一かたまりにゾロゾロ現はれて来る。村の女房達。おやぢ連や老婆達、それにまだ学校に行ってゐない小さい子供等。その中に前出のお袖婆さん、岩作、富三、松五郎などの姿も見える。全部が汚い身なりの者ばかりで、中には野良に出て働いてるまま馳け付けた装の者もゐる。、、、、村を出て行く禎介一家よりもこれらの人々の方がよっぽど暗然としてゐる。

禎介　（耕太を認めて）やあ、耕太、今日は身体のあんべえはどうかな？、、、

耕太　先生さ、あのなあ、鳥がのう、……。

禎介　鳥？、ハハ鳥なんぞ気にしたらいかんな。……（祠堂を見て）あゝ、チャントやって呉れてる。済まんのう（禎一に）なに明日は大祭日に当ってゐてな、今年は遠慮したいと言ったんだが――

禎一　さうですか……。

禎介　お詣りして行くか、……今度又いつお詣りが出来るか――（再び群象に）もう、みんな、帰ってくれ、バスも、もうすぐ来るで、もう沢山ぢゃから。

お袖（耐えられなくなって、叫ぶ様な声で）禎介さまよ！あんとかして、お前さま、行ってしまわねえでゐる訳にゃ行かねえか？、この村、あんとかして、捨てねえで居て下さる訳には行かんか！お前さまに行かれたら、わし等どうなりますべ！

禎介　……（グッと来るが笑ひにまぎらして）お袖さんか、ハハ、さう言ってくれるのはありがたいが、家がなくなりゃ居るわけには行くまいて。なにごとも儂の甲斐性無しだからさ、藪医者でなあハハハハ、それとも　お前、儂を婿さんに取って呉れるか？、ハハハ、……（しかし一同笑はふとしない。笑ふのは禎介一人である）それよりもお袖さん、近頃眼の方はどうだ？、大事にするんだぞ。

お袖　おかげで大分見えるやうになっただけど……（泣き出す）そげな事あ、どうでもいいわい、禎介さま、なんとかして、なんとかして、……（泣けて言ひ続けられない）

禎介（それから眼をそむける様に眼にとまった老爺の一人に）……あゝ兵吾さ、近頃どうかな？、（その兵吾は耳が遠いらしく、ポロポロ涙を流して居る、禎介寄って行って大きな声で）あのなあお前さの心臓はな、大した事は無いで、ただ食物に気を附けな、塩からいもん食っちゃいかんぞ。

兵吾　いや、そうでねえでがんす。……俺あな、御先代の将野様にゃ、えらい可愛がって貰ってゐやした、……辛えでがすよ。（少しトンチンカン泣く）

その頃、カバンを停留所に置いて来た辰造と七蔵が上手から戻って来て、これをヂッと見てゐる。禎一と綾子も、禎介と一同を暗然として見てゐる。

禎介（泣かれるのに困って）いいて、いいてつつ

と傍の一人の女房に添って立って居る男の子に眼をとめて）あゝ房坊どうだ、脱腸なおったかな。ハハ……お前あんときはキンタマ三つになったと言って泣いたでねえか。

女房　（その子の母らしい）へえ、おかげさまで、大分引っこみやした……

禎介　さっか、どれどれチヨット見せな。こらチヨット触らせて見せな（とその子をつかまえようとするが、男の子は恥しがって母の周囲をグルグル逃げ廻る。それを追ひかけて掴まえようとする禎介、その有様がホンのチヨットだが常規を逸してゐるやうな感じで、コッケイである。さすがに群の中の娘がクスクス笑ふ。

辰造　（腹立たしげにズカズカ出て来て、まだ追ひかけてゐる禎介の手から診察のカバンをもぎ取る）……いい加減にさっせ、もうバスが来らあ。

禎介　（少しキヨトンとして）さうか、ハハ……

松五郎　……先生さ、先生の家、鈴木が取り上げたのは、金輪さんの指し金つう事だが、そりや、ホンマですかねえ。（その金輪や鈴木が花田に対する怒のために、思ひつめたやうな句調である）

禎介　うて、……いやあ、そんな事あるまいよ。もともと、もう儂のもんで無いんぢやから、どうされても文句は言へんしな、鈴木でも直ぐ立ちのいてくれと言ったわけぢや無い、が、まあ、とにかく、いづれもやって行けんしな、禎一が満洲へ行ったりするで、とにかく、町へ出て、親戚の所に一時落着いて先きの事あユックリ考へるさ……余計な事考へて呉れちや、却って儂が困る。小作料の事も、とにかくどうなるにしても、万事穏やかに考へてやらんといかんぞ、いいなあ、

松五郎　……！　へえ、先生にばかり、御迷惑かけて済まねえ、俺達あ、何と言っていいだか……（うなだれてしまふ、他にも二三人低く頭を垂れるおやぢ連中がある。一方に立ってゐる七蔵も両手が顔をおおふてゐる）……上納米の事は、いづれ、もうこうなったら仕方がねえで、花田さんや萱谷さの方へようくあやまって何度にか分けてでも受取って貰ふやうに致しやす。

禎介　うむ、さうしたがええ、辛えだろうが、お互なにだになり合ってな、するだけの事はちやんとした上で、またよく頼むだ、花田さんだって、さうすりや話のわからんお人ぢや無い。とんかく、何がどうなっても、お前さん達が米や麦を作る当

人だからな。いづれ、永い間には、万事がお前らに悪いやうにはならんからな。今の内苦いのもお前らぢやが、そんだけ強えのもお前らぢや、つまりは村もやつて行けなくなるし国もやつて行けなくなる、いいかな、いづれお上でも捨てちや置きなさるまい、辛抱するだよ。

おやぢの一人　狩野先生、わしら、先生に済まねえ！

辰造（がまんにがまんをしてこれらの会話を聞いてゐたが、遂に爆発する。診察カバンを振廻し、その辺をあばれ廻りながら叫び出す）済まねえ！済まねえか！　へん！　お前等が内の先生に今更済まねえと言へるかっ！　狩野様は七十五代続いた家柄だぞっ！　此の村一番の地頭さまだぞっ！それが、こうして、こうして出て行くだっ！よく見て置け。誰のためだっ！　何のためだ！　ようく見て置け！内の先生は神様だつ！馬鹿正直の神様だつ！　それを、それを、こうして、全体何のために、……（あまり叫んで声がかれてヒーヒー言ひながら狂ったやうにその辺をあばれ廻る。彼は今眼前にゐる村の人達を憎んでゐるのでは無いのであるが、そのはけ口の無い激昂を誰に向つて叩きつけてよいか解らないのである）

禎一　辰造　もういいから！

辰造　こん畜生！こん――　よく見て置け！

綾子　辰や、かんにんしてお呉れ、かんにんしてお呉れ。

禎介　辰！こら！（と辰造の腕を掴む）

辰造（禎介の顔を穴の開くほど睨んで）……禎ちやん、お前は阿呆だ！（言ひ放つて、禎介の服にむしぶりついて行き、そこに顔を押しつけてウーウーと唸るやうに泣き出す。老人二人が、しばらくさうして取組み合つたやうにしてゐる。……）

禎一　綾子、お前、辰造を連れて、先に行つて……朝日屋で一杯飲ませてやるんだよ。

綾子　え、、さあ辰造、……（と辰造を父から引離してその背に手をかけながら上手へ、七蔵も辰造を助けながら、上手へ去る）

暗然としてそれを見送つてゐる一同。

下手奥から乗合バスが到着した音が響いて来る。

禎一　お父さん、バスが来たやうですよ。

禎介　……ぢや、お詣りをし、……（祠堂の方へ）ええと、……禎一、お前もお詣りしなさい。

禎一　え、、、、、

禎介　いいから、此処へ来なさい。（言はれて禎一も父と並んで祠堂の正面に進む。）久之進さんの心入、ありがたい、、、、、（帽子を取りキチンと立って、改ったかしは手を打つ。禎一は深く頭を垂れて礼拝）

間。

百姓達も、路上に立ったまま、深く頭を垂れて粛然としてゐる。

禎介　、、、、、（口の中でブツブツ祈ってゐた声が少し聞きとれるやうになる）申訳もござりませなんだ、、、、、御先祖様御代々に対し、、、、、儂の不肖の致す所でござす、、、、、禎一に就いても、、、、、恥かしい息子を持ちやして、なんとも、、、、、けえども禎一は、これまで心得違ひをして居りましたが、狩野家の末として、此処にこうして立ちましても人間として決して間違った了見を持ってゐたのではござせなんだ。どうぞ御許し下さいましてこの度、お国のため、海を渡りますに就ても、どうぞ御先祖の皆様方の御加護を、、、、、

禎一　、、、、、（益々深く頭を垂れる）

禎介　、、、、、（尚、黙禱をつゞけ終って再びかしは手を鳴らす）さ、行こか。

禎一　お父さん、ありがたうございました。（涙ぐんでゐる）

禎介　いいよ、いいよ、さ、、、、、（歩き出す。不意にヨロヨロと前にのめりそうになる。禎一が黙ってそれを支へる）、、、、、ええと、鳥をどうとかすると言ってゐたなあ。（フッと言ひ出してゐる）

禎一　なんですか？、

禎介　鳥が、その、、、、、（一瞬眼付きが変にウロウロとその辺に何か捜すようにする。表面はなんでもなく落着いてゐるやうに見えてゐたが、父祖伝来の此の村を立退いて行かざるを得なくなった事が、此の善良な人間の精神に、非常にのふかい手痛を負せているのである）ええと――

禎一　（少しハッとして、父の二の腕をグッと掴んで、ゆすぶる様にしながら）お父さん！　お父さん！

禎介　（フッと我にかえる）なんだ？、、、、、さ行こう（バスのラッパの音）それ、もう出るよ（ビックリして心配そうに自分を見詰めてゐる一同を

見廻して）やあ、皆さん、ありがたう、もう結構だ。みんな身体を大事にしてな（ニコニコして歩き出す。その明るい調子が却って痛々しい）

禎一　歩けますか？、

禎介　え、なんで？、さ、急がんと。

禎一　……（一緒に歩き出しながら、父への注視を怠らず）いっそ、お父さんも一緒に満洲に来ませんか？、綾子と二人で新京辺に住み付いて下さりゃ、僕も結局ありがたいけど――

禎介　さあ、儂なんぞが附いて行けば、足手まとひになるだけぢゃろう。お前にゃ今後は命がけで、出征のつもりでやって貰はにゃいけんのぢゃから、儂の事なんぞ考へたらいかん。ハハハ、みんな、ありがたうよ、さようなら、達者でな、…（機嫌よく言ひながら、息子に肩を支へられながら、上手へ消える）

後には悄然とした一同が、しばらく動かずにゐたが、やがて頭を垂れてゾロゾロ上手へ歩み去って、此場には人は一人も居なくなる。やがて上手奥で、バスの発車の響。それの遠ざかる音――消える。

新緑に輝いた狩野神社一帯は静まり返ったまま長い、長い間。社旗を微風がゆるがしてゐる。

――幕――

幽霊荘

東京市の場末の低地に建てられたアパートの内部。

夏から秋へかけて。

才一場は一階で、才二場と才三場は二階で、才四場は三階の屋根裏部屋で。しかし全四場を通じて場景は殆ど同じ、僅かに廊下の勝手や階段の附き方の相違と、才四場に於ては天井の傾斜等、及び窓から見える外景の相違だけで階のちがいが示される。

全四場を通じて、ひどくガランとして薄暗い。廊下の奥など昼間でも真暗である。粗末な木造建築なので風が吹くと建物のどこかでヒューンと鳴ったり、ガタピシいったり、ギーキーと泣いたりする。風が強いとワサワサとアパート全体がゆれるのである。

廊下の奥の暗い所を数の乏しい止宿人がパジヤマをだらしなく着て黙ってウロウロするかと思うと、どこかの室でだし抜けにレコードが鳴りだし、それが時に浪花節であったり、ジャズであったり、又はベートヴェンであったり、それらがポッンとやんだかと思うと風がユーンとすすり泣くといった具合である。

暑い時なのだが、家は広いし、薄暗いし、ヒンヤリとして殆ど夏やら春やらわからぬ。といえば、各場が、昼やら夜やら、チョット見た眼には同様よくわからぬ。僅かに才四場だけが秋の午前でひどく明るいのみ。

1

一階。加賀一家の住いに当てられている室。八畳と六畳から成っているが、みえているのは八畳だけで、六畳は左手奥になっている。右手は広い廊下。廊下を隔てて、斜め向いに応接室のドアが見える。廊下の突当りは、玄関である筈だが暗くてよく見えない。

八畳にはタンスと机とベッドが壁にピッタリ寄せて、それから大フロシキで被った機械のような物が左隅に置いてある。

若い順一郎が頸から胸へかけて繃帯をし青い顔をして仰向けにねている。ベッドの上にではなく、右前寄り廊下への出入口のドアのすぐ近くの畳の上にである。毛布だけは脚にかけているが身体の下には何もしいていない。

姉の亜子が黙って順一郎のわきの下など拭いてやっている。――二、三人の話声がしてくるのは筋向いの応接室の内かららしい。亜子と順一郎はその方を非常に気にしている。…(間)

亜子　…どう？少しは気分？……汗も大して出ないのね。なんか飲みたくはない？お麦のよく冷えたのがあった筈よ。どう？（弟の返事がよく聞えない）なあに？いえ、大きな声を出しちゃダメ。

順一　……（かすれた声で）……寒い。

亜子　寒いと？フトンをかければ苦しそうだし、困ったな。……じゃ温かい物でも飲みます？クズ湯なら少し位いいんだって、先生いったわよ。どう、拵えようか？

順一　……ゼラチン　みたいで、いやだ。

亜子　そうね（微笑）あのイヤな匂いの奴、随分沢山のましてやったから。

順一　……まだ臭いや。プッウ（ノドの奥で笑いかける）

亜子　（自分も笑い出しかけて、あわてて）ダメ、笑っちゃや、順ちゃん……（気を変えて）罰よ、あんた。いい気味だわ。

（二人共、応接室の方が気になって、耳をすましすましているので、ともすれば話がとぎれる）

順一　……罰か。……以前、読んだ事が、ある。支那の、或地方では、下痢がとまらなくて死にそうになると、人間の糞を、むやみと沢山食う、……。

亜子　まあ、へーん！それで癒んの？

順一　知るもんか。……昨日からゼラチンをはん中い、流し込まれるたんび、僕は、それを思い出していた。一つのドグマだもん。

亜子　順ちゃん、また、あんた！

順一　違うよ、姉さん。僕は笑っているだろ。

亜子　……あんた、病気よ、立派な。

順一　……姉さんは、薄バカだ、立派な。

（二人黙る。しかし双方怒ったのではない。姉弟は何となく互いを憐れみながらマジマジと互の目をみつめ合っている。……永い間）

亜子　（微笑して）そう、どっちも本当らしいわね。乙骨の小父さんにいわすと、……（それ迄も二人の会話を縫って断続していた応接室の高調子で喋る声と、それにつれて起る二三人の哄笑。二人暫く耳を澄ましてゐる。応接室の方は再び静かにボツボ

ッ声になる。……）

順一　……じゃ、ホントに、売るの、姉さん？

亜子　さあ、……。

順一　来てるのは、質屋と、弁理士だろ？　……どうすんだい？

亜子　（前の問いにはコックリで答えて）……私もよく知んないの。……（立って、何かをとりに左手奥六畳の方へ去る。そちらで水道のセンをひねったらしく、水の音）

（順一郎は天井をにらみながら応接室の方へ聞耳を立てているが、よくききとれないので、身動きの出来ない身体を二ジりうごかしてドアにピッタリ耳をつける。同時に応接室の人人の声が大きくなり、声の中から「高田印刷がどう頑張ったって、二の許可さえ、こっちにとれればもう、……」「それはそうです。いや、お祝いに、加賀さん、ひとつ……」「ワッハハハハ」などハッキリききとれる。酒が少し廻ったらしい）

（水の入った洗面器を持って、亜子戻ってくる。足音で順一郎はドアから耳をはなす。亜子も息を呑むような風に黙って、順一郎と壁の間に洗面器を置き、壁の方を向いて、手拭を水にひたしては壁のシミを拭きはじめる。チラリチラリと弟の顔を盗みみるが、順一郎はムッとした顔をして向うの隅の、布で被われた機械をみつめている。姉の方を見まいとすれば、自然その方に顔を向けているより仕方がないのである）

順一　……母さんが……。

亜子　え？

順一　あすこんとこに寝たっきり、二年か……。あすこで、母さん、死んだなあ。

亜子　何をいうの順ちゃん！　変な、片意地なことばかり考える……姉さん、ホントに怒ってよ！

順一　そうじゃないよ、自分のことといってんじゃない。……母さんが死んだ場所に、機械がおいてあるから、あるとたゞいってるだけだ。

亜子　馬鹿。

順一　馬鹿あ？　馬鹿は知ってる……（はじめて姉の方をみて）へ、何をしてんの？　（亜子返事をせずゴシゴシ拭く）あ、そうか。姉さん、それ、うっちゃっといてよ。拭くな。あんな上まで飛んでいやがら、拭いちゃいかん、姉さん、……僕は、

考えを決めて置かなけりゃならんことがある。…なんか、そんな気がするんだ。

（間）

亜子　（低く手をやめて壁に額を押しつけていたが、すすり泣きの声を洩らし、子供の単純さで）順ちゃん、もう、よしてよ。姉さんが、どんなことでもするから、もう、よしてね。姉さんが、順ちゃんのこと、こんなに好きなこと、…どこへ行くんでも一緒に行ったげる。だからね、一人はよしてよう。（泣く）

順一　…ふん。（冷たい眼をギロギロさせて、眞率な姉の訴えに乗って行こうとはせぬ）

（シャクリ上げている亜子、……間）

（応接室のドアを押して加賀順介出て来る。後向きになり、室内に向って笑い、「とにかく、持ってきましょう。なに、スッカリそろっているから、ハハハ、チョイト失礼」といい、此方を向き、ドアを後手にドンと締め、鼻歌を唱わんばかりに上機嫌に廊下を歩いてきて、八畳のドアを開いて入ってくる。――永年の労苦と知識的労作が、明瞭に刻印されて、実際の年令よりもひどく老けてみえ、死ど老人といってもよい姿。ロイド眼鏡と少し曲った背、灰白というよりも銀白に近い、美しいがクシを入れないので、波うち乱れた頭髪。洋服の上に薬品のシミで方々の焦げた白いブラウズ、少し酒を飲んでいる）

順介　エス、イスト、アイン、ホスティロン、エス、イスト、ホスティロン、エス、イスト、アイン……（中音で唱い、次にそれが鼻歌になる。歌いながら、二人を目に入れずに、八畳を横切り、六畳の方へ入り、そこで金庫を開けるらしい音。亜子と順一郎は、その方をジットみつめている。順介は二三の書類を持ち出して来て、右のタンスの所に行き、ひき出しを開けにかかるが、鍵がかかっている）おお。おい、亜子！　亜子！　鍵だ、鍵を持ってきてくれ！　おい亜子！

亜子　……はい。

順介　あ、其処にいたのか、鍵を。

亜子　何をお出しになるんです？

順介　設計図だ。図面を青写真にしたのがあっただろう？

亜子　……父さん、父さん、もっと……よく考えてから。

順介　考える？　何を？　なに、チョイトお目にかけるだけだよ。鍵を出しておくれ。
亜子　鍵は父さんの腰にある筈ですけど。しかし、もっと落ちついて、父さん！
順介　え私の？　ええと、あそうか、あった、あった、ハハなるほど、もっと落ちついてか。（ヒキ出しを開けて、黒い長い円筒をとり出す）落着けよ、なあ、亜子。ハハ。（それを持って行きかける）
順一　……父さん！
順介　（振返り、ズカズカ三四歩戻って来て、長男の顔を覗きこんで）順、どうだえ、具合は？、まだ青いなあ顔が。早くよくなるんだ。いいか、お前は父さんのたった一人っきりの男の子だよ。（自分をにらみつけて、何かいおうとする長男の気持などまるで気にかからぬ程に上機嫌である）よし、よし、よし！（廊下に出て歌をハミングしつつ応接室の中へ消える）
（顔を見合わせている二人）
亜子　来るのね、やっぱり、順ちゃん？
順一　……え「新入生の歌」がやって来た。
亜子　うそ！　それ、嘘よ。こんだ、うまく行くかもしれない。
順一　……僕あ憶えている……。エス、イスト、アイン、……。
（二人が耳を澄すと急に応接室の方がシーンと静かになっている、——亜子、フイと出て行こうとする）
（階上から足音がして、止宿人の金がカバンを下げて、右手の階段をトントン降りてくる、前後をチョット見廻してから、八畳のドアを叩く。亜子、内から開ける）
金　モシ、加賀（カガときこえる）さん——（同時）
亜子　あ、どなた？、はい
金　ああ、あの僕、もう行きます。それれ、お礼をしようと思って、……。
亜子　ああ、そうでございますの。それでは、どうぞお大事になさって。お国へお帰りなんですって？
金　あなたに大変お世話になりました。お主人にも大変お世話になりました。イノチを助けて貰ったです。それれ学校卒業する迄居らせていただくつもりでした。それれすが……。
亜子　いえ、そんなご遠慮には及びませんわ。あん

なこと、何でもありません。……それに、このアパートの経営も私共の手をはなれて、一昨日から寛さんの方に移ったので、主にお孝さんがなさることになりました。

金　あの妖魔《ヨオモ》！。オテカケさん！……それ嘘です。

亜子　嘘ではありませんの。現に私共も四五日内に此処を引払って二階に引越すことになっております。もう只の止宿人ですわ。あなたの室のあとに行くことになるかも知れません。（微笑）

金　そですか。……（フイに流れ出してくる涙を拭いて）ああ！　この世の中、正直で愛のある人、泣かねばなりません。ああ！　愛のある人勝利するの、神の国だけです。……（気を変えて）では、どうぞカラダを大切にして下さい。さよなら。

亜子　どうぞ、あなたも道中お気をつけて下さい。

金　ご親切決して忘れません。それから、僕、帰国するというの嘘です。ほかのアパート行きます。あなた方、ご主人でなくなったので、いってもよいと思います。……僕、このユーレカ荘、こわい。別に何もこわがることない。しかしゾクゾクする。勉強できないのです。

亜子　……わかります。

金　わかりますか？、ユーレカというのはギリシャ語。私知っています。見つけた、というのです。私達は幸福を見つけなければなりません。心の平和をみつけなければなりませんね？……それれは、さよなら。さよなら。（五六歩行きかけ、再びツカツカ戻ってきて、ニコニコしながら）……僕の室のあと、おいでになるなら南京虫さんいない。安心しておいでなさい。はじめ沢山居らっしゃいます。それれ、僕南京虫さん出ないように祈りました。もういらっしゃいません。ハ、ハ、ハ。ハハ。さよなら。（廊下を玄関の方へ去る）

亜子　ホホホホ、さよなら。（チヨット見送っていた後、ドアをしめて室に入る）ホホ。南京虫さんいらっしゃいません。

順一　いい人らしいな。クリスチャンか。

亜子　カトリックの方らしいわ。肺炎になった時に少しお世話してやったの。……愛のある人勝利するの、神の国だけです。

順一　今、止宿人何人位いるの？、

亜子　せいぜい十人位なもんではないかしら、三分の二位空いている。こないだから出て行く人はかりですもの。名前がよくないのね。近所では幽霊

アパート、幽霊アパートっていっているのよ。
（階段に足音がして女の声で「金さん！金さん！」と叫びながら降りて来る丸髷に結った三十四五歳のお孝。青い顔の美しい女。孕んでいるらしい。手に帳簿と電球を握っている）
お孝　金さん！　待って下さいよ！　あれでは、あんた困るじゃありませんか！。ガラスがもう一枚……（叫びながら廊下を小走りに玄関の方へ消える。既に靴をはき終った金の利き腕をいきなり引掴んだらしいが、薄暗いのでよくみえない。声だけハッキリ聞える）金さん、困りますよ、黙って行かれたんじゃ！右側の窓の上の隅のガラスが、スッカリ二つにヒビが入っているじゃありませんか！　黙って弁償もしないで行ってしまうなんて、ズルイじゃないか！
金の声　あれは、僕知っています。
孝の声　知っている！　知っていて、そいじゃ！、まあ、なんていう……！
金の声　僕割ったのではない。僕が、はじめて此処に来た時からヒビが入っていた。
孝の声　なんだって！　何てえズーズーしいんだろう。はじめから割れていたなんてシラを切ったって、此方じゃ空いている室はチャント調べているんだから駄目です！弁償してもらいましょうよ。
金の声　仕方ない、ベンショします。だけど僕割ったのではない。
孝の声　払ってさえ下さりゃいいですよ。
（二人の声が小さくなる。金が代金を支払っているらしい。顔を見合せている亜子と順一郎）
順一　（静かになったので別のことをいう）今日は乙骨の小父さん、二階にいるの？、
亜子　描き上げた絵を届けに今朝出たっきり、又飲んでんでしょ。おきまりだ。
孝の声　……（高くなる）どう致しまして！、いまどき、あのガラスが二十銭やそこらで！、三十七銭です。三十七……（再び小さくなる。金が玄関を出て行く戸の音）
順一　……「このアパート、こわい」か、ゾクゾクしない方がどうかしている。
亜子　応接、馬鹿に静かだわね。
孝　（ブックサいいながら此方に出てくる。銭勘定をしながら）……何をいってやがんだいチャンコロめ！　（ヒッソリなっていた応接室に、二の時

又談笑の声が起る。お孝は既に応接室の前を通りすぎ、八畳のドアの前あたりまで来ているが、ヒヨイと立止り、顔だけ振向けて応接室のドアを見つめていたが、廊下の前後を見、八畳のドアを振返つて見た後、ソッと足音を忍ばせて応接室へ歩いて行き、ドアに耳を押し当てて、内部の様子を立聞きする）

順一　……姉さん、少しわきへ行つて用をしたら、いい。昨日つから僕のそばに附きつきりじやないか。

亜子　順ちやんが、父さんや私の頼みを聞いてくれるという證拠をみせてくれないから。

順一　證拠？……こうして口をきいているじやないか。フン。

亜子　又いつの……？

順一　そうじやない。姉さん託児所の方へは行かないでもいいのかといつてるんだ。

亜子　いえ、それなら頼んできてあるの、広津さんの妹さんが私の代りをやつてくれる。

順一　……広津の謙さんか。（姉の顔をジロジロ見る）

亜子　何をそんなに見るの！（赤くなつている）

順一　単純でいい人だなあ、立派な医工だよ。……しかしあれも（金の口真似）勝利するの、神様の国だけ（二人黙る。亜子赤くなり下を向いている）

（お孝の立聞きをしている応接室のドアが内側からパッと開いて、ひどく上機嫌の順介が「チヨット、では印を、ハハハ」といいながら出て来る。ハズミを食つてヒヨロヒヨロするお孝とぶつつかりそうになる）

順介　おつ！　こりや、お孝さんですか！　お孝女史か。ハハハ。失敬！（ふざけて不動の姿勢で挙手する）どうですか、天下の形勢は？　あんたはこれまで永らく管理をやつてくれたんだから如文はなかろうが、これで管理人としてやるのと、自分が主人になつてやるのとでは、同じようで違うだろうが？

孝　フッフ。いいご気嫌ですわねえ。まあ！　天気が変らなきやいい。加賀さんがこんなにハシャイでいらつしやるのホントに何年にもない珍らしい……（とベラベラやりかけるが、その時、紙幣束を握つている順介の左手にヒヨイと眼が止り、ギヨッとすると同時に言葉を切つてそれはかりジロジロ見ている）

順介　然り！　ハハハ、アイン、ツワイ、ドライ、ズドンとね。やあ、お孝閣下、失敬！（廊下を此方へ歩いて来る）ハハハハ。

（応接室の開いている戸口から寛一彦が現われる。卅五六才和服。身装が上品であるばかりでなく態度全部が柔和で、ネバリ気があり見た眼には工場を所有している金融ブローカーといった所はまるでない。お孝にくらべても、二つ三つは年下に見える程である。口のきき方は非常に静かである。）

寛　（お孝をみて）ああ丁度いい、お前今、手はあいているんだろう？

孝　はい、……。（と、打って変ったように従順である。それは殆ど奴隷的といえる程、畏怖と愛情の混り合った態度である。寛以外の一切の人間に対して彼女を示す態度が慓悍であればある程、寛だけに示す彼女の態度はそれとは完全な対照をなす。この変化は何の予告もなしに、余りに突然に来るので、見る者に眼まいを起させる）

寛　では、収入印紙を十円と五円、都合二枚急いで買ってきておくれ。金は有ったね？

孝　はい、私の方にありますから。……あのう。

順介　（八畳のドアを開けようとしているが、眼がチラチラしているものだから、ハンドルがうまく廻らず、二三度ガチャガチャやる）ハハハ、亜子、亜子（ドアを開けて中に入る）亜子！　なには何処にあったっけ？　えーと、……。

寛　（孝に）なんだい？

孝　いいえ、加賀さん、あんなにお紙幣持っていらっしゃるの　どうしたんですの？

順介　亜子！　印だよ、実印は何処だったっけ？

寛　（孝に）よけいなことをきくもんじゃありませんよ。早く行っといで。

孝　はい。では……（小走りに玄関の方へ）

順介　（黙って自分を見ている猿に）さ、出しておくれ。

亜子　……父さん！

寛　（いったん応接室の中に入ったが、再び半身だけ現わして）おい、おい、お孝さん！　ついでにビールを、もうあと一ダースいって。

孝　はい。

寛　それから、あんた、三味線を室から持って来なさい。ハハ、いいだろう、たまには。（応接室の中へ消える）

孝の声　はい。（玄関を出て行く気配）

順介　なんだ？、いい、いい、わかってる。私だって、そんな、そんな、ウカツな人間ではない。自分め、この加賀順介の生命の一部分を処理しているんだ。そんなボンヤリもしていられない。ハハハ。さ、出しなさい。

順一　一部分ですが、父さん？、

順介　わかってる。わかってる。さ、出しなさい。

亜子　出します。これは……（と帯にかたく結びつけて懐中しているサイフを出し、それから印のケースを出してやりながら）父さんの物なんですから。

順介　そんなに心配しなくてもよろしい。ハハ。何だえ、その額は？、え？、（と亜子の顔の下に指を入れて）それに売買契約の方に押す印ではないよ今日のは。出願の證書だけさ。ハハハ。ああこれだ、さこれ半分だけお前にやる。ホントはみんなあげたいが、父さんもあの機械を、あんな模型でなく、原寸大で一台拵えたいからな。でこれで託児所の滞納家賃と、それから、差押えをお解き。

亜子　いりません。

順介　だって、あんなに心配していたじゃないのか。子供達は……あの小さい寝室は、あのままだと、どうなるんだい？、（握らされてしまう）

亜子　いりません！　いりません！

順介　ハ、ハ、ハ。まあいい、父さんの仕事にようやく目ハナがついたんだから、お祝だ。なあ、取っておくさ。お前があれ程打込んでいる託児所だもの、父さんの託児所でもあるさ。丁度、父さんの研究の仕事が、これまで永いこと、亜子のものであった、順一郎のものであった、ミドリ……母さんのものであったと同じことだ。

亜子　……（母のことをいわれて、こらえ切れずなり、畳に突っ伏す）母さん！　母さん！

順介　よし、よし！（泣く。しかしこれは嬉し泣きである。娘がどんな気持で泣き出したのかを察するだけの余裕を失っているので、亜子も嬉しなきをしているのだと思いちがえている）ハハハ。ミドリ！（涙をふいて、遠くをみる目つきをして）ミドリ！……よし、よし。ハハハ。ハハハ、父さんにまかしておき！　よしよし！（室を出て廊下へ応接室へ消える。すぐあと、玄関の方から印紙を手に持って来たお孝も応接室へ消える）

（間――畳に突っ伏したままの亜子。応接室

からお孝だけがドタバタと出て来て下走りに玄関傍――管理人室だろうと思われる辺へ行き、再びすぐ出て来た時には三味線を抱えている。応接室へ又すぐ入りそうにするが、それをよして、八畳のドアの所迄歩いて来て立聞をしはじめる）

順一 ……畜生！（低い、ゆっくりした声）……姉さん、泣くなといったら。（亜子フイと身を起して、黙つて奥六畳の方へ立つ。その気配に、お孝は誰か出てくるものと思い、ドアの前から壁の方へスッと身を引くが、人が外に出てくるのではなかつたことを知り、安心して、又、そのままの姿で暫く立つているが、室内では順一郎が一人で天井を睨んでいるきりで、物音のしよう筈なし。お孝は後すざりにソロソロ応接室の方へ行きかける）

（順介の親友で洋画家の乙骨真雄――ユッタりしたコールテンの洋服を着ている。一昔前の画学生といつた身なりである。しかしボヘミヤン・ネクタイや、モシャモシャの長髪や変り型の帽子などがないので、一見してそれと思われる画家臭味からは救われている。年令は順介よりも三、四才若いが、見た所更にズッと若い。右の小わきの下に、全紙のケント紙を筒にして巻いたものを抱え、右手には、油絵具の一ポンド・チューブを三本掴んでいる。少し飲んでいるとみえて陽気である。足取りも少しヒヨコヒヨコしてかるい。――外出から戻つて来たらしく、暗い玄関の方から現われて廊下を此方へ来る。

後向になつて歩いて来るお孝をみて、乙骨ギヨッとして立ちすくみ、暫くお孝のすることをみているが、段々お孝が自分の方へ近寄つてくるので、お孝の背後を大きく輪を描いて避けてソッと通りかかる。乙骨はお孝だけを特に、蛇嫌いの人が蛇に対するように、本能的にムヤミに怖れているのである――）

孝 （やっと乙骨に気がつき）ああ、あんたなの、乙骨さん！

乙骨 やあ。ぼ、僕だよ。ハ、ハ、僕だよ。

孝 （テレかくしに笑つて）いいごきげんねえ。

乙骨 （尻込みしながら）ア、ハ、ハ。いや、たまには僕だつて、男児の鬱塊というやつでね、ハハ男児の鬱塊……（チューブで額の辺をなでている。）

孝 （急に笑いを引込めて）びつくりするじゃあり

ませんか！ 黙ってさ、音もさせないで、人の後をウソウソ泥棒猫みたいに歩きまわって、……、

乙骨　（ビックリしてトビのく）いや、失敬々々、ぼ、ぼ、僕ぁ、なにも、そんなつもりで……失敬失敬。（八畳のドアを押して入る。お孝はそのドアを睨んで立っているが、エモンの辺に手をやり、三味線を持ち直して応接室に消える）……や、ああ！ おお、順公、どうだい？ いや暑い！ 彼奴はにが手だ。

順一　お帰り。どうしたの？

乙骨　泥棒猫みたいだと？ へん、自分のことだろう！ 暑いや、（コールテン服の襟をはだける。すると胸の肌が見える。シャツを着ていないのだ）いや、あのメカケさ。この室の前で立聞をしているんだ。鼠だ、鼠だ、大きな鼠だ！ というセリフがあるさ。メスの、ポテリンの、ドブ鼠め！ ホッテントットめ！ グッサリ刺しててもやらんきゃ、我慢ならんシロモノだ。当のお孝の前では小さくなっていればいる程、後になるとそんな相手と、同時にそれをそんなに怖がる自分に腹を立てて、無性に横ガイするのが彼のクセである。トメドなく威張って喋べる）うん、あん畜生！ えと……ところで順公、どうだ具合は？ まだ動いちゃいかんよ。なあ！人生というもんは、そいったものじゃない！ 死んじまう迄は、此方のもんだよ。切札は此方が握ってるんだ！ 切り札の中に、命を叩き込め！ やっつけろ！ とっつかまえてねじ伏せて、料理しろ！ ハハ、そうじゃないか。え、ハムレット？ じゃなかった、ドンキホーテだったかな？ どっちでもいいや、ハムレットよりゃ、ハムの方がうまい。単純だよ。……亜子はどうしたい？

順一　……向うの室で泣いてら。

乙骨　泣いてる？ 又か。託児所の道具が競売になるっていうんだろう。よし！ 僕に金が有る！（ポケットから紙幣やバラ銭を掴み出す。それを勘定する。勘定している間に、突然、非常に悲しそうな顔になってしまう。殆どベソをかいている）……フン、乙骨夏雄、馬鹿野郎。……半月の仕事の代がこれだけだ。……（気を変えて）どれどれ、それにしても泣くって法はないさ。（六畳の方へ行きかける）

順一　小父さん、行っちゃいけない。放っとけよ。……それよりも、チヨットそこの窓のカーテン開

けてくんないかなあ。僕、空が見たい。

乙骨　そうか、よし、その調子だ。人は空を見なきやいかん。（カーテンを開けて外をのぞく）だがもう駄目だよ。晴れてりや、まだ、あすこん所に一尺四方ばかり青く見えるかな、あ、そうだ、順公、青い空が見たいのだな？、よし見せてやらあ！　青空も青空、生一本のゴッホの輝けるセルリアン・ブルーだ。（チューブを突出して、少し、しぼり出し指先に塗ってみせる）それ見ろ、順公、日本の今時の濁った空よりは、このチューブの中に、ホントの青空がある！

順一　（乙骨のためによろこんで）ああ見えたね、小父さん！　描けるね。ああ、いい色だ、いい色だ。あすこで窓から見た空に、こんな空があった。

乙骨　そうさ。チューブの中か、牢屋の窓だけにあるんだ、今時は。現代は少し恥じるがいいんだ。恥じるがいい。それ、ここにオークルとシルバーがあるよ。オークルで地面が描けるし、シルバーで光が描ける。これだけあれば十号が三枚やれる。……しかし、このオークルやシルバーの地面や光りも今じゃ、よごれている。うん、ドロンとなっちゃってる。ぼ、ぼ、僕あ絵具が買えると、先ず気が違いそうに嬉しくなって、次に気が違いそうにむかっ腹が立ってくるんだ。うん！　世の中あ、まちがってるよ。まちがっている！　現にわれわれが発明家加賀順介を見よ。あんな、いい人間が今迄どんな目にあって……俺あ……。

順一　小父さん。父さんは、又「新入生」を歌っている。

乙骨　なに？（急に顔色を変える）

順一　エス、イスト、アイン、ポステイロン。

乙骨　嘘だあ、……ホントかい？

（順一郎答えず。二人黙る。――永い間）

（応接室の方からフイに三味線が鳴ってくる。建物全体をゆすぶる風の伴奏）

乙骨　ヘッ!?　な、なん……！（殆ど異変に出会ったように立ちすくんでいる）……。

順一　あいつのうしろからは、いつでも不仕合せがついてくる。

（この言葉のうちに六畳から亜子が出て来る。乙骨は眼を据え、三味線をきいている）

亜子　小父さん！　止めて頂戴！　お金を受取ったんです。実印を持って行きました。よく考えてみるように、もっと考えてからするように、小父さ

ん！（この時　再び順介が「新入生」を賛歌で歌いつつ応接室から威勢よく出て来る。前よりも酔っている。書類と印を握っている）

乙骨　……いかん、いかん！よし！（と、やにわにケント紙の筒を投げ出し　室を出て行こうとドアのノッブに手をかける。丁度外から順介がドアを開けるので、ぶつかりそうになる）おお！加賀！加賀？ああ、酔ってる！

順介　よう、乙骨、戻っていたのか。アハハ、万歳だぞ、乙骨！なあ、よろこんでくれ。酔ってるで、酔うさ！俺あ嬉しいんだ！出願の方もできる筈だし、原寸大製作の費用もできた。俺の、此奴が陽の目を見るんだ！この子供が、そうだ、亜子、順一と、それから此奴だから　俺の三番目の子供だ、これが世間に出て働くんだ！俺あ、涙が出る。嬉しくって！

乙骨　子供が世間に……（と意味なくいって、順一と亜子を代る代る見ている）

順介　そうじゃないか、乙骨！死んだミドリが先ずこのために泣いた！お前も泣いてくれたなあ！、ミドリは生活の方を、一切合切引うけて闘ってくれた。お前は世界中の絵具という絵具をとりよせて　俺の為に合成法まで調べてくれた。三人で抱き合って、此奴の上で涙を流したことを憶えているかい？

乙骨　憶えている！憶えているとも！だから、だからさ、そんな有頂天に、軽率にやらないで、よく考えた上でこの前のような目に、それから、その前の時のような目にもあわんように……。

順介　なんだって？、何をバカな心配をしてるんだい？、君まで、僕のことをそんな、ほうずもない阿呆だと思っているのか。アハハハ。此奴には、俺と、ミドリ、君、亜子、順一、この五人の命が打ち込んである。如何に僕がフヌケのボンヤリであっても、考えなしなことができると思うのか。まあ、僕にまかしときたまえ。約三個の特許がとれる。もっとも特許なんぞどうでもよろしい。特許などで保護される必要のあるのは単なる思いつきだ。俺のは計算だからな。思いつきは誰にでも真似られる。俺の仕事の根幹はそんなチャチなんじゃない。元来、金属印刷で改良の対象となるのは三つしかない。印刷される当の金属と、印刷する顔料と、そいから、印刷の操作のプロセスさ。重要なのは顔料とプロセスだ。俺の考えたのもそ

の点だよ。どうだ！　能率があがる。職工達の手数が半分以上はぶける。金ができる。死んだミドリが、どっかで、どんなに喜こんでくれるだろう！　スッカリ売ってもいいんだ。弁理士にいわせると、それでも三万円位にはなるというんだ。そしたら、そしたら！　……。

亜子　えッ、じゃ　もう売る契約をなすったの、父さん!?　では先刻のお金は？

順介　違うよ、あれは筧の方から受取ったこのアパートの清算金の内金だ。ハハ、大丈夫だといったら。

亜子　では、実印は、父さん？

順介　印は筧君とは関係ない。出願の書類に押しただけだ。あんまり心配して、父さんを馬鹿扱いにしすぎると、父さん怒るよ。ハハハ、金ができる。そしたら、謙五とお前は結婚するんだ。そいから二人で消費組合も、あの託児所も、もっと大きくするさ。金はいくら使ってもよろしい。父さんは研究の材料費だけあれば、タバコ代と、そいからビールが月に三ダース買えれば、あと一文もいらん。ハハハ、どうだ、そうなれば、嬉しいぞ。嬉しいだろう？　えッ、亜子、嬉しいだろう？

亜子　……ええ、それは嬉しいわ。だけど……。

順介　その「だけど」はいらんよ。それはお前の悪い癖だよ。お前達の母さんは、あんなに私のために苦労しながら「だけど」とは一度もいわんかったよ。

乙骨　そ、そ、だけどさ、だけどさ、加賀！　……（どういっていいかわからず黙っている。うまく言葉がでず腹を立て）順介！　君ァ、学者なんだよ！　学者なんだよ、忘れるなよ！

順介　学者がどうしたんだ？

乙骨　実際の事ァ、やれないんだ！　君ァ、少しモーロクした学者だぞ。だから、俺のいうのは……。

順介　アハハハ、何をいうつもりだい、夏雄？　ハハ、俺がモーロク学者なら、貴様ァ、モーロク画描きだ。アハハハもうよい！　もうよい！　とにかく、金ができるんだ。そしたら君にも、あんな呪われたケンビ鏡を覗いちゃ、日がな一日、バイキンの画を描かないでもいいようにしてやる。そんな、そんな　画用紙なんぞ破いてすててしまえ！　明日からカンバスと絵具を山のようにあてがって、絵を描かしてやる！　絵を描かしてやるんだぞ！　みんなに俺の金をやって、ホントーに心

からやりたいと思うことをさせてやるんだ！　なあ、順一郎！（順一返事をせぬ）人間は、自分の本心からやりたいと思うことをやらなければならんのだ！　どうだ!?　何だ、あんなバイキンが！　バイキンが青い色をしていたって全体何だ！　乙骨夏雄、貴様あ、偉大なる画家ではないのか？　魂をもった芸術家ではないのか？　よし、よし、よし！　いくらでも材料は買ってやるから、雪のように真白なカンバスに、先ず、そうさな、俺達のミドリの肖像を描いてくれ。遠慮するな、絵具をチューブからじかにグイグイ山のように盛りあげろ。そして俺の惚れていたミドリの、そいから実は貴様も惚れていたミドリの、先ず顔から眼を描け！

（この辺で、応接室から四五枚の書類を握った寛が出てきて、ドアの外で順介のお喋りをニコニコしながらきいている。）

乙骨　おお、俺あ反対だ！　俺あ反対だ！

順介　反対？　ミドリに惚れるのに反対なのか？　馬鹿野郎！　俺がこれだけ惚れているのに貴様が惚れんという法はない！　惚れていたんじゃないか。知っとるぞ！　もっとも、もうミドリはいない。死んじゃった、畜生！　惚れるのに反対とは何という言い草だ!?

乙骨　そうじゃない。そのことじゃない。うまく行きさえすれば文句はない。俺あ、何も……だからさ、機械のことやこの家のことを、もっとよく考えた上で、もっとよく考え……（寛がドアを押して笑いながら入ってくる）

寛　やあ、ハハハ、どうしました、乙骨さん？　画は描けますか？

乙骨　画？　画がねえ——（それに苦笑して順介に）ねえ、加賀、これは僕だけがいってるんじゃない！

寛　だって、十年前の事を思いだしてご覧なさい、乙骨夏雄というのは天才だといわれた名前じゃありませんか。私なんぞも解らないなりに好き出し、私の先輩の株の方で盛大にやっている男にも、これは又集める事の好きな人がいます、格好なのが出来たら、拝見さしていただきたいもんですなあ。とにかくお描きにならんきゃいけませんよ。

乙骨　描いています。ハイ毒の絵をね。来て下さりゃ、いつでもご覧に入れますよ。……（順介に）僕達の心配が、君にわからぬ筈はない！

順介　だから、私を信じて任せておけといっているんだ。

寛　何のことです？

順介　いや、機械の事をね。それから……実はこの家……とまあ、事情を知らんで、はたで見ていると心配するのも無理はないんでしてなあ。

寛　そう、それはそうです。出願の経過中に項目が他へ洩れる例はよくある事ですからね。殊には、このプリントマシンは、化学工程と物理工程双方にわたっての改良だから、そうでしたね？

寛　いやあ、私だって工場を経営していりゃ、機械の事も少しは分りますよ。事実、直接すぐにこの機械から恩恵をこうむるのは、私の工場なんですから。しかも、それも、もともと加賀さんが創立なすった工場であってみれば、それだけやっぱり加賀さんにしても可愛いい訳でしょうからね。よっぽど慎重に運んでいただきたい。今度の改良機の処理如何では私の方も大打撃にならんとも限らんので、実は正直のところ、私だって心配しているんですよ。（応接室の方を顎で示して）あんな連中にかかっちゃ、失礼だけど、加賀さんあたりは赤んぼみたいなものでしょうから。私なぞが、頼まれもしないのに、何かとお話中に一座してあげるように心がけているのも、そんな訳です。どうですか加賀さん、あの連中のうしろにN・Y工業なんぞが、動いているんじゃありませんかねえ？　仮にもそんな事があると、N・Yは臼田コンツエルンのバックをもっているし、主要な仕事が軍需工業に関係している事もあり、話が少し面倒になって来ますがね？

順介　そんなことはない！　そんな！

寛　全部を三万で売らないかといった話なぞ、じゃ、どんな風に解釈したらいいですかな。その話が嘘だとすれば、結局買う気なんぞ、どこにもないのに三万などと夢の様な値を立てておいて、費用をいくらかでも沢山とろうとしていると考えなければなりませんねえ。ええそうでしょうて、それ以外に解釈の仕方はありませんよ。

順介　ふーん、……。しかし、まさか、……。

寛　いや、これは私の老婆心までです。万々そんな事はありますまい。又及ばずながら私がついている以上、そんなへまはさせるもんじゃありません。ねえ、乙骨さん！　そうでしょう？（乙骨返事をしない）ハハハハハ。とにかく、三万が三十万だ

ろうと、売買の話にはお乗りにならん事ですなあ。

順介　勿論ですよ。私が印を押してきたのも、願書の方と、委任状だけなんだから。

寛　あ、そうそう、印で思い出したが、ついでですから、これにチョイと押しといていただきます。此方は、工場の方の変更登録の最後のものです。ええとそれから、……。

順介　よろしい。（読む）なるほど。

亜子　父さん！

寛　署名の方は先日やって貰いました。印紙の方にも、私のは済んでいますから、あなたのだけを。ああ、そこで結構です。（順介印を押す）……ええと、一部分は先程、お渡ししましたが、残金もなるべく早く、工場の株式のあなたの分の未払い込み分を含めて清算するつもりでございますから、ここの処は曲げてご承知下さい。（順介頭を押えて書類に目を通している）

乙骨　加賀、いいのかい。それを……。

寛　実は恥をいわねばなりませんが、私の関係のオヤジの奴が、株価の関係で、よせばいいのに、二三の国粋団体に足を突込んだ事から、そうなると他に沢山ある団体からもカランでこられたりして裏で少し放漫な駒をさしたもんです。それの穴埋めやら何やらで、すぐにこのアパートなども。

順介　では、あなたの手で又……。

寛　いや、そうじゃありませんが、とにかく、いつでも動かせるようにしとく必要があるんですよ。勿論、名義は、この通りお寿になっています。ひとつお願いしますよ。

順介　どちらにしろ、もう私のものでないのだから。（印を押す）

亜子　母さんを思い出して下さい。父さん！　母さんを思いだして下さい。

順介　何をいっている。お前は黙っていなさい。（亜子に自分の握っていた書類を渡して）これは大事にしまっておいてくれ。そんな顔をしなくてもよろしい。父さんだってこれ程慎重にやっているんだ。（寛に）しかし、何だな、私の方も製作費やら研究費やら、まだいろいろいるんで、残金の方はなるべく早くしていただきたいんだが。

寛　それはいう迄もありませんとも。じゃ、もう一応、あちらへ行って、出願の方の話を。

順介　そうしよう。（寛と一緒にドアの外へ）残金の方はなるべく早くしてなあ。でないと、もう先

白から私んとこ一家は、止宿人になっとんたから、月末になって間代も払えんことになるしねえ。ハハハ、お孝女史は、あれで相当やるからねえ、ハハ。
寛　ハハハ、いやあ、そりやいつときます。あれはどうも金の話になると、見境いがなくなって、……女子と小人という奴ですか、ハハハ。とにかく残金の方は至急に、……。
（話し笑いつつ二人は廊下に出て応接室に消える。その時開いたドアから三味線のヒビキがハッキリきこえる。すぐ笑声がそれにつづく）
（こちらでは三人が交る交る顔を見合せて沈黙ー永い間。やがて乙骨が自分の額を拳でコツコツ叩きながら室内を歩きはじめるー
亜子　私、からだがこんなにふるえる。
（間）
乙骨　乙骨夏雄！　お前は仙人だ！　くそ！　スピロヘータよりは尚悪い、……スピロヘータはとにかく作用を起し得る。お前は何も仕出かし得ない。バカ。……しかし案外これで万事うまく行くかもしれないのだ。心配する程の事はないかもしれないよ。そう、加賀は阿呆ではない。それに何度もひどい目に会って少しは用心深くもなっている。第一
順一　……小父さんでも父さんは寛という男を知らない。小父さんでも父さんでも、自分という者を知らない。
乙骨　順公は、じや、自分を知っているのか？、
順一　知ってる。知ってるから、こんな事して、動けないでいるんだ。
亜子　順ちやん、又、あんたーて、
順一　姉さん、その契約書見せておくれ。（亜子渡す。順一郎それをジッと見ている）
乙骨　知っているとも！……「絵を描いて下さらなきやいけません。天才だったぢやありませんか」チエッ！　知ってるとも、あん畜生！……しかし、しかし、万事うまく行くかもわからないんだ。
（乙骨の右の言葉の裡に、奥玄関の方から、オーバオールの上から背広を着て職工の謙五（二十六七、時には愚直な位素朴で口の重い男）が出てくる）
謙五　加賀先生！（ドアが開いているので）ああ、亜子さん、丁度よかった！
亜子　あ、謙五さん！、どうして？、（ドアの所へ

行く）

乙骨　どうした謙五？、

謙五　今日は…（亜子に）加賀先生は？、

亜子　父さんは今、ご用だけど、何か……？、

謙五　丁度そりゃよかった。託児所の方がいよいよ怪しくなってきた模様で明朝あたり、どうも処分になるだろうって、実は、たった今、組合の常任の方からわかってきたんで、そいでどうしようかと思って……。

亜子　困ったわねえ。……そいで子供達は？、

謙五　子供はもう全部帰った。炊事の小母さんと、松ちゃんが残ってるけど。なにしろ電気は来ないし、工場の方へ来て今相談していますがね、うぅん、工場は私等今夜あ夜業なんだ。今、金が三十両ばかりあれば半月やそこいら引張ってみせるって常任の方ではいってくれるんですがね。

乙骨　いかん、いかん、亜子を又いじめるのはよせ、謙五君！、君あ、君あ　亜子の亭主になろうという男じゃないか！　どうしてそういじめるんだ？、君あバカだぞ。もっと、もっと何とか頭を働かせろ。な！　寛さんに出して貰えばいいじゃないか。工場の従業員の子供が十何人も収容されてるんだろう？、それ位出すの、あたりまえだ。

謙五　僕あ亜子さんをいじめようとしているわけじゃない。どうしていいかわからねえんで、知恵を貸してもらいたいと思ってさ　オヤジあダメだあ。そりゃ何度も頼んで見たんだけど、ダメなんですよ。この下の公設市場の株がオヤジのものでしょう？、そんな訳で消費組合の息のかかったものは目の仇にするんだ。そうでなくてさえ、消費組合も託児所も今にぶっつぶしてくれるから見ているというんです。敵はねえさ。下手するとヤブ蛇だ。

乙骨　今来てるぜ、寛さんはここに。

謙五　え！　そいつはいけねえ。（ソソクサと出て行きかけて）なんですってねえ、こんだ先生の改良なすった機械だと型探しと腐蝕と絵具とが、一度に一台でやってしまえるんだって？、

乙骨　うむ、そんなことといってたな。詳しいことは俺は知らん。能率があがるといってたぜ。君達の手間あ、だいぶ省けるわけだろう。

謙五　……手間あ省ける。そいつは、ありがたい訳だが、…型探しと腐蝕をどうして一度にやるのかなあ。だって先生、腐蝕というのは品物を薬液の中をくぐらせといて作用させることですよ。やれ

は深夜の中で型を探すきりだ。

乙骨　それだ！　それをやるんだよ。

謙五　できっこねえですよ！　腐蝕には時間がかかるし、第一、一度乾燥させねえじゃ駄目だもの。

乙骨　クドイなあ、そこが研究だ。すぐにできることを二年も三年も研究するかってんだ。

謙五　……わからんなあ、へえ……（立ったまま考えている）

乙骨　急ぐんじゃないのか、君あ？

謙五　えっ、

乙骨　託児所のことだよ。

謙五　あ、そうだ。じゃ、とにかく（亜子に）後で又。（出て行く）

乙骨　……ボンヤリするな、バカッ……（短い間）

亜子　そいで、どうすんの謙さん？（先刻父親から渡されて帯に突込んでおいた紙幣に手がさわり、つかみ出して、それを瞬間穴の開くようにみつめる）

乙骨　亜子、それを渡してはいかんよ！　父さんは使えといったかも知らんが、下手あするとその金は、……

亜子　そうね……（間。その間、亜子は三味線の音をうつつに聞きつつ宙をみつめている……）……子供達……。うん、いいわ！　謙五さあん、謙五さあん！　待って！（呼びながら、紙幣をつかんだまま、小走りに廊下に出て玄関の方へ消える）

乙骨　（呆然としていたが）……ああ！　フン。

（頭髪をモシャモシャ掻いて突立っている。順一郎は指の先について青い絵具をマジマジみていて何もいわぬ――永い間）

乙骨　……くそ！　なんて三味線だ！（イライラして四五歩、歩き出しかけるが、又フイと思い止ってジッと立ちすくむ。三味線の音、風）

（間）

2

廿日後。午後おそく。

二階の隅の室――加賀一家が半月前に階下から引移って来て住んでいる。前にベッドの置いてあった場所に、半分出来上りかかった原寸大の機械が、その一部分を布片で被われて置かれている。前場では奥の六畳の方に置いてあった大きな長方形の仕事テーブルと五つ

ばかりの椅子が持ち出されて左手寄り脚光近くに据えられ、雪白に洗濯されたクロースが掛っている。その上に二三のまだ使わない食器や壷、廊下をへだてて、前場に応接室だった所は、乙骨の室で、開け放ったままになっているドアロから二三の古カンヴァスが覗いている。芸暗い。二階のどこかの室でレコードが鳴っている。テーブルに向って椅子にかけている乙骨と順一郎。乙骨は顕微鏡、鉛筆、ケント紙とギターを持参で此の部屋に順一郎の相手になりに来ているので、顕微鏡を覗いてはケント紙に向って手を動かしている。順一郎はまだ繃帯をしていて、首を自由に左右に動かす事は出来ぬらしく、右の様に動かずテーブルの上のギターの絃にさわったり撫でたりして時々音を立てる。

乙骨　全体、謙五の奴あ何の事を話しに来たのかなあ。彼奴と話していると此方まで頭がボンヤリして来るんだ。……直きに加賀が戻って来るし、戻れば今日は御祝いで飲むんだってってたから、それまで居れといっても、アノーとかソノーとかいって帰る奴だ。間抜けな……。

順一　……御祝いの会が先月から、こいで四回か、いや五回になる。

乙骨　もういい加減に寛の方でも残金渡すだろうさ。

順一　そんな、そんなまやさしい男じゃないや。

乙骨　だって、此方だってこれ以上延びれば、受取った内金を叩き返して、此の家の売買契約取消す腹な事は、奴さんだってもう知ってるよ。

順一　……だって、内金は使っちゃってあらあ。新たに拵えようたって……。

（間）

乙骨　……少し暗くなったな、亜子も、もう帰って来る。うん、ええと……。メートルがあがりすぎるって、なかなかスイッチを入れないからな、畜生。……しかし妙だよ。段々に暗くなって行くぶんには眼がそれにつれて馴れて行くのか、仕事はやれる。面白いもんだよ。肉体はそんな風に出来てるんだ。……精神も実はそんな風に出来ている。

順一　限度が有らあ。

乙骨　限度たあ、何だ？

順一　まっ暗ん中じゃ見えん。

乙骨　そりゃ、見えん。……灯をつけるさ。お孝の

閻魔だって、まっ暗になれば第一自分が困るよ。

順一　……放って置けば、今にまっ暗になる事がわかっていれば、いや、わかっているから、薄暗い時分から、つけとこうというんだ。

乙骨　じゃ、あの鬼婆あを、ねじ伏せて、つける外に手はないよ。アハハハ。

順一　……ねじ伏せるより手はない。ハハ。（ギターの六絃を一度に強く鳴らす）

乙骨　（はじめて順一郎の顔を見て）ああ、なあんだ。僕は、ただ電燈の話をしているのに順公は本哲学をやっているんだな。

順一　小父さんだって、哲学をやってる。

（間）

乙骨　……じゃ、まわりくどい事をいっていないでチャンと話そうじゃないか。加賀だって亜子だって、僕だって順公を好いているんだぞ。そりゃ順公にもわかってるなあ？　そうだろう？　僕なんぞ、僕なんぞ（涙ぐんでいる）順公が赤ん坊の時に僕の腕に抱かれて、小便をたれた、その、小便のぬくみを、今でもハッキリ思い出させる。そりゃ、それというのが加賀のいう通りに、死んだミドリさんに僕が惚れていたかも知れん。しかし、とにかく、順公は僕達の赤ん坊だったんだ、……それが、こんな風に育って来た。いつの間にどうしてこんな事になったのか、亜子は知らず、加賀にも僕にも、よくはわからん。時代かも知れん。……とにかく。賛成しなかった。出来なかった。そんな考えで、そんな方法で、世の中が良い物に作り変えられようとは、どうしても思えなかったからだ。僕達の育った時代が、舊いせいかもわからん。仕方がないんだ、人はもう一度若い時代を生きなおす訳には行かねえ。しかし、少くとも、反対はしなかった。順公のやる事を、人間として信用していた。人間はホントに自分のしたいと思う事をやる必要がある！　必要じゃない、人間のやる事は、それ以外にないんだ！「とにかく自分の思う所を、どこまでもしっかりやって見ろ」と加賀も僕も亜子も、順公の事、そう思っていたんだ。そう思っていた。だのに、……ねじ伏せる、という……ねじ伏せる事に、どこまでも骨を折って見せてくれない？　どうしてだ？……そりゃ、やって見て、しくじるのは、かまわん。男児の本懐じゃないか！……ところが、ところが、そうはしないで、あんな事をやり出す。

なぜだい？、あんな、あんな、しかも、一度ならず、どうしてしようなそずるんだ！　え、順公、どうしてだ？、（ボロボロ泣いている）

（間）

順一　（少しも感情を刺戟されたらしい調子はなく話のしまいまで陰気な位冷静である）此処で、僕の血管を流れていた血か、畳や壁の上を流れた、というだけの話だよ。……とするなら、本当は、先々月、はじめて、教誨師に頼んで久我さんに来て貰った瞬間だ。……問題はそんな所に在るんじゃない。

乙骨　だから聞いているんじゃないか、どんな所に在るんだ？、

順一　俺達の頭の中には、光りで以てギラギラ照し出された世界が一つずつ生きている……いた。どんな小さな事をやるにも、そこから割り出しやる。でなければ、何一つやれない。

乙骨　結構じゃないか！　そうであってこそ、立派な事がやれるんだ。

順一　違う。いや小父さんのいう事がじゃない、自分のいってる事が違うといってるんだ。……その頭の中の世界を照し出している光りは、……どこから出ている光りだ？、……自分の生身に叩き込まれた所から来てる光りなら、消えはしない。青物を食わないで、壊血病にかかった人間は眠っていてさえも緑色の野菜を食う夢を見るというじゃないか。……俺達は反対に、夢の中では壊れて腐って行く自分の身体の細胞の姿を見るんだ。……光りは、借り物であった。……（乙骨が何かいおうとするが、いえずに居る間に）そうじゃない、そうじゃない！　ほかの連中の事は僕は知らん、自分だけの事をいっているんだ。……中で、僕は一年の余も、自分は何んだろう、と、その事だけを考えに考え抜いた。……その間、僕より後から入って、そこで気が狂ったのがいた。それから、これは直接知らない男だが、同じ様な仕事をやっていたのが、栗粒結核でタッタ四十日位で死んだのがいる。発狂した男が叫んでいた「俺はプロパカートルじゃない！　プロパカートルじゃないよッ！　お母さんッ！」……しまいに、呂律がまわらなくなって、「バカ、お母さん、お母さんバカバカ」って怒鳴っていた。そのくせ誰も奴さんの事をプロパカートルだなんていってやしない。……死んだ男は、雑役からの又聞きだけど、息を引き

、とる間際に「もっと生きたい」と医者に向っていったそうだ。もっと生きたい……。そんな、そんな事を見たり聞いたり、……胴ぶるいをしながら、一年間、僕あ考えた。いろいろさまざまに考えた。あげくの結論、それが、ハハハ、簡単過ぎる。自分は何もまだ知らぬ小僧だ、ということだ。たったそれだけ。知るという事は焼きゴテをあてられる事だ。どこに、俺の上に、焼きゴテの当った跡がある？……先ず、生きなければならん。そう思った。……いや、そうじゃない、なければならんじゃない。生きたい、と思った。……生きたい。……（顔を蔽って嗚咽している乙骨）……して、こうして戻って来た、グルリを見廻し、それから、自分を振り返る。たら、生きられなくなっていた。僕なんぞの生きる瀬は、ない。内にも、外にも。

（永い間。両手で顔を蔽うている乙骨。——沈黙。沈黙の間を、割に間近かの室で止宿人が掛けているレコードの音楽が埋める。多分第九シンフォニーの合唱部の所らしいが、蓄音機が悪くて廻転が不平坦なために、音楽そのものは歪められ、部分的な効果は変に誇張されて響く——）

乙骨　……よく話してくれた、順公。

順一　つつ。これだけじゃ何の事だか解りゃしないさ。しかし、たったこれだけの事さえ人に話すのはこれが初めてだ……それも小父さんだから……。

乙骨　加賀には、どうして話せない？

順一　あいつには話せねえや。

乙骨　あいつ？

順一　……死んで呉れればと思った。

乙骨　ど、どうしてだい!? え、どうしてだ？

順一　母さんを、病気にし、死なしたの、父さんだ。……姉さんをメチャメチャにしたのも僕達みんなが、こんな事になったのは、父さんのおかげだ。発明が、何だ！

乙骨　だって発明を取り上げたら、加賀は空っぽの人間だぜ。いわば、それが加賀の生命だよ。

順一　だからそう思ったんだ。死んで骨になる迄は、父さんの夢は消えはしない。

乙骨　夢かい？　俺は夢だとは思わん。

順一　夢だよ。しかも近所に居る人間を一人残らず餌食にして食いつくさなきゃ、おしまいにならん夢だ。小父さんがそういうのは、小父さん自身も夢を見てるから……。

乙骨　絵の事か？　馬鹿いえ！　芸術が何で夢だ！
夢であってたまるか！

順一　……芸術が全部夢だといってんじゃない。

乙骨　ほ、ぼ、僕の芸術だけが夢だというのか？……よし、それならそれでもよい。事実、夢かもわからねえんだ。ハハハ、現に、自分の絵からは金が取れないで、バイキンを描いて食ってるんだから。しかし、しかしなあ順公、此処だよ、いいか！人間が夢を見なくなる。考えて見ても恐ろしいじゃないか！世界はどうなるんだ？世界という観念は一つの夢だぜ。いや、そうじゃない、世の中を押し進めて行くものは、いつも夢だ。そして、そんな夢を見てはそれを実現して行こうとするのが、インテリゲンツィアだ。実現の点で成功したり失敗するのは問題じゃない？インテリゲンツィアは、そいだけの特権と責任を社会から負わされているんだ。

順一　小父さんは白樺時代の人間だ、みんな白樺流さ。

乙骨　白樺だろうと赤樺だろうと、大きなお世話だ。そう思うから、そういうまでだ。

順一　パリに一月居て直ぐ帰って来てしまったというのも、やっぱりインテリゲンツィアの特権と責任に関係が有るの？

乙骨　有る段じゃないよ、大有りのコンコンチキだ。パリ行きや、画の方でも何か、打込めるものが有りそうな気がしたんだ。行って見て違う。どうも違う。自分のホントに打込むべきものは何となくほかに有る様な気がする。とにかく、乙骨良雄の生涯を打込むものは、こんな雰囲気の中にはない！そう思った。そいで、ピストルを一丁買った、どういう気だったかな、そいで次の便船で帰って来てしまった。……帰って来た……が此処にもない。……多分、死ぬまで俺あそれを捜すだろう。そいでかまわん。来やがれってんだ？夢―敗北―生活。ああ、神も悪魔も照覧あれ、だ。痛快じゃないか、順公だって、それだよ。

順一　だったかも知れん。しかし、現在は多分、それじゃない。

乙骨　へーん、そうかい？よし、そんな事あいいとして、これほど僕に話が出来る位なら、加賀にはとにかくとして亜子には何故いわんか、姉さんがお前の事どいだけ心配しているか知っていよう？

順一　姉さんには、わからん。
乙骨　馬鹿いえ、あれは偉い女だぞ。偉大なる鬼子母神だ。俺よりも加賀よりも、お前よりもあれは出来が良い。
順一　アハハ。一般にメスを支配するのは本能だ。姉さんの託児所熱も結局それだ。
乙骨　結構じゃないか！　本能以外には、どんなよい物を持っているんだ、人間が？、
順一　本能はしかし重荷だ。呪いになる。今の世の中では。呪いになっている。姉さんが――
乙骨　違う。本能はいつも人間を救うよ。亜子と謙五の事は、お前なんかには、まだ、わかるものか。亜子の前に現われた男の中で謙五が一等立派な男だ。
順一　それは多分そうだよ。しかし……。先刻のインテリの夢も、じゃ本能なの？、
乙骨　本能さ？、
順一　小父さんは姉さんに惚れているからなあ。
乙骨　惚れているよ。その證拠に謙五の芸ノロヅラが憎らしくなる事があるからな。ヤキモチだな、アハハ。よし、よし！（ギターを取り弾きはじめる）老いたる牡犬のシットか。（ヒョイと立ち、出しぬけに歌い出す。ギターに乗って）恋人尋ねて、山を越える。（その後の歌詞はロシヤ語になる、チャンポンに）
（階段を昇り亜子が出て来る。ジミな洋装――ー純白のブラウスの上に紺のジャンパーで、多分これは亡母からでもゆずられた物を託児所に行って児童の世話を焼く時に着るのである。買物の包みを下げ、階下に足音を響かせない様に注意し、一二度階下の方を振り返りつつ階段を昇って来て、踊り場の所に立ち止り、気になるらしく階下を覗いて見ている。）
乙骨　……（歌）それでも、なつかしい、遠くの人。
（亜子が階下を気にしながらも歩み出している）
……しかし、なんだよ、亜子は　そりゃ　弱い。頭もおそい。だが、結局に於て、僕達全部の中で一番出来のよいのは亜子だよ。こんな事いっても順公にはわからねえな。
順一　わからなくって、ありがたいや。
乙骨　……（歌）なつかしい遠くの人。（歌の中に亜子ドアを開けて入って来る。歌いつつヒョイと其方を見た乙骨がトタンに電気をかけられたように目を見開き叫ぶ）おおっ！（ギターから悪意識

に右手を離したために、ギターの尻がテーブルに当りゴーンと鳴る）

亜子　ああビックリした、どうしたのよ　小文さん？

乙骨　……。（見詰めている）……ああ、お前か？

亜子　誰だと思ったの？

乙骨　うん。……（右手で額の汗を拭で、ギターをテーブルに置き椅子にかける）……いや、その洋服が悪いんだ。（頭をコツコツ叩く）……ミドリさんを、見た。

亜子　え、母さんに？（相手を見詰め、次に自分の身体を眺め廻し、次に背後を見廻したりする）……？

乙骨　アッハハハハ。ハハ。何でもない。ハハハ。馬鹿！　ハハ。よし、よし、よし！（ギターを鳴らす）

亜子　どうしたのよう！　どうしたの？　私がどうしたの？

乙骨　何でもない。アハハ。いいよ、いいよ。

亜子　だって「何とかしたのは亜子だよ」って、先刻いっていたんじゃないの？

乙骨　ああ、あれか。ハハ。亜子は良い子だっていってた。

亜子　嘘！　なんか悪口いってたんでしょう。順ちゃんが「何とかで、ありがたい」……。

乙骨　ホントは、あれは馬鹿だっていってたんで、順公が「あんな馬鹿でなくって、ありがたや」さ。ね！　少くとも謙五のアンポンタンと、あんな革に……（あわてて）違がう違がう。そりゃ冗談だ、何てえ顔をするんだ亜子！　いきなりベソをかいて、おい違うよ、そりゃ！　嘘だ謙五はいい奴だよ！

亜子　ひどい！（プリプリして見せ、四畳半の方へ行きかける）

乙骨　嘘だ　あやまる。それ、歌を歌ってやる。かんべんしてくれ。コロガレ、コロガレ、ビール樽。な、な！　かんにん！（床に坐って手を突いてあやまる）

亜子　（振返って）今日は、おいしいロースト・ビーフと、オランダのチーズ買って来たけど、小文さんだけには、あげないわよ！（四畳半の方へ消える。買物包みを前らさに）

乙骨　（立って）アハハ。トメテトマラヌ・モノナラバ・コロガレ、コロガレ……。（フイと黙り込

み、先刻のドアの所をジット見詰めながら、コメカミの辺を親指でこすっている）……

（間）

亜子の声 （機嫌を直している）順ちゃん、どう具合は？、……あとで此のチーズの罐、切ってくれないで、厚いから。私じゃ駄目・

順一 うむ。……うん。（見るともなく 顕微鏡を覗いている）

（亜子出て来る）

亜子 父さん、まだ？、

乙骨 うん、まだだ。

亜子 何をボンヤリしているの、小父さん？、……ねえ、父さん所に、先日から手紙よこしてた何とか工業の技師の人此処に訪ねて来て、父さん会う話になってるんじゃないかしら？、

乙骨 N・Y工業？、知らないぜ。僕あ。どうしようというんだい？、

順一 捺染の方へ、父さんのこんどの機械を使おうと思って買収にかかっているんだそうだ、特許が一つも降りない内に、それごと買おうというんだろ。……弁理士の方から知っちゃったらしいや。

乙骨 お前どうして知ってる？、それを？、

順一 十日ばかり前に僕此処に一人でいたら、怒って、青い顔して戻って来た父さんが、一人でベラベラ喋ってきかした、……どんな気だか、僕あ知らん。……勝手にするがいいんだ。

亜子 ああ、それは多分、牛込の山田の叔父さんちへお金借りに行ってことわられて戻って来た日だ。

乙骨 え、山田へ!?、どうしたというんだ、加賀は？、此の前の清掃器発明の時、あれだけいじめてペテンにかけて、そいで、横取りしちゃって散々甘味い汁を吸ってしまうと、お前達とは今後義絶だなんぞといやがって何が親類だ。踏んだり蹴ったりされた連中の所へ、又候シッポを垂れて行くのかっ！ 恥知らず、加賀っ！ 又、ひどい目に会うぞ！ 又、ひどい目に会うぞ！

亜子 なんて大きな声を出すの、小父さん？、だから、それは私がよしなさいって、とめた。大丈夫よ、その方は。誰があ、あんな親類！、だけど、N・Y工業の方は少し違った話らしいから、父さんも会いたいんじゃないかしら。

乙骨 俺あ反対だ。そんな話は一切反対だ。……しかし話を聞くだけでも、来たら会えばいいさ。取って食おうとはいうまい。

亜子　私もそれをいってるんだわ。……四五日前から、階下で一二度見かける人があるの、その人じゃないかとチョット思ったもんだから。……先刻も、来てた。
順一　来てるのか？
亜子　違うかな。例の高利貸の番頭と、暴力団の奴が来てて　それからその人と、三人とも管理室でお寿さんがお相手をしているんだから、やっぱり借金取りか何んかだわね。
乙骨　加賀に会いに来たもんなら、取り次がぬ筈はないよ。いくら鬼婆のシマッ面でも。
順一　……寛の方では、自分の債権者を全部此処へ振り向けてよこすのらしいな。
亜子　……お寿さん凄いわよ。通りがかりにガラス越しにチラッと見てギックリしちゃった。長火鉢の前に、こうして、こんな具合に横坐りに坐ってさ。紅いものが裾の間にチラチラしてる。
乙骨　馬鹿！
亜子　ウッフン。何を話しているか聞こえはしないけど、蛇の様な眼で番頭を見ているの。かと思うとジロリと別の一人を見て頬の辺だけで笑うんだけど、何てまあ色っぽい眼付きをするんでしょう……私、こわくなっちまった。
乙骨　あいつも以前は、あんな女じゃなかった。
亜子　そうね。おととし、あの背無しの赤ちゃんをなくしちまってから、メッキリ。……私にはお寿さんの心持少しはわかる。
乙骨　馬鹿をいうな亜子！　バイドク女の心持をお前に解られて、たまるもんか。
亜子　だけど、とにかく偉いと思うわ。私達も少しは見習わなくっちゃあ。良いか悪いかは別問題として、どうでしょう、あの向う意気の強さ、……私達にはあんなものない。
乙骨　なくて仕合せだ。……おお仕合せで思い出したが、先刻、謙五が来たよ。
亜子　そう、……何かいってた？
乙骨　わからん。不得要領さ。機械の話ばかりクドクドしていたよ。そんな筈はないというんだ。見たいんだな、今度の順介の奴。結局自分の使っている奴が可愛いいのかな。職人かたぎなんだな。もっとも工場がもともとあんな工場だから職人かたぎにもなる。
順一　それもあるさ。しかしそれだけじゃない。
乙骨　（亜子に）お前が帰るまで待っていろといつ

ても、へえとか何とかで、いつの間にか居なくなっていやがる。ありゃ、いい男だが、もう少し何とかテキパキさせる訳には行かんのかえ、亜子？

順一　工場じゃ、もう先月から給料払ってないそうだね？

亜子　へーえ！　謙さんがいってたの？

順一　経営困難か。ふん、……寛がいうそうだ……加賀先生の新しい機械がいよいよ出来上って他工場へ買収されると、同種の機械でいて能率は約三倍になるから、内の工場は閉鎖という事になる……かも知れない、ともいったそうだ。

亜子　従業員全部に？……まあ？　そんな……。

順一　皆不安がってるそうだ。謙さんなざあ、真青になってる。……僕がいってやった、父さんの新機械が他工場へ行かず、寛の工場に入ることになったとしても、そうなれば人手は今迄の三分の一で済む事になるんだから、三分の二は首だろうよ。謙さん、ブルブル顫え出したっけ。「俺あ、いい、俺あ、いいけど……」とか何とかブツブツいってね……寛もそれらしい事を皆に匂わしたらしい。どっちせ、（隅の機械を顎で指して）そいつは、僕達一家にたたるだけじゃなさそうだ。

亜子　……順ちゃん！　あんた、これをそんなに呪うの？　そいで、父さんに済むと思うの？　いいえ、死んだ母さんに済むと思って？

順一　機械を呪うたあ、どんな事だい？

亜子　……悪いのは、機械でも父さんでもない。

順一　そうさ。悪いのは機械でも父さんでもない。……寛でも従業員でもない……ともいえる。しかし、或る人間が或る人間を憎むという事は、それとは別の事実だ。

乙骨　そんな話はよせよせ！　なあ！　今日はこれから加賀が、機嫌よくお祝いの酒盛りをやらかそうというんだ。皆で、酔っぱらって、歌でも歌おう！　な！

（ギターを弾く。――どこかの室からヒーッという女の金切声が響いて来る。馴れていると見えて三人は別に気にかけぬ。間）

順一　……何という綺麗さだろうなあ！……人間を作ったものが、同時にこれも作ってる。……神、すべてを創りたもうか。

乙骨　全くだ。人間だってバイキンの一種かもわからんよ。覗いてると時々そんな気がする。第六次元位の世界ではだなあ……人間がペチャンと板硝

子に張りつけられて、染められて顕微鏡で覗かれているかもわからんぞ。マリヤよ憐みたまえ！

（誰かが「アヴェ・マリヤ」を弾く）

亜子　何いってんの、さ、仕度をしようかな。……ああ順ちゃん、あそこ今日行って来たわよ。はじめ皿洗いをやらされるんだと。そいでもよければ、住込みで十五円出そうていうの。寝るのは、地下室の、火夫の寝るところで一緒だって。どう、……？、少し、ひど過ぎるとは思ったけど、私、頼むからって、そいって来たの。久我のお君さん、あいだけ心配してくれるんだもの。どう、行く？、

順一　お君さんが、世話してくれたのか？、

亜子　そうよ。一番上の兄さんが、あの食堂の釜焚きしているの。……ねえ？、順ちゃん、何でもかまわん、身体で働いて、はじめからやって見たいって、そいってたわね？、

順一　ありがとう。……しかし、やっぱり駄目だよ。……僕あ、駄目だ。

亜子　無理に働いて貰おうといってんじゃない。それはわかって呉れるわね？、駄目か、駄目でないか、やって見ましょうよ、もう一度。私達が、……

（順一郎がテーブルに突っ伏す。それを見て亜子言葉を切り、弟をジッと見て立っている）……母さんを思い出して頂戴。順ちゃん、母さんを思い出して頂戴。（順一郎は身じろぎもしない、亜子弟の肩に手をかける。順一郎、唸き声を立てる）あら、どうして？、気分が悪いの？、順ちゃん！ねえ、どうしたの？、（順一郎の唸き声）

乙骨　放っとけ、放っとけ！　病気だ。

亜子　ですからさ、又、頭のキズが、……。

乙骨　違う、それじゃない！　放っとけ。そういう馬鹿だ！……（歌）それでも、なつかしい、遠くの人。

（ギターを弾く。――階段で足音がして加賀順介が昇って来る。鋳鉄製の重く大きいピストン・ロッドを肩に担ぎ、左手にはビール一ダースを荒なわでしばったのを下げている。輝くばかり元気である。しかし不審そうな表情で廊下を覗き覗き昇って来る。昇り切った所で、立停って更に廊下を覗くようにして何かを考えている。しかし直ぐ思い返し、グルリと身を引いて歩き出そうとするが、その拍子に重い荷物の慣性のために、二三歩ヨロヨロとよろめく、自分をよろめかしたピストン、

ロッドの肌を右手で愛撫しつつ、ニコニコ歩き出した彼の耳にギターの音がはじめてきこえる）

順介　よし、よし、よし！（ギターに合せて歌）近くの谷間にもう一人、居るう！（元気よく室の方へ）

乙骨　ああ帰って来やあがった！

順介　もっと弾けよ夏雄！　さあ、これで機械が動くんだぞ！　どうだ　最もよく出来た機械は、そのままで最も美しい物だ、どうだい此の肌！

乙骨　恐ろしく重いなあ！　ハンドルというよりや人殺しの道具だ。これで八十五円かあ！　なるほど、人は殺せらあ。

順介　どうだ、此のカーヴで俺が苦心したんだ！　三ヵ月間此のカーヴを割出すだけの為に夜も昼もぶっ通しで計算した奴だぞ！　美術品だ！　なあ、此の芸術品が、サインとコサインから割り出されたんだぞ夏雄！　降参したか、画描きめ？　アハハハ、拝め！　ええと、さあ、ついでに、これだ。（とビールをテーブルの上に音を立てて置く）お前が本当に拝みたいのは、こっちだろう、アハハ。

乙骨　そんなに貰っていいのかい？　もうないんだろ？

順介　心配するな。ないにはないけど、あと、もう小さい部分品が四つばかりで完成する。ハハ。そうなれば。……順、どうだい？　今度こそ、父さんが……どうかしたのか、順一？　（順一郎答えぬ）

乙骨　しかし、出願の方、まだ、まるきり……？

順介　うむ。……ええと、今日私の留守に誰か訪ねては来なかったか？　粕谷という人だが？

乙骨　来ないよ。一日家にいたけど。……N・Y工業とかかい？　じゃ、ホントに売るのか？

順介　そりゃ、会って見なきゃ、わからん。全部買ってもいいとはいってる。プリントの方の権利だけを譲るという事で、相当の補助金を出してもいいともいうんだ。……来ないのか。そうか、ま、いい……さあこれをお抜き、飲もう、さあ亜子、御馳走は揃えたね。早く仕度しなさい。何をボンヤリしている。？、（亜子黙ってビールを取り上げ、抱えて次の室の方へ）ああそうだ、亜子、寛の方はどうだった？、

亜子　（敷居の所で立上るが　振返りはせず、チヨット黙っていた後、向うを向いたまま）駄目でし

た。……（次の室へ消える）
順介　なに、駄目？、そんな筈は、……亜子……（と続いて次の室へ行こうとしかけるが、やめる）……もう一月の余も期限は切れている。そんな筈が……（次の室へ呼びかける）居るには居たんだろう？、（次の室では皿の音）そうか。此方の事情はよく話したんだろうね？、（フォーク迄取出す音）ふうん。じゃ何故、もっと辛棒強く坐り込んで談じ込んでやらないのだい？、（亜子、肉類の載った大きな西洋皿を右手に、左手にはフォークとパンを持って出て来て、黙ってテーブルの上に並べる）
順介　そいで、何だっていうんだい？、（亜子答えず、再び次の室へ消える）どうして返事をしない？、どうかしたのか？、（その間、テーブル上のケント紙や筆や顕微鏡を黙って片附ける乙骨。順一郎は、ギターの絃をまさぐって微かな音を立てている。亜子再び、ビールとコップを三つ、セン抜きを持って出て来てテーブルの上に置く）え？、しかし、いくらかは渡して呉れたろう？、
亜子　……一文も呉れはしません。
順介　一文も？、何故、じゃ、談じ込んでやらないんだ？、
亜子　三時間足らずも頼んで見ました。
順介　……頼む？、頼む必要はない、此方はキチンと受取るべきものを請求しているのだ。もうとうに期限を過ぎている残金じゃないか。頼むなんてそんな……！
亜子　一銭の金だって自分の所では遊んではいない。第一、工場の方を譲受けた金だって、工場全部を抵当にして他から融通して来た金です。それが五カ年で肩を抜くつもりの奴が、その後工場の販売の方がうまく行かず、肩が抜けるところか利息も満足には払えはしない。期限が来てるんで下手をすると一切合切差し押えられる……。
順介　そ、そんな！、販売の方がうまく行かないって、今になってそんな！、私がやり、寛が営業の方をしていた当時はあれだけ利益を上げていた工場じゃないか！、じゃ、あんなに拝む振にいって買取らなきゃいいんだ！、今になって難くせを附けようたって、そんな、無茶な……。
亜子　とにかく先方ではそういいます。……その話かとうか、とにかく、金貸しと銀行の人が詰めかけて来ていたようです。

乙骨　ふうーん。上には上があるもんだなあ。
順介　しかし、その事と、これとは話が別だ。私のいっているのは此のアパートの譲り渡し残金だよ。それをハッキリ何故いってやらん？
亜子　いったんです。しかし……半金だけは払い済みだから、そう急がれても……。
順介　よし、そいじゃ、やめだ！
乙骨　しかし、加賀、君はハンコをついたぜ。
順介　そうさ。しかし、六月十五日迄には代金を完済するという約束だ。その約束が……。
亜子　それもいいました。そしたら、そんな堅い話になって来るんでしたら、仕方がありません。譲受名義人はお孝なんだから、そっちへ話してくれ。
乙骨　畜生！
亜子　立派な公正証書だっていいます。お孝さんの物になすという書類に、父さん、チヤンと印を捺したんですもの。……これこれで、原寸大製作と出願費用に要るからと、泣くようにして頼みました。したら、なるべく早く揃えてお渡しする、誠意を以て……（泣き出す）
乙骨　誠意を以て！　……うーん、その、（亜子の泣いているのを見て、まだ何かいおうとする順介をさえぎる）よし、もういいよ、加賀！　もういい、そう急に片附く事じゃない。君が自身で十何度足を運んでも埒の明かなかった事だ。女の子が行って、そう右から左に、なるもんじゃない。もう、いいやな！　又明日さ、もういい！
順介　……なるほど、お孝か。そうか。……そうさな、よしよし、私が明日又行って来る。あれだけ面倒を見てやってあるんだ、寛だって、まさかとなれば一片の誠意は持ってる男だ。ねえ、そうだろう？　その話は、止そう、よしと！（ビールを抜く）さあ、乙骨、あげた、あげろよ。（注ぐ）そう心配したもんじゃない！　なあ！　万事うまく行くとも！　さあ、順一、お前もおやり。
順一　僕あ、飲まん。
順介　そういうな、お祝いだ。さあ！
順一　いらん。
順介　なぜ、そうお前は逆らうんだ？　父さんが、これだけ、これだけ皆の為に苦労して、やってるのが……わからんか！　そしてヤット……
亜子　父さん、順ちゃんまだ、キズが化膿でもすると、なんだから、代りに私がいただきます。私が……。

乙骨　へー、亜子がねえ々、

順介　えらい、よし。アハハハハッ、チヨッピリだ、ね々、そう、ざあ、な！　その調子だ、その調子だ、ハハハ。（ふざけて立上つて、グルリとお辞儀をして）加賀式金属プリンティング・マシンの完成のために！　人類の名に於て！　（グイグイ飲む）

乙骨　（これも立上つて）よし、人類と来たら、負けはしないぞ！　人類よ、加賀式を完成せしめたる眞の内助者、加賀ミドリの健康の、じゃないや、霊魂のために！　プロージット！。（飲む）

順介　アハハハハッ、そりゃ、よい！　本当だ、ミドリが拵えたようなものだ！　さ、亜子、プロージットといつてごらん。

亜子　（泣きながら笑っている）プロージット……（声をあげて笑う。ビールを少し飲んでむせる。少しヒステリックである）

順介　ありがとう亜子！　お前は、よい子だ。（亜子の手を取つて、その手の平で自分の髯の生えた頬を撫でる）お前は、よい子だ。な、早く謙五と結婚しろ！　かくさなくともよい、謙五は立派な男だよ。

亜子　……（父にされるままになっていたが突然に顔色を変えて）いやです！　いやです！　いやです！　いやっ！（ケイレン的な動作で、手を振りもぎつて、走つて次の室へ消える）

乙骨　亜子は何だか妙だぞ。

順介　酔つたのだ。馴れないからな。アハハ。（飲む）

乙骨　飲ませるから、いかん。

順介　実は、自分の分が減るのを心配しているんだろう？（飲む）

乙骨　それも、ある。アハハ、今夜のは、うまい！（飲む）亜子！　亜子！　出て来い！

順介　出ておいで！　もう変な事はいわん。順、さあお食べ！　先刻は怒つたりして、父さん悪かつた。お前達を随分苦しめた。父さんはいけない父だ。しかし、ホントは、いつも父さんは、みんなを仕合せにしてやろうと思つて仕事にかかるんだよ。それが、あんな事になるんだ。事、志と違う！　ああ！　事、志と違つたのだ。父さんが馬鹿だからだ。わかつてくれるなあ々、今迄の事は、許しておくれ、な。許しておくれ。今度は万事よくなるよ。これからはスッカリ……。

乙骨　酔ったな、順介！。
順介　許しておくれ、ミドリ！　俺を許して、憐れんでおくれ！　ミドリ！……さあ順、お食べ、うまいよ。
順一　ええ。……寛は、こんだのを自分の方へ欲しがっているんじゃありませんか？　他へ渡ると工場はつぶれるといって皆をおどかしているそうですよ。……しかし、他へ渡らずに寛の工場へ入ったにしたところで、従業員の大半は首になる。
順介　えっ？……そりゃお前、そんな馬鹿な事があるもんか！　よしんば……いや、結局、能率の良い機械が出れば、ためになる！　なるとも！　そうだろ、夏雄？
乙骨　そうだ、そうだ、そうだ。（歌）オー、アルテ、ブルシエン、エルリヒカイト、ヴオーヒン、ビスト・ドウ・フエルシユヴンデン。
（歌の間に、順一郎は椅子を立ってユックリその辺を歩く。階段をお孝が真青な顔をして昇って来る）
孝　（低く）へっ、虫め！　なにようっていやがる。
順介　（階下から続いた気持で）チエッ！
順介　（乙骨と声を合して）Wie kehrt wieder die goldene Zeit, so froh und ungebunden！
孝　（室に頭を突込んで）順一さん、御面会。
順介　面会？……僕にで、何んという人ですって？
孝　警察じゃありませんよ。若い女の人です。名前は訊ねてもいわない。会えばわかるからって、ホホ、べッピンだけど、惜しい事に少うし青くて、むくんでる。玄関でお待ちかねよ。（順一郎、そうですかともいわずにスタスタ出て行き階段を下へ消える）ハハ。おやまあ、いい御機嫌ねえ。
順介　何だ？
孝　（小指を出して）これですさ、一目見りゃ様子で知れる。（ジロジロ室内を見ながら入って来る）
順介　そいつは！　どれ。（出て行きそうにする）
孝　（その腕を掴んで引止めながら）放って置きなさいよ。順一さんにしたって、いい若いもんだもの、女の子の一人や二人、へへへ、ねえ、乙骨先生。
乙骨　うう、うん。
孝　チヨイとこう、年の割にヤドスの利いた眼付きをしてる娘よ。いいねえ、好いて好かれて……（いつの間にか椅子に腰かけている。

順介 （乙骨と顔を見合ている）……もしかすると、一緒につかまったという、その……で、

乙骨 まあ、いいよ。大丈夫だ。

孝 そうですさ。あいだけの思い込んだ眼付きなら、下手せいたりすると、心中もんだ。棹させばーあ（実はしんは非常に酔っているのである）チッツン、シャン、三味線がほしいねえ。

順介 まあ一杯、行こう。（ビールを注ぐ）

孝 へえ、ありがたう。（飲む）あああ！（襟をグイとしごいてはだける。すその辺もチラホラしてだらしなく、膝の辺まで白い足が覗く。階下で散々酒を飲んでいても、借金取りや暴力団その他、大の男を向うに廻わしてわたり合っていたために発しなかった酔が今になって急に出て来たらしい）

乙骨 こりゃ、酔うとる！

孝 悪いので、フフフ酒飲んで酔わない奴あ、ドロボーだ。ドロボー！、やい！（乙骨があわてて片附けようとするギターを引っさらう）アハハハ。ちょい拝借。舟は想いを岸につく……（歌って、ギターを三味線流に引掻きまわす）まあ、何てダラシのない音じめだい、此奴あ！ トコトトト、田の中に、タニシが、びつくりして ――（踊り出す。ギターを掻きまわしながら、太腿の辺までむき出して、テーブルの周囲を踊り廻る。ビックリして次の室から出て来る亜子）アハハハハ、ハハハ、

乙骨 あぶない！ こら、あぶないよ！（実はギターをこわされないかと心配しているのである）

孝 にくらしい程、可愛ゆうて……（丁度亜子の前に踊って来てる）ねえ、亜子さん、そうでしょう？ 好いてりゃ、仕方がないじゃないのさ。

順介 亜子、お前も此処に坐ってお食べ。

亜子 ええ。（笑いながら坐る）

乙骨 うまいぞ、今日のベーコンは。（亜子食べる）

孝 （くたびれて椅子にかける。乙骨手早くギターをさらって室の隅へ行く）にくらしい程、……にくらしい程……（いつている間にテーブルにグッタリ顔を伏せる。肩や背が、波打ちはじめる。シャックリとも泣き声ともつかず、キユッキユッという声を出す。今度顔を上げたのを見ると、泣いている）私を助けて下さい！ 先生、私を助けて下さい！、助けたまい！

乙骨 こんだ、泣上戸になりやがった！

孝 寛に、私は惚れています！ ええ、心から、底

から、私あ、寛が好きなんですよ！　だから、だから私は、寛の爲なら、何でもして来ました！　ええ、どんな、どんな事でもやります！　何か冀ッ！　十三ッ屋の、ギャングのなりあがり者さね！　大きなお世話じゃねえか！　ええ、そりゃ寛は悪徒ですとも！　そうしなきゃ、なりあがれねえんだ。立派な悪徒です。寛の手足になって、やって来たこの私も悪黨だ！　それがどうだっていうんだい。寛をさ、その寛を散々に使っといて、いざとなると、手の平を反すように、こんだ手をねじり上げる奴がいるんだ。畜生！　カブト町、藤川の、クソ株屋の高利貸しめ！　かと思うとその藤川が安田の方から石油株で寝返りを打たれてヒーヒー悲鳴をあげてるんだ！　悪徒の本家本元は、じゃ、どこだい？　上から上と、どこ迄たぐって行きゃあ、……世間の奴あ、みんな口を拭って、私あ知らんよといったツラしやがって、行儀のよいふりをしていやがる。寛が、私あ　可哀そうでならないんですよっ！　ワーッ、ワーン！（殆んど自分で何を喋ってるかわからず）ええ惚れていますとも！　だから、だから、いっそ私や憎いんだ。本宅におかみさんをチャンと置いといてさ、それにこうして私というものがいるのに、赤坂くんだりの小便芸者なんぞを又、引っかけたりしやがって、そいで、私の立つ瀬が、どこにあるんだ！　子供はどうなるんだっ！　子供はどうなるんだっ！　私あ、憎いんだっ！　先生、私あどうなるんです！　ワーッ。憎い、悪徒め！　あんたも用心なさいよ、先生！　寛の奴あ、たくらんでいますよ。あの鬼が、その事で、どんだけの悪だくみを仕組んでいるか、あんた等あ知らないんだ。あんたあ神様だ。ねえ、私を助けて下さいよう。アーッ、アーッ、そいでさ、此処の地代の取立てや自分の借金取り、政黨のゴロン棒まで、金を取りに此方に振り向けて来やがって此の私に身持の私に、さんざ手を使わせてさ、私あ寛が憎い！　いいえ、惚れているんです！　ねえ、先生、新しい機械は寛に渡して下さいよ。ねえ！　惚れていますとも！　それが何が悪いんだ？　え？、（少し静まって三人を見廻す。お孝のクダを巻く気持に迫られて　先程からジット西洋皿を見詰めている亜子の上に一番長く眼を留める）……私だって元はといえば、一本になる際に、六十爺に水揚げして貰うんで、それが、いやさに神田川に身

投げをした様な、気の弱いオボコだったんだ。と びこんだら、畜生、水が浅くって背が立っちゃったあ。そいつが、私にケチの附き始めだ。金だ、金だ、金だ、金が、私のカタキでい、ワーッ、ワーッ、助けて下さい！、よう、先生私を助けて下さい。画描きさん、あなたも、私を助けてよ。ああ、ああ！（しゃくり上げて泣く。それを立って見守っている順介と乙骨。――間。お孝次第に静まり、亜子を見詰める。次第に意地の悪い、嫉妬に似た光がその眼の中に差して来る。――しゃくり上げながらである）

亜子　……ああ！、（急に前に屈み込んで、嘔吐するようなしぐさ。二度三度四度同じ事をする）ああ！

順介　どうした、亜子？、どうした？、

乙骨　気分が悪いのかい？、え？、（近づいて背を撫でにかかる）

亜子　……いいえ、いいんです。青い皿、見ていたら、急に、……（といっている間にも胸を圧え、一、二度嘔吐）……いいんです。（その様子をジッと睨むようにして見詰めているお孝。――亜子立ってフラフラしつつ次の室へ）

順介　疲れたんだ。少しお休み。

（消えて行く亜子の後姿を見詰めている間に、お孝の頬に変に惨忍なニヤニヤ笑いが浮んで来る）

乙骨　此の皿の色がいけないんだよ。

孝　……ふん、ふーん、へっ、……そうか。

順介　なんだい？、

孝　あれ、何だと思うの、先生？、へっ。そりゃそうだろうさ。いま時、廿を越した女が、ねえ。ハハハハ！

乙骨　お孝さん、何を変な事を……。

孝　そうでしょうよ！、くそ面白くもありゃしない！　アッハハハハ。ハハハ！、あれはね、知らなきゃいってあげようか？、あれは、ツワリですよ！　何がお嬢さんだい！　ハハハハ！　アッハハハハハハ。（とめどなく哄笑する。茫然として立っている順介と乙骨）

（階段を昇って戻って来る順一郎）

順一　父さん、下に訪ねて来ている人があります。柏谷さんとかいってました。

順介　柏谷？、よし、今行くよ（とは返事しても、次の室の亜子の方へスッカリ気を取られている）

孝　なんだって、粕谷!? 畜生、又来やがったのか! ようし、どうするか! (いいざま、豹の様に、飛び上るなり、椅子を突き倒し、なりもふりも構わず廊下へ走り出して行き、ドドドと階段を走り降りて行く)

順介　粕谷か。うん……(我に返って)なんだって!? 粕谷さんが来たのかい、下かい、そうか!

(外へ)

乙骨　売る話は急いじゃいかん! 加賀、とにかく金を受取っちゃ駄目だぞ! 俺あ反対だ。

(よくも聞かないで順介階段を下へ消える。乙骨はその後を追って行きそうにするが思い返して、只心配そうに見送る)

(間)

乙骨　誰だったい、

順一　粕谷というんだろ。

乙骨　それじゃない。お前を訪ねて来たという女の人さ。

順一　うん。……もと一緒に仕事してた女だ。

乙骨　又出て来いというのかい、何んといってやったい、

順一　何にもいわん。……いえやしない。俺には何もいう資格はない。あの女にも、……それから謙五君にも。

乙骨　亜子は……(次の室の方を見る)

順一　姉さん。姉さん!(その方へ行こうとする。ボンヤリ青い顔をして出て来る亜子)どうしたんだ、姉さん、

亜子　……(二人から見詰められたまま、しばらく立っている末、黙って、しゃがんで、それから畳に両手を突いてしまう)……私は、私は、……済い……母さん　私は……。

(亜子を見下して立っている順一郎と乙骨。暗く来る。風の音。階下で何か怒鳴るお孝の声なってが二声ばかり。どこかの室で起るレコードの響き――暗転。レコードの音楽は真暗の間もズット続き、第三場の始まる直前まできこえている)

3

同じ室。同じ日の夜。まだ電燈がつかない。暗転の間をつないでいた音楽が終り、シーンとなる。少し永過ぎる間。

不意に、暗い中で、ドタンバタン、ガラガラ、ドサッと音がしはじめる。二人の人間が暗い中で組打ちをしているのである。唸声。重い物でテーブルの上を叩いた音がバリバリッと響く。―暫くそれは続く。足音が階段をあがって来る。―乙骨。

乙骨の声（階下へ向って）早く、つけてくれよ！ こう暗くっちゃ何もやれやしないもの。いくらメートルが上り過ぎるったって君そんな！ 室代は二三日中に払うからさ。払いますよ、頼むよお孝さん！（一人ごと）馬鹿にしやがって、バケモノめ！ 限度があるぞ、畜生！（物音に不意にびっくりして）何だ!? どうしたんだ!?（加賀の室に走り込んで来る）誰だい!? おい、おい、おいどうしたんだ、誰だ？ こらっ！ おいっ！ 誰だといっているのに！ おお！（引き分けにかかる）何をするんだっ！ 加賀！ 順坊！ 順！ よせ！ なんで、そんな！ おい、こらっ！ よせといったら、よせっ！（やっと引き分ける）どうしたんだよう！ 喧嘩なぞ、親子で、何がどうしたっていうんだよ、え？（順介も順一郎も疲れ息を切らしていて返事をせぬ）……どうして喧嘩なぞするんだ？

順介　……（ゼイゼイ息を切らしながら）な、な、

夏雄　……。

乙骨　どうしたんだよっ？ 順坊、どうしたんだ？

（順一郎は返事をせぬ）

順介　……助けてくれ、夏雄！ 順が俺を鉄で……。

乙骨　なんだって？

順介　俺が、帰って来て、ヒョイと見ると……ハンドルを、振上げて、順が機械を……。

乙骨　気でも狂ったのか、順坊!?

順介　……俺、とめようとした。たら、こんだ俺になぐりかかって来る。そいで……。（ポカッと電燈がともり、明るくなる。順介は疲れ切って肩で息をしながら隅の機械をかばう様にして、床に膝を突いている。順一郎は、前場で父の持帰った鋳鉄ロッドを杖に突いて、テーブルの側に石になった様に立ち、左手をテーブルに突いて息を切らしながら、父を睨みつけている。乙骨は二人の中間に立って、雙方を代る代る見る。……そのままで永い間）……此の子は、俺を殺す気だ。（……順一郎がロッドをドタンと床に置く）

乙骨　どうしたんだ、順坊？ どうしたんだよ？

順一　……。

順介　ああ、腰を打った。痛い。

乙骨　どれ　立てるかね、

順一　……（副に落着いた声で）あなたが、最初、金属印刷を完成して、それを使って工場をやるために、工業学校の講師をやめる時に、母さんは、あんなに強く反対した。その時から母さんはチャンと知っていたんだ。私、今に父さんに取り殺されてしまうよ――母さんがその頃、笑いながらいった事を僕はハッキリ憶ている。母さんは、覚悟なすっていたんだ。（次才に急速に一気に喋る）工場は建った。はじめは、うまく行ってた。しかし、あなたに、経営して行ける訳はない。段々負債がふえる。仕方なく、中途から営業主任に入っていた寛に株を買る。金で、此のアパートを建てる。一家の生活費と、あなたの研究費を出すためだ。ユーレカ・ユーレカ・ユーレカ！……それを考えて、なすったのは母さんです。母さん、疲れ果て、血を吐いて痩せ細った。二年経って、母さん、死んだ。だら、今度はもうアパートの経営もうまく行かん。いつの間にか二重も抵当に入ってる。いよいよ清算という事になって又候寛が乗り出して来て、どさくさ清算したトタンに二足三文で譲った。その金を、その金を、又ドブへ捨てる。……僕あ、いい。姉さんはどうなるんだね、内じゃもう一月も前から、食べる米がない！それを姉さんが一人で苦労して、皆にかくして、着物を質に入れちゃ、一升買いをしている。近頃姉さんが、母さんのお古るのあの、ジャンパーばかり着てるのを何だと思っているんだね、着物がみんななくなって、あれだけしきゃないんだ。……僕あ知ってる。……姉さんは、妊娠しているんだぞ、赤ん坊が生れるんだ。……あなたは、僕達の生活をメチャメチャにしてしまったんだ。もう沢山だ。だのに、又候、ペテンにかけられる。しかも、N・Yの方からもやって来て、少し甘い事をいわれると金を受取る。その金を又、弁理士や工場の未払い株へ入れる。堂々めぐりだ。自分で自分の頭に二重三重の鎖を作っていて、それを知らん、いい気になっている。それがあなただ。……こんな、こんな事になるのは、ホントは、悪いのは、世間だ。カラクリだ。理屈は、そうだ。知っている。理屈、それが何になる？それが何になるんだって、俺あ、惜い！俺あ父さんが惜い！

俺あ・憎む！

（一気にパッと喋って来て、此処でプツリと言葉を切る。シンとなる。二階のどこかの室で、三四人の止宿人が一室に集って談笑しているのか、その笑声が風の音に混って響いて来る）……。

（永い間）

（順一郎の頭の繃帯に、血がにじみ出してくる）

乙骨　……（それを認めて）ああ、いかん！　だから、いわん事じゃない！

順介　あっ！　あっ！　疵が破れたのだ！　こりゃいかん！　順、まあいいから、よく解ったから、な、な！　手当てをさせておくれ。な！　父さんが悪い。悪いのは私だから、又後で話はユックリ聞くからな。父さんを可哀そうだと思ってくれ。な！　とにかく、手当をしないと……（順一郎の繃帯をほどきにかかる。熱を計るために其の額に手の平を当てる）乙骨。すまんが、水を。早く！

乙骨　よし、よし。……しかし今繃帯をとくのは却って、悪くはないか。しばらく寝て……。

（突立ったまま、父が、手当をしてくれるのを、別に拒みもしないで黙っていた順一郎が不意にワーッと声を挙げて泣く）

乙骨　……とにかく、此処に坐れ、順坊。静かにしていなきゃ、いかん。

順介　苦しいのか、順？　え、苦しいのか！

（順一郎、椅子にかけて、黙る）

乙骨　なあに大した事じゃない。チョイと破けただけだから、静かにしていれば、ひとりでに止るよ。

順介　父さんがいけない、なあ順！　私は可哀そうだと思っておくれ。何度もいう様に、皆に悪かれと思ってやっている事ではないのだ。それが、しくじるから、皆を苦しめる。しかし今度こそは、どんな事があっても必ずうまく行く。行かせずに置かぬ。見ていろ？　どうせもともと、私が自分の力で作ったものを、私が扱うのだ。ほかから指は差させない。

乙骨　N・Y工業から金を受取ったというのは本当か、加賀？

順介　ウム。しかし極く僅かだよ。それも権利を売るとか何とかの話ではない。N・Yの方に場合に依って物理工程の一部分だけの製作権を譲って貰うといった、まあ好意的な申し出なんだ。

順一　……證書を書いたんですか？
順介　書いた。書かない訳には行かん。しかしただ金の受領書だけだよ。
乙骨　まずいなあ！
順介　大丈夫だよ。まさかとなれば、金を叩き返せばいいんだ。
乙骨　返すといえば、寛の方に、叩き返してやれないのか、その金をさ、此のアパートの譲渡契約を破棄してしまうのだよ。そうすりゃ、残額を今日払う明日払うで散々っぱら引伸ばされて待って待ちくたびれる必要はなくなる。
順介　……ない。
乙骨　え？　ない？
順介　製作所に払って来てしまった。……有っても、それは駄目だ、第一、寛の方で契約破棄をウンとはいやしない。破約金を出せ、だ。よしんば、承知したとしても、此のアパートはもう寛の手で債務附き抵当になっているよ。そいつまで、じゃ、かぶってくれろ、と来るに決っている。
乙骨　……うーん。……するといって？
順介　寛との話にはならんで、結局は奴の債権者との交渉になるかな。……しかし、先き先きはとにかく、此方は残金の支払いを催促する迄だ。
乙骨　だって、払いはしないじゃないか！
順介　……順、父さんをとがめないでくれ。……俺が悪い。……（乙骨に）なあに、何とかなるよ。どっちにしろ、誰が何といったって、此の機械は俺のものだ。
（広津謙五が、あわてて階段を駆け上って来る）
謙五　加賀先生！　加賀先生！　ああ此処か。
乙骨　何だい、アワを食って、謙五？
謙五　工場の方へ急いで来て下さい。亜子さんが呼んで来てくれって。
順介　亜子が？　工場にか？　だって亜子は、もう一度寛に話をして来るって出て行ったのだよ。
謙五　オヤジが丁度工場に来ていたんで、追っかけて来たらしいんですよ。とにかく……なんだ。直ぐお父さんに来てくれって。
乙骨　工場で寛と談判しているのか？
謙五　違う、違う。オヤジは先にどっかへ出かけちまったんだ。
乙骨　じゃ尚更だ。何の用で加賀を……
謙五　じれってえなあ。工場でゴタゴタが起きてる

んだ。そいで……。
乙骨　ゴタゴタ？　誰が？　こんな遅くにまさか眩工連中？
謙五　二三日前から　ミノワのチューブで夜業をやってんですよ。
順介　未払いの給料の事でか、謙五？
謙五　それもあるけど……え、まあ、そんなことでね。先生行って下さらなきゃ、どうにも納まらん。オヤジは喋るだけ喋るとフイと、どっかへ行っちまうし、ぶちこわしでも始まると……。
順介　そうか！　それはいかん、よし！（出て行きかけて、入口で振返り）夏雄、順とそいから、……（機械の方を指して）頼むよ。なに、直ぐ帰える。（小走りに階段を降りて消える。）
乙骨　謙五、お前も行くんじゃないのか？
謙五　へえ……。
乙骨　早く行けよ。え？
謙五　……（椅子に掛けてしまう）それがねえ。
乙骨　なんだ又、ボヤボヤするか。
（間）
謙五　……弱った。
乙骨　弱ったあ何だ！　お前が弱る事あない！
謙五　いいや、俺、間に挟まって困ってんだ。加賀先生、新しい機械をN・Yか昭和捺染の方へ売ろうとしているのは、ホントですか？
乙骨　誰が、それをいった？
謙五　オヤジが、八時頃、仕上部へ入って来るなり、いきなりいうんだ。そうなれば此の工場は閉鎖だ。お気の毒だけど……。
乙骨　兄が、それをいうのかて、
謙五　工場の方に使わしてくれと、いくら加賀さんに頼んでも、いやだという返事だ。……そういった、オヤジが。そうなると、今迄二ヵ月もの未払いの件で、オヤジの事怪しからんと憤慨していた皆が、こんだ、給料の段じゃなくなっちゃって、スッカリわき返っちまった。蝎の釜をひっくり返す奴がいる。女工の方なんざ、泣いている奴がいたりしてね。そこへ、亜子さんがやって来たんでさあ、いけねえや。
乙骨　じゃ何か、亜子に乱暴を……？
謙五　冗談いっちゃいけませんよ。皆あ、託児所で亜子さんを、好いているんだ。手出しなんぞ！　それに、僕がいる、仮りにも、そんな真似はさせない。……が、なんしろ、弱った。

乙骨　お前が弱る事はない。
謙五　しかし皆は、そう思い込んでいるんだから。……そいで、僕と亜子さんの事、先からみんなもう知ってるんだ。僕が何かいうと、貴様は、だから、先生一家の味方するんだ。黙って引っこんでろ。……こうだ。間に挟まって、僕あ……。僕あほかの事あ何でもいいけど仲間からだけは、疑われたくない！　そいだけは、我慢ならないんだ。身を切られるように辛い！
乙骨　馬鹿野郎！
謙五　僕あ監工だ。労働者だ。
乙骨　違うといったら！　貴様達あ　罠に引っかけられているんだ！
謙五　そいから……あと半月もすれば、仕上げの連中はみんな揃って印刷の支部に加入する事になっているんだ。俺あそれに仲間はずれにされたくない！　俺あ、労働者だ！
順一　ホントかい、謙五君？
謙五　ホントにも何にも、僕なんぞもそいつの世話役の一人だもの。
順一　じゃ、問題ないじゃないかな。むしろ今度の事は、うまく利用すれば、……。
謙五　利用するって？
順一　相手に取って戦うべきものを見やまりさえしなければ、……うん、いやいや。
謙五　なぜって？　順一さん、どうしていってくれないんだ？
順一　駄目なんだ。僕あ何かいうと、いや何をいっても、みんなウソになるんだ。ウソだ。
謙五　弱ったなあ。僕あ亜子さんにも、託児所の事で……。
乙骨　馬鹿、馬鹿、馬鹿！　これだけいっても、お前達は罠のペテンにかかっているという事とか、わからんのか！　加賀が、なんで、なんでそんな訳のわからん事を（どもる）お前達に難儀をかける様な事を、なんで、加賀が、……ええい、馬鹿野郎っ！
謙五　これだけいってもっていったって、何も……（いわせも果てず、乙骨が飛びかかって来て、殴る）
乙骨　間抜けっ！　この馬鹿！　野郎っ！（反抗しようとしない謙五の顔をなぐり飛ばし、こづき廻し、床の上に引き据える）間抜け！
謙五　先生！　あ、痛え！　乱暴しちゃいけねえ。

乙骨さん、だってさ……。
乙骨　だって！　クソッ！　貴様のいう事あ、いつも、それだ！　そういう奴だ、貴様あ！　こらっ！　亜子はな、知ってるか、貴様あ！　亜子は貴様の……。
謙五　（乙骨が手を放したので、ホーホーの態で立上って）驚ろいたなあ。ひどいや、先生。……亜子さんの事あ、チャンと僕話そうと思って……。工場の事話しているかと思うと出し抜けだもの。おお痛え。
順一　……謙五君、君あ、姉とのこと……？
謙五　ええ、そりゃ、そんな気でいるんだ。おふくろも、妹も、そういった風に……そいで、ひどく悦こんでいるんだ。うち中みんな亜子さん好いてるんだ。しかし、今の様になりゃ、工場も、みんなも、とにかく、僕だって、メチャクチャになっちまうんだから……いずれ……。
順一　姉さん、妊娠しているよ。
謙五　へっ？、（石になった様に立ちつくしている）
乙骨　間抜け！　馬鹿野郎。
謙五　……（椅子に掛けて、頭をかかえる）……弱ったなあ！
乙骨　亜子の、それを、弱ったど!?　き、き、貴様！
謙五　……それじゃない。それは、いいんだ。いいんだというと何だけど、とにかくその事あ、俺亜子さんについちゃ、永い間、命にかけて考えてんだから、今更それは問題じゃない……ねえ、何とかして加賀先生に頼んで、機械をホカへ渡さないように出来ませんか？　ねえ？、全く、俺ら間に挟まって弱るんだ。どうにも苦しくって……、弱ったなあ。（男泣きに泣いている）
（順一郎黙って立上って室外へ）
乙骨　（追って）順坊、どこへ行くんだ？
順一　チョット、工場の方へ行ってくらあ。
乙骨　な、な、何を、その身体で！
順一　ううん、いいんだよ。
乙骨　馬鹿をいう！　今、動くと死んじまうぞ。死んじま……（口ごもる。しかし身体はグイグイと順一郎を廊下へ押しやりながら）とにかく、動いちゃ駄目だ！　俺の室にいろ！　寝ていろ！　小父さんのいう事、聞かんと　もう知らんぞ！　まあいいて！（自分の室へ順一郎を押し入れて寝かそうとして、しきりとなだめる。戸を閉める）

（一人残された謙五は泣き止んで、下を向いて考えている。……しばらくして二人の去った方をボンヤリ気にして見る。室内を見廻す。隅の機械が目に入る。苦しげな表情のままでそれを見ている）

（順介と亜子が階段を昇って戻って来る。打ちくだかれた様になり、頭髪は乱れシャツも破れ、歩く足も乱れて順介が、室に入って来る。亜子は、疲れ果て、真青な顔に頭髪に乱れ、階段の上りばなの所に坐ってしまい、グッタリする）

謙五　先生……。

順介　……（椅子に腰を下す）……ウーン。（低く唸る）

（間）

謙五　どうしました？、

順介　……ああ、まだ此処に居たのか、謙五？、

謙五　おさまったんですか？。

順介　うん、まあ……。

謙五　亜子さんは？、

順介　亜子？、うん……（四辺を見廻す）一緒に戻って来たんだが……亜子！（ヒョロヒョロ立って廊下へ）そんな所に、お前……。（亜子を助け起して室に入って来る。亜子は、そこに立っている謙五の顔をボンヤリ暫く見詰めている。順介は再び椅子へ）

謙五　亜子……。

（亜子くずれるように謙五にすがり付き、その肩に顔を押し当てて、声を立てないで泣き出す——）

（間……風の音もしなければ、その他の物音も聞えない）

順介　……謙五、これから、全体どうしたらいいんだ？……お前は仕上部の職長だ。（謙五はソッと亜子を抱いて椅子にかけさせる）手飼の立派な職工だ。……俺には、あの工場の職工は、みんな可愛い。みんな初めから俺と一緒に苦労をして来てくれた、俺の友達だ。……俺あ、皆に、すまん。どうしたらいい？、お前には、わかる筈だ。どうか、それを、教えてくれ。……教えてくれ。

謙五　……（突立ったまま、顔を押えて聞いていたが口の中で「先生」と訳のわからぬ事をいっていたかと思うと、急にベタリと床に坐り、手を突く）先生！　済みません！　済みません！

（三四度、額を床にすりつける。居たたまらなくなり、不意に立上って駆けるようにして室を出て行き、階段を降りて消える）

（自分の室のドアを開けて出て来る乙骨）

乙骨　（階段の足音を聞きとがめて）誰だ？……（階下を覗きながら廊下を歩み、加賀の室へ）おお、戻っていたのか。どうした？

順介　……俺あ、頭が、グラグラして、訳がわからなくなった。どうしたらいいだろう？　夏雄どうしたらいいか？

乙骨　職工達が騒いでいるとて？

順介　頼んで、やっと帰って貰った。しかし、一寸延しにしただけだ。あの分では、騒ぎは大きくなる。無理もないのだ。閉鎖する。寛がハッキリいったそうだ。……みんな可哀そうだ。

乙骨　寛だ。あん畜生だ！

順介　しかし、聞いて見ると、寛の方も苦しいんだ。あれの親方のブローカアが、株でガラを食って、あげく首をくくったとか、何でもそんな事だ。末払い株や、債務が大分寛の方にかぶって来たらしい。住居の方に執達吏が来たりしているのだから、満更の嘘でもない。……　彼奴だって根から悪い男ではない。殊に俺に対して、あれだけ面倒見てやった俺に向って、まさか、それほどアクドイ事はしない。

乙骨　それだ！　こうなってまでも、……君あ、そういった奴だ！。アクドイもヘッタクレもあるか！いいや、そうだよ！　そうだったら！

（間）

順介　……順は、夏雄？

乙骨　俺の部屋で寝さしてある。

順介　キズは？

乙骨　大丈夫だ。……亜子、お前も、いっとき横になりな。そて、

亜子　……（テーブルに突伏したまま立とうとはせぬ。それを見守っている順介と乙骨——間）

順介　……あーあ！　俺の頭は駄目になった。……俺も年を取った。もう元気はない。ああミドリ、ミドリ、ミドリ……。

乙骨　阿呆をいうのか、順介、これ位の事が何だっ！　ミドリさんは、ああして死にさえもしているんだぞ！

順介　今更の様にあれの偉かった事がわかるよ。あんな弱い身体から、あんなに強い力がどうして出

て来たのか？

乙骨　お前を愛していたからだよ。お前や亜子や順坊を愛していたからだ。

順介　愛？……俺は、じゃ、人を愛していないのか？世間というものを俺が愛していないだろうか？俺が仕事に取りかかるのは、いつでも世間の為になるようにという心持ちがなければ思い立ちはしなかった。現に今度のだって……。

乙骨　馬鹿が愛を持つと、相手をも苦しめる事になるよ。そして君あ、馬鹿だ。……俺も、まあ、馬鹿だ。

順介　ミドリ……勇雄、俺達あ、ミドリを死なしてホントに取り返しの付かない宝物を取り上げられてしまったんだなあ！

（間）

乙骨　馬鹿だって、しかし、馬鹿なりに、やれらあ！

順介　……寛の方に譲ってしまうのか？

乙骨　ねぼけるな！

順介　N・Yの方に売るのか？

乙骨　出来ない相談だ。臨工の事をどうする？

順介　昭和探染へ買って貰うのか？

乙骨　同じ事じゃないか。

順介　許可の下りるのを待っているのか？費用もなければ待つ間のかかりの金もないんだよ。

乙骨　拵えりゃいいや。

順介　出来る位なら……。よしんばそれだけ出来たとしても、必ず寛の方で異議の申し立てをする。悪くすると裁判になる。又、金だ。それをどうするんだ？

乙骨　N・Yの方から、もう一度借りる訳には行かんのか？

順介　製作权を譲る事になるんだよ、それだと？すると、こんだ許可は下りても、どうにも此方で仕事は出来なくなるんだよ？

乙骨　んなや、駄目だ。

順介　……結局、どうしろというんだ？

乙骨　……ええと……。

順介　駄目だ駄目だといっても、お前にも考え付かん。

乙骨　ウーム……。

順介　俺あ、もう駄目だ。あかん。

乙骨　ウーム、畜生！

順介　俺達の一生は、要するに、出来そくないだっ

たー　のかなあ？、
乙骨　又いう！　よし、順介、俺達あ、闘って見よう！　万一敗れてもかまわん、闘おう！　敗れたら、それは俺達が悪いんじゃなくて、奴等が悪いんだ。世間が曲っていやがるんだ。シャリになるまで、ひとつ　やって見ようじゃないか！此方が敗れて叩き倒されたら、俺達の死骸を見て、世間の奴が恥をかけばよい！　順介、立って見ろ、立って、これを見ろ！　もともと、これは誰のもんだ？、誰か作ったもんだ？、君が作ったもんじゃないか！　俺達が力を合せて、作り上げたもんじゃないか！
順介　うむ。
乙骨　命を掛けて、君が作った！、それが君の物でなくて誰のものだ！　最後まで頑張りさえすれば、権利や特許はおろか、此の機械の影ぼうしまで君の物になる筈だ。こんな簡単明白な事実を、何がひっくり返し得るんだ？　何がひっくり返し得る？、
順介　その、頑張って行くだけの、資力が有れば問題ない。
乙骨　俺が稼ぐ。俺が描くよ！　スピロヘータでもゴノコッケンでも、来やがれってんだ！　描いて描きまくるよ、大丈夫だ！
順介　……ありがとう、夏雄！　ありがとうよ！　ありがとう！
乙骨　泣くな馬鹿！
順介　しかし、なあ……
乙骨　しかしは要らんよ！　箸は二本にして筆は一本なんて流儀の弱法師とは違う。乙骨夏雄何のために巴里くんだりまで行きながら、ノンノコサイサイ戻って来たと思う！　脳梅半癒のエスプリの為だ！　誰だと思う!?　アハハハ、唯のあんちゃんと、あんちゃんが違うてんだ！
順介　ハハ。
（鞄をかかえた寛が、黒い着流しのまま足音を立てないで急き足に階段を昇って来て、スッと室に入る。すばやい。入口に立って二人を見ている）
乙骨　そうだろう？、アハハ、なあに……。
順介　……（寛を認めて口の中でアといって立上る）……。
乙骨　なんだえ？、……（順介の視線を辿って振返って寛を見る）あ！　かけ……。

寛
（短い間）
……（微笑して）今晩は。おそくあがって。ハ
ハ。……（相手の二人が黙っているので）いや、
もっと早くあがろうと思っていたんですけどね。
ほかへ廻っていたりして遅くなっちゃって（……
例の通り物静かなものである。椅子にかける）
順介　……いや、そんな事、かまわんが、工場の方
のー。
寛　済みません。どうもね、給料が払ってないのは、
此方が手落ちなんで、強い事もいえないんでね。
（といいながら鞄の中から七八枚の書類を取出し
て、それをテーブルの上に置く）……これなんで
すがね。
順介　……何かな？
寛　一応、差し出しときます。
順介　（書類をチラと見て）此のアパート関係の……
寛　せっかく譲り受けることにしましたが、そして
今更こんな事のいえた理合いのものではありませ
んが、事情止むを得ません。どうか元へ戻してい
ただきたいのです。私の方で入れている此のユー
レカ荘擔保の債務は、幸いまだ正式のものになっ
ていませんし、大至急に肩代りさせときますから。
いずれその方の書類もお手元へ廻しときます。
順介　しかし、そう急にいわれても、訳がわからん
が……？
寛　いえばクダクダしい事になりますが、一言にど
うしても融通が付かないのです。市場の方は話し
になりませんし、工場は今いった様なていたらく、
本店のオヤジは株でガッちまいますしねえ。どう
も近頃の御時世というのが私達みたいな中や小の
業者は生かして置かん事になって来てるようです
ね。ハハハ。
順介　そりゃ、君の方の御都合も御都合ではあろう
か、今更それを此方で……。
寛　ごもっともです。しかしそれは、先日から残額
の請求を毎日のようになすっているし、今日など
も、お嬢さん（と突伏している亜子を横目で見て）
……から催促を受けたんですがどうにもない袖は
振れません。御事情はわかっているので出来さえ
すれば何とかしたいのです。したいけれども……。
乙骨　出来ない事はなかろう。誠意の問題……。
寛　それを、どうもこちらさんから槍を突かれるよ
うにおっしゃられると、どうにも私の立つ瀬がな
くなりました。でこれは一応そちらへ巻いて下さ

つて、そして、私の方も此の際ですから、現在までに差上げた内金を、至急御返し願おうと思つて……。

乙骨　は、は、は、馬鹿な。そんな変な話つてないよ！　君の方で最初欲しいと……。

寛　（いきなり立上り、顔の中から飛出して来る様に鋭い眼になり此の柔しい男からこんなに大きな声が出るかと思われる程、物凄い声で）小僧、出しやばるかつ！（テーブルを叩く）うぬあ、黙つて引つ込んで居れつ！（一瞬一生がシーンとする。突伏していた亜子も顔を上げて寛を見る。順介も乙骨もびつくりして面喰い、言葉を忘れている。乙骨の如きは殆んどアツケにとられて口を開けて寛を見ている）……やあ、ハハハ（と眼の光を柔げ、再び椅子に坐る）……ハハハ（以前の様な静かな調子になる）……話を急いでいるもんですからね。ハハ、いや、細かに話してもブローカ商売のやりくりの事などを解つていただけつこありませんから。又、こんな事が解るようになつちや、人間おしまいですからね、ハハハ、クドクはいいません。ただ私の方もよくよく手詰りで苦しいから、こんな事お願いするんです、先ず恥さらしな次第です、どうか一つ御同情下さい。……

乙骨　……（口の中でブツブツいう）……そいつは、ひどい。今更、そいつを……。契約にはない。此方で不承知といえば、それつきりじやないか。

寛　（それを無視して）本来は、今日只今、御返し願いたいんですが、手前の我儘ばかりいつても、いろいろ御都合もお有りでしようから、四五日待ちますから、どうかひとつ……（乙骨の室から順一郎が出て、静かに歩いて来る）

順介　そんなことをいわれても、そう急に……

寛　ハハハ、いいえ、寛ともあろう男が、これだけの金の利廻りの事も考えて居られなくなつている仕儀ですから、どうか察して下すつて、なるべく早いとこ、ひとつ、ハハ。でないと、又、これで話に角が立ちはじめると、鼠にしたつて追い詰められると仕方なく爪も出さなきやならなくなる道理で、ハハハハ（フイと笑いを止める。入口に立つて、ジツト此方を見ている順一郎を認めたのである）……。

（間――他の三人の視線も自然に順一郎の上に集る。順一郎は四人を見て黙つて、掌の中で何か黒い物をいじくつている）

乙骨　……あっ！　あの、ひき出しから、俺の！
順介　順一！　こ、これ！
寛　……ハハ、心外ですなあ。そういう事ならば、
私の方にも、……。
乙骨　順坊、危ない！　実弾が詰っている！　何を
するんだ！　アッ！　アッ！
（此方で動き出すと、順一郎が思い切ったことをしそうな気がして乙骨も順介も動けないでいる。寛は、順一郎の手元と、青くなっている乙骨の顔を次々に見廻し、唯ならぬものを感じ不意に真青になる）
順一　……寛さん……（苦笑いを浮べる）
（寛は、ソロソロ上半身を低くして、テーブルと順介の蔭になろうとする……）
（間）
亜子　……順ちゃん（落着いた声である）それ、姉さんに渡して頂戴。（立つて弟の方に近寄る）
順一　うん。（姉の顔を見る）
亜子　渡してね、姉さんに。（順一郎、姉の眼を見ながら黙って渡す。亜子も弟の顔を見ながらそれをジャンパーの胸のポケットに入れる……）小父さんの部屋に寝ていたんじゃないの？　さ、行きましょう。（弟の背に腕を廻して廊下へ出る。言葉を忘れた様になり、それを見送っている三人）
順一　……姉さん。
亜子　え？
順一　姉さん。
亜子　なあに、順ちゃん？
順一　僕あ、くだらん人間だ。
亜子　いいの。
順一　姉さん。あお向けに寝てたらなあ、此方の窓からスーッと入って来て、向うの窓からスーッと飛んでった、赤いものが見える。なんだと思ったらトンボだ。
亜子　いいのよ。さ、寝ていらっしゃい。（乙骨の室に入る。此方の室では三人がまだ口が利けずに居る）
寛　……フ、フ、ン（少し無理して笑って見せる。それで、やっと乙骨は手の平で額の汗を拭く。順介はテーブルに肱を突いて頭を抱える……こけ脅かしはいい加減にしろい。……そこでねえ、そんな訳で……。
（乙骨の室を出て来た亜子が、室に入って来る）

乙骨　亜子……?
亜子　なんでもありません。……寛の小父さん、どうぞ許して下さい。弟は、少しどうにかしているんです。
寛　いやあ、ハハハハ。別段の事あ有りませんよ。そこで先刻の御話なんですがね……。
亜子　待って下さい。腹をお立てになっては困りますけど、率直にいってしまいます。もしかすると、小父さんの方では、父さんの今度の機械を欲しがっていらっしゃるんじゃありませんか?
寛　冗談いっちゃ困りますよ。初めから一言だってそんな事私あいやあしません。なんでそんな事いわれるんだか?
亜子　いいえ、もし、そうなら、その様な話の付け方が有ると思ったからなんですの。
寛　そうですか。しかし、今更になって、そんな話は困りますねえ、第一、こんな埒クチのない事になって来ると、私の工場でいくら欲しいといったところで、引き受ける資力は有りませんよ。
亜子　どうか、お願いですから、正直な事をいって下さい。お願いです。その上で、私達も、よく考えて、四方八方良いように……。
寛　四方八方に良いように?へえそうですか。……しかし新機械を引受ける気は私の方には有りません。是非引受けて呉れとおっしゃれば一応考えて見ない事もありませんが、果して、それだけの力が有るかないか。……とにかく内金だけは、大至急に御返し願いたいのです。契約条項を楯に取られると、事面倒になりますが、事実がこの通りのもので、おすがりするんですよ。私としては甚だ心苦しい次第ですが、事情やむを得ません。どうかそこん所を察して下すった上で……(尚喋りつづける)
(唸っている順介)

4

半月後。
初秋の晴れた午前。正午近い。――全四場面を通じて外光で明るいのはこの場だけである。加賀一家の住居にあてられた屋根裏部屋――従って階数をいえば三階、傾斜した天井裏が奥へ行くほど低くなって一番奥の近くでは人の頭がつかえる位である。強出された仕切り

二室に分れている。左側の室は八畳位で板の間になって居て前場にあったテーブルと椅子がズッと前寄りに据えてあり、左奥の隅に飛機が布でかぶせて置いてある。奥は一面の硝子窓になっている。とはいっても、その辺は床と天井の間が四尺位しかないので、窓もそれに準じて横巾ばかりのものである。晴れた空が一杯に見えている。右側の室は畳が敷いてあり、奥は窓は一つもなく、その代りに出入口のドアがある。ドアは半は開き、その外はいきなり狭く小さい階段になっているらしい。室内にはチヤブ台代りの机が一つあるきり、タンスなどもなくなっている。壁にぶら下げられている二三の着物や洋服。二つの室には人影はない。

手に取るように響いて来るギター曲。——二階の自分の部屋で乙骨が弾いているのであろう。非常に永い間、誰も現れない。ビューンと風が吹いて室が少し揺れる。ギターの曲を縫って、やっと人の声だとわかる位に深い合唱の唸声が下の方から聞えて来る——地階よりもモット下の方からの様に。何の前ぶれもなしに、少し開いているドア口から、六七枚の請求書らしい紙片を握った女の手首が突出される）——そのままジット動かない。女はドアの陰から室内の気配を覗っているらしい。間、——しばらくして、今度はスリッパを穿かない真白な素足がスッと踏み込んで来る。全然音を立てない。……次第に姿を現わしたのを見るとお孝である。室内をグルリと見廻す。意外らしい表情。室に入って来て、次の室との仕切りの所まで抜き足で行き、張り出しから片眼だけで隣室を覗く。その歪んだ顔が緊張して凄い。……隣に誰も居ないので、びっくりしてキョロキョロ四辺を見廻す。急に緊張を解いて口の中でチッ！と舌打ちをする。手の請求書を見る。ドアの方へはじめて足音を立てて歩き出す。ヒョイと立停り、何か考え、請求書を手でパタリと叩き、ニヤリと笑って、今度はドタバタとドア口を出て階段を下へ。——その間もギター——と唸声は続いている。

間。——どこかで止宿人が起き出して、うがいをしているのか、咽喉をゲー、ゲー、ゲッ！ゲッ！と鳴らす。

階段を昇って来る二人の足音。

寛の声　……加賀さん！　先生……（入って来る。いつもより少し静い顔。後からお孝がついて来ている。室内を見廻して）……なるほど、……居ない……。

お孝　でしょう！

寛　するというと？、

孝　いいえ、ホンのさっき、戻って来た事はホントなんですの。こんな、少し、フラフラしてね。

寛　飲んでるのかな？、

孝　まさか。……金が出来なかったですよ。こないだ中から、四人で手分けをして、親戚や友達を、しらみつぶしに廻ってる。息子は四五日前に出たっきりだし、亜子は昨日から帰って来ないしさ。フン、下の気違い絵描きだけが今朝がた腑抜けみたいな顔して戻って来てポカンとして廊下に立ってたから、いい気味だから「よう朝帰り、はばかり様！」って、背中を叩いてやったら、「お孝さん、知ってるか、ボルネオには、貝殻がお金になる島があるそうだよ」といって、ニヤニヤするじゃありませんか。私は薄気味が悪くなりましたよ。そいからズーッとああして弾いてる。

寛　ふーん……。

孝　大丈夫ですよ。五両とお金の出来る心配はありませんから。

寛　しかし、加賀は、どこに行ってるか……？、

孝　二階の便所か何かですよ。まだ何処かへ行くといってもそんな間はないんですから。

寛　とにかく、階下に来ている連中に、いきなり会わせてはならん。奴等も、前に立って利喰いをしようと掛っているんだから、機械ブローカめら！　N、Yの奴は応接に入れてるんだがな？、

孝　昭和の方は管理室でビールを当てがってあります。

寛　両方で出会す心配はないねえ？、

孝　大丈夫ですよ。（鍵束を出してジャラジャラ鳴らして見せる）フン。

寛　少し、上手に引廻してくれ、頼む。

孝　そんな事いうと、しのぶ辺で少しおっこちます

よ。フフ、つまみ食い……。

寛　仕方がない、目をつぶってるよ。

孝　まあ、にくらしい！

寛　痛い！　いや、今度ばかりは私も、一か八かだからねえ。下手をすると、いよいよ、これだ。

孝　ちいっとバリバリおやんなさいよ。

寛　手荒らな事は嫌いだ。

孝　おやおや……。そうねえ、手荒らなというんじゃないわね。

寛　だから頼む。手形が、あらかた、安井の手に寄っちゃったらしい。安井の方だって死にもの狂いだからな。それに此の前のニューム売買の一件では俺も少しやり過ぎた。煮え湯をいくらか余分に飲ませたからな。こんだ先方でもかかって来るよ。月末までに落さないと。

孝　本店の旦那と御同様ね……？

寛　まあね。フフフ。……しかし、死ねりゃ、まだいいや。

孝　……そいでさ、一体全体、儲けているのは誰なんだろう？

寛　どうせ大所さ。私も鉄でも一丁やっときゃよかった。とにかく、あんた早く下へ行って、よろしく、つないどいてくれ。

孝　はい……。（出て行きかける）

寛　おい、お孝さん、あんたあ……）

孝　え？

寛　……もう一度、出てくれる気はないかねえ？

孝　……へえ！　そいでー？

寛　助けてくれないかい？　一本だけポンと出そうという家がある。私も苦しいんで、実は済まんがー。

孝　何処なの、それ？

寛　尾久だよ。

孝　「チョイト、兄さん」ね？……

寛　まあ、しかし……。

孝　……（暫らく黙っていてから）あんた、うるさくなったのね？　私を捨てるのね？　（泣きはじめる）

寛　いやなら、いいんだよ。

孝　子供はどうするんです？　子供はどうなるの!?　子供は子供は……（急にヒステリックにヒーッと泣き出し、寛の足元に坐ってしまい、寛の足にしがみ付く）子供はっ！　捨てないで捨てないでえっ！（わめく）

寛　……（困って暫く見下している。その内に、急

に額に青筋を立てて悟然と怒る）馬鹿っ！（女の頬をピシャリとなぐる。なぐられて急に泣声を引込めて、かじり付いて行くお孝）馬鹿っ！子供が何だ！（女の頭髪を左手で鷲掴みにして、引きずり廻し、右手でピシャビシャヤくらわせる。女は、最初なぐられた瞬間から石の様に黙って、ただむやみと男にかじり付いて行く）誰の子供だか、わかるかっ！　馬鹿っ！バイタッ！こん畜生！（なぐる音がピシリ！ピシリ！と鳴る。尚も、むしゃぶり付いて来る女を、一つ蹴飛ばして置いて、ドアロへ消え　ドカドカ階段を降りて行ってしまう）

（別に痛くもないのか、泣声も悲鳴も立てず、ウンともすんともいわずに殴られていたお孝蹴飛ばされて、坐り込んだまま暫くジッとしている。ソロソロ顔を上げて、少しポカンとして前の方を見ている。――乱れた頭髪の下に、殴られて赤や青のまだらになって、はれ上った顔が覗ける。間――やがて、立上ってケロッとした眼で室内をひとわたり見廻し、ユックリ階下へ降りて行く。

（ギターの音が、その後チヨット続き、不意に曲の中途でバーンと鳴って止む。階下で人の足音。二人ばかりの人が怒鳴っている声――その中の一人は乙骨らしい）

（間）

（階段を駆け上って来る足音）

乙骨の声　加賀！　加賀！（ドアロに現われる）順介！（見廻す）居ない。加賀！　順介！（左側の室まで入って呼ぶが居ないので再び出て行きかける）……何処に行ったんだろう？

（隅の機械を蔽うた布の下から黙ってユックリはって出る順介）

乙骨　おお！　こんな所にて、（驚ろいて見ている彼の前にやっと立上った順介の窮け果てた姿。はかばかしく返事もせず、突立って乙骨を見ている――）居るんじゃないか！　何故返事をしないんだ？

順介　……なんだ？

乙骨　なんだたあ、なんだ！　下にN・Yの人と昭和の人が来ているから、早く来い。お孝の奴、君が見えないというもんだから、どんなに心配したか知れやしないぜ。さ、早く来い！　頁やお孝なとが、ヌくだらない水を差さぬ内にとにかく会わ

なきゃ駄目だ。なに？、どうしてカブりを振るんだ？、そりゃ、そりゃ、金はない、金は出来なかつたさ。（自嘲）ハハ、俺なんぞ、昨日から駆けずり廻っても十円が一円も出来やしなかつたからな驚ろいたよ。ハハハ。しかし、N、Yの方だつて昭和の方だつて 貸した金を返せとはいつているが、元々それが眼目じゃない。欲しいのはこれなんだから、そのために金の催促もする訳なんだから話の運び次才で、どうにでもなる！

順介　どうにもなりはせん。

乙骨　なぜ？

順介　かりに、そうするとする。臨工達の方はどうなるんだ？……まだ騒いでいる。いや、益々ひどくなって来ている。それが万一うまく行ったとしても、今度は寛の方の内金をどうする？

乙骨　……ウム。……ウム。

順介　君あ、借り物のケンビ鏡まで殺してしまった。亜子は弁護士へ行って来るといつて出たが、帰つて来ない。弁護士も弁護士だろうが 親戚中を又駆け廻っているんだ。順一郎は黙って出て行つたきり、もう五日も戻らぬ。順一はホントに俺を憎んでいるよ。こないだ喧嘩をした時、あれはホントに俺を殺す気でいたんだ。俺にゃ解っていた。それが当然だ。……俺あ、悪漢だ！ 俺あ、階下へは行かない。

乙骨　行かないといつたって、……そんな君！

順介　行かん。……ああ！ 俺が一つの道に踏み込むと、忽ちその道は針の山になるんだ。……俺が御馳走を食べようとすると、忽ちその御馳走は苦味くなる。俺という人間は何かしらん不都合な人間なんだ。生きてみると、その辺一帯の調子が狂ってしまう。俺あ近頃自分が怖くなって来た。

乙骨　今更になつて何を寝言をいつているんだ！ 順介！ 命の有る限り、やつて行つて見ようと誓い合つたのを、忘れたのか？ あれはホンの半月前だつたぞ！ こんな事位が何だ！ 俺あ、俺あ……とにかく未だ俺達の命は有る！ 生きている！ やるまでじゃないか！ な！ な、順介！ ミドリさんが俺達には附いているんだ！

順介　……（倒れるかかる様にして、乙骨を抱く）……ああ、ミドリ！ 俺達はまだ生きているよ、ミドリ！

乙骨　そうだ、生きているんだ！ ハハハ、（笑い声が少しヒステリックだ）まさか、どんな奴だつ

て、殺して取って喰おうとはいやあしない。もっとも、取って喰いたけりゃ、喰え、さ！ やるまでだ！。さあ行こう、順介。それに、奴等の事だ、此方から降りて行かないでいれば、その内此処へあがって来る。

順介　勇雄、彼奴等に此機械を見せたくない！ 彼奴等には、見せたくない。

乙骨　だから下へ行こうよ。

順介　じゃ、行くから、お前も一緒に来てくれ。

乙骨　勿論だ。

順介　そいから、お前の、ピストル貸してくれ。

乙骨　え？、どうするんだ？、

順介　ただ、何んだか持っていたいんだ。その方が気丈夫だ。どうしようってんじゃない。ただ持っていたい。

乙骨　……そうか。しかし、あれは、先だって以来、亜子がポケットに入れていて離さない。順坊が又あれを持つと危ないという……。

順介　じゃ、行こう。

（ドアへ向って行きかけて。互いに、乙骨は順介の肩を抱え、順介は乙骨の腕を掴んで。三四歩歩いて、乙骨が突然、足を床に蹴つまづいた様な具合で、ヨロヨロとして倒れかかる。――口では強い事をいっているが彼も順介同様、非常に弱っているのである）

順介　どうした、勇雄？、（支えてやる）

乙骨　なんでもない！ うん！ （二人出て行きかける）

（ドアから、寛がスッと入って来て、二人の前に立つ。チョットの間、二人を見ていた後で急に床の上に坐って頭を畳に付けんばかりに下げる）

乙骨　……（呆れて）……な、なん……？、

寛　（これまでは全然見られなかった、且、全然彼から予期する事の出来ない様な哀願である）……加賀先生！ クダクダしい事はもう何も申しません、この通りです。お願いします！。お願いです！ どうか、機械は私の工場の方へ入れさせて下さい。どういう事でも致しますから、どうか一つ……。

乙骨　……（驚ろいている）へッ！ き、き。

寛　ほかへ持って行かれると、私の方はつぶれます！ どうかそれを考えて下さい。工場はもともと先生が創立されたものでありませんか。それが、

根こそぎ、つぶれてしまいます。

乙骨　……そ、そ、……それは初めから此方から頼んでいるのを、君の方で。

寛　（押しかぶせて）いいえ、従業員もそれを心配してあんなに騒いでいるのです。もう私の手に負えません！　お願いします！

順介　……（これは驚ろくというよりも、余りに思いがけない態度に出られて、殆んど恐怖の顔色をみなぎらせている）……し、し、しかし……

寛　お願いします！　お願いします！　この通りです、先生！

乙骨　し、し、し、信用出来ない！（順介に耳打ちする）

順介　……（耳打ちを聞き終ってから）しかしなあ、寛君、たとえ君の工場に入れるにしても、職工を整理するんだと？

寛　いいえ、それは断じて、しません！　保護します！　お約束します！

乙骨　とにかく、下へ行こう。

順介　だが、N、Yとは契約済みになっている。昭和からも金が貸り入れてあるし。……もっと早く、そういって呉れると……。

寛　出来たら、今うちで使っている機械を原発明、今度の先生のを追加発明として出願して下さいませんか？　いえ、それは出来るんです！　私がチヤンと弁理士の方に聞いてきました。いかがでしょうか？　勿論そうなれば私との共同出願という事になりますけど。そうお願い出来たら一切合切のうるさい事は私の手で運びますとも。どうか、ひとつそんな事にお願い出来ますまいか？　いいえ、私を今度こそ信用して下さい！　ね、先生！　とにかく、とにかく、私の方にそんなつもりが有る事を忘れないで居て下さい。万事その積りでN、Yとも昭和とも話を運んで下さい、お願いします。

順介　それは、よい、しかし……。

乙骨　下へ行こう。

（乙骨は順介の腕を掴んで促し立ってドアの外へ。それを追って尚もペコペコしつつ寛も消える）

（永い間――風の音。屋根の辺でギーギーギッときしむ音。窓の上の辺がメリッと板が鳴る。窓硝子を上の上――屋根の上から――さかさまになってチラッと室内を覗き込んだ人間の顔の様なものが見えて、直ぐに引込む）

（階段に足音がし、疲れ果しションボリ亜子が帰って来る。右手に一升買いの米のフロシキ包みを下げ、黙って入って来て、包みを小机の上に置き、そこに坐って四辺を見廻しなどしている）

亜子　……順ちゃん。……お父さん……（返事がないので誰も居ないと知り、変に思って、隣室の機械の方をチョット振返って見てから、小机に両肱を突き、暫くボンヤリしているが、疲れているので、ウトウトしはじめ、やがてグッタリと突伏してしまう……）

（間――窓硝子から、再びチラッと覗く人の顔、今度は上からでなく、窓の横から。男の顔。直ぐ引込む）

（階段にトントン足音がする。順一郎が現われる。頭の繃帯はもうない。その辺を見廻し姉の方へ近寄る）

順一　……姉さ――（呼ぼうとして止す。姉がくたびれて眠っているのを知ったのである。小机の上の米包みを見る。隣室を見る。そして再び立ったまま姉の姿をジット見下している）……

亜子　……（うわごと）う、う、助けて、下さい！　あっ！　うーん！（夢中で起る。その自分の声で驚ろいて我に返る）え？　なあに？（四辺を見廻す）ああ順ちゃん。（自分を見下している弟を見上げて笑う）私、眠っていたのかしら？　いつ帰って？

順一　たった今だよ。

亜子　どこに行ってたの？　心配させるもんじゃなくってよ。プイと出たっきり、五日も六日も帰らない。どうしたのかと思った。父さんなど、順はもう戻っては来てくれまいかって日に三度も四度も聞いてよ。

順一　姉さんも今帰ったのか？　それで弁護士の方は？

亜子　駄目。今日で三度行ったんだけど。この前の料金払ってないから。事情には同情しますが、当方も営業ですから……フフ、無理ないわ。

順一　金は？、

亜子　出来るもんですか。（米包みを持ち上げて見せて）牛込で貸してくれたので、二いだけ買ったら、パアよ。電車賃も残らないから歩いて来た。ハハ、おおくたびれた。

順一　ふん。……（ふところから紙幣を一枚出して、小机の上に置く）これ、あげる。

亜子　へ？、……どうしたの、これ？、五円じゃないの？、どうしたの順ちゃんて、

順一　あの食堂へ行ったんだ。前借りして来た。

亜子　へえ？、じゃ、行って呉れたのね？、順ちゃん、ありがとう！　ありがとう！　いいえお金はどうでもいいの。あんたがそんな気になってくれたのが私、ありがたい。

順一　とにかく、一番つらい仕事させて見て下さいといった。そいで、五日間釜焚きをさして貰って見た。そしたら、やれるんだ。……僕にもやれるんだ。腰はメリメリ痛いけどね。やれる。……僕あ何だか不思議な気がしたよ。姉さん。……僕あまだ子供だなあ。

亜子　……そう！　そうよ、そうよ！

順一　いくら何でも釜焚きは、といってね、先方では皿洗いをさせよう……その方だと月給も十五円だという。しかし僕は、釜焚きをやらして下さいと頼んだら、先方じゃ喜こんで、では現在の釜焚きの人を皿洗いに廻すから、明日から直ぐ来てくれ、月給は十円。食うのは勿論先で持つ。

亜子　じゃ、住込みね？、

順一　向うじゃ、どっちでもいいというんだ。住み込みに決めて来た。……此処にゃ、どうせ僕は居れん。もう、ごめんだ。……父さんは勝手になんでもすればいい。

亜子　……ん、じゃ、行ってしまうのね？、順ちゃんが行ってしまう。……仕方がない！　そいで……明日っから？、

順一　今日、直ぐ行くんだよ。着物と、そいから、姉さんにさよならいおうと……。

亜子　うん、……（悲しみをはねのけて）そう、それがいい！　おひる未だね？、そう、じゃ御馳走してあげる。待ってて頂戴、腕にヨリを掛けて、……フフ、といっても、これと、さ、そいからタクアンと、ああ、まだシャケが有った！　待っててね、下でチョイと炊いて来るわ！

（立上る）

順一　僕が炊いて来るよ。姉さん疲れてる。

亜子　いいの、どうせお晝の仕度をするんですもの。そういえば、お父さんや乙骨の小文さん、何処へ行ったんだろう。もう戻って来てる筈だけど……。工場かな……？

順一　まあ、僕にやらせなさい。やりたいんだ。（米笊みを取ってドアの方へ）

亜子　じゃ、やって貰うわ。もし下に父さんや小文さん居たら、そういってね、御飯ですって。

順一　ああ……（歩み戻って来て、姉の顔を見る）……姉さん。……僕、もう一度、どうにか生きて行けそうな気がするよ。自分の弱さや、馬鹿さを隠す必要はないや。簡単明瞭にやればよい。僕あね、ちかごろ、お父さんの事をやっぱり、すぐれた人間だという気がしはじめて来たよ。それから、姉さんが、謙さんを好いてる気持が少しばかりわかって来た様に思う。早くいい子を産みな。姉さん。アハハハ、男の子がいいや。早く、見たい。

亜子　ありがとうよ、順ちゃん。

順一　もう一度、やって見る。……姉さんの顔を僕あ、ズッと見て来たんだ。……姉さんと、母さんだ。……手を出してごらん、姉さん、手を出してごらん。……この手だ、この手だよ。これは母さんの手だ。（亜子の両手を掴んで、その掌に自分の鼻を近寄せて匂いをかぐような事をする。自分の頬をそれで撫でて見る。果ては自分の頭を、姉の胸にこすりつける）

亜子　……（黙ってされるままになっているが、グーッとこみ上げて来るものあり）ウフン……。あ痛っ！

順一　何だよ、これ？

亜子　馬鹿ねえ、痛い！（ジャンパーの胸から先日のピストルを取出す）これよ。

順一　まだ持ってる。……（気を変えて）じゃ、直ぐ炊いて来るよ。（ドアの方へ）

亜子　……父さんや、小文さん、下に居たら、そういってよ。（階段を小走りに降りて行く弟をドアの所で見ている。……今度此処を振向いた時には、泣いて、笑っている。小机の側まで歩いてて立ったまま、しきりにクフン、クフンと鼻

を鳴らして自分を押えようとするが、どうしても制しされない)馬鹿っクフン……(手のピストルを見る。顔を上げ何となく少しぼんやりして前の方を見ている)……クフン。

(その間に、隣室の窓が、スーッと外から開いて、人が入れる位の大きさに開き、次に、外の縁につかまった男が、職工服を着た足の方から入るとす早く床の上に立った男の顔を見ると、謙五である。外からうかがっていて、順一郎が出て行ったのを、順一郎と亜子二人とも出て行ったものと思い込んでしまったらしく、且入って来て見廻しても、隣室の亜子の立っているのは見えない様な位置になっている。―黙って機械へ近かづき、少し布をめくってジッと見詰めながら、側に立てかけてある鉄のロッドを取上げ、振って見たりする)

(亜子、人の気配を感じ、ヒョイとその方を見る。魅入られた様に茫然と機械を見て立っている謙五の姿)

亜子 ……あっ！ ああ！ 謙五！ 謙さん！ (三四歩隣室へ)謙……いけないっ！

謙五 おお！ (二人そのままの姿勢で一瞬見詰め合う)……

亜子 父さんの！ 父さんの……！(と亜子が叫んだ瞬間に謙五のロッドが無意識に落ちて機械の端の所を叩く。その音と同時に、ダン、ダン、ダ！と爆音が響く)

謙五 あっ！ 危ない！ 亜子っ！ 亜子っ！ (いっている間も、亜子の手のピストルは発射される。ダ、ダ、ダ！と発射し尽し、フラフラになって、亜子倒れる)……亜子っ！ (走り寄る)

亜子 ……駄目っ！ 謙さん！ 父さんの機械、こわしては…………謙さん！

謙五 (左手を撃たれたらしいが、それを考える暇もなく)亜子！ どうかしたかっ？ 亜子！ (亜子を介抱し、抱き起そうとする)工場の者あ、みんな仕様がなくなったんだ！ 俺あ、俺あ、何も、そんな気はないけど、……みんなに、うらまれて どうにも……(いっている間に、音を聞きつけたものであろう、誰かが階段を駆け上って来る足音)来た、誰か！ 亜子さん、かんべんしてくれ！(というなり逃げにかかる)

（ドアから飛込んで来る順一郎。飯釜のフタを握ったままである。謙五、窓から外に出て、樋を伝って下へ消える）

順一　ああ！（室に走り込み、姉をチラッと見、バリバリと音のする窓の所へ行き、下を見る）おお、謙……。……（姉の所へ寄って来て）どうしたんだ、姉さん？……（殆んど人事不省に陥って、のめっている姉を見て立つ。――永い間。――姉の手にあるピストルを見、それから、投げ出されているロッドを見、それから窓を見る）

亜子　……（うわ言の様に）父さんの機械……謙さんが……

順一　……（突然事態がわかってチヨットの間、石の様になって立ちすくんだ後、急に持っていたフタを放り出し、懐中から手拭いを出して、床の上に点々としている血をすばやく拭きつつ窓近くまで行き、拭き終って、窓からもう一度下を覗いて見てから、姉の傍に戻って来て姉の右手指をこじ開けるようにしてピストルを取り、側のテーブルの上に置く。姉の身体を抱き上げて、隣室の畳敷の方へ連れて来て、座蒲団を枕にかって寝かせる。それらの全部が非常にすばやく、黙ったまま行われる）……姉さん。……（額にさわり、瞼を少し開いてやる。死んだ様になった姉を、黙って見詰めている）

（階段を急いで登ってくる足音。乙骨が真青に昂奮して入って来る。左手にギターを鷲掴みにしている）

乙骨　どうした、今の音は？　おお、二人とも帰っていたのか！　どうした亜子？　どうしたんだ、え、順坊？

順一　疲れて、気分が悪いというんだ。

乙骨　今の音は、何だ？

順一　何だ？

乙骨　えらい音がしたじゃないか。ピストルの音の様に聞えたもんだから、俺びっくりして。

順一　ううん、僕が、物を落とした。

乙骨　そんなんじゃない！　お前また、……。（と急いで隣室へ行きかけ、機械を見る。無事なのを認めて、キョロキョロするが、ロッドの放り出されているのを認めて）ああ、これを床へぶつけよったな、

順一　父さんは、小父さん？

乙骨　加賀の耳は、つんぼになっているから、聞こえはせんよ。

順一　陛下？、

乙骨　うん。地獄だ！、地獄で責められてる。鬼共にな。

順一　奴等が来てんのか？、

乙骨　N、Y、昭和、それに寛！　お孝までが近くをウロウロしているから、女鬼まで居る訳だ、役者は揃っていやがらあ！、加賀あ、もう訳がわからなくなっちまって、コメカミから油汗を流してるよ。畜生！

順一　ギターどうしたんだ、小文さん？、

乙骨　え？、ああ、なるほど。なあに　先刻、降りて行ったら、お孝の奴、これを持って玄関の所で立ってるから、どうしたといったと、いつまで経っても溜った間代を払ってくれないから、これを売るんだといやあがる。そいで、畝戻してこうして持ってるんだ。たまるかってんだ、俺の大事な大事な此奴をまき上げようたって、女鬼め！、（寝ている亜子が少し元気になって身じろぎをする）おお亜子、どうした？、亜子！、亜子！

順一　静かにさせといた方がいいよ。

乙骨　無理もないや、無理もない。気分も悪くなる。こないだからのゴタクサでは、大の男でさえ、クラクラしてしまうんだ。俺の頭もどうにかなっちまった。加賀は、もしかすると、今に気が狂うぜ。いいや、もう今頃は狂ってるかも知れん。ああ！、ああ！、ああ！

亜子　…小文さん、陛下へ…文さんの所へ早く行って頂戴。

乙骨　お前は口をきいてはいかん。

亜子　どんな目に会わされるか、知れない、お願いだから、小文さん！

乙骨　俺は、行きたくない。見ちゃ居れんのだ。また、行っても　どうしようもない。俺が居ると却って我々まずい事になるんだ。

順一　どうしようってえの　全体？、

乙骨　何が何だか、解るもんか、三人三様にガアガアいやがって、しまいにはドナリ立てはじめる！、权利がどうの、先取得权がこうの、契約がああので、奴等のいってる事な

んぞ、神様だけにしか、わかりはせん！、権利か？、ふん！　権利ならピンからキリまで加賀順介の物じゃないのか？、命を打込んでそれを創った人間の物じゃないのかね、法律というものは、人から、当然の所有権を剥ぎ取るための道具なのか？、馬鹿野郎、勝手にしやがれ！

順一　怒って見たって仕様がないよ。そいで結局三人の奴、どうしろっていうの？、

乙骨　結局もヘチマもあるもんか、そいつは始めからハッキリしてる。一番安い金で機械を自分が手に入れようというのだ。そいだけはハッキリしているよ。ハッキリしているのは、それだけだ。あとは、何が何やら解るもんか、一緒に喋り出すんだ。……悪い事には、加賀の奴、あっちからも此方からも少しずつ金を取っている。それで事柄がコングラがる。

亜子　……父さんが悪いんじゃない！　どうにも要るもんだから、仕方なく。……父さんの罪じゃない。

乙骨　……そら、そうだ。

（間）

（階段に急いであがって来る足音）

順一　誰？、

（返事なく、閉ったドアに外からドシンとぶつかった音がして、静かになる）

（三人顔を見合せている。起き上る亜子。しかし直ぐ眼まいを感じて、又横になる。―間）

（順一郎、ツト立って、ドアの方へ行き、ノッブを握って、チョット立っていてから、開ける。トタンに、外からよろめき込んで来る順介。それまでドアに額を付けて寄りかかっていたらしい。どんな目に会ったのか、更にゲッソリと青ざめ疲れ、フラフラになり、ひどい病人の様になっている……倒れそうに、はずみを喰ってヨロヨロと四五歩入って来て、自然に乙骨と娘を認めジッと立って二人を代る代る見る）

順介　（何かいいそうに口を動かしかけるが、声が出ない）

ウン……（ヨロヨロと歩いて隣室へ）

（順一郎が「父さん！」と呼びかけそうにする）

（それを押し止める乙骨）

（順介、板の間のテーブルの傍まで行き立止り、隅の機械をボンヤリ見詰めていた後、手さぐりで椅子の背を掴み、やがて掛ける。低く一声唸ってテーブルに突伏す）

（それを見守っている三人）

乙骨　……（順一郎に低く）ソッとして置くんだ。

（間）

亜子　……順ちゃん。……あたし、チヨット、謙さんとこい行って来る。

順一　どうして？……いいよ。いいよ。僕が、後で行ってあげる。話せはわかる。ほかの連中だって話せはわかる。ホントは機械を憎んでいるんじゃないんだ。大丈夫だ。何もありやしない。謙さんにも皆にも俺が後で行って話す。

乙骨　なんだ？

順一　ううん、何でもないんだ。

亜子　……後で行ってくれるといっても……あんた、食堂の方へ、もうソロソロ出かけないと。

順一　まだいい。

乙骨　どっか行くのか、順坊？

亜子　働き口が有ったの。

乙骨　そりゃいい。そう！そいつはすばらしい！

亜子　……（弟に）だってさ、早く行かないと……。それに、行ったきりになるんだから、仕度もしないと。

乙骨　行ったきり？行っちまうのか？

（三人の交す言葉は低い）

（こちらの室では、突伏していた顔をソロソロ持ち上げた順介が、ボンヤリした眼で正面を見守っている。次才に眼が光を増して来る。手は無意識に、先刻順一郎の置いたピストルをいじくっている——）

（間）

（階下にドヤドヤの三四人の足音が一階から昇って来た足音。鋭どく何かいい合いながら。女の声が混っているのはお寿である。順一郎、ドアをもう少し開ける。そのために下の声が不意にハッキリきこえる。男の声「どこに隠したんです！」他の男の声「出したまえっ！出せっ！」寛の声「まあ、まあ、あんた！こら！」

お孝の声「私の家ですよっ！　私のアパートの中で勝手の真似は――。」二階の廊下の角の方で押し合いはがら論争しているらしい）
順一　（ドアを閉める）……来やがった。
順介　……（不明瞭にブツブツいう）来やがった。
順一　……（亜子の方へ少し寄って）僕あ、姉さん、行くのよした。
亜子　どうして？、
順一　僕あ、此処に居なきゃならん。僕あ、みんなと一緒に居るよ。一緒に居て、僕あ見ていよう。見なきゃならん。見たって僕には何も出来はしないだろうけど、それでいい。見ていたい！　いいや、食堂の方は通いで勤めてもいいと向うでいうんだから。……僕あ、やっぱし、父さんの息子だ。
亜子　順ちゃん……。
（順介が、ピストルを右手で頬の所に構える。銃口は正面をねらっているのである）
順介　……来やがった。……貴様達が悪いか、それとも、俺が悪いか。どっちかだ。……貴様達が死ぬか、俺が死ぬか。どっちかだ。フン……。（左の目をつぶってねらう）
（階下の論争と入り乱れる足音はドアが閉められたために明瞭には聞きとれなくなったが、続く。ばかりでなく、次第に近づいて階段の真下のあたりにきこえて来る。――それに耳を澄して沈黙している右の室の三人）
（永い間）
順介　……（はじめて言葉らしい言葉をいう）夏雄！　夏雄！　夏雄！
乙骨　（そっちを見ないで）なんだ？、
順介　ギタを弾け。
乙骨　……なに？、
順介　ギタを弾け。
乙骨　……フッ！
順介　弾けといったら、弾かんか！
乙骨　（口の中で）勝手にしろい。……（ギターを弾く）
順介　歌え！　大きな声を出せ！
乙骨　（泣き声で）馬鹿野郎！

順介　「恋人たずねて」だ！
乙骨　畜生！　恋人ーたずねて、山を越える！（歌う。調子も何もなく、ただメチャメチャに高い、咽喉の張り裂ける様な甲高な声で）
順介　……山を越える（小さな声で歌いながら、ヨロヨロ立上り隅へ行き、機械をためつすがめつ見ている）
乙骨　（もう一度はじめから、やり直して）恋人、たずねて、山を越える。遠くの谷間にも一人、いるよ。
順介　……たずねて、山をこえ……も一人、いる。（取り出してあるロッドを掴み、持ち上げて振っている）……ミドリよ！（いったと思うと、やにわにロッドを振り上げて、機械の上に打ち下ろす。ガ、ガ、ガ、チャリン、チャリンとひどい音。続けざまに、殆んど自分の身体に残っている最後の力をふるって打ちおろす。鉄部と木部とが、こわれ飛び散り、ガシャ、メリメリッ、ガ、ガ、ガッと破壊される）
順一　あっ！（隣室へ飛んで行く）
乙骨　おおっ！（続いて走り込む）
亜子　あ！（起き上って行こうとするが、再び眼まいで、突伏してしまう）
順一　父さん！　何を、何をするんだっ！（父の腕を掴んでとめる）
乙骨　な、な、な、なっ、何をするんだっ！　順介！　順介！　な、何を……
順介　（意外に静かな声で）フン。まだ、こわせるだけの、力は有った。
乙骨　き、き、貴様あ、気が狂ったのかっ!?
順介　……うん、狂った。
（呆然として順介を見守る乙骨と順一郎）
順介　……これで、いいんだ。（不意にグタグタと前に倒れかかる。驚ろいて抱きとめる乙骨。順介の身体を支えつつ立ったまま、ヒーッと男泣きに泣き出す乙骨。号泣の果ては、破れかぶれの笑い声とも泣き声ともつかなくなる）
（間）
（その間に廊下の四人は、階段を昇って来て、ドアの直ぐ外で、互いに罵り合っている声がする。「優先権

の問題じゃない！」「家宅侵入だっ！」「債務の事を俺はいっているんだっ！」「何をしやがんだっ！」等。最後の声はお考の金切声である。ピシと音がして、誰かが誰かを殴ったらしい。「畜生！殴ったな！」と男の声、ドタバタという騒ぎである）

（順一郎がドアの方へ行く）

順介　……入って来い、入って来て見ろ。もうないんだ。ハハハハハ。ハハ。

順一　姉さん！いいよ、俺がやる！俺がやる！俺あ父さんの息子だ！

順介　（身体はグッタリと乙骨に抱かれたまま、乙骨の肩にもたせかけている首だけ上げて）人間の性質を根こそぎ、なおすか。それが出来なきや、人間を絶滅させるんだ。俺が今度はそんな機械を発明してやる。発明してやるから、待って居れ。

順一　姉さん、父さんの図面はチヤンとしまって有るね？、図面は有るね？（突伏したままコックリをしている亜子）じやいいや。俺が相手になる。姉さん、黙っているんだぜ！（ドアのノッブを掴む）

順介　ギロチンというものが有ったな、勇雄？、あれは、素晴らしい機械だぞ。あれを発明した奴の心持が、俺にはわかる、やっとわかった。ギロチンを持って来い。

亜子　……順ちやん、危ない！出て行っちや……。

順一　なあに、いいさ！手出しなんかするんじやないよ。（出て行くために、ドアの外では、取組合いになったらしい物音。「畜生っ！」「野郎！」「畜生！」「ヒイッ！」と叫び声）

順介　……貴様達、待ってろ。そいつを俺が発明してやる。しないで置くもんか。しないで置くもんか！ギロチンを！ギロチンだ！

（ドアの外の取組合いは益々ひどくなり、同時にかなり疲れて来たらしく、もう声は立てないで、ビシリ、ビシリ、バタッ、バタリ、バタリと音だけ。時々ドシンとドアにぶつかり板がメリメリメリメリと鳴る）

あとがき

「幽霊荘」

昭和10年、著者三十三才。

文学評論9月号に発表。12年1月発行の戯曲集「妻恋行」に収録

初演（11年1月）飛行館ホール

演出　伊藤基彦

出演者　小杉義男

河村弘二

清川玉枝

毛利菊江

「生きている狩野」

昭和15年、著者三十八才。

初演（15年3月）明治座

演出　村山知義

出演者　井上正夫

水谷八重子

山村聡

山口俊雄

昭和三十七年十二月十三日　印刷
昭和三十七年十二月十六日　発行

限定版
225部
その内の
第194番

◎三好家に無断で上演上映、放送、出版、複製をすることはかたく禁じます。

三好十郎著作集
第二十六巻
（非売品）

著作者　三好十郎
監修者　三好きく江
発行者　三好十郎著作刊行会
代表者　大武正人
東京都大田区北千束町七七四番地
電話　東京（七一七）二三八五番
振替　東京五一七五二
印刷者　株式会社　タイト印刷
東京都中央区八重洲四ノ五梅田ビル内

第二十六回配本

JN165607